Spahi

Navegando 2

Authors

James F. Funston

Alejandro Vargas Bonilla

Contributing Writers
Belia Jiménez Lorente
Karin Fajardo
Keith Mason

Consultants

Rolando Castellanos
St. Paul Academy
St. Paul, Minnesota

Anne Marie Quihuis
Paradise Valley High School
Phoenix, Arizona

Paul J. Hoff
University of Wisconsin—Eau Claire
Eau Claire, Wisconsin

Ana Selvás Watson
Henrico High School
Richmond, Virginia

Heidi Oshima
Parsippany High School
Parsippany, New Jersey

Nancy Wrobel
Champlin Park High School
Champlin, Minnesota

EMCParadigm Publishing, Saint Paul, Minnesota

CREDITS

Editorial Consultants
Judy Cohen
Lori Coleman
Sharon O'Donnell
David Thorstad

Readers
Pat Cotton
Mónica Domínguez
Barbara Forney
Daniela Guzmán
Barbara Peterson
Roy Sweezy
Beth Verdin

Proofreaders
Alfonso Doval
Nere Pagola
Gilberto Vázquez

Illustrators
Kristen M. Copham Kuelbs
Len Ebert
Susan Jaekel
Nedo Kojic
Renate Lohmann
Loretta Lustig
Jane McCreary
D.J. Simison

Photo Research
Jennifer Anderson
Jenny Kolzenberg

Design
Interior Design: Tina Widzbor,
Monotype Composition
Cover Design: Suzanne Montazer and
Ken Croghan, Monotype Composition

Cover Photo
Mónica Béjar Latonda

Production
Precision Graphics
Matthias Frasch, scan technician

We have attempted to locate owners of
copyright materials used in this book.
If an error or omission has occurred,
EMC/Paradigm Publishing will acknowledge
the contribution in subsequent printings.

ISBN 0-8219-2839-2

© 2005, 2008 EMC Publishing, LLC
875 Montreal Way
St. Paul, Minnesota 55102
800-328-1452
www.emcp.com
Email: educate@emcp.com

Printed in the United States of America
5 6 7 8 9 10 X X X 08 07

Amigos y amigas

Do you remember when you first decided to study Spanish? If you were fearful about how you would do, you were not alone. Traveling in uncharted waters can be frightening. However, having successfully completed *Navegando 1*, you have acquired a basic foundation for communicating in Spanish. Be proud of the skills you have developed in listening, speaking, reading and writing and the insight you have gained about how people live. You have also learned how to function in many circumstances people experience every day because *Navegando 1* provided you with opportunities for both step-by-step practice as well as open-ended creative self-expression in a variety of situations. During the coming year, you will have an opportunity to broaden your understanding of the Spanish-speaking world and your ability to communicate with others in *Navegando 2,* the second-level textbook.

Learning a language has always meant more than merely memorizing words and grammar rules and then putting them together, hoping to actually be able to communicate. Just as language is inseparable from culture, so is it inseparable from the authentic communication of thoughts and emotions. The culture of the Spanish-speaking world varies from one country to another. In *Navegando,* you will navigate your way, learning about others while at the same time learning how to share your ideas and feelings. These real-life learning experiences will introduce you to and expand your knowledge of language, geography, history and the arts. In *Navegando* you will learn not only fascinating information, but also problem-solving, survival and employment skills so that when you leave the classroom you can step right into the real world.

Are you ready to continue learning Spanish you can use in the real world? Experience the authentic: *Navegando.*

Contents

MAPAM
La lengua españ

OCÉANO GLAC

AN

OCÉANO

OCÉANO ATLÁNTICO

OCÉANO ATLÁNTICO

PACÍFICO

Groenlandia (Din.)

Alaska (EE.UU.)

CANADÁ

ESTADOS UNIDOS

Denver • Chicago • Nueva York

Los Ángeles • San Diego • San Antonio

Miami

MÉXICO

C. de México

BAHAMAS

Trópico de Cáncer

La Habana

CUBA

HAITÍ

REPÚBLICA DOMINICANA

Puerto Rico (EE. UU.)

BELIZE

Belmopán JAMAICA Santo Domingo

GUATEMALA HONDURAS

Guatemala Tegucigalpa

EL SALVADOR

San Salvador NICARAGUA

Managua

COSTA RICA PANAMÁ

San José Panamá

Caracas

VENEZUELA

TRINIDAD Y TOBAGO

Puerto España

GUYANA

SURINAM

Guayana Francesa (Fr.)

Bogotá, D.C.

COLOMBIA

Quito

Ecuador

ECUADOR

Is.Galápagos (Arch. de Colón) (Ec.)

Is. Hawai (EE. UU.)

PERÚ

Lima

BRASIL

La Paz

BOLIVIA

Sucre

PARAGUAY

Asunción

ARGENTINA

Santiago

URUGUAY

Montevideo

Buenos Aires

I. Malvinas

NORUEGA

ISLANDIA

SUECIA

FIN

REINO UNIDO

DINAMARCA

IRLANDA

POLONIA

ALEMANIA

FRANCIA

ANDORRA

Andorra la Vella

ESPAÑA

Madrid

PORTUGAL

ITALIA

MARRUECOS

TUNICIA MALTA

I. Canarias

ARGELIA

LIBIA

Sahara Occidental

MAURITANIA

MALI

NÍGER

CHA

CABO VERDE

SENEGAL

GAMBIA

BURKINA FASO

NIGERIA

GUINEA-BISSAU

GUINEA

SIERRA LEONA

COSTA DE MARFIL

GHANA TOGO BENIN

LIBERIA

CAMERÚN

GUINEA ECUAT.

SANTO TOMÉ Y PRÍNCIPE

GABÓN

REP. POP. CONGO

Malabo

REP. DEM

ANGOL

NAMIBIA

SUDAF

Oeste de Greenwich 0° Este de Greenwi

O GLACIAL ÁRTICO

Alaska
(EE.UU.)

RUSIA

FINLANDIA

26
27
28
BIELORRUSIA

UCRANIA

KAZAJSTÁN

MONGOLIA

UMANIA
29
BULGARIA
9

TURQUÍA

30
31   32
UZBEKISTÁN   33
TURKMENISTÁN   34

REP. POP. CHINA

COREA
DEL NORTE

COREA
DEL SUR

JAPÓN

OCÉANO

40°

RECIA
CHIPRE
ISRAEL   21
22

SIRIA

IRAK

IRÁN

AFGANISTÁN

PACÍFICO

KUWAIT

PAKISTÁN

NEPAL

BHUTAN

EGIPTO

ARABIA
SAUDITA

25
QATAR
EMIRATOS
ÁRABES UNIDOS

BANGLA-
DESH

INDIA

BIRMANIA

VIETNAM

LAOS

TAIWÁN

OMÁN

THAILANDIA

Manila

AD

ERITREA

YEMEN

CAMBOYA

FILIPINAS

REP. DE PALAOS

SUDÁN

36

REP.
ENTRO-
RICANA

ETIOPÍA

SOMALIA

SRI LANKA

BRUNEI

MALASIA

UGANDA

EPÚBLICA

MALDIVAS

SINGAPUR

IOCRÁTICA

37

KENYA

INDONESIA

PAPÚA
NUEVA GUINEA

L CONGO

38

SEYCHELLES

SALOMÓN

A

TANZANIA

OCÉANO

MALAWI

COMORES

ZAMBIA

ÍNDICO

MAURICIO

ZIMBABWE

OTSWANA

MADAGASCAR

AUSTRALIA

MOZAMBIQUE

Trópico de Capricornio

24

REP.
FRICANA

23

NUEVA

40°

ZELANDA

MUNDI

ola en el mundo

Línea internacional
de cambio de hora

CIAL ANTÁRTICO

		Madrid	Ciudad de más de 1 millón de hab.
Países donde el español es la lengua oficial o co-oficial		Panamá	Ciudad de 100.000 a 1 millón de hab.
		Malabo	Ciudad de menos de 100.000 hab.
Zonas donde el español es hablado por una parte de la población			Límite de Estado
		▪▫	Capital de Estado
		●	Otras ciudades

TÁRTIDA

ch   40°   80°   120°   160°   160°

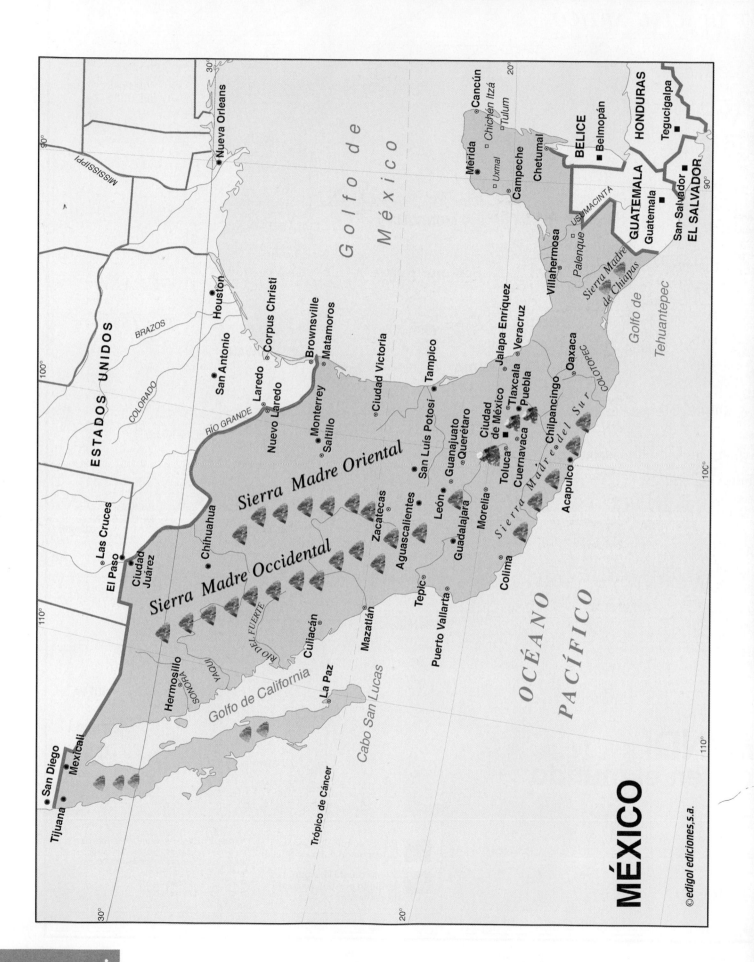

MÉXICO

© edigol ediciones, s.a.

xvi

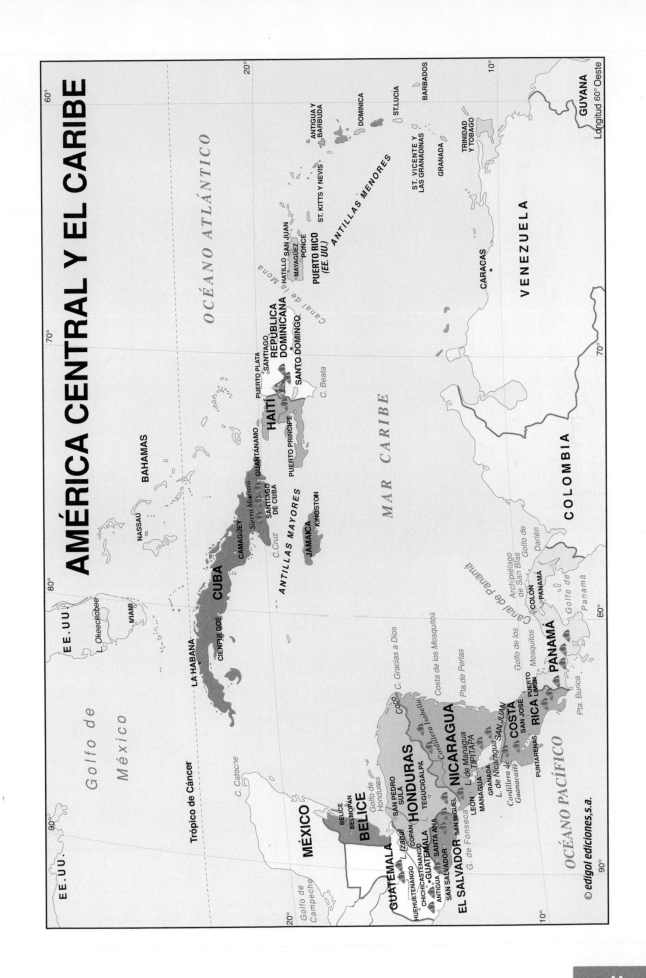

AMÉRICA CENTRAL Y EL CARIBE

EE.UU.

Golfo de México

70°

60°

OCÉANO ATLÁNTICO

Trópico de Cáncer

L. Okeechobee

MIAMI

BAHAMAS

NASSAU

Golfo de Campeche

C. Catoche

MÉXICO

Golfo de Honduras

BELICE

BELICE

BELMOPÁN

SAN PEDRO SULA

COPÁN

L. Izabal

HONDURAS

TEGUCIGALPA

GUATEMALA

HUEHUETENANGO

CHICHICASTENANGO

GUATEMALA

ANTIGUA

SANTA ANA

SAN SALVADOR

SAN MIGUEL

EL SALVADOR

G. de Fonseca

LEÓN

MANAGUA

GRANADA

NICARAGUA

L. de Managua

TIPITAPA

L. de Nicaragua

Cordillera de Guanacaste

Cordillera Isabella

SAN JUAN

COCO

C. Gracias a Dios

Costa de los Mosquitos

Golfo de los Mosquitos

Pta. de Perlas

PUNTARENAS

COSTA RICA

SAN JOSÉ

PUERTO LIMÓN

Pta. Burica

PANAMÁ

CANAL DE PANAMÁ

COLÓN

PANAMÁ

Golfo de Panamá

Archipiélago de San Blas

Golfo de Darién

COLOMBIA

OCÉANO PACÍFICO

LA HABANA

CIENFUEGOS

CUBA

CAMAGÜEY

Sierra Maestra

SANTIAGO DE CUBA

GUANTÁNAMO

C. Cruz

ANTILLAS MAYORES

JAMAICA

KINGSTON

MAR CARIBE

PUERTO PLATA

SANTIAGO

REPÚBLICA DOMINICANA

HAITÍ

PUERTO PRÍNCIPE

SANTO DOMINGO

C. Beata

Canal de la Mona

HATILLO

MAYAGÜEZ

PONCE

SAN JUAN

PUERTO RICO (EE. UU.)

ST. KITTS Y NEVIS

ANTIGUA Y BARBUDA

DOMINICA

ANTILLAS MENORES

ST.LUCÍA

ST. VICENTE Y LAS GRANADINAS

BARBADOS

GRANADA

TRINIDAD Y TOBAGO

CARACAS

VENEZUELA

GUYANA

80°

70°

10°

20°

© edigol ediciones, s.a.

Longitud 60° Oeste

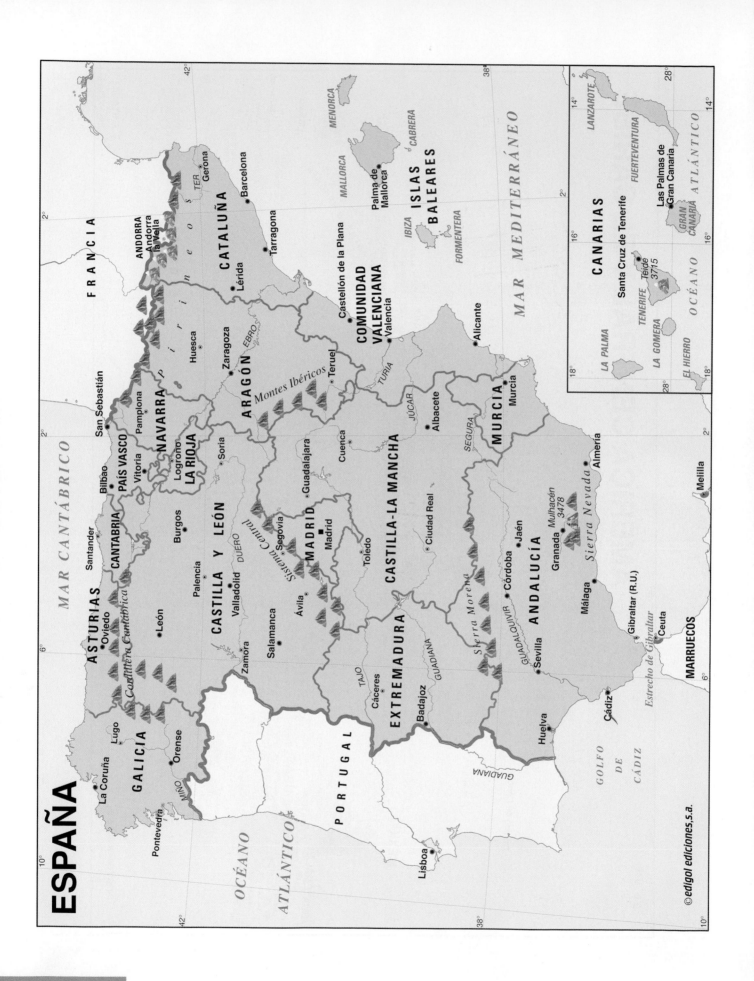

ESPAÑA

FRANCIA

GALICIA
La Coruña
Lugo
Orense
Pontevedra

MIÑO

ASTURIAS
Oviedo
Santander

MAR CANTÁBRICO

Cordillera Cantábrica

CANTABRIA
Bilbao
San Sebastián

PAÍS VASCO
Vitoria
Pamplona

NAVARRA
ANDORRA
Andorra la Vella

Pirineos

TER
Gerona
Barcelona

CATALUÑA
Lérida
Tarragona

Huesca
Zaragoza
ARAGÓN
EBRO

Montes Ibéricos
Teruel

Castellón de la Plana

COMUNIDAD VALENCIANA
Valencia
Alicante

LA RIOJA
Logroño
Soria

CASTILLA Y LEÓN
León
Burgos
Palencia
Valladolid
Zamora
Salamanca
Ávila
Segovia

DUERO

Sistema Central

MADRID
Madrid
Guadalajara

Cuenca

CASTILLA-LA MANCHA
Toledo
Ciudad Real
Albacete

TURIA
JÚCAR
SEGURA

MURCIA
Murcia

Almería

PORTUGAL

TAJO
Cáceres
EXTREMADURA
Badajoz
GUADIANA

GUADIANA

Sierra Morena

Córdoba
Jaén
Granada
Mulhacén 3478
Sierra Nevada
ANDALUCÍA
Sevilla
GUADALQUIVIR
Huelva
Málaga
Cádiz

GOLFO DE CÁDIZ

Estrecho de Gibraltar
Gibraltar (R.U.)
Ceuta

MARRUECOS

Lisboa

OCÉANO ATLÁNTICO

MENORCA

MALLORCA
Palma de Mallorca
d'CABRERA

IBIZA
FORMENTERA

ISLAS BALEARES

MAR MEDITERRÁNEO

CANARIAS

LANZAROTE
FUERTEVENTURA
Las Palmas de Gran Canaria
GRAN CANARIA

TENERIFE
Santa Cruz de Tenerife
Teide 3715

LA PALMA
LA GOMERA
EL HIERRO

OCÉANO ATLÁNTICO

© edigol ediciones, s.a.

xviii

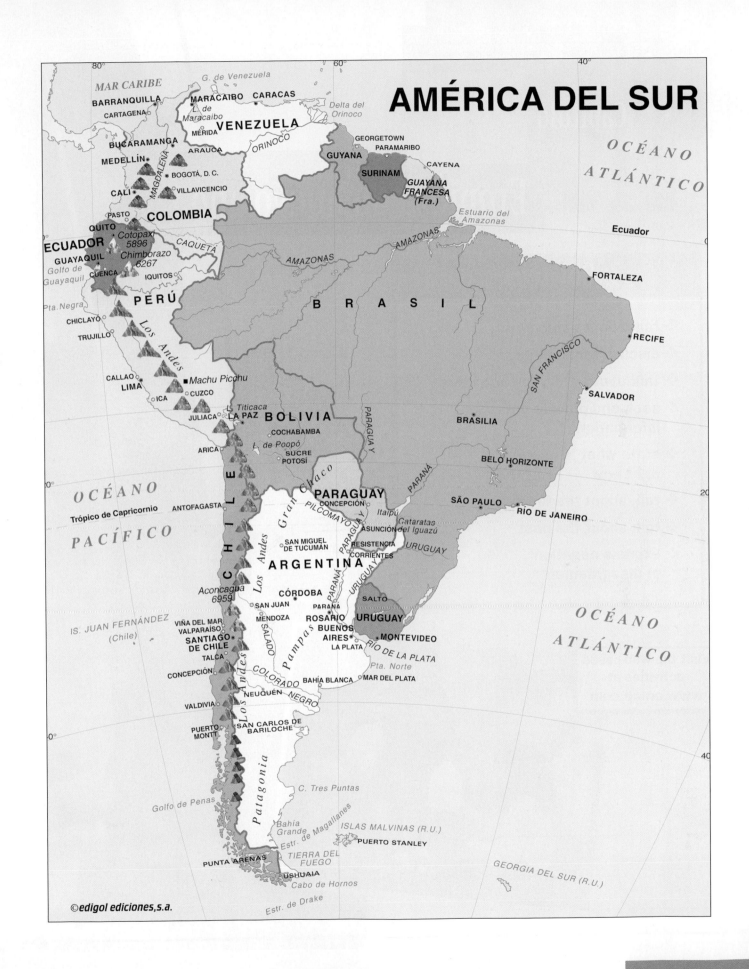

AMÉRICA DEL SUR

MAR CARIBE
BARRANQUILLA
CARTAGENA
MARACAIBO   CARACAS
L. de
Maracaibo
MÉRIDA
VENEZUELA
G. de Venezuela
Delta del
Orinoco
BUCARAMANGA
ARAUCA
ORINOCO
GEORGETOWN
PARAMARIBO
GUYANA
CAYENA
SURINAM
GUAYANA
FRANCESA
(Fra.)
MEDELLÍN
MAGDALENA
BOGOTÁ, D. C.
VILLAVICENCIO
CALI
PASTO
COLOMBIA
QUITO
ECUADOR   Cotopaxi
5896
Chimborazo
6267
GUAYAQUIL
Golfo de
Guayaquil   CUENCA
CAQUETÁ
IQUITOS
AMAZONAS
Estuario del
Amazonas
Ecuador
AMAZONAS
OCÉANO
ATLÁNTICO
FORTALEZA
PERÚ
Pta. Negra
CHICLAYO
TRUJILLO
Los Andes
B R A S I L
RECIFE
SAN FRANCISCO
CALLAO
LIMA
■ Machu Picchu
ICA   CUZCO
JULIACA
L. Titicaca
BOLIVIA
LA PAZ
COCHABAMBA
SALVADOR
BRASILIA
ARICA
L. de Poopó
SUCRE
POTOSÍ
PARAGUAY
BELO HORIZONTE
OCÉANO
Trópico de Capricornio   ANTOFAGASTA
Gran Chaco
PILCOMAYO
PARAGUAY
CHILE
PARAGUAY
CONCEPCIÓN
Itaipú   Cataratas
del Iguazú
ASUNCIÓN
PARANÁ
SÃO PAULO
RÍO DE JANEIRO
PACÍFICO
Los Andes
SAN MIGUEL
DE TUCUMÁN
Paraguay
RESISTENCIA
CORRIENTES
URUGUAY
ARGENTINA
Aconcagua
6959
CÓRDOBA
SAN JUAN
PARANÁ
Paraná
SALTO
URUGUAY
URUGUAY
IS. JUAN FERNÁNDEZ
(Chile)
VIÑA DEL MAR
VALPARAÍSO
SANTIAGO
DE CHILE
MENDOZA
SALADO
ROSARIO
BUENOS
AIRES
LA PLATA
MONTEVIDEO
RÍO DE LA PLATA
Pta. Norte
OCÉANO
ATLÁNTICO
TALCA
CONCEPCIÓN
Pampas
COLORADO
BAHÍA BLANCA
MAR DEL PLATA
VALDIVIA
NEUQUÉN
NEGRO
PUERTO
MONTT
SAN CARLOS DE
BARILOCHE
Los Andes
C. Tres Puntas
Golfo de Penas
Patagonia
Bahía
Grande
Estr. de Magallanes
ISLAS MALVINAS (R.U.)
PUERTO STANLEY
GEORGIA DEL SUR (R.U.)
PUNTA ARENAS
TIERRA DEL
FUEGO
USHUAIA
Cabo de Hornos
Estr. de Drake

Capítulo 1

Empieza un nuevo año

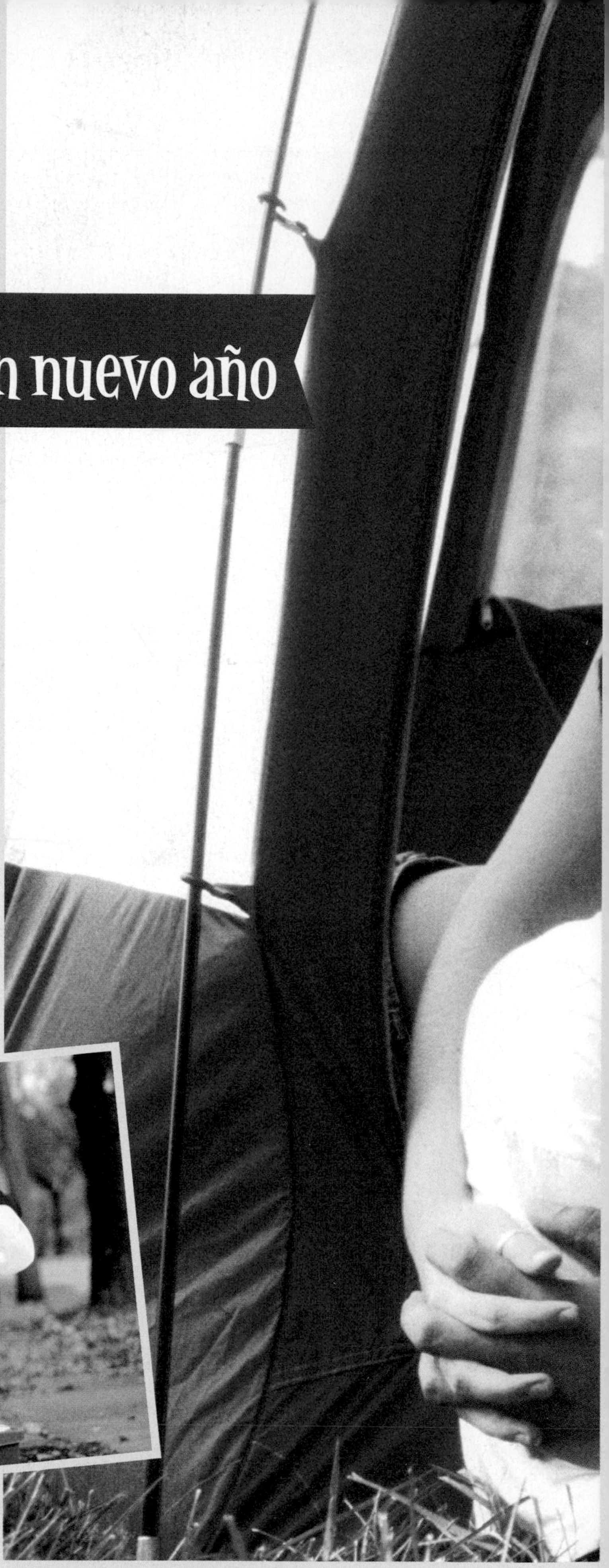

Objetivos

- ❖ talk about ecology
- ❖ discuss technology
- ❖ talk about everyday activities
- ❖ seek and provide personal information
- ❖ state what is happening right now
- ❖ talk about the future
- ❖ talk about the past
- ❖ express negation or disagreement

Visit the web-based activities at www.emcp.com

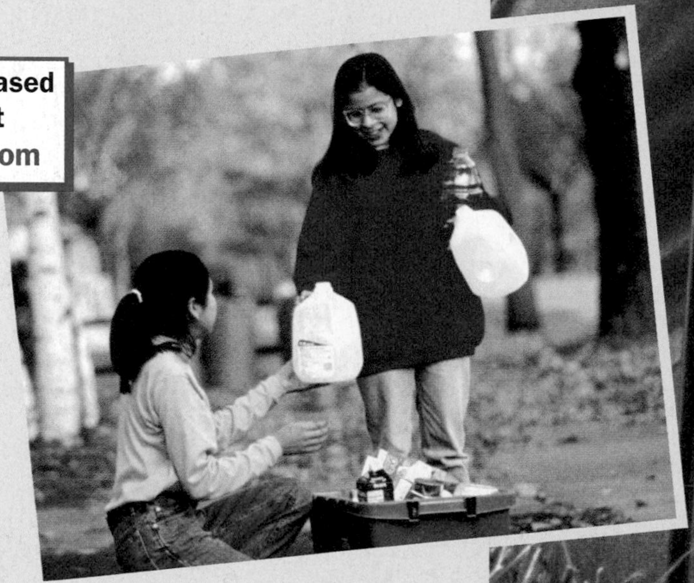

Vocabulario I
La tecnología

el mundo

el e-mail

E-Mail

Archivo   Ver   Mensajes   ?

A...
Cc...
Asunto: información para ecología

Hola a todos,

Estoy buscando información para mi tarea de ecología. Tengo un vínculo (www.ecomundial.gov) pero necesito conseguir otros para esta asignatura y no encuentro muchos más. Voy a seguir conectada a la Red por dos horas más.

Marta

el celular

el vínculo

ECOLOGÍA

el fax

Marta escribe un e-mail y navega en la internet. A Marta le gusta mucho la tecnología.

1 La tecnología

Di si lo que oyes es cierto o falso, según la información en el Vocabulario I. Si es falso, di lo que es cierto.

2 A completar

Completa las siguientes oraciones, usando una palabra apropiada de la caja.

inTerneT   e-mail   celular
vínculo   información

1. Encuentro mucha ___ en la Red.
2. Hoy recibí un ___ de una amiga que vive en Madrid.
3. El número de ___ de Rafael está siempre ocupado.
4. Necesito el ___ de la página de internet para las actividades de español.
5. Navego por la ___ todos los fines de semana.

3 ¿Qué hacen?

Di lo que las siguientes personas hacen, usando el presente de los verbos indicados y las pistas que se dan.

MODELO Agusto / comprar
Agusto compra una computadora nueva.

1. Rosario / buscar

2. Ernesto y Soledad / viajar

3. Javier / escribir

4. Gerardo y Marta / comprar

5. nosotros / leer

6. tú y yo / navegar

Diálogo I

¡Ay, qué aburridos!

ALBA: Pedro, ¿vas a terminar ya con la internet para poder ir al cine?

CARLOS: Sí, chico. La película empieza pronto.

PEDRO: Bueno, sólo estoy enviando un e-mail y vamos.

CARLOS: ¡Siempre estás conectado a esa computadora!

PEDRO: ¡Tú siempre estás hablando por ese celular!

ALBA: ¡Ay, qué aburridos! Uds. siempre están conectados a algo.

CARLOS: Es verdad, Alba.

PEDRO: Sí, siempre estamos ocupados con la tecnología y no hacemos nada más.

ALBA: Entonces, ¡vamos!

4 ¿Qué recuerdas?

1. ¿Qué le pregunta Alba a Pedro?
2. ¿Qué hace Pedro?
3. ¿Quién está siempre conectado a una computadora?
4. ¿Quién está siempre hablando por el celular?
5. ¿Con qué están siempre ocupados?

5 Algo personal

1. ¿Tienes computadora en casa? ¿Para qué la usas?
2. ¿Usas la internet? ¿Cuál es tu vínculo favorito?
3. ¿Usas la internet para conseguir información? ¿Qué información buscas?
4. ¿Usas e-mail? ¿A quién envías correos electrónicos?
5. ¿Piensas que la tecnología es buena o mala?

6 ¿Qué hacen?

 Selecciona la foto que corresponde con lo que oyes.

A   **B**   **C**   **D**

El mundo es un pañuelo

La expresión *El mundo es un pañuelo* nos habla de la realidad de nuestra vida de hoy. Gracias a la tecnología moderna, el mundo cada vez parece más pequeño. La tecnología de hoy nos permite estar conectados muy fácilmente con todo el mundo sin importar[1] en qué parte del planeta estamos. El acceso a todo tipo de información de cualquier país del mundo es casi inmediato. Por ejemplo, hoy un chico de Estados Unidos puede leer un periódico de cualquier país de habla hispana con sólo estar conectado a la Red, aún[2] mejor, puede escuchar en directo la radio de estos países y

Navego en la Red.

Estamos conectados.

Nuestro mundo.

saber lo que pasa inmediatamente. Chicos de todos los países del mundo pueden hablar y ver en directo a chicos de otros países usando la internet. También pueden enviar fotos, videos, música y mucha más información con una velocidad[3] increíble. Es obvio que, con la tecnología, hoy todos estamos más conectados. ¡Qué tecnología tan fantástica tenemos!

[1]no matter   [2]even   [3]speed

7 El mundo de hoy

Responde sí o no a las preguntas de la encuesta *(survey)*.

8 Hablando de la encuesta

Trabajando con tres compañeros/as, hablen de sus encuestas. Escriban un resumen *(summary)* de los resultados. Luego, presenten la información a la clase.

Encuesta		
El mundo de hoy		
1. ¿Es la tecnología importante en tu vida?	sí	no
2. ¿Cuál de los siguientes aparatos tienes en tu casa?		
A. computadora	sí	no
B. cámara para la computadora	sí	no
C. fax	sí	no
D. teléfono celular	sí	no
3. ¿Está la computadora de tu casa conectada a la Red?	sí	no
4. ¿Escuchas la radio de otros países en la internet?	sí	no
5. ¿Lees periódicos de otros países en la internet?	sí	no
6. ¿Envías fotos a tus amigos por e-mail?	sí	no
7. ¿Tienes una página personal en la internet?	sí	no
8. ¿Usas la internet para hacer compras?	sí	no
9. ¿Es tu vida mejor porque usas la tecnología?	sí	no

Idioma

Repaso rápido: present tense of *-ar, -er* and *-ir* verbs

Do you remember the endings for regular verbs in the present tense?

Verbos regulares

hablar: hablo, hablas, habla, hablamos, habláis, hablan
comer: como, comes, come, comemos, coméis, comen
vivir: vivo, vives, vive, vivimos, vivís, viven

9 Todos hacen algo

Completa las siguientes oraciones con la forma apropiada de los verbos entre paréntesis.

MODELO   Javier <u>habla</u> con Gloria por el celular. (hablar)

Javier habla con Gloria.

1. Uds. __ un reporte para su asignatura de ecología. (escribir)
2. Mis amigos __ a unos amigos de España por la internet. (ver)
3. Yo __ un e-mail a mis amigos de Colombia. (escribir)
4. Julia y Andrés __ en la internet para buscar información. (navegar)
5. Algunos estudiantes __ a navegar por la Red. (aprender)
6. La profesora __ vínculos para su clase de ecología. (buscar)
7. Javier y Jairo __ el periódico en la internet. (leer)
8. Tú y yo __ e-mails de nuestros amigos de todo el mundo. (recibir)
9. Graciela __ a su hermana a enviar un fax a su colegio con la tarea. (ayudar)

Repaso rápido: present tense of verbs with irregularities

How many of these verb irregularities in the present tense do you recall?

Verbos irregulares

estar: estoy, estás, está, estamos, estáis, están
decir: digo, dices, dice, decimos, decís, dicen
hacer: hago, haces, hace, hacemos, hacéis, hacen
ir: voy, vas, va, vamos, vais, van
ser: soy, eres, es, somos, sois, son
tener: tengo, tienes, tiene, tenemos, tenéis, tienen
venir: vengo, vienes, viene, venimos, venís, vienen

Verbos con cambios en la raíz

cerrar: cierro, cierras, cierra, cerramos, cerráis, cierran

(Verbos similares: empezar, encender, nevar, pensar, preferir, querer, sentir)

pedir: pido, pides, pide, pedimos, pedís, piden

(Verbos similares: seguir, conseguir, repetir)

poder: puedo, puedes, puede, podemos, podéis, pueden

(Verbos similares: colgar, contar, costar, dormir, encontrar, llover, volver)

jugar: juego, juegas, juega, jugamos, jugáis, juegan

Tres verbos con acento

esquiar: esquío, esquías, esquía, esquiamos, esquiáis, esquían

enviar: envío, envías, envía, enviamos, enviáis, envían

continuar: continúo, continúas, continúa, continuamos, continuáis, continúan

10 Correo electrónico

Completa el diálogo entre Julia y Luisa con la forma apropiada del presente de los verbos indicados.

Julia: ¿*(1. Tener)* correo electrónico?
Luisa: Sí. Yo *(2. tener)* e-mail.
Julia: ¿Cuál *(3. ser)* la dirección de tu correo electrónico?
Luisa: Mi dirección *(4. ser)* luisa, arroba, comcas, punto, com.
Julia: ¿*(5. Navegar)* en la internet?
Luisa: Sí, mi hermana y yo *(6. navegar)* mucho en la internet.
Julia: ¿*(7. Encontrar)* Uds. mucha información usando la internet?
Luisa: Sí, yo *(8. encontrar)* mucha pero mi hermana no.
Julia: ¿*(9. Hacer)* amigos en los cuartos de charla?
Luisa: No, no *(10. hacer)* amigos en los cuartos de charla.

¡Extra!

Los apéndices

The Appendices at the end of *Navegando 2* provide a comprehensive verb reference. Use the section anytime you would like to review the formation of a regular or irregular verb.

Julia y Luisa.

11 Navegando

Las siguientes personas están navegando por la internet. Haz oraciones completas para decir si consiguen el vínculo que están buscando, usando las pistas que se dan.

Elena consigue el vínculo.

MODELOS Elena (sí)
Consigue el vínculo que está buscando.

Pedro (no)
No consigue el vínculo que está buscando.

1. la profesora (sí)
2. Natalia (no)
3. Norberto y Mónica (no)
4. nosotros (no)
5. tú (sí)
6. yo (sí)

12 A completar

Completa las siguientes oraciones con la forma apropiada de los verbos entre paréntesis.

1. Marta y Pedro *(estar)* muy cansados hoy.
2. Jorge *(hablar)* con Rosa por su celular.
3. Hoy yo *(comer)* tarde porque estoy ocupada con mi tarea.
4. Nosotros *(jugar)* a muchos juegos por la internet.
5. Tú *(poder)* encontrar toda la información para la tarea en la Red.
6. Uds. *(pedir)* información sobre ecología.
7. Alberto *(cerrar)* unas páginas Web que están abiertas en su computadora.
8. Julia *(seguir)* conectada a la Red.

13 El correo electrónico

Pide la dirección de correo electrónico a tres compañeros/as de clase. Luego, escríbeles un mensaje con cinco cosas que vas a hacer el próximo fin de semana.

MODELO

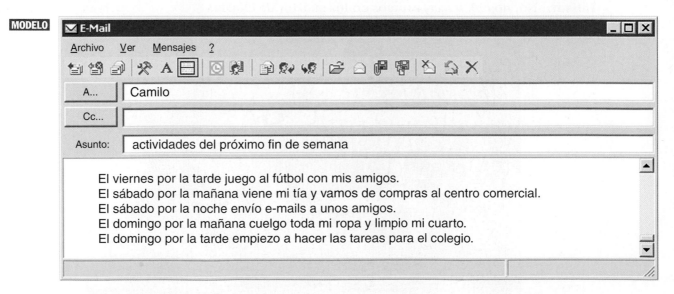

E-Mail

Archivo   Ver   Mensajes   ?

A...   Camilo

Cc...

Asunto: actividades del próximo fin de semana

El viernes por la tarde juego al fútbol con mis amigos.
El sábado por la mañana viene mi tía y vamos de compras al centro comercial.
El sábado por la noche envío e-mails a unos amigos.
El domingo por la mañana cuelgo toda mi ropa y limpio mi cuarto.
El domingo por la tarde empiezo a hacer las tareas para el colegio.

Repaso rápido: the present progressive

Use the present progressive tense to say what is happening right now. It is formed by combining the present tense of *estar* and the present participle *(gerundio)* of a verb.

> **estar + gerundio**

The present participle of most Spanish verbs is formed by replacing the infinitive ending *-ar* with *-ando* and by replacing the infinitive endings *-er* and *-ir* with *-iendo*.

-ar	**-er**	**ir**
estudiar → estudiando	comer → comiendo	vivir → viviendo

Some stem-changing verbs require a different change in the present participle. This change is indicated by the second letter or set of letters shown in parentheses after infinitives in *Navegando 1*.

verbo	*presente*	*gerundio*
dormir (ue, u)	*duermo*	*durmiendo*
sentir (ie, i)	*siento*	*sintiendo*

but:

pensar (ie)	*pienso*	*pensando*
volver (ue)	*vuelvo*	*volviendo*

There are some irregular present participles:

decir	→	*diciendo*	*poder*	→	*pudiendo*
leer	→	*leyendo*	*traer*	→	*trayendo*
oír	→	*oyendo*	*venir*	→	*viniendo*

In addition, combine *seguir* with a present participle to say that someone keeps on doing something.

*Marta **sigue navegando** en la Red.*   Marta keeps surfing the Web.

Ella está estudiando física.

14 ¿Qué les gusta hacer?

¿Qué están haciendo las personas en las ilustraciones?

`MODELO` Marcela
Está navegando en la internet.

1. Jorge

2. nosotros

3. Alberto

4. Nubia

5. Rosa

6. Mario y Hugo

15 Por el celular

Working in pairs, create a conversation in which you are talking on a cell phone. Ask what your partner is doing. The person must answer, making up an appropriate activity he/she is doing and what he/she is going to do afterwards. Next, even though your partner already has plans, invite him/her to do something. The person should refuse the invitation and must suggest another time when he/she can go with you to do the activity.

`MODELO` A: ¿Qué estás haciendo?
B: Estoy mirando la televisión y, luego, voy a comer.
A: ¿Puedes ir al cine a las ocho?
B: No, no puedo ir hoy, pero sí puedo ir mañana.

10 *diez*

Lección A

Repaso rápido: *ir a*

Remember to use the present tense of *ir* followed by *a* and an infinitive to talk about what is or is not going to happen in the near future.

$$ir + a + infinitivo$$

¿Qué vas a hacer?　　　　　　What **are** you **going to do**?

Voy a enviar un fax.　　　　　　I **am going to send** a fax.

16　La semana de Carlos

Di qué va a estar haciendo Carlos la semana que viene, según el siguiente horario.

MODELO　El lunes que viene va a navegar por la internet.

Soy Carlos.

FEBRERO

Lunes navegar por la internet

Martes escribir e-mails a mis amigos

Miércoles leer un libro sobre ecología

Jueves jugar videojuegos en la computadora

Viernes buscar información en la Red

Sábado ir al cine con Pedro

Domingo llamar a mi amiga Alba al celular

17　Tu semana

Prepara tu horario para la semana que viene, usando el horario de Carlos como modelo (puedes inventar cualquier información). Luego, trabajando en parejas, alterna con tu compañero/a de clase en preguntar y contestar qué van a hacer, según sus horarios.

MODELO　A:　¿Qué vas a hacer el lunes que viene?

　　　　　B:　Voy a hablar con mis amigos de todo el mundo.

Vocabulario II
La internet

el cuarto de charla

el motor de búsqueda

el programa

Los chicos tienen una comunicación por internet.

18 ¿Cierto o falso?

Escucha las siguientes oraciones relacionadas con la tecnología. Di si lo que oyes es cierto o falso.

19 ¡A escribir!

Escribe un párrafo en español para decir cómo usaste la computadora el mes pasado. Usa las siguientes preguntas como guía.

¿Qué programa usaste?

- ¿Qué programas usaste?
- ¿Estuviste en algún cuarto de charla? ¿En cuál(es)?
- ¿Qué motores de búsqueda usaste?
- ¿Usaste la computadora para divertirte, para hacer tus tareas o para ambas cosas?
- ¿Qué es lo que más te gusta de las computadoras? ¿Y lo que menos te gusta?
- ¿Bajaste algún programa?

20 En un cuarto de charla

Completa la siguiente conversación, usando las palabras de la lista. Cada palabra se usa una vez.

bajé	ambiental	vínculo	ecología
charla	contaminación	motor	navegando

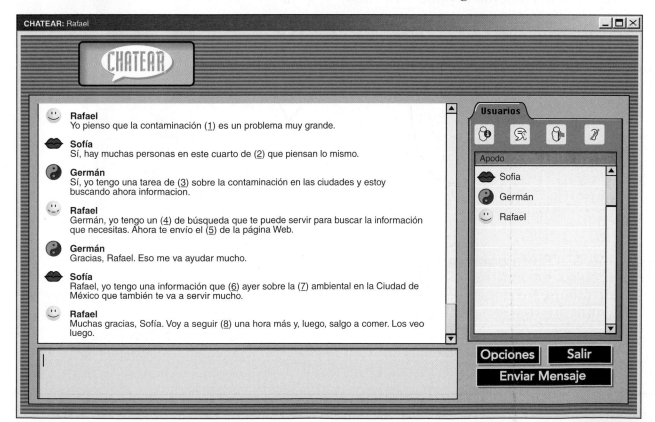

CHATEAR: Rafael

CHATEAR

Rafael
Yo pienso que la contaminación (1) es un problema muy grande.

Sofía
Sí, hay muchas personas en este cuarto de (2) que piensan lo mismo.

Germán
Sí, yo tengo una tarea de (3) sobre la contaminación en las ciudades y estoy buscando ahora información.

Rafael
Germán, yo tengo un (4) de búsqueda que te puede servir para buscar la información que necesitas. Ahora te envío el (5) de la página Web.

Germán
Gracias, Rafael. Eso me va ayudar mucho.

Sofía
Rafael, yo tengo una información que (6) ayer sobre la (7) ambiental en la Ciudad de México que también te va a servir mucho.

Rafael
Muchas gracias, Sofía. Voy a seguir (8) una hora más y, luego, salgo a comer. Los veo luego.

Usuarios

Apodo

Sofía
Germán
Rafael

Opciones   Salir

Enviar Mensaje

Diálogo II

¡Tanta contaminación ambiental!

ALBA: ¡Qué buena la película!
CARLOS: Sí, muy buena, pero también muy triste.
PEDRO: ¡Tanta contaminación ambiental!

ALBA: Me recuerda que debo hacer la tarea.
CARLOS: ¿La tarea para la clase de ecología?
ALBA: Sí, pero no sé cómo puedo conseguir más información.

PEDRO: Yo usé un motor de búsqueda nuevo y conseguí mucha información.
ALBA: ¿Qué motor de búsqueda usaste?
PEDRO: Es nuevo, pero te digo sólo si me compras un helado.
CARLOS: ¡Qué malo eres!

21 ¿Qué recuerdas?

1. ¿Les gustó la película a los chicos?
2. ¿Cómo fue la película?
3. ¿Sobre qué fue la película?
4. ¿Qué le recuerda la película a Alba?
5. ¿Qué usó Pedro para conseguir mucha información?

22 Algo personal

1. ¿Te gusta la ecología? ¿Por qué?
2. ¿Hay contaminación donde vives?
3. ¿Eres bueno/a para navegar en la internet? ¿Puedes encontrar toda la información que buscas?
4. ¿Qué motores de búsqueda usas?

23 ¡Tanta contaminación ambiental!

Di si lo que oyes es cierto o falso, según el Diálogo II. Si es falso, di lo que es cierto.

¿Hay contaminación?

Un problema de todos

Uno de los problemas más importantes que afectan hoy a todo el mundo es la contaminación ambiental. El humo[1] de las industrias y de los carros, la destrucción de los bosques, la disminución de la capa de ozono[2] y el abuso de los recursos naturales son factores que ayudan a que día a día tengamos más problemas ecológicos. La situación es muy difícil, y mientras que algunos grupos ecologistas tratan de hacer algo por el planeta, muchos de nosotros no hacemos nada.

Debemos usar más bicicletas.

Todos debemos ayudar.

Todos debemos ayudar con el problema de la contaminación ambiental. ¿Y qué debemos hacer? Para empezar, no debemos tirar[3] basura en la calle, ni en los parques, ni en los ríos. Debemos cuidar las plantas, los árboles y los animales. Debemos usar más la bicicleta que el carro. Luego, podemos crear cuartos de charla y páginas Web para hablar sobre el problema. Todos debemos trabajar juntos para el bien de nuestro planeta y la vida de los que vivimos en él.

[1] smoke   [2] depletion of the ozone layer   [3] throw

---

24   Conexión con otras disciplinas: ecología

Estudia la contaminación ambiental en algunas ciudades de los Estados Unidos o de los países de habla hispana. Luego, di qué piensas tú que podemos hacer para ayudar con este problema. Busca información en la biblioteca o en la internet si es necesario.

¡Oportunidades!

Aprender ofreciendo servicio a otros (Service learning)
Most people recognize the importance of classroom learning. However, it is equally important to make real-life connections by using your knowledge in the community as actively involved citizens. One way you can do this is to exercise your right to vote. Another way to demonstrate good citizenship on a local, national or international level is by volunteering to serve others. For example, would you like to do something about the problem of environmental pollution? Instead of talking about the problem, make some calls around your community, or try searching the World Wide Web to find a group with similar interests.

Idioma

Repaso rápido: preterite tense of *-ar* verbs

Use the preterite tense when you are talking about actions or events that were completed in the past. Form the preterite tense of a regular *-ar* verb by removing the last two letters from the infinitive and attaching the endings shown.

lavar					
yo	lav**é**	I washed	nosotros nosotras	lav**amos**	we washed
tú	lav**aste**	you washed	vosotros vosotras	lav**asteis**	you washed
Ud. él ella	lav**ó**	you washed he washed she washed	Uds. ellos ellas	lav**aron**	you washed they washed they washed

Note: Regular verbs that end in *-car (buscar, explicar, sacar, tocar)*, *-gar (apagar, colgar, jugar, llegar)* and *-zar (empezar)* require a spelling change in the *yo* form of the preterite in order to maintain the original sound of the infinitive.

infinitivo				pretérito
bus**car**	c	→	qu	yo bus**qué**
nave**gar**	g	→	gu	yo nave**gué**
empe**zar**	z	→	c	yo emp**ecé**

25 ¿Qué pasó ayer?

Completa las siguientes oraciones con la forma correcta del pretérito de los verbos entre paréntesis para decir lo que pasó ayer en tu casa.

1. Mis amigos *(llegar)* temprano.
2. Yo *(navegar)* en la internet por la noche.
3. Daniel *(buscar)* información en la Web.
4. Ángela me *(ayudar)* mucho a buscar información.
5. Ella *(pasar)* a recoger mi tarea.
6. Uds. *(trabajar)* todo el día en la tarea de ecología.
7. Todos *(hablar)* mucho sobre el problema de la contaminación.
8. Yo *(buscar)* más información con un motor de búsqueda nuevo.
9. Yo *(empezar)* a tener sueño a las diez.

Talking about the past: preterite tense of *-er* and *-ir* verbs

Form the preterite tense of regular *-er* and *-ir* verbs by removing the last two letters from the infinitive and adding the same set of endings for either type of verb.

aprender	
aprend**í**	aprend**imos**
aprend**iste**	aprend**isteis**
aprend**ió**	aprend**ieron**

escribir	
escrib**í**	escrib**imos**
escrib**iste**	escrib**isteis**
escrib**ió**	escrib**ieron**

Aprendí sobre la contaminación ambiental.   I **learned** about environmental pollution.
¿Le escribió Juan un e-mail a su amiga?   **Did** Juan **write** an e-mail to his friend?

Note: Stem changes that occur in the present tense for *-ar* and *-er* verbs do not occur in the preterite tense. However, *-ir* verbs that have a stem change in the present tense require a different stem change in the preterite tense for *Ud., él, ella, Uds., ellos* and *ellas.* This second change is shown in parentheses after infinitives in this book. Some verbs that follow this pattern include *dormir (ue, **u**), mentir (ie, **i**), pedir (i, **i**), preferir (ie, **i**), repetir (i, **i**)* and *sentir (ie, **i**).* The stem changes do not interfere with the verb endings.

dormir	
dormí	dormimos
dormiste	dormisteis
d**u**rmió	d**u**rmieron

pedir	
pedí	pedimos
pediste	pedisteis
p**i**dió	p**i**dieron

preferir	
preferí	preferimos
preferiste	preferisteis
pref**i**rió	pref**i**rieron

Práctica

26 ¿Qué hiciste?

Use the verbs shown to state ten things you or someone else did or did not do yesterday.

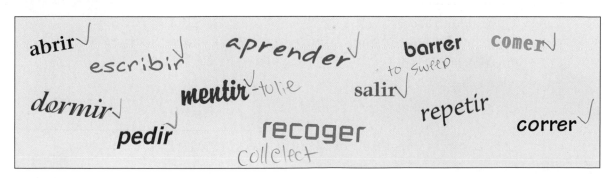

abrir escribir aprender barrer comer
dormir mentir –to lie salir to sweep repetir correr
pedir recoger collect

MODELO correr
Yo corrí ocho kilómetros.

27 En la internet

Working in pairs, pretend you and two friends are talking on line about things you have done. What might the conversation sound like, based upon the provided cues?

MODELO recoger el nuevo celular

    A: ¿Recogiste tu nuevo celular?

    B: Sí, (No, no) lo recogí.

1. escribir el número de fax
2. aprender a navegar en la internet
3. conseguir vínculos buenos
4. escoger páginas Web para buscar información
5. seguir buscando vínculos en la Red

¿Recogiste tu nuevo celular?

28 ¿Qué hicieron ayer?

Usa elementos de cada columna para hacer siete oraciones completas y decir lo que hiciste ayer.

MODELO Yo pedí tres programas para mi computadora.

tú y yo	pedir	información para la clase de ciencias
Uds.	estar	vínculos interesantes en la Red
la profesora	dormir	libros sobre la contaminación ambiental
Ud.	hablar	tres programas para mi computadora
la chica	conseguir	la tarea de español
los chicos	recoger	con mis amigos en la internet
tú	repetir	casi ocho horas
yo	buscar	correos electrónicos de todo el mundo

29 En la Red

En parejas, hablen Uds. de lo que pasó cuando navegaban en la Red buscando información para una de sus asignaturas del colegio.

MODELO encontrar/vínculos

    A: ¿Qué encontraste?

    B: Yo encontré más de cien vínculos en español.

¿Qué encontraste?

◈ Comunicación

30 La semana pasada

Make a list of some things you did in the past week. Then, in small groups, talk about the activities on everyone's list. One person starts by mentioning something he or she did. Then others in the group ask questions such as when and with whom you did each activity. You may wish to include some of the following activities: *escribir un correo electrónico, dormir tarde, comer en un restaurante, salir con amigos,* etc.

Escribí un correo electrónico.

`MODELO` **A:** Escribí un correo electrónico.
            B: ¿A quién se lo escribiste?
            A: Se lo escribí a un amigo en Panamá.
            C: ¿Cuándo escribiste el correo?
            A: Lo escribí anteayer.

31 Competencia loca

Trabajando en grupos de cuatro estudiantes, inventen tres cosas locas y divertidas que hicieron ayer y escríbanlas en un papel. Luego, compártanlas con los miembros del grupo. Finalmente, decidan quién contó las historias más creativas y chistosas. La persona con las historias más locas debe presentarlas al resto de la clase.

Lectura cultural

Los guardianes del futuro

La tecnología del mundo actual nos trae maravillosos adelantos[1] en áreas como la ciencia, la comunicación y la educación, pero también hay una parte negativa en todo esto. La tecnología avanza tan rápidamente, que debemos cambiar de computadoras y celulares muy frecuentemente. ¿Y cuál es el problema? Nos hacen falta lugares para poner todos los aparatos que no usamos y estos aparatos son muy malos para el medio ambiente[2]. Queremos estar

al día[3] con los nuevos adelantos tecnológicos pero no nos preocupamos por mirar a nuestro alrededor[4] y preguntar: ¿Qué hacemos con tanta basura tecnológica? Debemos ser más activos y pedirles a los legisladores que hagan leyes que protejan[5] al medio ambiente sin reducir el uso de la tecnología y todas las cosas buenas que nos ofrece. Podemos ayudar a la reducción de basura tecnológica si nos preguntamos si es necesario cambiar de celular o de computadora cada año. Debemos ser conscientes y usar la tecnología sólo para cosas útiles[6]. Debemos ser los guardianes del futuro.

[1]advances [2]environment [3]to keep up to date [4]around us [5]laws that protect
[6]for useful purposes

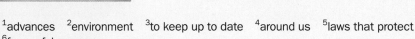

32 ¿Qué recuerdas?

1. ¿En qué áreas trae adelantos la tecnología?
2. ¿Cuál es una parte negativa de la tecnología?
3. ¿Qué podemos hacer para ayudar a la reducción de tanta basura tecnológica?
4. ¿Quiénes deben ser los guardianes del futuro?

33 Algo personal

1. ¿Por qué crees que la tecnología no ayuda con el problema de la contaminación ambiental?
2. ¿Cambias de computadora o de celular cada año? Explica.
3. ¿Por qué crees que la tecnología cambia tanto?

- Compare the usage of technology (cell phones, computers, etc.) between the population in the United States and the population in a Spanish-speaking country. You can find out how many cell phones or computers per capita there are in the States versus the other country, or how many hours of Internet usage people in your age group in the States have versus other countries, etc. What are your main findings?

¿Qué aprendí?

Visit the web-based activities at www.emcp.com

Autoevaluación
Como repaso y autoevaluación, responde lo siguiente:

1. What three forms of modern technology have you used recently?
2. State in Spanish your e-mail address or the e-mail address of someone you know.
3. Name two things you do weekly using a computer.
4. Say two things that are happening right now.
5. List three things you are going to do this week.
6. What do you know about environmental pollution?
7. What are some things you can do to help solve environmental problems?
8. Tell two things that you did last week using modern technology.

Palabras y expresiones

La tecnología
el celular
conectado,-a
el cuarto de charla
el e-mail
el fax
la internet

el motor de búsqueda
el programa
la Red
la tecnología
el vínculo
la Web

Verbos
bajar
conseguir (i, i)
encontrar (ue)
navegar
seguir (i, i)

Otras expresiones
la asignatura
la comunicación

la contaminación
ambiental
la ecología
la información
el mundo

Habla por el celular.

El mundo.

Centro internet.

Vocabulario I
Las vacaciones pasadas

E-Mail

Archivo   Ver   Mensajes   ?

A...   Sonia

Cc...

Asunto: fotos

¡Hola Sonia!

Aquí te envío cuatro fotos de nuestras últimas vacaciones. Una foto es de nuestro viaje de camping. En otra foto está Alberto en un picnic al que él fue el cuatro de julio y en otra está él en un paseo en bote. La última es del crucero que tomaron mis padres. Ellos visitaron varios países. Yo creo que las fotos te van a gustar. Y tú, ¿tienes algún chisme o noticia?

Elena

camping07.jpg   picnic03.jpg   bote05.jpg   crucero09.jpg

La familia de camping.

Alberto de picnic.

Alberto de paseo en bote.

Los papás fueron de crucero.

1 ¿Cierto o falso?

Di si lo que oyes es cierto o falso, según la información en el Vocabulario I. Si es falso, di lo que es cierto.

2 ¿Qué decimos?

Completa los siguientes minidiálogos con las palabras apropiadas de la caja.

A: ¿Te gustaría ir de viaje en un (1)?
B: No, no me gustan los barcos grandes, prefiero los (2) pequeños.

A: Estoy leyendo el periódico para saber las últimas (3).
B: ¡Qué bueno! A mí sólo me gustan los (4).

A: Vamos a tener un (5) este fin de semana, ¿vienes?
B: No, no puedo. Nos vamos de (6) a un parque con unos amigos.

Diálogo I

El crucero de Pablo

IGNACIO: Acabo de recibir un e-mail de Pablo desde su crucero.

EDUARDO: ¿Y te escribió desde el crucero?

IGNACIO: No, me escribió desde un cibercafé en San Juan.

EDUARDO: ¡Qué bueno! ¿Y te contó algún chisme?

IGNACIO: Me contó que estuvo en un camping.

EDUARDO: Chico, ¡en los cruceros no hay campings!

IGNACIO: No, hombre, cuando el crucero llegó a San Juan fueron a visitar a su hermano a un camping en el Yunque.

EDUARDO: Ah, bueno, porque creo que ir de camping en un crucero es de locos.

IGNACIO: ¡Qué tonto eres, Eduardo!

3 ¿Qué recuerdas?

1. ¿Qué acaba de recibir Ignacio?
2. ¿Desde dónde escribió Pablo?
3. ¿Qué le contó Pablo a Ignacio?
4. ¿Adónde fue Pablo a visitar a su hermano?
5. ¿Qué es de locos según Eduardo?

¡Extra!

Acabar de

Remember you can tell what someone has just done recently by using the expression *acabar de* in the present tense followed by an infinitive.

Acabo de venir *de camping.*	**I just came (have just come)** from camping.

4 Algo personal

1. Di algo que acabas de hacer.
2. ¿Te gusta ir de camping? ¿Por qué?
3. ¿Adónde te gustaría ir de crucero?

5 ¿Qué hacen?

 **Selecciona la letra de la ilustración que corresponde con lo que oyes.**

A   **B**   **C**   **D**   **E**

Los cibercafés

Francisco Peralta, un estudiante de Florida, conversa a través de[1] la computadora con un estudiante en Guinea Ecuatorial. En otra mesa, una chica argentina lee las noticias de Buenos Aires en el periódico digital La Nación mientras[2] toma un refresco. Al lado de ella, un señor busca información sobre hoteles en Granada, España. ¿Dónde están todos ellos? Todos ellos están en un cibercafé.

Los cibercafés son hoy lugares muy populares en los países de habla hispana. Allí los cibernautas (personas que navegan por la internet) pueden tomar una bebida o comer unas tapas mientras escriben un correo electrónico o navegan en la internet. El número de cibercafés está creciendo[3] en todo el mundo hispano. España es el país con el mayor número de cibercafés en Europa. En 1997 habían 30 cibercafés en México, hoy hay más de 500. Para los hispanos, estar conectados con el mundo es algo muy importante.

Cibercafé en Quito.

Soy una cibernauta.

[1]by means of [2]while [3]growing

6 Los cibercafés

Contesta las siguientes preguntas.

1. ¿Hay cibercafés en la ciudad donde vives?
2. ¿Vas a un cibercafé cuando quieres navegar en la Web? ¿Adónde vas?
3. ¿Piensas que los cibercafés son una buena idea? Explica.
4. ¿Por qué crees que los cibercafés son populares en los países de habla hispana?
5. ¿Qué te gustaría hacer en un cibercafé?
6. ¿Crees que eres un cibernauta?

Repaso rápido: the preterite tense

Verbos regulares

bajar: bajé, bajaste, bajó, bajamos, bajasteis, bajaron
comer: comí, comiste, comió, comimos, comisteis, comieron
salir: salí, saliste, salió, salimos, salisteis, salieron

7 Lo que hicimos durante las vacaciones

Completa las siguientes oraciones con la forma apropiada del pretérito de los verbos indicados, para describir lo que hicieron tú y tus amigos durante las vacaciones.

1. Yo *(comer)* en muchos restaurantes.
2. Nosotros *(salir)* de paseo todas las tardes.
3. Jorge y Alberto *(bajar)* programas para sus computadoras.
4. Ana *(dormir)* doce horas todos los días.
5. Tú *(ver)* la nueva película de Penélope Cruz.
6. Las chicas *(buscar)* nuevos CDs de música española.
7. Pedro *(navegar)* en la internet toda la semana.
8. Yo *(empezar)* a leer un libro de dos mil páginas.
9. Ellos *(pedir)* favores a todo el mundo.

¡Extra!

Más sobre el pretérito

Remember that some verbs require a stem change in the third-person singular and the third-person plural forms of the preterite tense: *sentir (sintió/sintieron); dormir (durmió/durmieron); pedir (pidió/pidieron)*. Also, it may be necessary to make a spelling change in order to maintain the correct pronunciation: *buscar (busqué); navegar (navegué); empezar (empecé)*.

8 El tiempo libre

Escribe oraciones completas para decir lo que hicieron Pedro y sus amigos durante su tiempo libre. Añade las palabras que sean necesarias.

MODELO yo / comer / mis abuelos / en el centro
Yo comí con mis abuelos en el centro.

1. Eva / escribir / e-mails / amigos
2. Rosa, mi padre y yo / montar / bote / fines de semana
3. señora Iglesias y su hija / tomar / crucero / el Caribe
4. Lola / navegar / internet todos los días
5. Jaime / visitar / a sus tías

¿Vas al Caribe?

Estructura

Irregular preterite-tense verbs

You have learned to use several verbs that are irregular in the present tense. Similarly, the following verbs are irregular in the preterite tense:

> dar: di, diste, dio, dimos, disteis, dieron
>
> decir: dije, dijiste, dijo, dijimos, dijisteis, dijeron
>
> estar: estuve, estuviste, estuvo, estuvimos, estuvisteis, estuvieron
>
> hacer: hice, hiciste, hizo, hicimos, hicisteis, hicieron
>
> ir: fui, fuiste, fue, fuimos, fuisteis, fueron
>
> ser: fui, fuiste, fue, fuimos, fuisteis, fueron
>
> tener: tuve, tuviste, tuvo, tuvimos, tuvisteis, tuvieron
>
> ver: vi, viste, vio, vimos, visteis, vieron

Práctica

9 ¿Qué hice?

Di cuáles de las siguientes cosas hiciste o no hiciste el fin de semana pasado.

MODELO ir a un picnic
Sí, fui a un picnic./No, no fui a un picnic.

1. tener que conseguir información para mi tarea de biología
2. dar un paseo en bote
3. ver televisión
4. hacer la tarea de español
5. decir una mentira
6. hacer un viaje al Caribe
7. tener un examen
8. ver las noticias por la internet

Fuimos de picnic.

10 Los García y sus vacaciones

Di qué hizo cada uno de los miembros de la familia García en las vacaciones pasadas, según las ilustraciones. Añade las palabras que sean necesarias.

1. Sr. y Sra. García / ir

2. mis hermanos y yo / estar

3. el tío / dar un paseo

4. Victoria / ir con sus amigas

5. Pedrito / hacer

6. las primas / dormir mucho

11 ¡Qué vacaciones!

Describe las últimas vacaciones con tu familia, completando las siguientes oraciones con más información. Puedes inventar la información, si quieres.

MODELO En las últimas vacaciones mi madre *(hacer)*....
En las últimas vacaciones mi madre *hizo mucha comida.*

1. Mis abuelos *(ir)*....
2. Mis tíos *(tener)*....
3. Mi hermana *(hacer)*....

4. Mi padre *(buscar)*....
5. Nosotros *(estar)*....
6. Yo *(dormir)*....

❖ Comunicación

12 Las vacaciones

Trabajando en parejas, habla con tu compañero/a de las actividades que hicieron durante las vacaciones pasadas. Puedes inventar la información, si quieres.

MODELO **A:** En las vacaciones pasadas fui de crucero con mi familia, leí cuatro libros y di paseos por la playa todos los días.
B: Nosotros estuvimos todo el tiempo en casa.

13 Chismes y noticias

Trabajando en parejas, hablen sobre los chismes o las últimas noticias de sus vidas en el colegio o en casa. Pueden inventar la información, si quieren.

MODELO **A:** El sábado estuve con Margarita.
B: ¿De verdad? ¿Qué hicieron?
A: Fuimos de picnic al parque.

Estructura

Negative and affirmative expressions

Unlike English, sentences in Spanish may contain two negatives. Often *no* is used before the verb and another negative expression follows the verb. How many of the following do you remember?

Expresiones afirmativas	Expresiones negativas
sí *(yes)*	no *(no)*
algo *(something, anything)* ✓	nada *(nothing, anything)* ✓
alguien *(somebody, anybody)* ✓	nadie *(nobody, anybody)* ✓
algún, alguna *(some, any)*	ningún, ninguna *(none, not any)*
siempre *(always)* ✓	nunca *(never)* ✓
también *(also, too)* ✓	tampoco *(neither, either)* ✓
ya *(already)* ✓	todavía no *(not yet)*
todavía *(still)*	ya no *(not yet)* ✓

The words *nada, nadie, nunca* and *tampoco* may precede the verb, and *no* may be omitted. However, when these words follow the verb, another negative is needed before the verb.

Nunca voy de paseo en bote.

No voy de paseo en bote nunca.
No voy nunca de paseo en bote.

Todavía is sometimes used at the beginning or at the end of a negative sentence when it is the equivalent of **yet.** When used without a verb, *todavía* must be used with the word *no,* which most commonly follows *todavía.*

Todavía no lo encuentran. → *No lo encuentran todavía.*
Todavía no.

Nunca voy de paseo en bote.

Práctica

14 **¿Oyes?**

Completa el diálogo entre Alicia y Teresa para saber lo que pasa en casa de Teresa, escogiendo las palabras apropiadas.

Alicia: Oye, Teresa, creo que hay *(1. nada/alguien)* en el otro cuarto. ¿Oyes?

Teresa: No, no oigo *(2. algo/nada)*. Creo que tú *(3. siempre/nunca)* oyes cosas que *(4. nada/nadie)* más oye. *(Ahora Teresa oye algo en el otro cuarto.)* ¿Qué fue eso?

Alicia: Sí, ¿ves? Ahora *(5. tampoco/también)* oyes lo que yo oigo. Bueno, voy a ver qué es.

Teresa: Ay, espera Alicia, ¿te puedo decir *(6. alguien/algo)*?

Alicia: *(7. Todavía/Ya)* no. ¡Silencio! Primero debemos mirar quién está en el otro cuarto.

Teresa: ¡Pero es que es *(8. alguien/algo)* muy importante!

Alicia: Está bien, ¿qué es?

Teresa: Yo sé quién está en el otro cuarto. Es mi perro Motas. Mis padres no lo sacaron a pasear y *(9. siempre/todavía)* le gusta jugar.

Alicia: ¡Qué bueno! Entonces, vamos a sacarlo.

 15 Muy negativo

Trabajando con un(a) compañero/a de clase, alternen en preguntar y en contestar en forma negativa las siguientes preguntas, usando *nada, nadie, no, nunca* o *tampoco*.

MODELO **A:** ¿Quién te envió un fax?

B: Nadie.

1. ¿Cuándo vas a comprarte un celular?
2. ¿Qué le quieres dar a tu hermano de cumpleaños?
3. ¿Qué compraste ayer?
4. ¿Bajaste los programas nuevos?
5. ¿Te gusta navegar en la Web?
6. ¿Cuándo vas de crucero?
7. ¿Quién te visitó el fin de semana pasado?
8. Yo no sé ningún chisme. ¿Y tú?

Yo no sé ningún chisme. ¿Y tú?

16 Nunca sabe nada

Repite con tu compañero/a de clase la actividad anterior, pero ahora usando negativos dobles.

MODELO **A:** ¿Quién te envió un fax?
B: Nadie me envió nada.

1. ¿Cuándo vas a comprarte un celular?
2. ¿Qué le quieres dar a tu hermano de cumpleaños?
3. ¿Qué compraste ayer?
4. ¿Ya bajaste los programas nuevos?
5. ¿Te gusta navegar en la Web?
6. ¿Cuándo vas de crucero?
7. ¿Quién te visitó el fin de semana pasado?
8. Yo no sé chismes. ¿Y tú?

Nadie me envió nada.

Comunicación

17 De mal humor

Imagina que estás hablando por teléfono con un(a) amigo/a y que estás de mal humor *(bad mood)*. Responde a todo lo que tu amigo/a dice en forma negativa. Sigue el modelo.

MODELO **A:** Me gustó mucho la clase de español ayer.
B: A mí no me gustó nada.

18 ¿Cuántas veces lo hiciste?

Decide how frequently you did the following activities last week. Then compare your answers with a partner. Be prepared to report responses to the class. Use the following affirmative and negative expressions: *siempre, también, no, nunca, tampoco*.

MODELO Juan no fue nunca a la biblioteca la semana pasada y yo no fui tampoco.

ir a la biblioteca
navegar por la internet
visitar a un(a) amigo/a
hablar por celular
mirar la televisión
comer en un restaurante
usar la computadora
ir al cine
ir a un partido de fútbol americano

19 En un centro comercial

Selecciona la letra de la ilustración que corresponde con lo que oyes.

A   **B**   **C**   **D**   **E**   **F**

20 La familia Rojas

¿Qué lleva la familia Rojas cuando va de vacaciones? Completa el párrafo, usando las siguientes palabras.

gafas de sol   bermudas   sandalias   tenis   gorra

Los Rojas siempre van de vacaciones a la playa. Al papá le gusta llevar una (1) para su cabeza porque es calvo. A la mamá le gustan las (2) porque son cómodas para caminar por la playa. A Pedro y Rosa les gustan los (3) porque corren y juegan mucho al tenis. Todos llevan unas (4) porque son más cómodas que los pantalones. A Pedro también le gusta llevar sus (5) porque hace mucho sol.

Diálogo II

No me gusta el color verde

LUCÍA: ¿Sabes?, mi novio va a comprarme una gorra para el colegio.

GLORIA: ¿Y va solo? Espero que no. Él no sabe comprar nada.

LUCÍA: No, él va con su mamá, y ella sí sabe.

GLORIA: ¡Qué bueno! ¿Sabe ella que a ti no te gusta el color verde?

LUCÍA: Sí, claro, porque él no recuerda esas cosas.

GLORIA: ¡Ah, sí! Recuerdo los tenis que te compró la última vez.

LUCÍA: Sí, unos tenis verdes tan feos que nunca uso.

GLORIA: ¿Nunca los usas?

LUCÍA: Bueno, sólo en la casa para limpiar el polvo.

21 ¿Qué recuerdas?

1. ¿Qué va a hacer el novio de Lucía?
2. ¿Quién no sabe comprar nada?
3. ¿Va el novio de Lucía de compras solo?
4. ¿Qué color no le gusta a Lucía?
5. ¿Cómo son los tenis que compró el novio de Lucía la última vez?

22 Algo personal

1. ¿Te gusta ir de compras?
2. ¿Vas solo/a de compras? Explica.
3. ¿Qué fue lo último que compraste?
4. ¿Tienes novio o novia?

23 ¿Lógico o ilógico?

Di si lo que oyes es lógico o ilógico. Si es ilógico, di lo que es lógico.

¿Te gusta ir de compras?

Novios y novias

En los países hispanos no es común tener novio o novia antes de los diecinueve o veinte años. Los chicos y las chicas salen en grupos de muchos amigos para ir a bailar, comer pizza o ir al cine. Para que una chica acepte salir sola con un chico, la chica debe conocerlo[1] desde hace mucho tiempo, a través[2] del grupo de amigos y amigas del barrio[3], del colegio o de la familia. Para salir con la chica, el chico tiene que pedir permiso a los padres de la chica antes de salir con ella.

Somos novios.

La cultura tradicional en los países hispanos, como muchas otras cosas, está cambiando gracias a la influencia de la cultura de otros países que llega a través de la televisión por cable y la internet. Hoy, sobre todo en las grandes ciudades, muchos muchachos salen con las muchachas sin seguir[4] la cultura tradicional.

[1]to know him [2]through [3]neighborhood [4]without following

Somos un grupo de amigos.

24 Novios y novias

Contesta las siguientes preguntas, según la información en la Cultura viva.

1. ¿Desde qué edad empiezan los chicos en los países hispanos a tener novio o novia?
2. ¿Cómo salen los chicos y las chicas en los países hispanos?
3. ¿Qué hacen los chicos cuando salen?
4. ¿Qué debe hacer una chica para aceptar salir con un chico?
5. ¿A quién tiene que pedirle permiso un chico para salir con una chica?
6. ¿Por qué está cambiando la cultura tradicional en los países hispanos?
7. ¿Qué es similar o diferente de lo que leíste en la Cultura viva con tu cultura? Haz una gráfica para explicarlo.

Idioma

Repaso rápido: direct and indirect object pronouns

Do you remember the direct and indirect object pronouns?

los pronombres de complemento directo			
me	*me*	**nos**	*us*
te	*you* (tú)	**os**	*you* (vosotros,-as)
lo	*him, it, you* (Ud.)	**los**	*them, you* (Uds.)
la	*her, it, you* (Ud.)	**las**	*them, you* (Uds.)

¿Me ayudas a instalar los programas?
Estoy instalándolos ahora.

los pronombres de complemento indirecto			
me	*to me, for me*	**nos**	*to us, for us*
te	*to you, for you* (tú)	**os**	*to you, for you* (vosotros,-as)
le	*to you, for you* (Ud.) *to him, for him* *to her, for her*	**les**	*to you, for you (pl.)* (Uds.) *to them, for them*

¿Me compras un regalo?
Voy a comprarte dos.

Note: In Spanish, direct and indirect object pronouns usually precede conjugated verbs, but also may be attached to an infinitive or a present participle. When attaching an object pronoun to the end of a present participle, add an accent mark to maintain the original stress of the present participle.

25 ¿Algo más?

Alberto terminó de limpiar el polvo y le pregunta a su madre qué más puede hacer. Completa las siguientes oraciones para decir lo que ella responde, usando los pronombres de complemento directo. Sigue el modelo.

MODELO ¿El cuarto? Lo voy a arreglar yo.

1. ¿Los platos? __ voy a lavar yo.
2. ¿Los cubiertos? Yo __ voy a poner en la mesa.
3. ¿El piso? __ voy a limpiar yo.
4. ¿La comida? Yo __ voy a cocinar.
5. ¿La nueva computadora? Yo __ voy a instalar.

Víctor prometió ayudar a su compañera de clase con su tarea. Completa el diálogo usando los pronombres de complemento directo apropiados.

Marisol: Oye Víctor, ¿(1) ayudas a buscar información en la internet para mi tarea de historia?

Víctor: ¿Cuándo quieres que (2) ayude?

Marisol: Mañana por la tarde.

Víctor: Mañana por la tarde no (3) puedo ayudar. Mi novia y yo vamos a ir al cine con sus padres. Ellos (4) invitaron. Tú (5) comprendes, ¿verdad?

Marisol: Sí, no te preocupes. ¿Qué te parece si (6) hacemos pasado mañana por la tarde?

Víctor: Me parece bien. Hasta luego.

Lucía y su novio fueron de compras al centro comercial. Acaban de comprarles algo a varias personas. Haz oraciones completas para saber qué acaban de comprarle a cada persona, usando los pronombres de complemento indirecto.

MODELO José

Acaban de comprarle una gorra.

1. tú

2. yo

3. Ernesto

4. Carmen

5. Uds.

6. nosotros

Using direct and indirect object pronouns together

When a sentence has two object pronouns in one sentence in Spanish, the indirect object pronoun occurs first. When adding two object pronouns to an infinitive or a present participle, an accent mark must be added to the infinitive or present participle in order to maintain the correct pronunciation.

*¿**Me la** puedes traer?*
*¿Puedes traér**mela**?*

Can you bring **it** *(la gorra)* **to me?**

The indirect object pronouns *le* and *les* become *se* when used together with *lo, la, los* or *las.*

¿Quieres pintarles la silla a tus padres? → *¿Quieres pintár**sela**?/¿**Se la** quieres pintar?*

You can clarify the meaning of *se* by adding *a Ud., a él, a ella, a Uds., a ellos* or *a ellas,* if needed.

*Se la pinto a **ellos.***

I paint it for **them.**

 ## Práctica

28 En casa de Andrés

Escribe de nuevo *(again)* las siguientes oraciones, usando *se* y el complemento directo apropiado.

MODELO   Andrés le trae las sandalias a su abuela.
Se las trae a ella.

1. Yo le saco los perros a caminar a mi hermana.
2. Silvia le cuelga la gorra a su abuelo.
3. Tú les subes las camisetas a tus tías.
4. Andrés y Daniel le lavan el carro a su padre.
5. Uds. les arreglan las sillas a sus padres.
6. Nosotros les preparamos la comida para el picnic a mis abuelos.

Yo le saco los perros.

29 Ofreciendo tu ayuda

 Trabajando con un(a) compañero/a de clase, alterna con él/ella en preguntar y contestar lo que tú puedes hacer para ayudar, usando los dos pronombres de complemento.

MODELO   hacer las camas
   A: ¿Te puedo hacer las camas?
   B: Sí, (No, no) puedes hacérmelas.

1. limpiar el polvo
2. lavar las bermudas
3. traer las gafas de sol
4. pintar la casa
5. instalar la computadora
6. bajar los programas

30 Todos hacen algo después de clases

Usa los pronombres de complemento indirecto en las siguientes oraciones.

MODELO Francisca le está instalando el programa a él.
Se lo está instalando./Está instalándoselo.

1. Yo les estoy subiendo los shorts a ellas.
2. Tú le estás lavando las bermudas a ella.
3. Carlos y Mario le están pintando las paredes a ella.
4. Uds. les están comprando unas gafas de sol a ellas.
5. Ramiro le está lavando los tenis a ella.
6. Nosotros les estamos trayendo las gorras a ellas.

Está instalándoselo.

31 En tu vida

Contesta las siguientes preguntas, usando los pronombres de complemento apropiados.

MODELO ¿Le haces la cama a tu hermano/a?
Sí, (No, no) se la hago.

1. ¿Les preparas la comida a tus hermanos?
2. ¿Les limpias el polvo a tus padres?
3. ¿Le limpias la cocina a tu madre todos los días?
4. ¿Les arreglas la casa a tus padres?
5. ¿Le lavas las camisetas a tu padre?
6. ¿Le haces compras a tu novio/a?

❋ Comunicación

32 Tu familia

Working in pairs, decide what things you receive from members of your family and what things you give them. If someone does not receive anything, say that. Use any items from the list, or make up your own. Try to use double object pronouns in your answers, if you can.

MODELO A: ¿Quién te da dinero?　　A: ¿Le das flores a tu madre?
B: Nadie me lo da.　　　　B: Sí, se las doy.

dar dinero	comprar ropa	comprar cuadernos	dar helados
dar comida	dar dulces	dar flores	dar amor

33 ¿Ya lo hiciste?

Trabajando en parejas, alterna con tu compañero/a de clase en preguntar y contestar si ya hicieron las cosas de la lista. Añade otras cosas a la lista.

- dar la tarea de español al profesor
- enviar un e-mail a tu amigo/a
- dar unos dulces a tu novio/a
- comprar la leche y el pan a tu mamá
- hacer el favor a tu padre
- contar el lugar donde vas a estar esta noche a tus padres

MODELO A: ¿Ya le diste la tarea de español al profesor?
B: Sí, ya se la di./No, no se la di.

Lectura personal

Cantantes y grupos musicales

Dirección http://www.emcp.com/músico/ola/index.htm ▲ Archivo Edición Ver Favoritos Herramientas Ayuda

página principal   miembros   e-diario

Grupo musical La OLA

La segunda gira mundial de conciertos empieza en septiembre

La Ola, el grupo de rock en español, terminó de grabar[1] un álbum con muchos ritmos modernos. La gira de promoción empieza en septiembre. La selección de ciudades fue difícil, dijo Xavier. "Hay 400 millones de hispanohablantes en el mundo, venitiún países en donde el español es la lengua oficial. Es imposible ir a todos los lugares".

"Somos latinos" afirma La Ola

El canal 7 habló con todos los miembros del grupo La Ola, (dos chilenos, un mexicoamericano, un panameño, una mexicana y una dominicana) antes de empezar su gira. El canal 7 les preguntó, ¿cómo se definen? El grupo contestó "Somos latinos. Todos hablamos la misma lengua. Compartimos[2] la misma historia y cultura. Valoramos[3] a nuestras familias". Manuel añadió "Nuestras nacionalidades son diferentes, nuestra comida es diferente, pero nuestro amor por la música, por la vida, es el mismo. Ser latino es ser feliz". Chantal terminó por decir "Sí, a nosotros los latinos nos gusta disfrutar[4] de la vida".

Chismes

• Xavier y Ceci son novios. ¡Felicidades!
• Yadira pasó sola las vacaciones en un crucero. Llevó una gorra y unas gafas de sol durante todo el viaje para que nadie la reconociera[5].

[1]record [2]We share [3]We value [4]enjoy [5]would recognize

34 ¿Qué recuerdas?

1. ¿En cuántos países la gente habla español?
2. ¿Qué es La Ola?
3. ¿De cuántos países hay personas en el grupo La Ola?
4. ¿Qué tienen los latinos en común?
5. ¿Qué chisme sabes sobre Yadira?

35 Algo personal

1. ¿Cómo eres tú? ¿Qué significa ser eso para ti?
2. ¿En qué diez países crees que el grupo La Ola debe dar conciertos? ¿Por qué?
3. ¿Te gustaría ser parte de un grupo musical famoso? ¿Por qué?

> • With which other nationalities do you share a common language? Do you think a common language is enough to unite people? Explain why or why not.

¿Qué aprendí?

Autoevaluación
Como repaso y autoevaluación, responde lo siguiente:

1. Say two things you did last summer.

2. Describe what you did on your last vacation.

3. Tell one thing you just did last weekend.

4. What are some of your favorite pastime activities?

5. Imagine you just purchased a new computer program. How would you say that you installed it on your computer last weekend?

6. Someone has been looking for a link for an ecology site on the Internet, but never found it. Say you never found it either.

7. Imagine you cannot find several pairs of shorts you are looking for and the store clerk says there are more in the storage area. Ask the clerk in Spanish to please bring them to you.

Palabras y expresiones

Actividades	La ropa	Otras expresiones	Verbos
el camping	las bermudas	el bote	creer
el crucero	las gafas de sol	el chisme	instalar
el picnic	la gorra	la noticia	pintar
	los tenis	la novia	quisiera
	las sandalias	el novio	visitar
	los shorts	el polvo	
		solo,-a	
		último,-a	

Son novios.

Los tenis.

Tú lees

Estrategia

Using cognates to determine meaning
It will be easier to read in Spanish if you learn to recognize words that are similar in both Spanish and English (cognates). Spanish has adopted many words from English relating to the rapidly advancing field of technology and the Internet.

En la Red

Preparación
Como preparación para la lectura, conecta las palabras de la columna a la derecha con los cognados de la columna a la izquierda.

1. agencia	A. category
2. área	B. dollars
3. categoría	C. area
4. dólares	D. export
5. exportar	E. information
6. información	F. agency
7. lotería	G. parts
8. partes	H. lottery
9. servicios	I. services
10. virtual	J. virtual

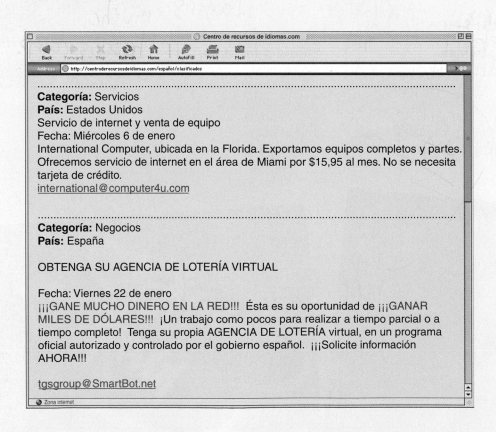

Centro de recursos de idiomas.com

Address: http://centroderecursosdeidiomas.com/español/clasificados › go

Categoría: Servicios
País: Estados Unidos
Servicio de internet y venta de equipo
Fecha: Miércoles 6 de enero
International Computer, ubicada en la Florida. Exportamos equipos completos y partes. Ofrecemos servicio de internet en el área de Miami por $15,95 al mes. No se necesita tarjeta de crédito.
international@computer4u.com

Categoría: Negocios
País: España

OBTENGA SU AGENCIA DE LOTERÍA VIRTUAL

Fecha: Viernes 22 de enero
¡¡¡GANE MUCHO DINERO EN LA RED!!! Ésta es su oportunidad de ¡¡¡GANAR MILES DE DÓLARES!!! ¡Un trabajo como pocos para realizar a tiempo parcial o a tiempo completo! Tenga su propia AGENCIA DE LOTERÍA virtual, en un programa oficial autorizado y controlado por el gobierno español. ¡¡¡Solicite información AHORA!!!

tgsgroup@SmartBot.net

Zona internet

A ¿Qué recuerdas?

1. ¿Dónde está la compañía International Computer?
2. ¿Qué exportan ellos?
3. ¿Dónde ofrecen servicio de internet?
4. ¿Sus clientes tienen que usar tarjeta de crédito?
5. ¿Cuánto dinero se puede ganar con una agencia de lotería virtual?
6. ¿Quién autoriza y controla estas agencias de lotería virtual?

B Algo personal

1. ¿Tienes servicio de internet en casa?
2. ¿Buscas productos o servicios por la internet?
3. ¿Compras cosas por la internet?
4. ¿Tienes tarjeta de crédito?

¿Tienes internet?

INTERNET GRATIS PARA TODOS
CONECTATE AL
4004-0011
USUARIO : **TUTOPIA** / CONTRASEÑA : **TUTOPIA**
Más información: 0810-888-1111
tuto
www.tutopia.com

Internet para todos.

Tú escribes

Estrategia

Keeping your reader in mind
Keep your reader in mind when writing an e-mail or a letter by writing about things you think the person will find interesting. In addition, your targeted reader will be more motivated to answer your correspondence if you include some personal questions about the person's interests.

Begin an e-mail exchange with a key pal in which you talk about one another's lives. Be sure to include the following in your note:

- description of yourself, your family and your friends (names, descriptions, where people live)
- other biographical information (name, date of birth, age, etc.)
- interests and after-school activities *(ver televisión, hacer quehaceres, navegar en la internet,* etc.)
- questions asking for similar information about the key pal

Escribimos un e-mail.

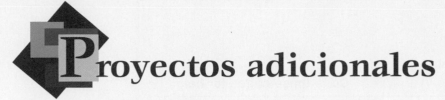

Proyectos adicionales

A Comunicación

Working in pairs, talk with a classmate about the household chores or fun activities you do after school. Say when, with whom or for whom you do each chore or activity. Try to use as many direct and indirect object pronouns as possible. You may make up any information you wish.

MODELO A: Bueno, después de las clases hago las tareas y luego les ayudo a mis padres a limpiar la casa.

B: ¿Se la limpias toda?

A: No, no la limpio toda. Sólo les ayudo a limpiar la cocina.

Ayudo a mis padres.

B Conexión con la tecnología

Trabajando en grupos pequeños, creen la página principal de una página Web llamada Mi planeta. Dibujen la página, añadan fotos, escriban vínculos y títulos e inventen el URL. Luego, presenten su página a la clase. Puedes hacer tu proyecto, usando un programa para hacer páginas Web o en papel de colores.

C Conexión con otras disciplinas: ciencias

¿Cómo funciona el aparato tecnológico que más te gusta? Consigue la información en tu clase de ciencias, en la biblioteca o en la internet. Luego, comparte la información con la clase.

Repaso

Now that I have completed this chapter, I can... | **Go to these pages for help:**

talk about ecology.	2
discuss technology.	2, 12
talk about everyday activities.	8
seek and provide personal information.	5
state what is happening right now.	9
talk about the future.	11
talk about the past.	16
express negation or disagreement.	29

I can also...

recognize the world is interconnected.	5
discuss solutions to ecological problems.	15
identify opportunities to volunteer and use Spanish in my community.	15

Trabalenguas

Todo está contaminado,
¿quién lo descontaminará?
El descontaminador que lo descontamine
buen descontaminador será.

Vocabulario

la **asignatura** subject *1A*
   bajar (un programa) to download (a program) *1A*
las **bermudas** bermuda shorts *1B*
el **bote** boat *1B*
el **camping** camping *1B*
el **celular** cell phone *1A*
el **chisme** gossip *1B*
la **comunicación** communication *1A*
   conectado,-a connected *1A*
   conseguir (i, i) to obtain, to attain, to get *1A*
la **contaminación ambiental** environmental pollution *1A*
   creer to believe *1B*
el **crucero** cruise *1B*
el **cuarto de charla** chat room *1A*

la **ecología** ecology *1A*
el **e-mail** e-mail *1A*
   encontrar (ue) to find *1A*
el **fax** fax *1A*
las **gafas de sol** sunglasses *1B*
la **gorra** cap *1B*
la **información** information *1A*
   instalar to install *1B*
la **internet** Internet *1A*
el **motor de búsqueda** search engine *1A*
el **mundo** world *1A*
   navegar (uso en informática) to surf (in the computer field) *1A*
la **noticia** news *1B*
la **novia** girlfriend *1B*
el **novio** boyfriend *1B*

los **tenis** tennis shoes *1B*
el **picnic** picnic *1B*
   pintar to paint *1B*
el **polvo** dust *1B*
el **programa** program *1A*
   quisiera would like *1B*
la **Red** Web *1A*
las **sandalias** sandals *1B*
   seguir (i, i) to follow, to continue, to keep on, to go on, to pursue *1A*
los **shorts** shorts *1B*
   solo,-a alone *1B*
la **tecnología** technology *1A*
   último,-a last *1B*
el **vínculo** link *1A*
   visitar to visit *1B*
la **Web** Web *1A*

¿Qué programas usas?

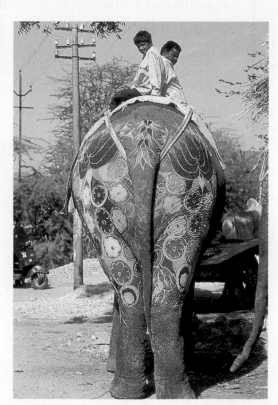

¿Quién pintó el elefante?

Ellos reciclan.

Capítulo

2

El cuerpo y la salud

Objetivos

- ❖ **identify objects in a bathroom**
- ❖ **discuss daily routine**
- ❖ **discuss personal grooming**
- ❖ **seek and provide personal information**
- ❖ **point out someone or something**
- ❖ **talk about the past**
- ❖ **discuss health**
- ❖ **identify parts of the body**
- ❖ **give and take instructions**

Visit the web-based activities at www.emcp.com

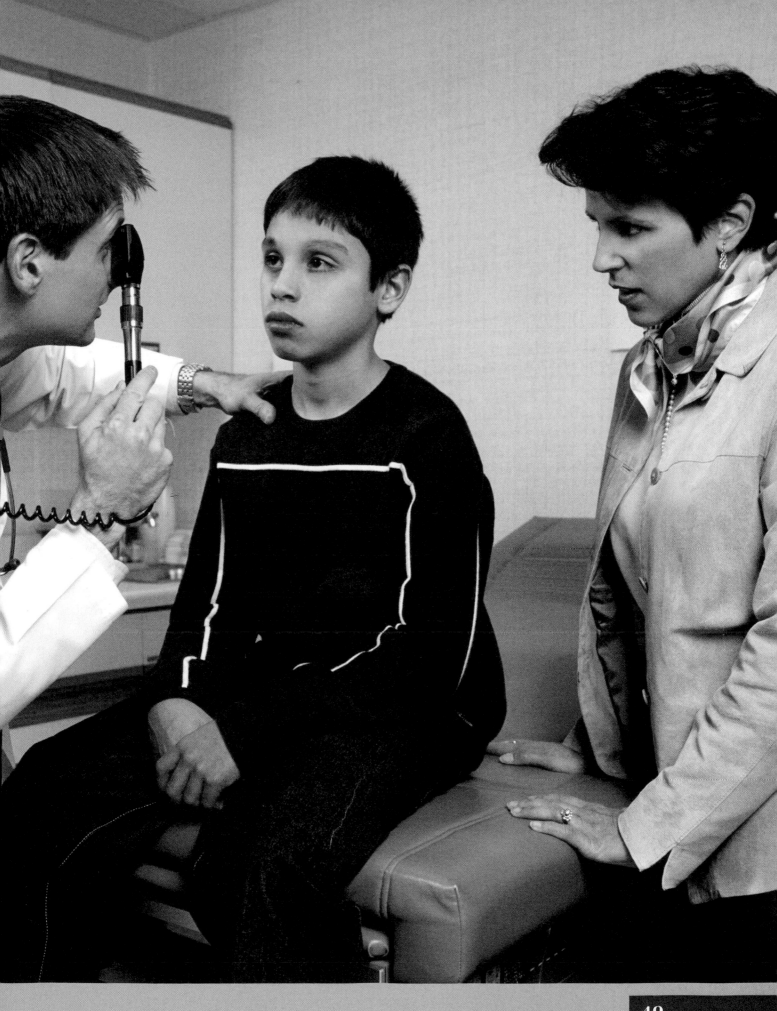

Vocabulario I
En el baño

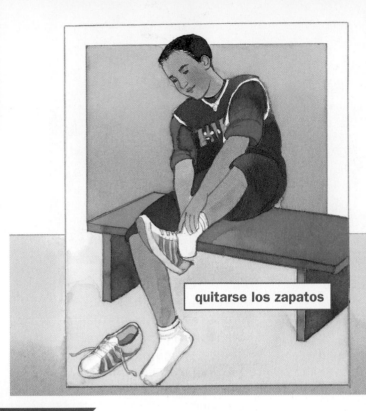

quitarse los zapatos

ponerse los zapatos

1 Preguntas

Contesta las preguntas que oyes, según la información en el Vocabulario I.

2 En el baño

Di qué es y para qué usas cada uno de los objetos en las ilustraciones.

MODELO Es el champú. Lo uso para lavarme el pelo.

1. Es ___.
   Lo uso ___.

2. Es ___.
   La uso ___.

3. Es ___.
   Lo uso ___.

4. Es ___.
   Lo uso ___.

5. Es ___.
   Lo uso ___.

6. Es ___.
   Lo uso ___.

¡Extra!

Otras palabras y expresiones

el cepillo de dientes	toothbrush
la pasta de dientes	toothpaste
la máquina de afeitar	shaver
el papel higiénico	toilet paper
el secador de pelo	hair dryer
el sifón, el desagüe	drain
abrir/cerrar la llave del agua	to turn on/to turn off the water
bajar el agua/ echar el agua	to flush the toilet

Diálogo I

¡Nos vamos!

DAVID: ¿Nos vamos, mamá?
MAMÁ: Sí, sólo tengo que vestirme y peinarme.
DAVID: Quiero salir ahora para no llegar tarde.

MAMÁ: ¿Por qué estás tan apurado?
DAVID: Es que tú tomas mucho tiempo.
MAMÁ: ¡Ay, perdón, David!

DAVID: ¿Estás lista, mamá?
MAMÁ: Sí, sí. ¿Y tú? Debes quitarte esa camiseta roja y ponerte esta camiseta azul.
DAVID: ¡Ay, mamá! Está bien. ¡Qué guapa estás, mamá!
MAMÁ: Sí, ¡pero me tomó mucho tiempo!

3 ¿Qué recuerdas?

1. ¿Qué tiene que hacer la mamá de David?
2. ¿Qué quiere David?
3. ¿Qué debe quitarse David?
4. ¿Qué debe ponerse David?
5. ¿Quién está guapa?

4 Algo personal

1. ¿Qué haces en la mañana antes de ir al colegio?
2. ¿Cuál es tu color preferido para la ropa?
3. ¿Tomas mucho tiempo para estar listo/a por las mañanas? ¿Por qué?

Mi color preferido es el rojo.

5 Anuncios publicitarios

 Escoge la letra de la letra de la ilustración que corresponde con lo que oyes.

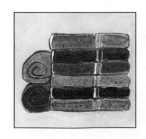

A   **B**   **C**   **D**

En los Estados Unidos hay nombres en español

Sebastián López vive en Amarillo, Texas. Amarillo es el nombre de un color en español *(yellow)*, porque la zona donde está la ciudad de Amarillo tiene la tierra de ese color. ¿Qué influencia tiene el español donde vives tú?

San Francisco, California.

Mira un mapa y vas a ver lagos, ríos, ciudades, montañas[1] y otros lugares geográficos con nombres en español. Por ejemplo, los estados[2] de Arizona, Colorado, Florida, Montana, Nevada y Nuevo México tienen nombres de origen español. ¿Puedes ver esta influencia en tu comunidad o en tu estado?

Las Vegas, Nevada.

[1]mountains   [2]states

---

6 Conexión con otras disciplinas: geografía

Mira un mapa o un atlas de los Estados Unidos y haz una lista de quince lugares o puntos geográficos con nombres en español.

MODELO

lista de lugares

1. Las Vegas

2. San Francisco

---

7 En la comunidad

Trabajando en grupos pequeños, preparen una lista de organizaciones que puedan necesitar la ayuda de alguien que hable español.

¡Oportunidades!

El español en tu comunidad
How can you use Spanish in your community? Have you ever considered offering your services as a volunteer at one of the many organizations where you live? Many groups could use the help of someone who speaks Spanish.

Idioma

Reflexive verbs

Some verbs in Spanish have *se* attached to the end of the infinitive. The *se* is a reflexive pronoun *(pronombre reflexivo)* and the verb is called a reflexive verb *(verbo reflexivo)* because it reflects action back upon the subject of the sentence. For example, adding the reflexive pronoun *se* to the infinitive *peinar* (to comb another person's hair) forms the reflexive verb *peinarse* (to comb one's own hair). Reflexive verbs are conjugated the same as nonreflexive verbs; however, they are used with a corresponding reflexive pronoun, which may precede a verb or be attached to the end of an infinitive or a present participle.

*Marta **se** va a cepillar.*
*Marta va a cepillar**se**.*

Marta is going to brush her hair.

peinarse			
yo	**me** cepillo	nosotros nosotras	**nos** cepillamos
tú	**te** cepillas	vosotros vosotras	**os** cepilláis
Ud. él ella	**se** cepilla	Uds. ellos ellas	**se** cepillan

In Spanish, a definite article is generally used instead of a possessive adjective when using a reflexive verb to talk about personal items, such as clothing and parts of the body.

*Me pongo **los** zapatos.*

I put on **my** shoes.

*¿Quieres lavarte **las** manos?*

Do you want to wash **your** hands?

Práctica

 **8 La rutina diaria**

Di cuáles de las siguientes oraciones o preguntas usan el reflexivo.

A. Tengo sed.
B. ¿No se va a duchar?
C. A qué hora se visten Uds.?
D. ¿Te estás quitando los calcetines?

E. ¿No la viste ayer?
F. Me levanté temprano hoy.
G. Comemos juntos.
H. Los voy a despertar ahora.

9 ¿Qué pasa, Jaime?

Di lo que pasa en la casa de Jaime, indicando la oración que describe mejor la acción en cada una de las siguientes ilustraciones.

1.
  A. Lo cepillo antes de salir.
  B. Me cepillo antes de salir.

2.
  A. Despierto temprano a mi hermana.
  B. Me despierto muy temprano.

3.
  A. Estoy poniéndome los calcetines azules.
  B. Estoy poniéndolos en la cama.

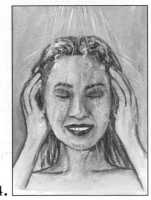

4.
  A. Ella le está lavando el pelo.
  B. Ella está lavándose el pelo.

10 La rutina en un día de fiesta

Haz oraciones completas, combinando palabras de cada una de las tres columnas y añadiendo más información para decir cómo es la rutina de los miembros de tu familia en un día de fiesta.

Estrategia

Comparing Spanish and English
English often uses a form of **to get** where Spanish uses a reflexive verb. Knowing this may help you decide when to use a reflexive or a nonreflexive verb to state an action. Compare the following:

levantarse:	*Ellos se levantan.*	They get up.
vestirse:	*Ella se viste.*	She gets dressed.

MODELO Mi hermana se viste muy elegante.

I	**II**	**III**
mi papá	me	afeitar
mi hermana	nos	bañar
mi hermano	se	despertar
mis padres	te	lavar
mis hermanos		levantar
mi mamá		maquillar
mis hermanos y yo		poner
yo		vestir

11 Hay que ser cortés

Si invitas a otras personas a tu casa, tienes que ser cortés (courteous).
Completa las siguientes oraciones, escogiendo la palabra apropiada.

MODELO Tienes frío. ¿Deseas ponerte *(tu / la)* chaqueta?
Tienes frío. ¿Deseas ponerte *la* chaqueta?

1. ¿Puedo llevarte *(el / tu)* abrigo para el cuarto?
2. ¿Te gustaría cepillarte *(tus / los)* dientes?
3. ¿Quieres llamar a *(tus / los)* padres para decirles dónde estás?
4. Por favor, ¿puedes quitarte *(los / tus)* zapatos?
5. ¿Quieres ir a lavarte *(tus / las)* manos antes de comer?
6. ¿Te gustaría quitarte *(tu / el)* abrigo?
7. ¿Quieres comer con *(tu / la)* prima?

12 Saliendo juntos

Tu familia se está preparando para salir. En parejas, alterna con tu compañero/a
de clase en hacer y contestar preguntas para decir cómo se preparan para salir.

MODELO bañarse / vestirse
A: ¿Vas a bañarte? (¿Te vas a bañar?)
B: No, voy a vestirme. (No, me voy a vestir.)

1. afeitarse / peinarse
2. vestirse / maquillarse
3. ponerse el impermeable / ponerse el abrigo
4. cepillarse el pelo / lavarse el pelo
5. quitarse las botas / ponerse otros calcetines
6. lavarse las manos / ponerse los guantes

13 ¿Qué hacen antes de salir?

Di lo que estas personas hacen antes de salir, según las ilustraciones.

MODELO Ella se está maquillando.

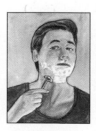

1 **2** **3** **4** **5** **6** **7**

14 Diciendo lo mismo, pero diferente

Haz las oraciones de la actividad anterior de otra manera, siguiendo el modelo.

MODELO Ella está maquillándose.

✦ Comunicación

15 Se visten de...

Trabajando en parejas, hablen de cómo se visten estas personas, usando la forma apropiada de *vestirse*.

MODELO A: ¿Cómo se viste Teresa?
B: Teresa se viste de amarillo.

1. Gabriel y Carlota

2. Uds.

3. tú

4. nosotros

5. Guillermo

6. yo

7. Antonio

8. Esperanza

16 ¿Qué hiciste el fin de semana pasado?

Trabajando en parejas, alterna con un(a) compañero/a de clase en preguntar y contestar cinco cosas que hicieron el fin de semana pasado. Usa los verbos de la caja y añade tus propios verbos.

MODELO A: ¿Qué hiciste el sábado?
B: Fui al cine.

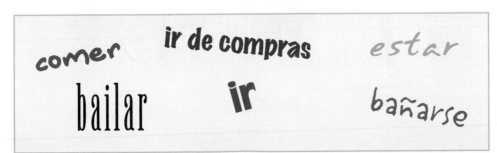

comer   ir de compras   estar
bailar   ir   bañarse

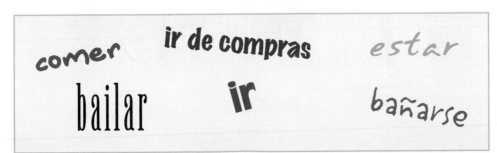

The word *se*

In Spanish, if a person who is doing something is indefinite or unknown (where in English you might say "one," "people" or "they"), *se* is sometimes combined with the *él/ella/Ud.* or the *ellos/ellas/Uds.* form of a verb in order to express the action. In such cases the subject (which may precede or follow the verb) indicates whether the verb should be singular or plural. If the subject is singular, the verb is singular. Likewise, if the subject is plural, so is the verb.

Se habla español aquí.	Spanish **is spoken** here.
Las verduras **se comen** *muchas veces para el almuerzo.*	**People** often **eat** vegetables for lunch.

 Práctica

17 El horario de los Vargas

Estas oraciones describen algunas de las actividades de un sábado típico de la familia Vargas. Cámbialas, usando una construcción con *se*.

MODELO Empiezan el día a las ocho.

Se empieza el día a las ocho./El día se empieza a las ocho.

1. Arreglan la casa a las nueve.
2. Lavan el carro a las diez y media.
3. Preparan el almuerzo a las once.
4. Cepillan el perro a las cuatro.
5. Preparan un pollo a las seis.
6. Ponen la mesa a las siete.
7. Comen el pollo a las siete y media.

Lavan el carro a las diez y media.

Alterna con un(a) compañero/a de clase en preguntar y contestar qué cosas se venden o no en la tienda de la ilustración.

MODELOS   **A:** ¿Se venden toallas en la tienda?

   B: Sí, se venden toallas.

   A: ¿Se vende crema de afeitar en la tienda?

   B: No, no se vende crema de afeitar.

✦ Comunicación

19 Adivina qué es

En grupos pequeños, un(a) estudiante debe representar con un dibujo, en un tiempo máximo de treinta segundos, una acción o un objeto nuevo presentado en el Vocabulario I de esta lección. Los otros deben adivinar *(guess)* lo que está dibujando esa persona haciendo preguntas. El/La estudiante que primero adivina la acción o el objeto gana un punto y tiene el turno para dibujar. La persona con más puntos después de un período de juego de diez minutos es la ganadora *(winner)*.

MODELO   **A:** ¿Se usa para lavarse el pelo?

   B: No.

   C: ¿Se usa para bañarse?

   B: Sí.

   A: Es un jabón.

   B: Sí, muy bien.

Vocabulario II

Todos los días

sentarse

preocuparse

esperar

quemarse

No se hace así.

¿Qué hiciste?

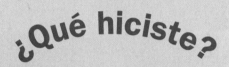

Me llamo Javier.

llamarse

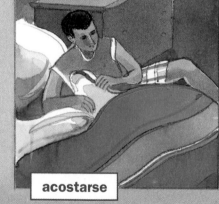

acostarse

calmarse

quedarse en la cama

20 ¿Con qué corresponde?

Selecciona la foto que corresponde con cada descripción que oyes.

A **B** **C** **D** **E** **F**

21 ¿Qué pasó?

Completa las siguientes oraciones, usando una palabra apropiada de la caja.

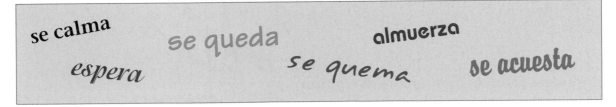

se calma se queda almuerza espera se quema se acuesta

1. Jorge ___ después de estar muy nervioso.
2. Teresa ___ con el horno.
3. Pedro ___ a las diez de la noche.
4. Elena ___ en la cama porque está muy enferma.
5. Enrique ___ el autobús a las ocho de la mañana.
6. Manuel ___ en un restaurante mejicano.

Diálogo II

¿Cuándo cenamos?

DAVID: ¿A qué hora vamos a cenar?

MAMÁ: Cenamos a las nueve porque voy a llegar tarde.

DAVID: ¡Tan tarde!

MAMÁ: Entonces, tu papá puede preparar la cena hoy.

DAVID: Pero él también llega tarde a casa.

MAMÁ: No, hoy llega temprano del trabajo.

DAVID: Bueno, yo prefiero esperarte.

MAMÁ: No, no te preocupes por mí.

DAVID: Sí, sí me preocupo. La última vez que él preparó la comida la quemó toda.

MAMÁ: Ja, Ja. Tienes razón. Bueno, yo hago la comida.

22 ¿Qué recuerdas?

1. ¿A qué hora va a cenar la familia de David?
2. ¿Quién puede preparar la cena más temprano?
3. ¿Qué prefiere David?
4. ¿Por qué prefiere David esperar a su mamá?

23 Algo personal

1. ¿Te gusta cenar con tu familia? ¿Por qué?
2. ¿Preparas la comida en tu casa?
3. ¿Cuál es tu comida favorita?

24 A completar

Completa cada oración que oyes con una respuesta lógica, seleccionando de las posibles respuestas que siguen.

A. ...con su familia.
B. ...en el sofá.

C. ...quedarse en la cama.
D. ...se quemó.

Yo preparo la comida en mi casa.

Comer bien es salud

Es importante comer bien para tener buena salud y en muchas familias hispanas, el almuerzo se considera la comida principal del día. El almuerzo se come entre la una y las tres de la tarde. Los miembros de la familia llegan a casa durante esas horas y tienen la oportunidad de pasar tiempo juntos y hablar de su día antes de volver al colegio o al trabajo. Cuando la comida del mediodía es la comida principal, la cena es ligera[1]. Sin embargo, el horario de algunas familias sólo permite un almuerzo corto al mediodía. Para estas personas, la cena es la comida principal de la familia.

Cenamos en casa.

Los fines de semana muchas veces las familias toman un almuerzo largo que puede durar desde la una hasta las cuatro o las cinco de la tarde. Las familias se reúnen y pasan tiempo juntas y hablan de eventos y cosas que han pasado[2]. En estas ocasiones la cena, que es la comida más ligera del fin de semana, se come a las siete u ocho de la tarde.

En muchos países hispanos es difícil comer el almuerzo antes de la una de la tarde si vas a un restaurante. ¡Pero es posible cenar hasta después de la medianoche!

Almorzamos en el jardín.

[1]light   [2]have happened

25 ¿Cómo es para ti?

Contesta estas preguntas en español, según lo que es verdad para ti. Puedes inventar la información si quieres.

1. ¿Cuál de las tres comidas es la más importante en tu casa?
2. ¿A qué hora desayunas cuando vas al colegio?
3. ¿Qué comes para el desayuno?
4. ¿A qué hora almuerza tu familia los sábados? ¿Y los domingos?
5. ¿A qué hora es la comida en tu casa?
6. ¿Dónde se sientan para cenar?

¡Extra!

¡Hay comida todo el día!

You have seen words in both English and Spanish that have more than one meaning. One example in Spanish is the word *comida*, which may mean **food** or **dinner**. Other terms to use when eating a healthy diet:

el desayuno	*breakfast*	desayunarse	*to have breakfast*
el almuerzo	*lunch*	almorzar (ue)	*to have lunch*
la cena	*supper*	cenar	*to have supper*
la comida	*dinner, the main meal*	comer (la comida)	*to have dinner, the main meal*

Estructura

The preterite tense of reflexive verbs

Reflexive and nonreflexive verbs follow the same patterns you have learned for forming the preterite tense, with the exception that reflexive verbs require an appropriate reflexive pronoun. Compare the following:

no reflexivo		*reflexivo*	
Bañé al perro.	I gave the dog a bath.	*Me bañé.*	I took a bath.
Ella vistió a su hermanita.	She dressed her little sister.	*Ella se vistió.*	She got dressed.

Práctica

26 Un correo electrónico de Alicia

Alicia está escribiendo este correo electrónico sobre lo que pasó ayer en su casa. Ayúdala a completarlo, usando la forma apropiada del pretérito de los verbos entre paréntesis.

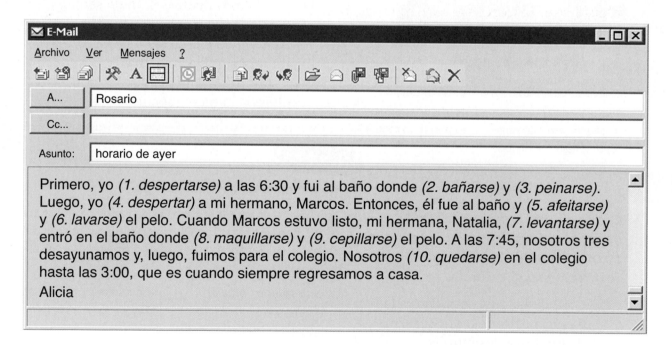

E-Mail

Archivo   Ver   Mensajes   ?

A... Rosario

Cc...

Asunto: horario de ayer

Primero, yo *(1. despertarse)* a las 6:30 y fui al baño donde *(2. bañarse)* y *(3. peinarse)*. Luego, yo *(4. despertar)* a mi hermano, Marcos. Entonces, él fue al baño y *(5. afeitarse)* y *(6. lavarse)* el pelo. Cuando Marcos estuvo listo, mi hermana, Natalia, *(7. levantarse)* y entró en el baño donde *(8. maquillarse)* y *(9. cepillarse)* el pelo. A las 7:45, nosotros tres desayunamos y, luego, fuimos para el colegio. Nosotros *(10. quedarse)* en el colegio hasta las 3:00, que es cuando siempre regresamos a casa.
Alicia

27 ¿Qué pasó en tu casa esta mañana?

Tu amigo/a está muy curioso/a hoy y te pregunta sobre algunas cosas que pasaron esta mañana. En parejas, alterna con tu compañero/a de clase en hacer y contestar preguntas, usando las pistas indicadas.

MODELO tu hermana / maquillarse antes de salir

A: ¿Se maquilló tu hermana antes de salir?

B: Sí, (No, no) se maquilló antes de salir.

1. tu hermano menor / quemarse con agua caliente
2. tus padres / despertarse a las seis
3. tú / quedarse en la cama hasta que tu mamá vino para despertarte
4. tu mamá / cepillarse el pelo
5. tu papá / afeitarse después de desayunar
6. nosotros / vestirse con el mismo color de pantalón
7. tú / peinarse antes de salir para el colegio
8. tú / lavarse el pelo

⟡ Comunicación

28 Tu rutina

Trabajando en parejas, hablen de su rutina ayer después de levantarse. Pueden usar algunos de los verbos indicados en su conversación si quieren.

MODELO A: ¿A qué hora te despertaste?

B: Me desperté a las seis y media.

acostarse   depertarse
almorzar   desayunar
cenar   salir para el colegio

Nos maquillamos antes de ir a clase.

Repaso rápido: demonstrative adjectives

You have already learned to use demonstrative adjectives to indicate where someone or something is located in relation to the speaker. They include *este, esta, estos, estas, ese, esa, esos, esas, aquel, aquella, aquellos* and *aquellas*.

*No me gusta **este** jabón.*	I do not like **this** soap.
*Tampoco me gusta **ese** jabón.*	I do not like **that** soap either.
*Prefiero **aquel** jabón.*	I prefer **that** soap **over there.**

Tu familia fue a la tienda para comprar unas cosas para la casa y ahora todos están discutiendo quién compró los objetos que están en la mesa de la cocina. Di quién compró qué, según las pistas.

MODELO tú / jabón / allí
Tú compraste ese jabón.

1. yo / sopa para mi almuerzo / aquí
2. mamá / champú / allí
3. yo / desodorante / aquí

4. tú / cepillos / allí
5. papá / huevos para el desayuno / aquí
6. nuestra abuela / postre para la cena / allá

Estructura

Demonstrative pronouns

Demonstrative adjectives become demonstrative pronouns when they are used with a written accent mark and when they take the place of a noun.

Los pronombres demostrativos			
singular		plural	
masculino	femenino	masculino	femenino
éste	ésta	éstos	éstas
ése	ésa	ésos	ésas
aquél	aquélla	aquéllos	aquéllas

Note how demonstrative pronouns are used in the following sentence:

*Creo que **éste** es bueno y **ése** es muy bueno, pero **aquél** es el mejor de todos.*

I think **this one** is good and **that one** is very good, but **that one over there** is best of all.

Three neuter demonstrative pronouns *(esto, eso, aquello)* refer to a set of circumstances, to very general nouns or to objects that have not been identified. The neuter demonstrative pronouns do not require an accent mark.

***Esto** no es bonito.*

This is not pretty.

*Me gustaría ver **eso,** por favor.*

I would like to see **that (stuff),** please.

***Aquello** fue imposible.*

That was impossible.

La otra cama es mía y ésta es tuya.

Práctica

30 ¿Cuánto cuesta eso?

Durante las vacaciones estás trabajando en una tienda y unos clientes te están preguntando por el precio de algunos objetos. Trabajando en parejas, alterna con tu compañero/a de clase en hacer y contestar preguntas, según las ilustraciones y las indicaciones.

MODELO peines/$1.25

    A: ¿Cuánto cuestan esos peines?

    B: ¿Esos peines?

    A: Sí, ésos.

    B: Esos peines cuestan un dólar veinticinco.

      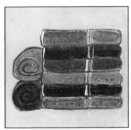

1. crema de afeitar/ $1.60
2. champú/ $2.05
3. cepillo/ $2.80
4. jabón/ $0.79
5. espejos/ $3.96
6. desodorante/ $8.25
7. toallas/ $2.73

31 De viaje

Miguel y su familia se preparan para ir de viaje. Completa las siguientes oraciones con los pronombres demostrativos apropiados para decir qué hacen para prepararse.

MODELO Quiero otro jabón; éste no me gusta.

1. ¿Es aquél tu desodorante? ¿Y __ (éste) que está aquí?
2. ¿Qué champú es nuevo? __ (ése) que está allí es muy nuevo.
3. Necesito otra toalla; __ (ésa) está sucia.
4. ¿Dónde está mi champú? No es __ que está aquí.
5. Ese jabón no; yo quiero __ que está allá.
6. Mi toalla es roja; __ es rosada.
7. Aquélla no es mi crema de afeitar; es __.
8. ¡__ es un desastre! Debes limpiar el baño ahora mismo.

Comunicación

32 Juego

En parejas, alterna con tu compañero/a de clase en preguntar y contestar de quiénes son cinco cosas que tú señalas en la clase sin mencionarlas.

MODELO A: ¿Es esto de Patricia?

    B: No, esto es de Rafael.

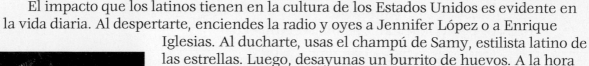

Lectura cultural

Estados Unidos: un país latino

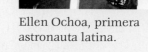
Ellen Ochoa, primera astronauta latina.

El español fue la primera lengua europea que se habló en el territorio que hoy es Estados Unidos. Por eso tenemos ciudades con nombres[1] como Los Ángeles y Las Cruces (y no *The Angels* y *The Crosses*). Hoy, la comunidad latina, con una población de más de 40 millones, es el grupo étnico más grande de Estados Unidos.

El impacto que los latinos tienen en la cultura de los Estados Unidos es evidente en la vida diaria. Al despertarte, enciendes la radio y oyes a Jennifer López o a Enrique Iglesias. Al ducharte, usas el champú de Samy, estilista latino de las estrellas. Luego, desayunas un burrito de huevos. A la hora de almorzar pides salsa para tu hamburguesa. (En 1992, la salsa reemplazó al catsup[2] como el condimento número uno en Estados Unidos.) Por la tarde, cuando enciendes la televisión ves a Soledad O'Brien dar las noticias. Shakira está en un anuncio comercial y el congresista[3] Reyes en otro. Luego, empieza el partido de béisbol con el jugador Alex Rodríguez. Antes de acostarte, hablas por teléfono con tu amigo José. (En 1998, José reemplazó a Michael como el nombre más popular para niños en Texas y California.) Cada día, Estados Unidos se vuelve más latino.

[1]names   [2]ketchup   [3]congressman
[4]reporter

Carlos Santana.

Las Cruces, Nuevo México.

33 ¿Qué recuerdas?

Nombra...

1. ...el grupo étnico más grande de Estados Unidos.
2. ...un(a) cantante latino/a de música pop.
3. ...una periodista latina en la televisión estadounidense.
4. ...el condimento número uno en Estados Unidos.
5. ...una ciudad en Estados Unidos con nombre español.

34 Algo personal

1. ¿Es la influencia latina evidente en tu vida diaria? Explica.
2. Nombra a una persona conocida en tu estado que tiene un nombre hispano. ¿Qué hace?
3. ¿Por qué crees que es importante aprender el español?

- ¿Por qué dice el artículo que los Estados Unidos están llegando a ser más latino?

- ¿Cómo crees tú que la cultura de los Estados Unidos cambiará durante los próximos cincuenta años con el crecimiento de la población latina?

¿Qué aprendí?

Autoevaluación

Como repaso y autoevaluación, responde lo siguiente:

1. Name two objects in a bathroom.

2. Say two activities you do every day.

3. Name three places in the United States with names that are derived from Spanish.

4. How might you use Spanish as a volunteer in your community?

5. Describe in Spanish how two people in the classroom are dressed.

6. What was the last thing you did last night?

7. Imagine you are traveling and see a swimsuit you would like to buy. How would you say "I want that one"?

Visit the web-based activities at www.emcp.com

Palabras y expresiones

En el baño
- el cepillo
- el champú
- la crema de afeitar
- el desodorante
- la ducha
- el espejo
- el excusado
- el grifo
- el jabón
- el lavabo
- el maquillaje
- el peine
- la tina
- la toalla

Comidas
- la cena
- la comida
- el desayuno

Verbos
- acostar(se) (ue)
- afeitar(se)
- almorzar (ue)
- bañar(se)
- calmar(se)
- cenar
- cepillar(se)
- desayunar
- despertar(se) (ie)
- duchar(se)
- esperar
- lavar(se)
- levantar(se)
- llamar(se)
- maquillar(se)
- peinar(se)
- poner(se)
- preocupar(se)
- quedar(se)
- quemar(se)
- quitar(se)
- sentar(se) (ie)
- vestir(se) (i, i)

Otras expresiones
- aquél, aquélla (aquéllos, aquéllas)
- aquello
- así
- desde luego
- ése, ésa (ésos, ésas)
- eso
- éste, ésta (éstos, éstas)
- esto
- el pelo
- la salud
- tarde

Me maquillo antes de trabajar.

Me baño todos los días.

Vocabulario I
Con la doctora

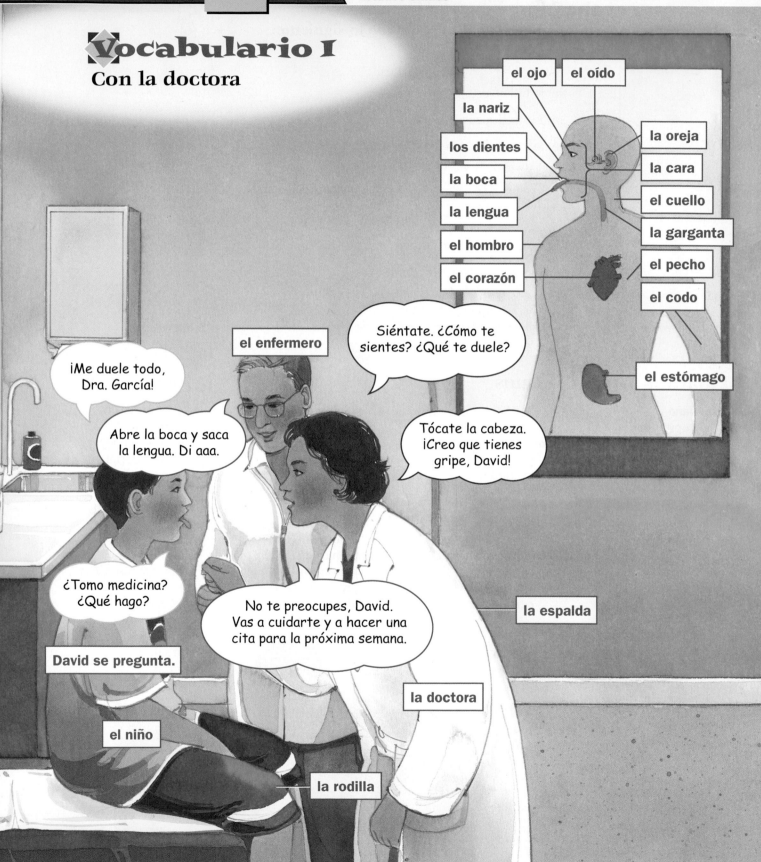

el ojo | el oído

la nariz

los dientes

la boca

la lengua

el hombro

el corazón

la oreja

la cara

el cuello

la garganta

el pecho

el codo

el estómago

el enfermero

Siéntate. ¿Cómo te sientes? ¿Qué te duele?

¡Me duele todo, Dra. García!

Abre la boca y saca la lengua. Di aaa.

Tócate la cabeza. ¡Creo que tienes gripe, David!

¿Tomo medicina? ¿Qué hago?

No te preocupes, David. Vas a cuidarte y a hacer una cita para la próxima semana.

la espalda

David se pregunta.

la doctora

el niño

la rodilla

dormir

no fumar

ejercicio

no comer comida rápida

no broncearse

descansar

1 ¿Cierto o falso?

Di si lo que oyes es cierto o falso, según la información en el Vocabulario I. Si es falso, di lo que es cierto.

2 ¿Qué hacemos con...?

Conecta las frases de la columna A con las partes del cuerpo apropiadas de la columna B en forma lógica.

A

1. Ves con...
2. Puedes tocar algo con...
3. Caminas con...
4. A veces mi amiga se maquilla...
5. A mi hermanito no le gusta cepillarse...
6. Oímos con...
7. Comemos con...

B

A. ...los dientes.
B. ...la boca.
C. ...la cara.
D. ...los ojos.
E. ...el dedo.
F. ...los pies.
G. ...los oídos.

3 ¿Qué va con qué?

En cada grupo escoge las dos palabras que están relacionadas (related) de alguna forma.

1. cabeza   cara   traer   cinturón
2. gripe   pierna   rodilla   cena
3. codo   brazo   piso   cita
4. mano   calle   tina   dedo
5. boca   codo   dientes   espalda
6. enfermera   espejo   dedo   doctora
7. niño   nieve   chico   norte
8. Abre la boca. Siéntate.   orejas   martes
9. Tócate el codo. bote   camiseta   Di aaa.

Diálogo I

La gripe

JUAN: ¡Felipe!
MAMÁ: Juan, tu hermano está enfermo. Está durmiendo.
JUAN: ¿Lo vas a llevar al médico?
MAMÁ: Ya lo llevé a la doctora Beltrán.

JUAN: ¿Y qué dijo la doctora?
MAMÁ: Dijo que Felipe tiene la gripe.
JUAN: ¿Y cómo se siente mi hermanito?
MAMÁ: Le duele mucho la garganta y se siente muy cansado.

JUAN: Entonces, ¿qué debe hacer?
MAMÁ: Debe descansar mucho.
JUAN: Estar enfermo no es muy divertido.
MAMÁ: ¡Desde luego que no!

4 ¿Qué recuerdas?

1. ¿Quién está enfermo?
2. ¿Dónde llevó la mamá a Felipe?
3. ¿Qué dijo la doctora?
4. ¿Cómo está Felipe?
5. ¿Qué debe hacer Felipe?

5 Algo personal

1. ¿Tienes hermanos? ¿Cuántos?
2. ¿Has estado enfermo/a con la gripe alguna vez?
3. ¿Cuándo fuiste al doctor la última vez?

6 Adivina, adivinador

Escucha y adivina (guess) a qué partes del cuerpo se refieren las siguientes oraciones.

MODELO Son los dientes.

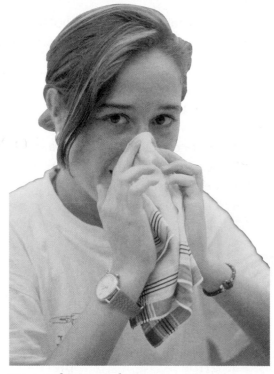

Estoy enferma con la gripe.

Aquí se habla español

Hay muchas personas de habla hispana en los Estados Unidos. Ser bilingüe es importante. Por ejemplo, en muchos lugares, como en hospitales, clínicas, restaurantes, hoteles y en centros del gobierno o de la comunidad, comunicarse en español es común.

Estados Unidos cuenta con ciudades como Santa Fe y Miami donde el cincuenta por ciento de los habitantes son hispanos. Además, en Los Ángeles la población hispana llega ya al cuarenta por ciento y en Nueva York al treinta por ciento. En los estados de California, Arizona, Florida, Colorado y Texas el número de

Comida ecuatoriana en Estados Unidos.

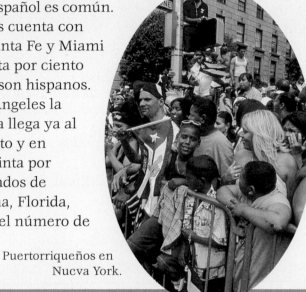

Puertorriqueños en Nueva York.

hispanohablantes y su influencia es muy grande. Por esta razón, en cada uno de estos estados es posible encontrar desde periódicos hasta programas de televisión y de radio en español.

¿Qué influencia hispana hay donde tú vives?

---

7 Conexión con otras disciplinas: geografía

En cinco minutos, haz una lista de lugares geográficos en los Estados Unidos con nombres en español. Trata de incluir por lo menos quince lugares. Sigue el modelo.

MODELO

Cuerpos de agua	Ciudades	Estados	Otros lugares
Río Grande	Las Vegas	Florida	Sierra Nevada

---

8 Bilingües y famosos

Trabajando en parejas, hagan una lista de por lo menos cinco personas hispanas famosas que viven en los Estados Unidos. Deben decir lo que hace cada una de estas personas. También deben decir de dónde son y dónde viven, si es posible. Pueden buscar la información en la biblioteca o en la internet si quieren.

Idioma

Estructura

Verbs that are similar to *gustar*

Some verbs in Spanish may seem like they should be reflexive, but they are not. They follow the pattern you have learned for *gustar* and are normally used with an indirect object pronoun.

- *doler (ue)* (to hurt, to suffer pain from)
  A Fernando **le duelen** las piernas.   Fernando's legs hurt.
- *hacer falta* (to be necessary, to be lacking)
  Les hace falta hacer más ejercicio.   They need to do more exercise.
- *importar* (to be important, to matter)
  No **me importa**.   It does not matter to me.
- *parecer* (to seem)
  ¿**Te parece** difícil?   Does it seem difficult (to you)?

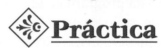 ## Práctica

 9 ¡Les duele todo!

En parejas, alterna con tu compañero/a de clase en preguntar y contestar lo que les duele a estas personas.

MODELO Pablo
    A: ¿Qué le duele a Pablo?
    B: Le duele el estómago.

1. Daniel   **2.** Alicia   **3.** ellas   **4.** Timoteo y Laura

    5. tú   **6.** nosotros   **7.** yo

10 Todos están mal hoy

Todos se sienten mal hoy en la familia de Juan. Completa el párrafo con la forma apropiada de *doler, hacer falta, importar* o *parecer* y el complemento directo o indirecto apropiado para ver por qué.

Yo me siento mal.

Nadie se siente muy bien hoy en mi familia. Yo me siento mal y *(1. doler)* todo el cuerpo. Mi hermana cantó mucho ayer y hoy a ella *(2. doler)* la garganta. Felipe, mi hermano, también cree que está enfermo. A él *(3. parecer)* que tiene la gripe. A mi padre *(4. doler)* la cabeza, pero dice que a él no *(5. importar)*, y a mi madre *(6. doler)* mucho los pies. Creo que a todos nosotros *(7. hacer falta)* descansar mucho. Y tú, ¿cómo estás? ¿*(8. parecer)* que hoy hay alguien enfermo en tu familia? ¿A ti también *(9. hacer falta)* descansar?

11 En el médico

Natalia fue al médico. Completa el siguiente diálogo de una manera lógica.

Natalia: ¡Hola, doctor Tovar!
Médico: ¡Hola, Natalia! ¿Qué te (1)?
Natalia: Me duele mucho la (2).
Médico: Bueno, vamos a mirar. (3) la nariz. (4) la boca. (5) la lengua. (6) *aaaaa.* Parece que tienes una (7).
Natalia: ¿Qué debo hacer?
Médico: Debes (8) y tomar mucha agua.

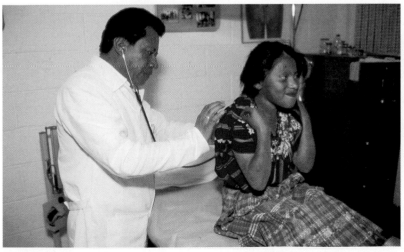

Una visita al médico en Guatemala.

Comunicación

12 Tócate...

En parejas, alterna con tu compañero/a en decirle qué parte del cuerpo se debe tocar. Mira para ver si tu compañero/a se toca la parte del cuerpo correcta. Cada estudiante debe mencionar ocho partes del cuerpo.

MODELO **A:** Tócate la cara.
             B: *(Student **B** should touch his/her face.)*

13 ¡A ti te toca!

Imagina que fuiste al médico/a la médica. Trabajando en parejas, alternen en hacer los papeles *(playing the roles)* del paciente y del (la) médico/a.

14 Sus cosas favoritas

Trabajando en parejas, alternen en hablar de sus vidas. Pueden usar algunas de las siguientes preguntas en su conversación si quieren. Luego, deben reportar la información a la clase.

El médico dice que debo comer más fruta.

MODELO **A:** ¿Te importa tener buena salud?
             B: Sí, me importa. Quiero hacer más ejercicio para tener mejor salud.

1. ¿Te hace falta hacer ejercicio?
2. ¿Te parece que la escuela es difícil?
3. ¿Te importa dormir mucho?
4. ¿Te duele la cabeza a veces?
5. ¿Te duelen los pies después de caminar mucho?
6. ¿Te importa asistir a la universidad algún día?
7. ¿Te gusta viajar?

Nos importa tener buena salud.

15 Opiniones

Con otro/a estudiante de la clase, completen las siguientes frases. ¡Sean creativos! Luego, deben reportar la información a la clase.

MODELO Me importa tener buena salud.

Me importa...

Me parece...

No me parece...

No me importa...

Me hace falta...

No me duele...

Me duele...

Me gusta...

No me hace falta...

No me gusta...

Nos parece que la escuela es difícil.

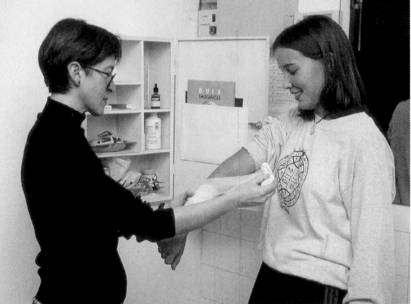

Me duele el brazo.

¿Cierto o falso?

Di si lo que oyes es cierto o falso, según la información en el Vocabulario II.
Si es falso, di lo que es cierto.

17 ¡A completar!

Completa las siguientes oraciones de acuerdo con las ilustraciones del
Vocabulario II.

1. Los chicos están en el __.
2. Es un buen día para __.
3. Pedro dice que Carlos puede pescar un __ si se cae en cl lago.
4. Carlos va a pescar __.
5. Eva va a irse __ y reunirse con su familia.
6. Marcos tiene la guitarra en la mano izquierda, no en la mano __.

Diálogo II

Pescando un resfriado

MAMÁ: Antes de comer voy a limpiar las ventanas.
JUAN: Mamá, siéntate un rato.
MAMÁ: Y, después, voy a reunirme con Graciela.

JUAN: Mamá, debes descansar más.
MAMÁ: Bueno, y tú, ¿vas a irte a pescar esta tarde?
JUAN: Esta tarde no, estoy cansado.

JUAN: Parece que va a llover esta tarde y no quiero pescar un resfriado.
MAMÁ: Pues me parece bien, porque con un chico enfermo tengo suficiente.
JUAN: ¡Ashis! ¡Oh, oh, creo que ya estoy pescando un resfriado!

18 ¿Qué recuerdas?

1. ¿Qué va a hacer la mamá antes de comer?
2. ¿Qué le dice Juan a la mamá?
3. ¿Con quién va a reunirse la mamá?
4. ¿Va a irse Juan a pescar en la tarde?
5. ¿Qué no quiere pescar Juan?

19 Algo personal

1. ¿Cuándo pescaste el último resfriado?
2. ¿Te gusta ir de pesca? ¿Por qué?
3. ¿Cuándo te reúnes con tus amigos/as? ¿Para qué te reúnes?

20 En otras palabras

Conecta lógicamente lo que oyes con las siguientes palabras.

A. sentarse
B. olvidarse
C. despedirse
D. acostumbrarse
E. pescar
F. el lago

¡Él pescó un pez enorme!

Minoría mayoritaria

Una fecha histórica para los hispanos de los Estados Unidos fue el año 2003. En este año se dieron los resultados del último censo que hizo oficial que los latinos en EE.UU. se convirtieron en la minoría mayoritaria,[1] sobrepasando[2] a los afroamericanos por primera vez en la historia del país.

¿Te imaginas cómo va a afectar el futuro de los hispanos este incremento tan significativo de población?

Soy ciudadana.

El idioma español es el segundo idioma de los Estados Unidos. Ya es normal encontrar todo tipo de documentos del gobierno en español. En algunos estados es obligatorio tener todos estos documentos en español. También, algún día, van a verse reflejados[3] en la política y en la economía estos incrementos de la población hispana.

Debemos votar.

[1]became the largest minority   [2]exceeding   [3]will be reflected

21 Conexión con otras disciplinas: sociología

Mira el censo de la población del estado donde vives. Esta información la puedes encontrar en cualquier biblioteca pública o en la internet. En los datos del censo, identifica lo siguiente:

- el número total de personas que viven en tu estado
- las minorías (afroamericanos, asiáticos, hispanos, etc.) con el porcentaje de la población de estas minorías
- la minoría mayoritaria de tu estado
- el porcentaje total de minorías
- otra información interesante

Presenta la información a la clase.

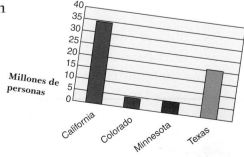

Idioma

Estructura

More on reflexive verbs

Sometimes in Spanish a verb will have a different meaning if it is used reflexively.

comer to eat	→	*comerse* to eat up
dormir (ue, u) to sleep	→	*dormirse (ue, u)* to fall asleep
ir to go	→	*irse* to leave, to go away
llevar to take, to carry	→	*llevarse* to take away, to get along
preguntar to ask	→	*preguntarse* to wonder, to ask oneself

Compare the following:

Diana **duerme** *mucho.*	Diana **sleeps** a lot.
A veces **me duermo** *antes de las diez.*	Sometimes I **fall asleep** before ten.

In addition, some verbs are reflexive in Spanish that do not appear at all reflexive in English.

acostumbrarse	to get used to	*equivocarse*	to make a mistake
broncearse	to tan	*olvidarse*	to forget
caerse	to fall down	*reunirse*	to get together
despedirse (i, i)	to say good-bye	*sentirse (ie, i)*	to feel

Note: The verb *caer(se)* is regular in the present tense, except for the first-person singular form *(me) caigo*. The preterite tense of *caer(se)* is conjugated following the pattern of the verb *leer: caí, caíste, cayó, caímos, caísteis, cayeron.* The present participle of *caer (caerse)* is *cayendo (cayéndose).*

Práctica

22 **Ir de vacaciones es bueno para la salud**

 Tú y un(a) amigo/a tienen planes para las vacaciones y están hablando de lo que van a hacer. Trabajando en parejas, alternen en hacer y contestar preguntas sobre sus planes, según las indicaciones.

MODELO irse de vacaciones a Minneapolis/Miami
    A: ¿Vas a irte de vacaciones a Minneapolis?
    B: No, voy a irme de vacaciones a Miami.

1. dormir mucho/poco
2. llevarse mal con tus amigos/bien con mis amigos
3. irse con tus hermanos/mis amigos
4. comerse todo en el viaje/casi todo
5. dormirse temprano/tarde
6. llevar mucha ropa/poca ropa
7. comer poco en el viaje/mucho

Nos vamos de vacaciones a México.

23 Visitando a la familia

Cuando Juan visita a sus tíos, muchas cosas pasan. Di lo que pasa, completando las siguientes oraciones con la forma apropiada de los verbos entre paréntesis.

MODELOS Los tíos de Juan *(dormir)* muy poco.
Los tíos de Juan *duermen* muy poco.

Juan y sus primos *(irse)* a pescar al lago bien temprano.
Juan y sus primos *se van* a pescar al lago bien temprano.

Juan se lleva bien con su tía.

1. Todos *(ir)* al lago a las cinco y media de la mañana.
2. Raúl siempre *(preguntarle)* a él todo lo que Juan sabe sobre cómo pescar.
3. Juan *(dormirse)* temprano para despertarse temprano.
4. La tía *(llevar)* a los chicos en su carro nuevo.
5. Juan *(llevarse)* muy bien con Raúl.
6. Ellos *(comer)* perros calientes.
7. La tía de Juan siempre *(preguntarse)* a qué hora van a volver de pescar.
8. A la hora de la comida, Juan y sus primos *(comerse)* todo el pescado.

24 Hablando del viaje

Selecciona de la columna B una respuesta apropiada para cada una de las preguntas de la columna A.

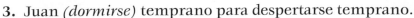

A

1. ¿De qué te preocupas?
2. ¿Te bronceas?
3. ¿Se divierten mucho o me equivoco?
4. ¿Me siento allí?
5. ¿Cómo te sientes?
6. ¿Nos reunimos para hablar de nuestra salud después del viaje a la casa de nuestros tíos?

B

A. Sí, los vamos a visitar a su casa.
B. No me preocupo de nada.
C. Te equivocas, estamos muy aburridos.
D. Me siento muy bien.
E. No. Siéntate aquí.
F. No. Sólo tomo un poco de sol.

¿Se divierten mucho?

25 Un correo electrónico de Juan

Juan escribió en un correo electrónico sobre los viajes con su familia. Completa el siguiente párrafo con la forma apropiada de los verbos entre paréntesis.

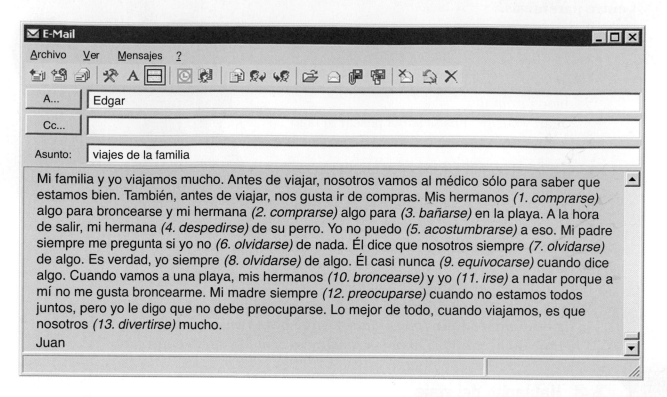

E-Mail

Archivo   Ver   Mensajes   ?

A...   Edgar

Cc...

Asunto: viajes de la familia

Mi familia y yo viajamos mucho. Antes de viajar, nosotros vamos al médico sólo para saber que estamos bien. También, antes de viajar, nos gusta ir de compras. Mis hermanos *(1. comprarse)* algo para broncearse y mi hermana *(2. comprarse)* algo para *(3. bañarse)* en la playa. A la hora de salir, mi hermana *(4. despedirse)* de su perro. Yo no puedo *(5. acostumbrarse)* a eso. Mi padre siempre me pregunta si yo no *(6. olvidarse)* de nada. Él dice que nosotros siempre *(7. olvidarse)* de algo. Es verdad, yo siempre *(8. olvidarse)* de algo. Él casi nunca *(9. equivocarse)* cuando dice algo. Cuando vamos a una playa, mis hermanos *(10. broncearse)* y yo *(11. irse)* a nadar porque a mí no me gusta broncearme. Mi madre siempre *(12. preocuparse)* cuando no estamos todos juntos, pero yo le digo que no debe preocuparse. Lo mejor de todo, cuando viajamos, es que nosotros *(13. divertirse)* mucho.
Juan

26 En San Antonio

Fuiste con tu familia de vacaciones a San Antonio el verano pasado. Haz oraciones completas con las indicaciones que se dan para decir lo que pasó.

MODELO   mi tía/no/equivocarse al decir que la ciudad es bonita
Mi tía no se equivocó al decir que la ciudad es bonita.

1. mi papá/olvidarse de llevar ropa de verano
2. mi abuela/no/acostumbrarse a tantos carros
3. nosotros/despedirse de nuestros tíos el último día
4. nosotros/reunirse con nuestros parientes en San Antonio
5. yo/sentirse un poco resfriado el primer día
6. mis hermanas/no/broncearse mucho en la piscina

¿Fuiste a San Antonio el verano pasado?

✧ Comunicación

Trabajando en parejas, alternen en hacer y contestar las preguntas acerca de su rutina diaria y lo que hacen para cuidar su salud. Luego, tienen que presentar la información a la clase.

1. ¿Adónde vas de viaje?
2. ¿Vas mucho a las playas? La última vez que fuiste a la playa, ¿te bronceaste?
3. ¿Qué haces para cuidar tu salud cuando estás viajando? ¿Haces ejercicios aeróbicos?
4. ¿Toma tu familia vacaciones en el invierno? Durante el invierno pasado, ¿te caíste en el hielo?
5. ¿Cuándo piensas irte a otro viaje?
6. Cuándo viajas, ¿cómo te diviertes?
7. ¿Qué tipo de comida comes cuando estás viajando?

¿Tomas vacaciones en el invierno?

28 ¿Qué haces?

Trabajando con otro/a estudiante, hablen de las actividades que hacen durante un sábado típico. Por ejemplo, pueden decir a qué hora Uds. hacen las actividades, con quién las hacen y cualquier otra cosa que decidan mencionar. Pueden usar los siguientes verbos en su conversación si quieren: *vestirse, levantarse, cepillarse, despertarse, bañarse.* Después, deben compartir la información con la clase.

MODELO A: ¿A qué hora te sientas para comer?
B: Me siento para comer a las siete de la noche.

¿Cuándo te cepillas?

Estructura

Prepositions

Look at the following list of prepositions in Spanish and see how many you remember. Look up any you do not recognize.

a	de	lejos de
al lado de	desde	para
antes de	después de	por
cerca de	en	sin
con	hasta	sobre

Verbs that follow prepositions

In Spanish an infinitive (the form of the verb that ends in *-ar, -er* or *-ir*) is the only form of a verb that can be used after a preposition.

*Voy a estudiar **después de descansar** media hora.*

I am going to study **after resting** for a half hour.

*Juan nunca va a Canadá **sin ir a pescar.***

Juan never goes to Canada **without fishing.**

If the verb after the preposition is reflexive, the reflexive pronoun must be attached to the end of the infinitive and must agree with the subject.

***Después de levantarte,** debes bañarte.*

After getting up, you should bathe.

***Después de bañarme,** yo me visto.*
*Nosotros salimos **sin almorzar.***

After bathing, I get dressed.
We left **without having lunch.**

Práctica

29 Después de levantarse

¿Qué van a hacer las siguientes personas después de levantarse, según las indicaciones?

MODELO mi amiga (hacer la cama)
Mi amiga va a hacer la cama después de levantarse.

1. mis tías (cepillarse el pelo)
2. yo (desayunar)
3. nosotros (ducharse)
4. mis hermanos (afeitarse)
5. tú (leer el periódico)
6. mi hermana (maquillarse)
7. mi madre (preparar el desayuno)
8. mi papá y mi tío (vestirse)

Mi amiga va a hacer la cama.

30 Los sábados en mi casa

Contesta las preguntas para decir lo que haces los sábados antes o después de las siguientes situaciones. Puedes inventar la información si quieres.

1. ¿Qué haces después de levantarte?
2. ¿Qué haces antes de bañarte?
3. ¿Qué haces después de vestirte?
4. ¿Qué haces después de desayunar?
5. ¿Qué haces antes de acostarte?

Me levanto muy temprano.

31 Los domingos

En parejas, hablen de lo que hacen varios miembros de tu familia los domingos por la mañana, usando las preposiciones *antes de, después de* y *sin*, y el infinitivo apropiado para esa situación. Deben usar algunos verbos reflexivos, si es posible.

 **A:** ¿Qué hace tu padre antes de bañarse?
B: Mi padre lee el periódico antes de bañarse.

32 Juego

With a partner, make up five actions that you can act out for the rest of the class. Taking turns with other classmates, play charades by acting out reflexive actions.

33 Mis planes para el fin de semana

In Spanish, create an e-mail note to a friend telling about your plans for this weekend. Mention some of the following: what time you are going to wake up, your morning preparations, some activities during the day and what you are going to do to prepare for bed. Then be sure to ask about your friend's weekend plans.

Después del desayuno me cepillo los dientes.

Lectura personal

Cantantes y grupos musicales

Dirección http://www.emcp.com/música/ola/e.diario-1.htm ▲ Archivo Edición Ver Favoritos Herramientas Ayuda

[página principal] [miembros] [e-diario]

Grupo musical La OLA

Nombre: **Yadira Torres Ortega**
Edad: **15 años**
Nacionalidad: **mexicana**
Lo que le gusta: **divertirse con los amigos**
Lo que no le gusta: **personas que fuman**

Miami, Florida.

Hace tres meses que nos trasladamos[1] a Miami para grabar[2] nuestro nuevo álbum. Me gusta mucho vivir en esta ciudad cosmopolita. El 58% de la población es latina. Aquí me encuentro a gusto[3] pues puedo hablar español todo el día. Otra razón[4] por la cual me gusta Miami es que Gloria Estefan vive aquí. Ella es una persona a quien admiro mucho por su talento y su determinación. Gloria Fajardo nació en 1958 en La Habana, Cuba. Como muchos cubanos en los años 60, ella y su familia se escaparon a Miami cuando Fidel Castro subió al poder. El padre de Gloria peleó[5] en la guerra de Vietnam y después se enfermó. Gloria lo cuidó durante muchos años. Su única distracción era cantar. En los años 70, conoció a Emilio Estefan, su futuro esposo, y se unió[6] al grupo Miami Sound Machine. En 1990, sufrió un terrible accidente en un autobús: se fracturó una vértebra de la espalda. Los doctores pensaron que nunca caminaría, pero Gloria se recuperó totalmente y en 1991 volvió al escenario[7]. Gloria sigue cantando, bailando, ganando premios y ayudando a artistas latinos.

[1]moved to [2]to record [3]find myself comfortable [4]reason [5]fought [6]joined [7]stage

34 ¿Qué recuerdas?

1. ¿Dónde está viviendo el grupo musical La Ola? ¿Le gusta a Yadira?
2. ¿Dónde nació Gloria Estefan?
3. ¿Cómo se llama el grupo musical con el que cantó Gloria?
4. ¿Qué le pasó a Gloria en 1990?

- Piensa en una persona famosa a la que admiras. Compara su vida con la vida de Gloria Estefan. ¿Qué tienen en común?

35 Algo personal

1. ¿Te gustaría vivir en Miami? ¿Por qué sí o por qué no?
2. Imagina que Gloria Estefan va a venir a tu clase de español. ¿Qué preguntas le harías?

¿Qué aprendí?

Visit the web-based activities at www.emcp.com

Autoevaluación
Como repaso y autoevaluación, responde lo siguiente:

1. You are a practicing medical care provider. How can you ask your new patients what hurts?

2. Say that you have the flu.

3. What parts of the United States have large Spanish-speaking populations?

4. Why is it beneficial for you to know Spanish?

5. Imagine you are at the beach with friends. How do you say in Spanish that you forgot your bathing suit?

6. Say one thing you do before going to bed.

Palabras y expresiones

El cuerpo
la boca
la cara
el codo
el corazón
el cuello
el diente
la espalda
el estómago
la garganta
el hombro
la lengua
la nariz
el oído
el ojo

la oreja
el pecho
la rodilla

Verbos
abre *(command)*
acostumbrar(se)
broncear(se)
caer(se)
comer(se)
cuidar(se)
dejar (de)
descansar
despedir(se) (i, i)
di *(command)*
divertir(se) (ie, i)
doler (ue)

dormir(se) (ue, u)
equivocar(se)
fumar
ir(se)
llevar(se)
olvidar(se)
pescar
preguntar(se)
reunir(se)
saca *(command)*
sentir(se) (ie, i)
siéntate *(command)*
tócate *(command)*

Otras expresiones
la cita
derecho,-a
el doctor, la doctora
el ejercicio
el enfermero,
la enfermera
la gripe
irse de viaje
izquierdo,-a
el lago
la medicina
el niño, la niña
el pez (peces)
el resfriado

Carlos se despide de su mamá.

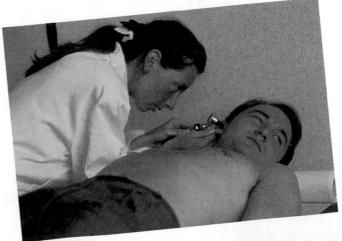

Me duele el oído.

Tú lees

Preparación

Decide cuál de las siguientes tres ideas representa mejor el contenido de lo que vas a leer.

1. Los atletas profesionales son populares y tienen una vida muy fácil.
2. Los atletas profesionales son pobres y tienen una vida aburrida.
3. Los atletas profesionales son famosos y ricos pero tienen una vida difícil.

Marcelo Ríos.

Los atletas profesionales

¿Crees que los atletas y deportistas profesionales viven una vida estupenda? ¡Cómo no, ellos son famosos y populares! Ganan mucho dinero haciendo cosas divertidas y viajan por todo el mundo. ¡Qué vida tan fantástica! ¿Verdad?

La realidad de la vida de un atleta no es así. A veces su vida es muy difícil. Los tenistas profesionales, como Kristina Brandi de Puerto Rico o Marcelo Ríos de Chile, tienen un horario muy estricto. Se levantan muy temprano para correr y hacer aeróbicos. Luego, practican tenis hasta cuatro horas al día. Cuando desayunan o cenan, tienen que comer con cuidado porque es muy importante estar en excelente condición física.

En España, las tenistas Conchita Martínez y Anabel Medina son admiradas por muchas personas, pero ellas no tienen mucho

Kristina Brandi.

tiempo libre porque tienen que viajar entre seis y diez meses al año. Para mantenerse en contacto con sus familiares y sus amigos, ellas viajan con sus computadoras: son ciberchicas de la internet.

La vida de un atleta profesional puede ser muy dura y solitaria. ¿Te gustaría llevar una vida así?

Conchita Martínez en el French Open.

A ¿Qué recuerdas?

1. ¿Qué beneficios hay en ser un atleta profesional?
2. ¿Qué aspectos de sus vidas son difíciles?
3. ¿Qué hacen las tenistas para estar en contacto con sus familias y sus amigos?
4. ¿Se divierten los tenistas?

B Algo personal

1. ¿A qué hora te despiertas? En tu opinión, ¿es tarde o temprano?
2. ¿Practicas deportes para divertirte? ¿Cuáles practicas?
3. ¿Qué piensas de la vida de un atleta profesional? ¿Te gusta? Explica.
4. ¿Qué haces para estar en contacto con tus amigos?

¿Practicas deportes para divertirte?

Tú escribes

Estrategia

Stating chronological information
When you are writing about a series of events occurring in a given time frame, first organize your composition in chronological order. Then, to make your sentences flow smoothly, include some of the following transition words.

entonces	then, next
por eso	therefore
sin embargo	however
a causa de	because of
después	later
y	and
pero	but
también	also

Tú escribes.

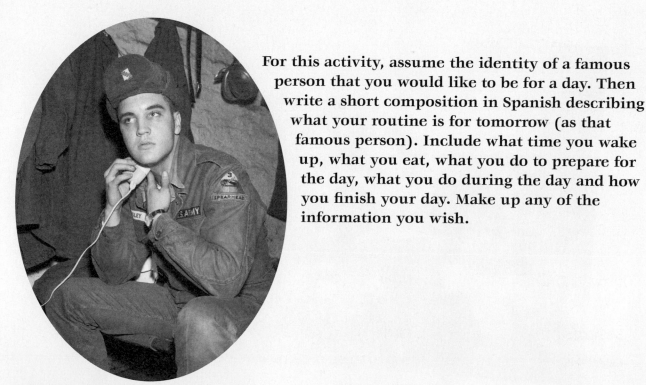

Soy Elvis Presley y me afeito cada mañana.

For this activity, assume the identity of a famous person that you would like to be for a day. Then write a short composition in Spanish describing what your routine is for tomorrow (as that famous person). Include what time you wake up, what you eat, what you do to prepare for the day, what you do during the day and how you finish your day. Make up any of the information you wish.

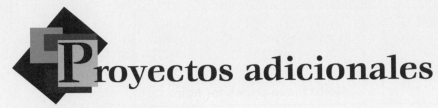

Proyectos adicionales

A Comunicación

In pairs, talk about your daily routine. Compare how your schedules and activities vary on school days and over the weekend, during holidays or when you travel. (Discuss how daily routines vary for certain special holidays, for example.)

B Conexión con la tecnología

Search the Internet to find summer-abroad programs that offer opportunities for students to stay in Spanish-speaking countries. Next, imagine you are a participant in the program and share your findings with the class about the following: what a typical school day is like; when you wake up; at what time you get out of bed; how you prepare for the day; when and with whom you eat meals; how you get to school; at what time you go home; and how you finish the day. Make up any of the information you wish, but try to keep it culturally accurate.

C Comunidades

Find a Web site in Spanish that features clothing and find several items you would like to own. (If you cannot find a Web site in Spanish, find a Web site in English and convert the information to Spanish.) Then list in Spanish clothing and corresponding prices of items you would like to purchase up to a value of one hundred dollars. Make sure you check which currency is used for your purchase and list the value of each article of clothing in both that currency and the equivalent number of dollars so that your purchase does not exceed $100.00.

D Comunicación escrita

Escribe una composición corta describiendo tu rutina diaria. Trata de usar varios verbos de la lista.

acostar(se)	despertar(se)	quedar(se)
afeitar(se)	duchar(se)	quitar(se)
bañar(se)	lavar(se)	sentar(se)
cepillar(se)	maquillar(se)	vestir(se)

Repaso

Now that I have completed this chapter, I can...

	Go to these pages for help:
identify objects in a bathroom.	50
discuss daily routine.	50
discuss personal grooming.	50
seek and provide personal information.	60
point out someone or something.	60
talk about the past.	64
discuss health.	70
identify parts of the body.	70
give and take instructions.	78

I can also...

talk about Hispanic influence in the United States.	53, 73
identify how Spanish is used in the local community.	53
compare meals in the United States and in the Spanish-speaking world.	63
express an opinion.	74
use basic survival skills in a doctor's office.	75
read in Spanish about the daily routine of Spanish-speaking celebrities.	90
write in Spanish about a typical day.	92
talk about opportunities to study in another country.	93

Trabalenguas

Blandos brazos blande Brando,
Brando blandos brazos blande,
Blandos brazos blande Brando.

Vocabulario

abre *(command)* open 2B

acostar(se) (ue) to go to bed, to lie down 2A

acostumbrar(se) to get used to 2B

afeitar(se) to shave 2A

almorzar (ue) to have lunch, to eat lunch 2A

aquél, aquélla (aquéllos, aquéllas) that (one) 2A

aquello that 2A

así thus, that way 2A

bañar(se) to bathe 2A

la **boca** mouth 2B

broncear(se) to tan 2B

caer(se) to fall (down) 2B

calmar(se) to calm down 2A

la **cara** face 2B

la **cena** dinner, supper 2A

cenar to have dinner, to have supper 2A

cepillar(se) to brush 2A

el **cepillo** brush 2A

el **champú** shampoo 2A

la **cita** appointment; date 2B

el **codo** elbow 2B

comer(se) to eat 2B

la **comida** food; dinner 2A

el **corazón** heart 2B

la **crema de afeitar** shaving cream 2A

el **cuello** neck 2B

cuidar(se) to take care of 2B

dejar (de) to leave; to stop, to quit 2B

derecho,-a right 2B

desayunar to have breakfast 2A

el **desayuno** breakfast 2A

descansar to rest, to relax 2B

desde luego of course 2A

el **desodorante** deodorant 2A

despedir(se) (i, i) to say good-bye 2B

despertar(se) (ie) to wake up 2A

di *(command)* say 2B

el **diente** tooth 2B

divertir(se) (ie, i) to have fun 2B

el **doctor**, la **doctora** doctor 2B

doler (ue) to hurt 2B

dormir(se) (ue, u) to fall asleep 2B

la **ducha** shower 2A

duchar(se) to shower 2A

el **ejercicio** exercise 2B

el **enfermero**, la **enfermera** nurse 2B

equivocar(se) to be mistaken 2B

ése, ésa (ésos, ésas) that (one) (those [ones]) 2A

eso that (neuter form) 2A

la **espalda** back 2B

el **espejo** mirror 2A

esperar to wait 2A

éste, ésta (éstos, éstas) this (one) (these [ones]) 2A

esto this (neuter form) 2A

el **estómago** stomach 2B

el **excusado** toilet 2A

fumar to smoke 2B

la **garganta** throat 2B

el **grifo** faucet 2A

la **gripe** flu 2B

el **hombro** shoulder 2B

ir(se) to leave 2B

irse de viaje to go away on a trip 2B

izquierdo,-a left 2B

el **jabón** soap 2A

el **lago** lake 2B

el **lavabo** sink 2A

lavar(se) to wash 2A

la **lengua** tongue 2B

levantar(se) to get up 2A

llamar(se) to be called 2A

llevar(se) to take away 2B

el **maquillaje** makeup 2A

maquillar(se) to put on makeup 2A

la **medicina** medicine 2B

la **nariz (narices)** nose 2B

el **niño**, la **niña** child 2B

el **oído** (inner) ear 2B

el **ojo** eye 2B

olvidar(se) to forget 2B

la **oreja** (outer) ear 2B

el **pecho** chest 2B

peinar(se) to comb 2A

el **peine** comb 2A

el **pelo** hair 2A

pescar to fish 2B

el **pez (peces)** fish 2B

poner(se) to put on 2A

preguntar(se) to wonder; to ask oneself 2B

preocupar(se) to worry 2A

quedar(se) to remain, to stay 2A

quemar(se) to get burned 2A

quitar(se) to take off 2A

el **resfriado** cold 2B

reunir(se) to get together 2B

la **rodilla** knee 2B

saca *(command)* stick out 2B

la **salud** health 2A

sentar(se) (ie) to sit down 2A

sentir(se) (ie, i) to feel 2B

siéntate *(command)* sit down 2B

tarde late 2A

la **tina** bathtub 2A

la **toalla** towel 2A

tócate *(command)* touch 2B

vestir(se) (i, i) to get dressed 2A

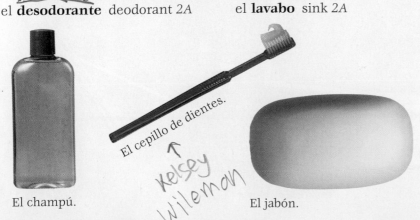

El champú.

El cepillo de dientes.

Kelsey Wileman

El jabón.

El cepillo.

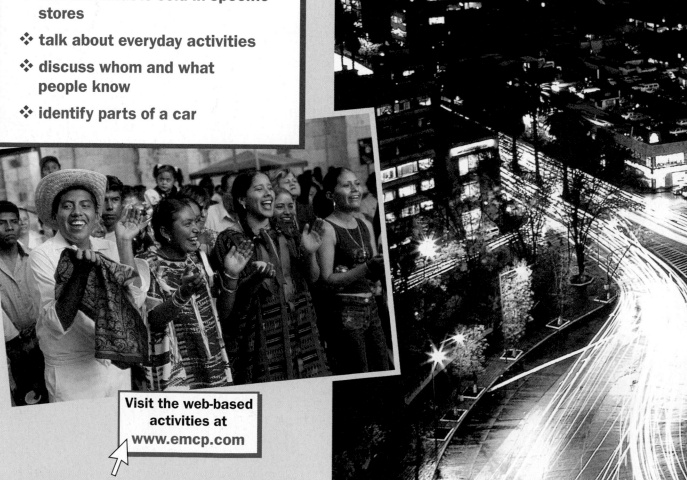

Capítulo 3

Mi ciudad

Objetivos

- ❖ talk about places in a city
- ❖ ask for and give directions
- ❖ tell others what to do or not to do
- ❖ give advice and make suggestions
- ❖ discuss what is sold in specific stores
- ❖ talk about everyday activities
- ❖ discuss whom and what people know
- ❖ identify parts of a car

Visit the web-based activities at www.emcp.com

Vocabulario I
Por las calles de la ciudad

la catedral

el apartamento

el monumento

la oficina de correos

¿Cómo llego a la calle Rosales, por favor? ¿Es la próxima calle?

No, no es. Ve hacia adelante una cuadra. Al llegar al monumento, ve a la derecha, después a la izquierda y sigue derecho hasta la esquina. Esa es la calle Rosales.

el policía

Gracias, Sr. policía.

El niño para y habla con el policía.
El policía le da direcciones al niño.
El niño es mexicano.

la carretera

el aeropuerto

la estación

la iglesia

la esquina

la cuadra

el puente

la torre

1 Por la ciudad

Selecciona la foto que corresponde con lo que oyes.

A B C D E F

2 Sitios y lugares en la ciudad

Haz una lista de cinco lugares en una ciudad y, luego, escribe cinco oraciones lógicas.

Diálogo I

¿Qué buscas en el mapa?

PEDRO: ¿Qué buscas en el mapa?
ALICIA: Busco la estación de autobuses.
PEDRO: ¿Para qué tienes que ir a la estación de autobuses?

ALICIA: Para pedir información sobre los horarios para ir a Guadalajara.
PEDRO: ¡Ah, sí! Creo que está a dos cuadras de la oficina de correos.
ALICIA: Excelente. Pues, también tengo que enviar unas cartas.

PEDRO: Si quieres, voy contigo. Hay un monumento que quiero ver que está cerca.
ALICIA: Muy bien. Entonces, mientras yo voy a la estación, tú puedes llevar mis cartas al correo.
PEDRO: Sí, y luego, podemos ir juntos a ver el monumento.

3 ¿Qué recuerdas?

1. ¿Qué busca Alicia en el mapa?
2. ¿Para qué tiene que ir Alicia allá?
3. ¿Dónde cree Pedro que está la estación de autobuses?
4. ¿Qué quiere ver Pedro?
5. ¿Qué puede hacer Pedro mientras Alicia va a la estación?

4 Algo personal

1. ¿Hay una estación de autobuses donde vives? ¿Dónde está?
2. ¿Está la oficina de correos cerca de tu casa? ¿Dónde está?
3. ¿Qué edificios de tu ciudad te gustan?
4. ¿Cuáles son los edificios que menos te gustan de tu ciudad?

5 Sigue las direcciones

Escucha las direcciones y síguelas en el mapa. ¿Adónde te llevan las direcciones?

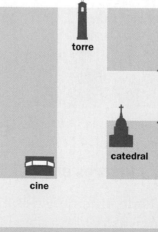
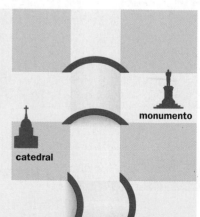

edificio de apartamentos

torre

Empieza aquí.

iglesia

banco

cine

catedral

monumento

oficina de correos

Cultura viva

México, país con un pasado diverso

México tiene un pasado cultural muy diverso. Los primeros habitantes del país estuvieron en la región hace más de doce mil años. Civilizaciones importantes llegaron después, como la olmeca, la maya y la tolteca. Más tarde vinieron los aztecas (o mexicas) y fundaron[1] la ciudad de Tenochtitlán en 1325, lo que hoy es la Ciudad de México.

El conquistador español Hernán Cortés llegó a la costa del Golfo de México en 1519. Luego, tomó control de la ciudad de Tenochtitlán en 1521, empezando así el período de colonización por los españoles. México consiguió su independencia de España en 1821. La revolución mexicana de 1910 continuó la evolución cultural e histórica del país.

Al igual que las ruinas de las civilizaciones antiguas, las pirámides de los aztecas y la arquitectura colonial española, las obras[2] de artistas como Diego

Un mural de Diego Rivera.

Rivera (1886–1957), Frida Kahlo (1910–1954), José Clemente Orozco (1883–1949) y David Alfaro Siqueiros (1896–1974), mantienen[3] hoy la historia de México llena de vida[4].

Pirámide de la Luna, México.

[1]founded [2]works [3]maintain [4]full of life

6 Conexión con otras disciplinas: bellas artes

Busca en la internet o en la biblioteca información sobre un período en la historia de México. En este período, escoge *(choose)* a uno o dos artistas (pintores o escultores) y nombra varias de sus obras o razones *(reasons)* por las que se los conoce.

Idioma

Telling someone what to do: informal affirmative commands

Use a command (*el imperativo o mandato*) to give advice and to tell people what you would like them to do. In Spanish, commands may be either informal or formal, singular or plural. Singular informal affirmative commands normally use the present-tense *él/ella* form of a verb. Verbs that require a spelling change and verbs with changes in their stem in the present tense usually have the same change in the informal singular command.

Para en la esquina del parque. **Stop** at the corner of the park.
Come en el restaurante mexicano. **Eat** at the Mexican restaurant.
Sube a la torre de la iglesia. **Go up** to the church tower.

and:

Piensa a qué almacén quieres ir. **Think** about what store you want to go to.
Continúa en esta carretera. **Continue** on this road.
Sigue caminando hasta la esquina. **Keep on** walking to the corner.

A few verbs have irregular affirmative *tú* commands.

decir	**di**	ir	**ve**	salir	**sal**	tener	**ten**
hacer	**haz**	poner	**pon**	ser	**sé**	venir	**ven**

Object and reflexive pronouns follow and are attached to affirmative informal commands: *dime* (tell me). Add an accent mark to most commands with more than one syllable that have an attached pronoun: *siéntate* (sit down). When using two object pronouns with the same verb, remember that the indirect object pronoun occurs first: *préstamelo* (lend it to me).

Práctica

7 ¿Con acento?

Escribe en una hoja de papel los siguientes mandatos informales y pon los acentos apropiados.

1. ve
2. se
3. consiguela
4. compraselas
5. sigue
6. para
7. dimelo
8. esperame
9. cierrala
10. hazlo

Espérame en la esquina.

8 Repasemos la lección

Encuentra cinco mandatos informales en este anuncio *(advertisement)*.

9 La estación del tren

Completa el siguiente diálogo con los mandatos informales de los verbos indicados.

Antonio: ¿Está la estación del tren cerca de este almacén?

Natalia: Sí, está cerca.

Antonio: *(1. Decirme)* cómo llegar allá.

Natalia: *(2. Hacer)* lo siguiente: Primero, *(3. salir)* del almacén. Luego, *(4. ir)* a la izquierda y *(5. caminar)* dos cuadras hasta la esquina donde está la casa rosada. Luego, ve a la derecha y *(6. continuar)* derecho hasta pasar el puente. Ahí vas a ver la estación a la izquierda. *(7. Tener)* el dinero listo para pagar.

Antonio: Muchas gracias, Natalia. *(8. Venir)* a mi casa el fin de semana.

Natalia: No sé si puedo ir, pero voy a ver.

Antonio: Muy bien. Hasta luego. *(9. Ser)* buena.

10 ¿Qué debo hacer?

Con un(a) compañero/a de clase, alternen en hacer y en contestar las siguientes preguntas con mandatos informales, según las indicaciones que se dan. Sigue el modelo.

MODELO A: ¿A quiénes les limpio las ventanas? (a las tías)
B: Límpiaselas a las tías.

1. ¿Qué te cierro? (la puerta de la casa)
2. ¿Qué te digo? (dónde está el aeropuerto)
3. ¿A quién le pido ayuda? (al policía)
4. ¿A quién le leo las direcciones? (a Camilo)
5. ¿Qué les doy a ellos? (el mapa del centro)
6. ¿Qué le recuerdo a Rosario? (visitar la catedral)
7. ¿Dónde te compro las bermudas? (en el almacén de deportes)

¿A quiénes les limpio las ventanas?

11 ¡A conectar!

Conecta los mandatos con las ilustraciones en forma lógica.

A

B

C

D

E

F

G

H

1. Léelo.
2. Dime tu nombre.
3. Abre la puerta.
4. Ve a la iglesia.
5. Escribe en la pizarra.
6. Siéntate.
7. Cierra la puerta del carro.
8. Dibuja.

Comunicación

12 Los mandatos de la clase

Trabajando con un(a) compañero/a de clase, alterna con él/ella en dar mandatos. Cada uno debe dar cinco mandatos, usando si es posible complementos directos e indirectos. La otra persona debe ejecutar *(carry out)* los mandatos.

MODELO **A:** Escribe tu nombre en tu cuaderno.
B: *(Write your name on your notebook.)*

B: *(Point at an open book.)* Ciérralo.
A: *(Close the book.)*

Escribe tu nombre.

13 Gallinita ciega

Trabajando en grupos pequeños, un(a) estudiante con los ojos vendados *(blindfolded)* debe seguir las direcciones que los otros estudiantes del grupo le dan para llegar a un lugar determinado en la clase. Cada estudiante del grupo debe seguir una vez las direcciones que le dan los otros estudiantes del grupo. El estudiante en hacerlo en el menor tiempo posible gana *(wins)*.

MODELO **A:** Ve hacia adelante.
B: *(Go straight ahead.)*
C: Ve a la derecha.
B: *(Go to the right.)*
D: Muy bien. Sigue derecho.
B: *(Continue straight ahead.)*

Sigue derecho.

la heladería

DOS monedas

el almacén

El sobre

la zapatería

la papelería

la vitrina

la florería

14 Los almacenes de la ciudad

Selecciona la letra del almacén que corresponde con lo que oyes.

A   **B**   **C**   **D**   **E**   **F**

15 ¿En qué lugar lo puedo comprar?

Di en qué lugares se pueden comprar las siguientes cosas.

MODELO Lo puedo comprar en la papelería.

1   **2**   **3**   **4**   **5**   **6**

Diálogo II

¡Sólo piensas en comer!

ALICIA: ¡Mira, una florería! Paremos a comprar unas flores.

PEDRO: No, Alicia, ahora no.

ALICIA: ¿Por qué no?

PEDRO: Tengo hambre. Quiero ir a la Zona Rosa a comer unos tacos.

ALICIA: Tú y tus tacos. ¡Sólo piensas en comer!

PEDRO: Ay, Alicia, ¿qué puedo hacer? Es mediodía.

ALICIA: ¡Mira esta vitrina de flores tan bonita!

PEDRO: Sí, es bonita, pero yo no como flores.

ALICIA: Está bien. Vamos a comer algo y, luego, vamos de compras.

16 ¿Qué recuerdas?

1. ¿Dónde quiere parar Alicia?
2. ¿Qué quiere hacer Pedro?
3. ¿Quién piensa sólo en comer?
4. ¿Qué hora es?
5. ¿Qué es muy bonita?
6. ¿Paran los chicos en la florería?

17 Algo personal

1. ¿En qué almacenes te gusta parar a ver vitrinas? ¿Por qué?
2. ¿Piensas siempre en comer? Explica.
3. ¿A qué almacenes vas de compras donde tú vives?

18 Los almacenes

 Selecciona la letra del almacén que corresponde con lo que oyes.

A. la papelería
B. la carnicería
C. la frutería
D. la dulcería
E. la librería
F. la florería

Estrategia

Using the word ending -ería
In Spanish, adding the ending *-ería* to a word will often tell you where that item can be purchased. For example, you can buy a flower *(flor)* in a *florería*. In a *papelería* you will find *papel* (paper). Of course, there are exceptions and variations to this rule (if a word ends in a vowel, drop the vowel before adding *-ería*).

Vamos a la dulcería.

De compras en México

Un centro comercial en el D.F.

La Ciudad de México, también conocida[1] como el D.F. o el Distrito Federal, tiene muchos almacenes, centros comerciales, boutiques, mercados y vendedores ambulantes[2]. Los jóvenes que quieren encontrar de todo en un lugar cómodo y moderno van a los centros comerciales. La Zona Rosa y Polanco tienen los centros comerciales más elegantes y Santa Fe tiene uno de los más grandes. Los centros comerciales son similares a los de los Estados Unidos, con restaurantes, cines, almacenes grandes, pequeñas boutiques, zapaterías, joyerías, papelerías, etcétera. En cada centro comercial se encuentran los almacenes mexicanos Liverpool o el Palacio de Hierro, y también Zara, una tienda de ropa de España. Los jóvenes que quieren ir de compras a un lugar más animado[3] van a los *tianguis,* mercados donde se puede regatear[4] y encontrar ropa barata y divertida. Los que quieren buenas gangas van a El Monte de Piedad, una casa de empeños[5] en el centro de la capital. Al sur, en el barrio colonial San Ángel, está el famoso Bazar Sábado, donde todos los sábados venden arte y artesanía[6]. Para comprar comida, muchos mexicanos van a los supermercados grandes como Soriana o Gigante donde hay de todo. Algunos mexicanos todavía prefieren ir a las tienditas—las carnicerías, las tortillerías, las dulcerías—donde el servicio es personal.

El Bazar Sábado.

[1]known [2]street vendors [3]lively [4]bargain [5]pawn shop [6]crafts

19 De compras en México

Contesta las siguientes preguntas, según lo que leíste en la Cultura viva.

1. ¿En qué son similares los centros comerciales en la Ciudad de México a los que hay en los Estados Unidos?
2. ¿Qué almacenes hay en los centros comerciales mexicanos que no hay en los centros comerciales de los Estados Unidos?
3. ¿Adónde van los jóvenes mexicanos para comprar ropa barata y divertida? ¿Adónde van tú y tus amigos? ¿Pueden regatear allí?

¡Oportunidades!

De compras

The next time you go shopping in a store where Spanish is spoken, try to ask for what you are looking for in Spanish. The staff will be pleased that you are making the effort to learn to speak their language. Practicing your Spanish with native speakers is a fun way to improve your language skills.

Idioma

Formal and plural commands

Form affirmative formal commands by substituting the *-o* of the present-tense *yo* form of a verb with an *-e* for *-ar* verbs, or with an *-a* for *-er* and *-ir* verbs. Add the letter *-n* to the singular formal command to make the plural *(Uds.)* command. Verbs with changes in their stem in the present tense usually have the same change in the formal command.

Note: Like *tú* in singular informal commands, *usted (Ud.)* or *ustedes (Uds.)* are usually omitted from formal/plural commands.

infinitive	*yo* form	stem	singular formal command	plural commands
hablar	hablo	habl-	habl**e** Ud.	habl**en** Uds.
comer	como	com-	com**a** Ud.	com**an** Uds.
escribir	escribo	escrib-	escrib**a** Ud.	escrib**an** Uds.
cerrar	cierro	cierr-	cierr**e** Ud.	cierr**en** Uds.
volver	vuelvo	vuelv-	vuelv**a** Ud.	vuelv**an** Uds.
seguir	sigo	sig-	sig**a** Ud.	sig**an** Uds.

Look at the following:

Mire Ud. (Miren Uds.) la vitrina. — Look at the store window.
Lea Ud. (Lean Uds.) el menú. — Read the menu.
Repita Ud. (Repitan Uds.) la palabra zapatería. — Repeat the word *zapatería*.
Cierre Ud. (Cierren Uds.) el almacén. — Close the store.
Vuelva Ud. (Vuelvan Uds.) en una hora. — Come back in an hour.
Siga Ud. (Sigan Uds.) caminando derecho. — Keep walking straight ahead.

A few verbs have irregular formal and plural commands.

infinitive	*Ud.* command	*Uds.* command
dar	dé Ud.	den Uds.
estar	esté Ud.	estén Uds.
ir	vaya Ud.	vayan Uds.
saber	sepa Ud.	sepan Uds.
ser	sea Ud.	sean Uds.

Attach object and reflexive pronouns to the end of affirmative formal commands. A written accent mark may be required in order to maintain the original stress of the verb: *dígame Ud.* (tell me), *escríbanlas Uds.* (write them), *levántense Uds.* (stand up).

Práctica

20 Palacio de Hierro

Encuentra seis mandatos formales en el siguiente anuncio.

21 Un amigo de vacaciones en el D.F.

Imagina que estudias en el D.F. y que un amigo de tu papá te visita de vacaciones. Trabajando en parejas, alterna con tu compañero/a de clase en hacer y en contestar preguntas, usando las indicaciones que se dan.

MODELO ¿dónde / poder / comprar ropa barata?
(en los tianguis)

A: ¿Dónde puedo comprar ropa barata?

B: Compre (Ud.) ropa barata en los tianguis.

1. ¿dónde / poder / conseguir comida? (en el supermercado Gigante)
2. ¿qué / poder / ver en el centro? (el monumento del Ángel de la Independencia)
3. ¿en qué almacen /poder / comprar ropa para mi hija? (en Liverpool)
4. ¿cuándo / deber / visitar San Ángel? (los sábados)
5. ¿dónde / poder / enviar cartas? (en la oficina de correos de la Avenida Juárez)
6. ¿dónde / poder / buscar regalos? (en el almacén Palacio de Hierro)
7. ¿dónde / deber / tomar el autobús para ir a la Zona Rosa? (en la Avenida Rojas)
8. ¿a quién / deber / escribir para conseguir información sobre el metro? (a la estación del metro)

¡Extra!

Los cambios ortográficos

Sometimes commands require a spelling change in order to maintain the original sound of the Infinitive. Look at the following:

c → qu before the letter *e (buscar: busque Ud.)*
g → gu before the letter *e (apagar: apague Ud.)*
z → c before the letter *e (empezar: empiece Ud.)*
g → j before the letter *a (escoger: escoja Ud.)*

22 Dos amigos de vacaciones en el D.F.

Trabajando con otro/a estudiante, haz otra vez la actividad anterior, imaginando que estás hablando con dos amigos de tu padre.

MODELO ¿dónde / poder / comprar ropa barata? (en los tianguis)

A: ¿Dónde podemos comprar ropa barata?

B: Compren (Uds.) ropa barata en los tianguis.

23 Trabajando en una oficina de turismo

Tu jefe *(boss)* te está diciendo todo lo que debes hacer hoy. Haz oraciones completas, usando los complementos apropiados y los mandatos formales para saber lo que tienes que hacer.

MODELO explicar / a la Sra. Tamayo / cómo llegar a una florería
Explíquele (Ud.) cómo llegar a una florería.

1. decir / a las Sras. Carvajal / dónde está el supermercado Soriana
2. conseguir / a ellas / unos mapas del centro
3. buscar / a mí / un mapa de México
4. escoger / a la señorita Anderson / un buen restaurante
5. traer / a mí / dinero del banco
6. pedir / a nosotros / papel y bolígrafos por la internet
7. enseñar / a los Sres. Pumarejo / la Zona Rosa
8. apagar / a mí / las luces antes de salir

24 Unos amigos de la familia de visita

Imagina que la familia Michaelson está de visita en tu casa y tú estás encargado/a de organizar su horario de actividades. Usa el mandato apropiado para decirles a todos lo que deben hacer antes de visitar tu ciudad mañana.

MODELO Lindsay y Annie / acostarse / temprano
Acuéstense (Uds.) temprano.

1. Sr. y Sra. Michaelson / levantarse / a las 5:30
2. Sr. Michaelson / ducharse / y / afeitarse / en este baño a las 5:45
3. Sra. Michaelson / bañarse / en el otro baño a la misma hora
4. Lindsay y Annie / despertarse / a las 6:30
5. Lindsay / ducharse / en este baño a las 6:45
6. Annie / bañarse / en el otro baño a la misma hora
7. William / desayunar / a las 7:30
8. Uds. / salir / para la ciudad /a las 8:30

Los Michaelson.

25 Eres el jefe

Imagina que eres el jefe en uno de los almacenes Liverpool en el D.F.
Diles a las personas que trabajan contigo lo que tienen que hacer, usando
los mandatos formales.

MODELO Ud. / recoger toda la basura
Recoja (Ud.) toda la basura.

1. Uds. / escoger la ropa para esa vitrina
2. Ud. / buscar otras camisas para esta vitrina
3. Uds. / buscar las nuevas faldas para poner allí
4. Ud. / empezar a barrer allá
5. Uds. / volver a pasar la aspiradora
6. Ud. / apagar esas luces
7. Ud. / cerrar todas las ventanas
8. Uds. / limpiar el baño de los caballeros y de las damas

Recoja toda la basura.

❖ Comunicación

26 En la clase

Trabajando en grupos de tres estudiantes, alternen Uds. en decirles a sus
compañeros de grupo lo que deben hacer en la clase. Deben verificar *(check)*
que sus compañeros hacen bien cada mandato. Cada estudiante debe decir
tres mandatos.

MODELO Pasen (Uds.) a la pizarra.

27 Visitando tu ciudad

Dile a otra persona lo que tiene que hacer cuando visite tu ciudad, usando
mandatos formales e informales. Luego, trabajando con
otro/a estudiante de la clase, creen
dos conversaciones en donde se
dan los mandatos formales
e informales.

MODELOS A: Vaya (Ud.) a comprar ropa al centro.
B: Coma enchiladas en el restaurante El Amanecer.

A: Visita la catedral.
B: Ve a los centros comerciales.

Visita la catedral. (Basílica de la Virgen de Guadalupe, D.F.)

Suggesting what to do: *nosotros* commands

Using a *nosotros* command allows you to suggest that others do some activity with you and is equivalent to saying "Let's (do something)" in English. Form the *nosotros* command by substituting the *-o* of the present-tense *yo* form of a verb with *-emos* for most *-ar* verbs, or *-amos* for most *-er* and *-ir* verbs. Stem-changing *-ir* verbs require a stem change that uses the second letter shown in parentheses after infinitives in this textbook. The affirmative *nosotros/as* command for the verb *ir* is irregular: *Vamos* (Let's go).

infinitive	*yo* form	*nosotros* command
hablar	hablo	habl**emos**
comer	como	com**amos**
escribir	escribo	escrib**amos**
cerrar **(ie)**	c**ie**rro	c**e**rr**emos**
volver **(ue)**	v**ue**lvo	v**o**lv**amos**
divertir **(ie, i)**	div**ie**rto	div**i**rt**amos**

Object and reflexive pronouns follow and are attached to affirmative *nosotros/as* commands. However, when combining a direct object pronoun with the indirect object pronoun *se,* and for reflexive verbs, drop the final consonant *-s* before attaching the pronouns.

> *¿Cuándo vamos a cerrar el almacén?* → *Cerrémos**lo** a las ocho de la noche.*

but:

> *¿Vamos a prepararles los tacos a ellas?* → *Sí. Preparémo**selos.***
>
> *¿Cuándo podemos sentarnos a comer?* → *Sentémo**nos** en quince minutos.*

The *nosotros/as* command is interchangeable with the construction "*Vamos a* (+ infinitive)."

> *Vamos a comer en un restaurante.* → *Comamos en un restaurante.*

Comamos en este restaurante.

 **Práctica**

Di qué vamos a hacer de dos formas diferentes, usando los mandatos con *nosotros/as*, las fotos y las indicaciones que se dan. Sigue el modelo.

MODELO abrir
Vamos a abrir el almacén.
Abramos el almacén.

1. visitar

2. comer

3. subir

4. mirar

5. caminar

6. correr

7. tomar

8. ver

29 El horario

Imagina que tú y un(a) amigo/a están haciendo el horario para una visita de un día al D.F. Trabajando con otro/a estudiante, alterna en hacer preguntas y en contestarlas, usando mandatos y las indicaciones que se dan.

MODELOS levantarnos

    A: ¿A qué hora nos levantamos mañana?

    B: Levantémonos a las cinco.

bañarnos

    B: ¿A qué hora nos bañamos mañana?

    A: Bañémonos a las cinco y cuarto.

1. tomar el desayuno
2. salir del hotel
3. reunirnos con nuestros amigos mexicanos
4. comprar unos regalos para la familia
5. visitar la Torre Latinoamericana

6. almorzar
7. ver el Monumento del Ángel
8. ir a la oficina de correos
9. cenar
10. acostarnos

30 Buscando la oficina de correos

Imagina que tú y tu amigo/a van en carro por el D.F. buscando la oficina de correos, pero no saben cómo llegar. Trabajando con otro/a compañero/a de clase, alternen en hacer y contestar preguntas en forma afirmativa, usando las indicaciones.

MODELO buscar / la oficina de correos en el mapa

    A: ¿Buscamos la oficina de correos en el mapa?

    B: Sí, busquémosla en el mapa.

1. tomar / esa carretera
2. parar / en la esquina
3. preguntar al policía / dónde está la oficina de correos
4. ir / a la derecha
5. empezar / otra vez a buscar la oficina
6. volver / a preguntarle dónde está
7. seguir / hasta la próxima cuadra

La oficina de correos está aquí.

Comunicación

31 ¿Qué hacemos?

Create a list of five things you would like to do with some friends. Then, in small groups, take turns saying what each of you wants to do as a group, using the ideas you prepared and *nosotros* commands. Discuss such things as who wants to participate in each activity, who cannot do an activity because of another obligation, etc. Take notes and finalize your list of activities, adding any details you wish (e.g., the day you will do an activity).

MODELO A: Quiero ir a comer a un restaurante mexicano.

B: Pues, comamos el viernes en el restaurante Maya Palenque.

C: Yo no puedo ir el viernes. Tengo que trabajar. Vamos el sábado.

Comamos en el Maya Palenque.

32 Ganamos una rifa

Imagina que tú y un(a) amigo/a ganaron *(won)* $10.000 en una rifa *(raffle)*. Con un(a) compañero/a de clase preparen un diálogo diciendo cómo deben usar el dinero, usando los mandatos con *nosotros/as*.

A: Pongamos cinco mil dólares en el banco.

B: Vamos a tomar un crucero por el Caribe.

Vamos a tomar un crucero por el Caribe.

GUADALAJARA

¡100% Mexicana!

Guadalajara, la "Ciudad de las Rosas," es la capital del estado de Jalisco y la segunda ciudad más importante de México. Es un lugar ideal para aquellas personas que buscan el auténtico sabor[1] de la cultura mexicana. Las imágenes que tenemos de México nacieron[2] en esta área: la música de mariachi, el baile típico 'el jarabe tapatío', la charrería[3], el arte muralista.

Un viaje por Guadalajara debe empezar por el centro histórico. Para llegar, tome el metro a la estación de Juárez. Allí, alquile una calandria[4], coches de caballos que pasean por las principales avenidas. En el paseo, puede ver la Catedral que domina el centro histórico con sus dos magníficas torres. Detrás de la catedral está el gran Teatro Degollado. Siguiendo derecho, a

La Catedral de Guadalajara.

cuatro cuadras, está la Plaza Tapatía, donde se encuentra el Instituto Cultural Cabañas. Este edificio, originalmente un orfanato[5], está adornado con murales pintados por José Clemente Orozco. Para el almuerzo, pare en el Mercado de San Juan de Dios, donde no sólo se puede comprar en las zapaterías, dulcerías y florerías, sino también se puede comer unas deliciosas enchiladas tapatías, o birria de chivo[6].

Bailando el jarabe tapatío.

La próxima vez que esté en México, visite Guadalajara y vea por qué los tapatíos (habitantes de Guadalajara) están tan orgullosos[7] de su ciudad.

[1]flavor [2]were born [3]Mexican rodeo [4]horse-drawn carriage [5]orphanage [6]dark stew made with goat meat [7]proud

33 ¿Qué recuerdas?

1. ¿Cuál es la capital de Jalisco?
2. ¿Cómo se llaman los habitantes de Guadalajara?
3. ¿Cuáles son los platos típicos de Guadalajara?
4. ¿Cuál es el baile típico de Guadalajara?
5. ¿Qué artista pintó los murales en el Instituto Cultural Cabañas?
6. ¿Qué edificio en el centro histórico tiene dos torres?

34 Algo personal

1. Cuando piensas en México, ¿en qué piensas?
2. Imagina que vas a visitar Guadalajara, ¿qué te gustaría hacer allí?
3. ¿Qué tipo de transporte usas para pasear por tu ciudad?

- Compare the capital of Jalisco with the capital of your state. What kinds of buildings are found in both? Which city is the most important city in your state? Can you name something that originated in or that is representative of your state or of the United States, like Jalisco's mariachi music and big sombreros?

¿Qué aprendí?

Visit the web-based
activities at
www.emcp.com

Autoevaluación
Como repaso y autoevaluación, responde lo siguiente:

1. In Spanish, identify four places or things that are found in cities and surrounding areas.

2. Tell a friend in Spanish to close the door.

3. A friend has asked you for directions to the bus station. Give the following directions to the station in Spanish: Go to the right and walk four blocks to the corner where the post office is. Then go left and you will see the station on the right.

4. Name the store in Spanish in which you can purchase each of the following items: *carne, fruta, zapatos* and *leche*.

5. Imagine you are telling some Spanish-speaking visitors some things to see and do while they are in town. Tell them to do the following: get up early, take the bus to downtown, visit the cathedral and the museum, then eat lunch in the Mexican restaurant on the corner near the library.

6. Your family is on a vacation in Mexico City and your mother says, "Let's go to the museum." Suggest three additional things to do.

7. You are about to travel to Mexico. What would you like to see and do?

Palabras y expresiones

En la ciudad
- el aeropuerto
- el almacén
- el apartamento
- la carnicería
- la carretera
- la catedral
- la cuadra
- la dulcería
- la esquina
- la estación
  - (de autobuses/
  - del metro/del tren)
- la florería
- la frutería
- la heladería
- la iglesia
- el monumento
- la oficina de correos
- la panadería
- la papelería
- el puente
- la torre
- la vitrina
- la zapatería

Direcciones
- a la derecha
- adelante
- la derecha
- derecho
- la dirección
- a la izquierda
- próximo,-a

En el restaurante
- la enchilada
- el taco
- la tortilla

Verbos
- parar

Expresiones y otras palabras
- el caballero
- el dulce
- hacia
- mexicano,-a
- el policía, la policía

La papelería.

Pare Ud. aquí.

Vocabulario I
En el barrio

Calle Rosales

la dirección prohibida

el césped

Hola, vecina.
¿De quién es el gato?

Es de los Tovar.

Le cuento que estuve
en la exhibición
de Frida Kahlo.

norte

noroeste

noreste

la vecina

el vecino

oeste

este

¡Qué bien! Le ofrezco
un café mientras
me cuenta.

suroeste

sureste

sur

El vecino no sabe de quién es el gato.
La vecina conoce muy bien el barrio.
El vecino va a tirar la basura.

La dirección del vecino es calle Rosales, número 24.
Al vecino no le gusta conducir, le gusta caminar.

la acera

la señal de alto

1 En el barrio

Selecciona la foto que corresponde con lo que oyes.

A   B   C   D   E   F

2 ¿En qué dirección se va?

 Trabajando en parejas, alterna con tu compañero/a de clase en preguntar y contestar en qué dirección se va desde la escuela a cinco diferentes lugares en la ciudad donde viven. Cada uno debe preguntar por cinco lugares.

MODELO   **A:** ¿En qué dirección se va a la oficina de correos?
         B: Se va hacia el noreste.

Diálogo I

¿Para qué mirar el mapa?

ALICIA: ¿Sabes en qué dirección está el lugar de la exhibición de carros?

PEDRO: Sí. Está hacia allá, hacia el sur.

ALICIA: Está bien. Entonces, caminemos hacia allá.

ALICIA: Ya caminamos mucho y no veo nada. Creo que no sabes dónde está el lugar.

PEDRO: Claro que sí sé. ¿Qué dices? Lo sé todo.

ALICIA: No lo creo. Espera, miro en el mapa.

PEDRO: ¿Para qué mirar el mapa? Te digo, es hacia allá.

ALICIA: El mapa dice que el edificio de la exhibición está hacia el norte.

PEDRO: ¡Este mapa no conoce el barrio ni sabe la dirección!

ALICIA: El que no conoce y no sabe nada eres tú. Vamos hacia el norte.

3 ¿Qué recuerdas?

1. ¿Hacia dónde dice Pedro que está la exhibición de carros?
2. ¿Qué cree Alicia?
3. ¿Quién quiere mirar el mapa?
4. ¿Dónde dice el mapa que está el edificio de la exhibición de carros?
5. ¿Quién no conoce el barrio ni sabe la dirección, según Pedro?

4 Algo personal

1. ¿Sabes llegar siempre a un lugar o tienes que mirar un mapa? Explica.
2. ¿En qué dirección está tu colegio desde tu casa?
3. ¿Sabes siempre en qué dirección vas? ¿Cómo lo sabes? ¿Cómo haces para saberlo?

5 Desde el D.F.

Varias personas viajan desde el D.F. a otras ciudades de México. Escucha a las siguientes personas y di a qué ciudad van, según la dirección en que van.

¡Oportunidades!

Cuando estás perdido

Have you ever visited a different city and been unable to find where you needed to go? When you are new to a city or lost, asking directions can be very helpful. With the Spanish language skills you have acquired you will be able to survive being lost in any city where Spanish is spoken. You have the skills to ask directions in Spanish and now you are also capable of giving directions to someone in Spanish!

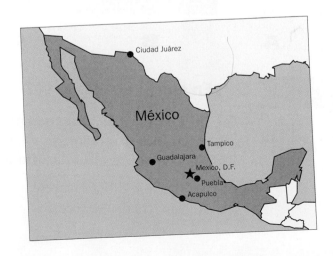

México, D.F.

México, país de contrastes

México es hoy un país de muchos contrastes en donde se combinan la historia, la cultura y la vida moderna. México, D.F., la capital de México, es una de las ciudades más grandes del mundo con más de veinte millones de habitantes. La vida moderna se ve en sus sistemas de transporte y en sus imponentes[1] rascacielos. La historia y la cultura están presentes en sus calles, museos y universidades.

Hacia el sur de la capital encontramos la ciudad de la eterna primavera, Cuernavaca. Hacia el norte está Monterrey, una de las ciudades con más industria del país. Hacia el este de la capital, en la península del Yucatán, está Mérida, una ciudad con mucha historia. La grande y cosmopolita Guadalajara está hacia el noroeste y si seguimos en ésta dirección, encontramos la península de Baja California con sus costas espectaculares, desiertos y enormes y bellas montañas.

En México también hay ciudades muy populares para el turismo internacional. Entre estas ciudades se encuentran Acapulco, Puerto Vallarta y Mazatlán en el Océano Pacífico, y Cancún en el Mar Caribe con sus maravillosas playas y clima excelente.

El México de hoy disfruta de[2] muchas cosas buenas, pero también tiene los problemas de todos los países modernos. La contaminación y el crimen son comunes hoy en sus grandes ciudades, pero también lo son sus grandes esfuerzos[3] para solucionar estos problemas.

Mérida es una ciudad con mucha historia.

[1]majestic [2]enjoys [3]efforts

6 Conexión con otras disciplinas: geografía

Completa las oraciones, escogiendo la letra de la respuesta correcta.

1. Hay muchas playas bonitas en...
   A. Puerto Vallarta, Mazatlán y Cancún.
   B. Acapulco, Guanajuato y Cuernavaca.
   C. Puebla, Monterrey y Ciudad Juárez.

2. El D.F. es una de las ciudades...
   A. más pequeñas del mundo.
   B. más importantes de América Central.
   C. más grandes del mundo.

3. La ciudad de la eterna primavera es...
   A. Mérida.
   B. Acapulco.
   C. Cuernavaca.

4. La ciudad de Mérida está...
   A. en el sur del país.
   B. en el este del país.
   C. en el oeste del país.

Idioma

Talking about whom and what you know: *conocer* and *saber*

Just as you have learned to use *ser* and *estar* in different situations as the equivalent of "to be," the Spanish verbs *saber* and *conocer* are used in very different situations for "to know." Both verbs are irregular in the present tense.

saber	
sé	sabemos
sabes	sabéis
sabe	saben

conocer	
conozco	conocemos
conoces	conocéis
conoce	conocen

Use *saber* to talk about facts that someone may or may not know. *Saber* followed by an infinitive indicates that someone knows how to do something.

*¿**Sabes** dónde se puede comprar flores?*	**Do you know** where one can buy flowers?
***Sé** dar direcciones en español.*	**I know how** to give directions in Spanish.

Use *conocer* to discuss whether someone is familiar with (or acquainted with) people, places or things. Note that it is necessary to add the personal *a* after *conocer* when referring to people.

*¿**Conoces a** tus vecinos?*	**Do you know** your neighbors?
***Conozco** una florería cerca de la estación del metro.*	**I know (am familiar with)** a flower shop near the subway station.

Other verbs like *conocer* that require the spelling change *c → zc* for *yo* in the present tense include the following: *conducir* (to drive, to conduct) and *ofrecer* (to offer).

*Nunca **conduzco** en el centro de la ciudad.*	**I never drive** in the downtown area.
*Siempre **ofrezco** ayuda a todo el mundo.*	**I always offer** help to everyone.

Nunca conduzco en el centro de la ciudad.

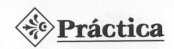

Práctica

7 ¿Qué saben sobre México?

Completa las siguientes oraciones con la forma apropiada de *saber.*

MODELO ¿Sabe Ud. qué quieren decir las letras *D.F.?*

1. ¿Qué __ Uds. sobre México?
2. Nosotros __ que Guadalajara está al noroeste de la capital.
3. ¿__ tú llegar a México?
4. Yo __ que la gente mexicana habla español.
5. ¿__ tu amigo qué es la UNAM?
6. ¿__ el profesor mucho sobre México?
7. ¿__ ellos las direcciones para ir desde el Zócalo hasta el Palacio de Bellas Artes?
8. ¿__ Uds. si la península de Baja California está al noroeste o al noreste de la Ciudad de México?

El Palacio de Bellas Artes.

8 ¿Los conocen?

Haz oraciones para decir si las siguientes personas conocen o no a las personas indicadas, según las pistas que se dan.

MODELOS Antonio / mi tío / sí   Luisa / Antonio / no
         Antonio conoce a mi tío.   Luisa no conoce a Antonio.

1. ellas / don Jacinto / no
2. tú / aquellas chicas / no
3. el profesor / los padres de Clara / no
4. yo / ese chico / sí
5. tus amigos / la profesora de geografía / sí
6. nosotros / ese basquetbolista famoso / sí

9 Algunos lugares de la ciudad

Trabajando en parejas, alterna con tu compañero/a de clase en preguntar y en contestar quién conoce los siguientes lugares. Sigue el modelo.

MODELO la nueva heladería / Marta
        A: ¿Quién conoce la nueva heladería?
        B: Marta la conoce.

1. el aeropuerto / tú
2. el apartamento del profesor / ellos
3. el nuevo almacén / Rafael
4. la vitrina del nuevo almacén / yo
5. la nueva carretera / Tomás y Sofía
6. la estación del tren / María
7. la torre del reloj / nosotros

La nueva heladería.

10 La nueva vecina

Completa el diálogo entre Ana y Juan con las formas
apropiadas de *conocer* y *saber*.

Ana: Oye, ¿(1) tú a Marcela, la nueva vecina?
Juan: Sí, la (2). ¿(3) dónde vive?
Ana: No (4) exactamente, pero (5) que vive en el barrio.
Juan: ¿(6) tú a su hermano, Alberto?
Ana: No, no lo (7), pero yo (8) que es muy simpático.
Juan: Yo no lo (9) tampoco, pero quiero (10).
Ana: ¿(11) tú el número de teléfono de Marcela y Alberto?
Juan: No, yo no lo (12), pero mi vecina debe (13).

Marcela, la nueva vecina.

11 ¿Saben o conocen?

Escribe ocho oraciones diferentes, escogiendo elementos de cada columna.
Añade las formas apropiadas de *saber* y *conocer*.

MODELO Ernesto sabe la dirección de ese almacén.

I	II
yo	sus vecinos
tú	el aeropuerto de Mérida
Manuel y Teresa	dibujar un mapa de ese barrio
Ernesto	la historia de la catedral
Guillermo y Alba	en qué dirección ir
el policía	todas las señales de alto en esta calle
Uds.	llegar a la estación del metro
nosotros	la dirección de ese almacén

12 En México

Imagina que estás con tus compañeros y algunos profesores del colegio en
una excursión en México. Haz oraciones completas
para decir lo que pasa durante el viaje, usando las
indicaciones que se dan.

MODELO yo / conducir / cinco horas
Yo conduzco cinco horas.

1. yo / no / conocer / las carreteras muy bien
2. Gloria / ofrecer / ayuda a todos
3. Rodrigo / conocer / la ciudad mejor que todos
4. los muchachos / ofrecerles / unos refrescos a las
   muchachas
5. David / ofrecerle / ayuda a su amiga
6. los profesores / conducir / cuando los estudiantes están cansados
7. yo / ofrecerles / unos dulces a los profesores
8. todos nosotros / conocer / lugares interesantes para visitar

Yo conduzco cinco horas.

Comunicación

13 El barrio donde vives

Trabajando en parejas, haz una lista de por lo menos ocho lugares que conoces de tu barrio o del lugar donde vives. Luego, alterna con tu compañero/a de clase en hacer preguntas y contestarlas para saber si conoce cada lugar y para decir algo sobre el lugar.

> **MODELO** **A:** ¿Conoces el nuevo almacén de ropa de la calle corrales?
>
> **B:** Sí, lo conozco. Sé que es muy popular.

14 Hablando de tu mundo

Trabajando en grupos pequeños, hablen sobre personas, lugares o cosas que todos conocen y determinen los aspectos que todos saben sobre cada persona, lugar o cosa y los que sólo algunos saben.

> **MODELO** **A:** ¿Conocen al cantante Juanes?
>
> **B:** Sí, yo lo conozco. ¿Saben de dónde es? ¿Es de México?
>
> **C:** Yo también lo conozco. Es de Colombia.

Juanes.

15 Una nueva familia

Imagina que hay una nueva familia en tu barrio. Trabajando en parejas, un estudiante hace el papel de uno de los miembros de la nueva familia y el/la otro/a estudiante el papel de un miembro de una familia que ya vive en el barrio. Hagan un diálogo donde el estudiante que representa a la nueva familia le hace preguntas al estudiante que representa a la familia que ya vive en el barrio, usando *saber* y *conocer*.

> **MODELO** **A:** ¿Sabe si hay un hospital cerca?
>
> **B:** Sí, hay uno a dos cuadras.
>
> **A:** ¿Conoce un buen restaurante?
>
> **B:** Sí, conozco muchos.

Hay un hospital a dos cuadras.

Vocabulario II
El coche ideal

16 El coche

Di la parte del coche que corresponde con lo que oyes.

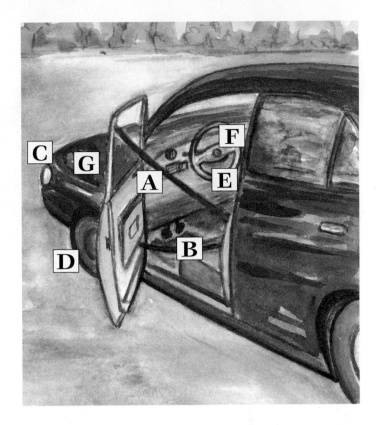

17 ¡A dibujar!

En una hoja de papel, dibuja un coche. Luego, trabajando en parejas, alterna con tu compañero/a de clase en decir las partes del coche mientras que tu compañero/a señala cada parte que mencionas.

MODELO **A:** El capó.
    B: *(Point to the hood.)*

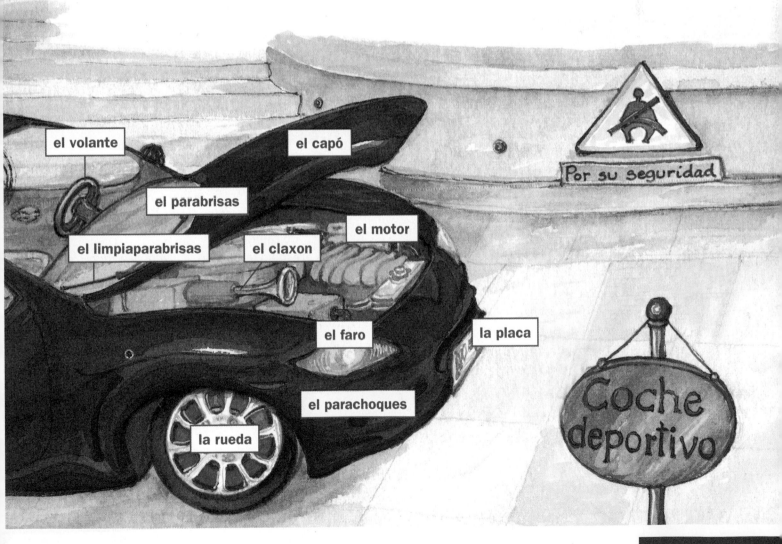

el volante

el capó

Por su seguridad

el parabrisas

el limpiaparabrisas   el claxon   el motor

el faro   la placa

el parachoques

la rueda

Coche deportivo

Diálogo II
¡Por fin llegamos!

PEDRO: Aquí es. Mira, llegamos a la exhibición de carros.

ALICIA: ¡Gracias al mapa!

PEDRO: Sí, sí, está bien.

ALICIA: Bueno, entremos y miremos los carros.

PEDRO: ¿Sólo mirar?, no. Vamos a subirnos a todos los carros.

ALICIA: Pero son muchísimos y no tenemos mucho tiempo. ¡Qué exigente eres!

PEDRO: ¡Ah! Hay muchos carros aquí.

ALICIA: Sí. ¡Mira éste! ¡Qué llantas! Son muy deportivas y modernas.

PEDRO: Con esas llantas debe tomar curvas muy rápido. Algún día voy a manejar un carro así.

ALICIA: Sí, algún día si consigues un buen trabajo.

18 ¿Qué recuerdas?

1. ¿Adónde llegan Alicia y Pedro?
2. ¿Gracias a qué llegan ellos allí?
3. ¿Quién quiere sólo mirar los carros?
4. ¿Qué quiere Pedro?
5. ¿Quién es exigente?
6. ¿Cómo son las llantas del carro?
7. ¿Cómo toma el carro las curvas con las llantas que tiene?

19 Algo personal

1. ¿Usas siempre un mapa para llegar a un lugar? Explica.
2. ¿Te gustan las exhibiciones de carros? ¿Qué te gusta hacer allí?
3. ¿Cómo te gustan los carros? ¿Qué es lo que más te gusta de un carro?
4. ¿Eres exigente? Explica.

¡Extra!

Otras palabras para el coche

el asiento delantero/ trasero	*front/back seat*
la barra (palanca) de cambios	*stick shift*
el espejo retrovisor	*rearview mirror*
el gato	*jack*
la guantera	*glove compartment*
la direccional	*signal light*
la llanta de repuesto	*spare tire*
el techo corredizo	*sunroof*
el tablero	*dashboard*

20 En la exhibición de coches

Identifica la parte del coche que corresponde con lo que oyes.

Por un aire más puro

"No puedes usar el carro. Hoy es jueves y tu placa termina en 2", me dijo el vecino. Así es. Desde 1989, los carros en México, D.F., no pueden manejar un día de la semana. Si la placa termina en 5 o 6, no se puede manejar los lunes. Si la placa termina en 7 u 8, no se puede manejar los martes, y así sucesivamente. Esta restricción trata de reducir la contaminación del aire en esta gran ciudad donde aproximadamente 3.5 millones de carros, 125.000 taxis y 1.000 autobuses circulan por las calles. Pero la ciudad sigue creciendo y las montañas que la rodean[1] no permiten que el viento se lleve los contaminantes. Cuando el nivel de CO_2 está demasiado alto, las autoridades de la ciudad restringen[2] manejar a más vehículos y cierran muchas gasolineras[3] y algunas industrias. El Dr. Mario Molina, químico mexicano ganador del Premio Nobel en 1995, ayudó a proponer nuevas medidas[4] para reducir la contaminación. Estas medidas son parte de Proaire 2002–2010, un programa del gobierno mexicano para mejorar la calidad del aire del Valle de México. Una medida fue sustituir los microbuses por autobuses modernos. Otra medida fue mejorar la calidad de la gasolina. Dice mi vecino: "Esperamos que con Proaire la ciudad vuelva a tener la imagen de los años 1940: una ciudad con aire limpio y una vista espectacular de los volcanes".

[1]surround [2]restrict [3]gas stations [4]measures

La contaminación en el D.F.

21 Por un aire más puro

Nombra dos medidas que el gobierno mexicano tomó para reducir la contaminación del aire en el Distrito Federal. Sugiere (Suggest) otras dos medidas que podrían ayudar. Comparte tus ideas con tus compañeros(as) de clase.

Estructura

Telling someone what not to do: negative commands

The formation of a negative *Ud.* or *Uds.* command or a negative *nosotros/as* command is the same as for an affirmative command, but with *no* before the verb. The negative *nosotros/as* command for *ir* is one exception: *¡Vamos!* → *¡No vayamos!*

Maneje Ud. derecho.	→	*No maneje Ud. derecho.*
(Drive straight ahead.)		(Don't drive straight ahead.)
Duerman Uds. temprano.	→	*No duerman Uds. muy tarde.*
(Go to sleep early.)		(Don't go to sleep too late.)
¡Comamos!	→	*No comamos todavía.*
(Let's eat!)		(Let's not eat yet.)

The negative *tú* command is different from the affirmative *tú* command. It is formed by adding an *-s* to the end of the formal *Ud.* command and by placing *no* before the verb.

Alberto, maneja.	→	*Alberto, **no** maneje**s**.*
(Alberto, drive.)		(Alberto, don't drive.)
***Camina** hasta la esquina.*	→	***No** camin**es** hasta la esquina.*
(Walk to the corner.)		(Don't walk to the corner.)

You have learned to attach object and reflexive pronouns to the end of affirmative commands. For negative commands, object and reflexive pronouns must precede the verb. When used together with the same verb, the indirect object pronoun precedes the direct object pronoun. Since the placement of object pronouns before the command does not affect the pronunciation of the word, it is not necessary to add a written accent mark to negative commands. Compare the following:

*Tíra**lo** al cesto de papeles.*	→	*No **lo** tires al cesto de papeles.*
*Pída**las** Ud.*	→	*No **las** pida Ud.*
*Senté**mo**nos allí.*	→	*No **nos** sentemos allí.*
*Prepáren**melas** Uds.*	→	*No **me las** preparen Uds.*
*Cóman**selos** Uds.*	→	*No **se los** coman Uds.*

 **Práctica**

22 Las señales de tráfico

Conecta lógicamente los mandatos con las señales que se muestran.

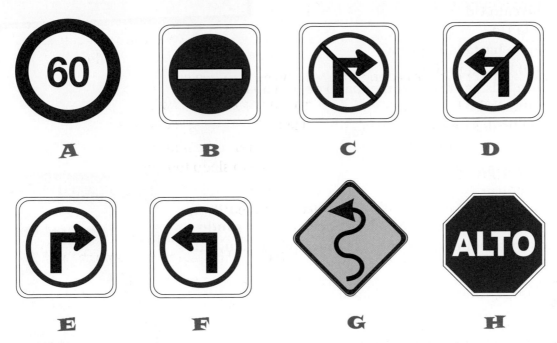

A   B   C   D

E   F   G   H

1. Pare Ud.
2. No entre Ud.
3. Tome Ud. la curva.
4. Vaya Ud. a la derecha.

5. No doble Ud. a la derecha.
6. No doble Ud. a la izquierda.
7. Vaya Ud. a la izquierda.
8. No vaya Ud. a más de 60 kilómetros por hora.

23 Di que no lo hagan

Cambia los siguientes mandatos al negativo.

1. Cierre Ud. la ventana.
2. Volvamos el sábado.
3. Continúen Uds. adelante.
4. Maneje Ud.
5. Pare Ud. aquí.
6. Pidamos refrescos.
7. Estén Uds. aquí por la mañana.
8. Suban Uds. más tarde.
9. Dobla a la izquierda.
10. Consigue carne para los tacos.
11. Ve derecho.
12. Conduzca Ud.

¡No se suba!

24 Muy indecisos

Cambia los siguientes mandatos al negativo.

1. Sentémonos a la izquierda.
2. Pidámoslos.
3. Pónganlas Uds. allí.
4. Condúzcalo Ud.
5. Ciérrela Ud.
6. Manéjalo hasta la esquina.
7. Háblele Ud. en inglés.
8. Lávense Uds. las manos en el baño de los caballeros.
9. Comámoslas.
10. Busquémoslos en la zapatería.

25 Los niños del barrio

Imagina que cuidas a un grupo de niños hijos de tus vecinos y ahora caminas con ellos por la calle. Usando mandatos informales y las indicaciones que se dan, diles lo que no deben hacer.

MODELO  Sandra / tirar comida al césped
Sandra, no tires comida al césped.

1. Marcos / recoger esa basura
2. Jaime / hacer eso
3. Alejandro / correr por la calle
4. Antonio / ir tan rápido
5. Soledad / decir malas palabras
6. María / ser mala con tu hermanito
7. Ricardo / caminar sobre el césped
8. Juan Manuel / tirar basura al piso

Sandra, no tires comida al césped.

26 En mi barrio

Imagina que es un día de verano y tú y tus vecinos están en la calle de tu cuadra. Escoge la forma correcta del mandato en las siguientes oraciones para ver qué están diciendo todos.

1. Sra. Ortíz, *(para / pare)* un momento, por favor.
2. No *(siga / sigas)* Ud. en esa dirección.
3. No *(vayan / vamos)* Uds. ahora.
4. Paloma y Alba, no *(juegan / jueguen)* en la calle.
5. Carolina, *(camines / camina)* por la acera.
6. No *(seguimos / sigamos)* por esta calle. Debemos continuar derecho.
7. Sr. Rodríguez, no *(ofrece / ofrezca)* dulces a los niños, por favor.
8. No *(tardamos / tardemos)*. Quiero volver temprano.
9. *(Doblen / Doblan)* Uds. a la derecha en la esquina.
10. Niños, no *(compren / compran)* helados en esa heladería.

27 El restaurante Rosales

Imagina que llevas a comer a un grupo de niños de tu familia al restaurante Rosales. Diles lo que no deben hacer en la cafetería.

MODELO Sofía / entrar por esa puerta
Sofía, no entres por esa puerta.

1. Julián / tardar en venir
2. Eugenio / hablar con comida en la boca
3. Alberto y Esteban / ir a tomar más refrescos
4. Carlos / escribir nada sobre la mesa
5. Josefina / tirar la comida al piso
6. Juan / jugar en la mesa
7. Amparo / ir al baño de las damas todavía
8. David / ser malo con tu hermano
9. Carlota / comer la carne con las manos
10. chicos / pedir mucha comida

28 De vacaciones

Sofía, no entres por esa puerta.

Conchita está de vacaciones con su familia, pero no está feliz. Cada vez que dice que va a hacer algo, sus padres se lo niegan *(tell her not to do it)*. Trabajando en parejas, alterna con tu compañero/a de clase en decir lo que va a hacer Conchita y en decir los mandatos negativos de los padres a Conchita.

MODELO salir temprano esta tarde
A: Voy a salir temprano esta tarde.
B: No salgas temprano esta tarde.

1. nadar en la piscina antes de comer
2. levantarme tarde mañana
3. desayunar en la playa mañana
4. ducharme ahora
5. quedarme en la cama toda la mañana
6. irme del hotel ahora
7. acostarme tarde esta noche

No salgas temprano esta tarde.

Voy a nadar en la piscina.

◈ Comunicación

29 Este puente tiene que cruzarlo dos veces

Contesta las siguientes preguntas en español sobre el anuncio *(advertisement)*.

1. ¿Qué quiere decir la palabra *puente* en este anuncio?
2. ¿Qué otras palabras quieren decir lo mismo que *camino, vehículo* y *conduzca*?
3. ¿A quiénes les debe importar este anuncio?
4. ¿Es este anuncio importante para la gente que no tiene coche? Explica.
5. ¿Cuál es el viaje más bonito, según el anuncio?
6. ¿Cuántos mandatos hay en el anuncio? ¿Cuáles son?
7. ¿Cuáles son los dos mandatos negativos en el anuncio?

30 Aconsejando a los turistas

Imagina que un/a turista mexicano/a está visitando el lugar donde vives. Haz una lista de ocho consejos que le puedes ofrecer.

MODELO No camine (Ud.) por las calles, sino por las aceras.

ESTE PUENTE TIENE QUE CRUZARLO DOS VECES

Disfrute cuanto pueda de estas cortas vacaciones. Pero piense que el puente que le ha traído hasta aquí, es también el camino de vuelta a casa. Y al otro lado hay mucha gente que le espera. Cuando llegue la hora de partir, siga nuestro consejo.

En los largos desplazamientos:
- Revise los puntos vitales de su vehículo.
- Abróchese siempre el cinturón.
- Respete los límites de velocidad.
- Mantenga la distancia de seguridad.
- No adelante sin visibilidad.
- Al mínimo síntoma de cansancio, no conduzca.
- Póngase el casco si viaja en moto o ciclomotor.
- **Siga estos consejos también en los trayectos cortos.**

LA VIDA ES EL VIAJE MAS HERMOSO

Dirección Gral. de Tráfico

Ministerio del Interior

Visite las pirámides. (Chichén Itzá.)

31 Imaginando

Trabajando en parejas, haz un diálogo con tu compañero/a de clase de por lo menos diez líneas, usando pronombres y mandatos afirmativos y negativos. Luego, tú y tu compañero/a deben presentar el diálogo a la clase.

MODELO   **A:** Oye, ¿puedo conducir el coche de papá para ir al cine?

           B: Condúcelo, pero no vayas muy rápido.

No vayas muy rápido.

32 Dando direcciones

Prepare two identical street maps putting the word *aquí* where someone should start and the letter *X* where someone should finish. Then, plot your own route between the two points on one copy of the map. Next, give the blank copy to another student. After deciding who will go first, describe the route you plotted between the word *aquí* and the letter *X* as your partner plots the course on the blank map. When you have finished, compare the routes that appear on both maps to see if they are the same. Switch roles.

MODELO   **A:** Ve hacia el este una cuadra.

           B: ¿Doblo a la derecha?

           A: No, no dobles a la derecha. Dobla a la izquierda.

¡Extra!

Los puntos cardinales

You can tell someone how to go somewhere using the directions (*los puntos cardinales*) north (*el norte*), south (*el sur*), east (*el este*) and west (*el oeste*), e.g., *Para ir al banco se va hacia el norte* (To go to the bank go north).

To be even more exact, use the combined directions: northeast (*el noreste*), southeast (*el sureste*), northwest (*el noroeste*), and southwest (*el suroeste*).

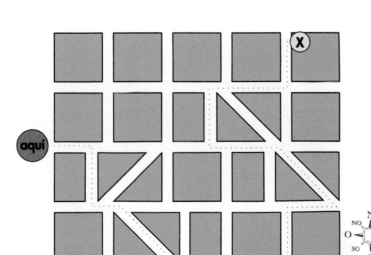

Dando direcciones.

Lectura personal

Dirección http://www.emcp.com/músico/ola/e.diario-2.htm ▲ Archivo   Edición   Ver   Favoritos   Herramientas   Ayuda

página principal   miembros   e-diario

Grupo musical La OLA

Nombre: **Manuel Andrade Blanco**
Edad: **17 años**
Nacionalidad: **panameño**
Pasión: **coches deportivos**

Puerto Vallarta, México.

Nuestro primer concierto fue en Guadalajara, México, y estuvo *padrísimo*[1], como dicen los mexicanos. Ayer decidimos conducir de Guadalajara a Puerto Vallarta, que está a unas cuatro horas en carro. ¡Fue una aventura! Primero tomamos la carretera Mex 15 hacia el noreste. Cuando pasamos por Ixtlán del Río, una rueda se pinchó[2]. Un señor muy amable ofreció arreglarla. Seguimos derecho hacia Chapalilla. En el camino subimos y bajamos la Sierra Nevada y vimos el volcán El Ceboruco. No está activo pero dejó un río[3] de lava negra. ¡Parecía la Luna! En el pueblo[4] Las Varas, nos paramos para comprar frutas tropicales.

Mientras estábamos allí, la alarma del coche empezó a sonar[5]. Abrimos el capó y tardamos media hora en apagarla. Volvimos en ruta a Puerto Vallarta, dirección oeste, pero nos perdimos. Un policía nos dijo que deberíamos[6] tomar la carretera Mex 200. Así lo hicimos y finalmente, después de siete horas, llegamos a Puerto Vallarta, una ciudad pequeña pero hermosa en la costa pacífica del estado de Jalisco. El hotel en que estamos está en el barrio donde filmaron *Night of the Iguana*, la película que en 1964 hizo de Puerto Vallarta un lugar mundialmente famoso.

[1]very cool [2]got a flat tire [3]river [4]village [5]alarm started [6]should

33 ¿Qué recuerdas?

1. ¿Adónde condujo el grupo musical La Ola? ¿Cuánto se tarda generalmente? ¿Cuánto tardaron ellos?
2. Nombra tres pueblos por los que pasaron.
3. ¿Qué sierra vieron? ¿Qué volcán vieron?
4. ¿Dónde está Puerto Vallarta?
5. ¿Qué película hizo a Puerto Vallarta mundialmente famosa?

34 Algo personal

1. ¿Te gusta viajar en coche? ¿Por qué?
2. ¿Qué crees que va a hacer Manuel en Puerto Vallarta?

- **Compare Manuel's car trip to Puerto Vallarta with a car trip you have taken in the past. Did you have any similar mishaps? How was the scenery similar or different?**

¿Qué aprendí?

Visit the web-based activities at www.emcp.com

Autoevaluación

Como repaso y autoevaluación, responde lo siguiente:

1. Name two street signs in Spanish.
2. Name the four cardinal directions in Spanish.
3. Say how many of your neighbors you know well.
4. How would you ask someone in Spanish if they know where the bathroom is?
5. Name five parts of a car you have learned in Spanish.
6. You are taking care of your little brother for a couple of hours. Tell him five things not to do.
7. Say two things you know about Mexico.

Palabras y expresiones

En la ciudad
- la acera
- el alto
- el barrio
- el césped
- la curva
- la señal
- el tráfico
- el vecino, la vecina

Partes del coche
- la alarma
- el baúl
- el capó
- el cinturón de seguridad
- el claxon
- el coche
- el faro
- el freno
- el guardabarros
- el limpiaparabrisas
- la llanta
- el motor
- el parabrisas
- la rueda
- el volante

Puntos cardinales
- el este
- el noreste
- el noroeste
- el norte
- el oeste
- el sur
- el sureste
- el suroeste

Verbos
- conducir
- conocer
- doblar
- manejar
- ofrecer
- subir
- tardar
- tirar

Otras expresiones
- de cerca
- la demora
- deportivo,-a
- la dirección
- la exhibición
- exigente
- mientras (que)
- moderno,-a
- prohibido,-a
- la seguridad
- sino
- tardar en (+ *infinitive*)

La vecina.

El motor no funciona.

Tú lees

Estrategia

Using format clues to predict meaning
Before beginning to read, examine how the material is formatted. Look at the title, the subtitles, the photos, the graphics and the layout to predict what the reading is about.

Preparación

Mira la lectura y, luego, contesta las siguientes preguntas como preparación para la lectura, escogiendo la letra de la respuesta apropiada.

1. ¿Para qué es el folleto *(brochure)*?
   A. Para dar direcciones de cómo llegar a México.
   B. Para preparar un viaje a México.
   C. Para dar información sobre la historia de México.

2. ¿Quién hace este folleto?
   A. Lo hace Viajes Planeta.
   B. Lo hace La Ruta Indígena.
   C. Lo hacen en Puebla.

3. ¿Qué ofrecen para visitar México?
   A. No ofrecen nada.
   B. Ofrecen paseos a caballo.
   C. Ofrecen rutas.

4. ¿A qué tipo de lugares ofrecen viajes?
   A. A lugares donde hace sol.
   B. A lugares donde hay nieve.
   C. A y B.

¡Viva México!

México

Ciudad Juárez
Tampico
Guadalajara
Mexico, D.F.
Puebla
Acapulco

El mejor plan de excursiones a México lo tiene Viajes Planeta. Viajes Planeta le ofrece cuatro rutas fascinantes para conocer México: La Ruta Indígena, La Ruta Colonial, La Ruta Moderna y La Ruta del Desierto

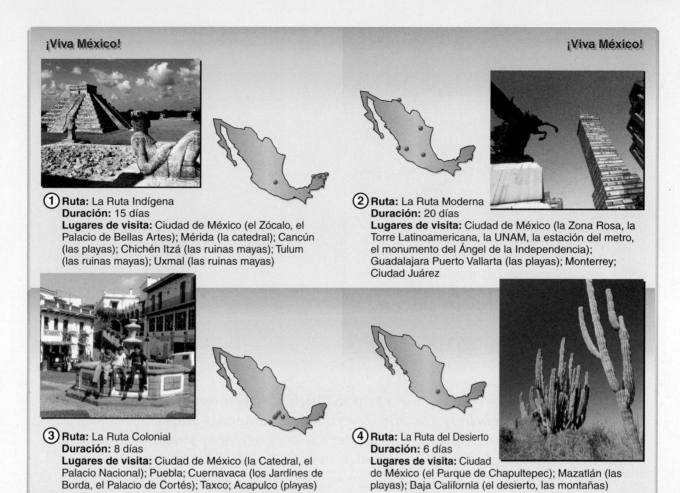

¡Viva México!

① Ruta: La Ruta Indígena
Duración: 15 días
Lugares de visita: Ciudad de México (el Zócalo, el Palacio de Bellas Artes); Mérida (la catedral); Cancún (las playas); Chichén Itzá (las ruinas mayas); Tulum (las ruinas mayas); Uxmal (las ruinas mayas)

② Ruta: La Ruta Moderna
Duración: 20 días
Lugares de visita: Ciudad de México (la Zona Rosa, la Torre Latinoamericana, la UNAM, la estación del metro, el monumento del Ángel de la Independencia); Guadalajara Puerto Vallarta (las playas); Monterrey; Ciudad Juárez

③ Ruta: La Ruta Colonial
Duración: 8 días
Lugares de visita: Ciudad de México (la Catedral, el Palacio Nacional); Puebla; Cuernavaca (los Jardines de Borda, el Palacio de Cortés); Taxco; Acapulco (playas)

④ Ruta: La Ruta del Desierto
Duración: 6 días
Lugares de visita: Ciudad de México (el Parque de Chapultepec); Mazatlán (las playas); Baja California (el desierto, las montañas)

A ¿Qué recuerdas?

1. ¿Cuántas rutas diferentes ofrece este folleto turístico?
2. ¿Cuál es la ruta más larga?
3. ¿Cuántos días tiene el viaje más corto?
4. ¿Cuál es la única ciudad que está en todas las rutas?
5. ¿En qué ruta hay ruinas mayas y playas?
6. ¿En qué rutas puede la gente bañarse en la playa?
7. ¿Qué lugar ofrece desiertos?

B Algo personal

1. ¿Cuál de las rutas que ofrece *Viajes Planeta* te gustaría tomar? ¿Por qué?
2. ¿Te gustan los viajes cortos o largos? Explica.
3. ¿Qué lugares te gusta visitar cuando vas a una ciudad?
4. ¿Te gusta visitar ciudades grandes o pequeñas? Explica.
5. ¿Cuáles son los lugares más importantes para visitar donde tú vives?

Tú escribes

Estrategia

Providing details to appeal to your reader
You already know it is important to identify your purpose for writing and the audience you are writing for. In order to attract and hold the reader's attention, it is a good idea to include details that appeal to your reader's sense of sight, sound and taste.

Prepare a travel brochure for a trip to Mexico. Use commands (such as *¡Diviértase Ud. mucho!*) and add description and details about the dream vacation that will appeal to the reader's senses of sight, sound and taste. Incorporate graphics and/or artwork to enhance the visual appeal of your brochure.

Parte de un mural por José Clemente Orozco.

Cancún, México.

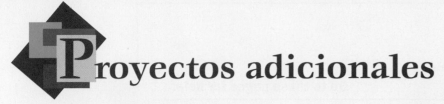

Proyectos adicionales

A Comunidades

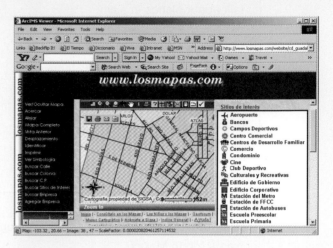

Imagine you have a Spanish-speaking friend who is new to your area and would like to visit some of the local attractions. Using an Internet search engine, select a Web site that provides road maps to specific addresses. Locate and print out a map to a particular site in your city or town, such as a park, museum or theater. Then, referring to the map, write directions in Spanish to tell your friend how to go to the place. Paste or attach the map to the directions.

B Conexión con la tecnología

Search the Internet for Mexican car rental agencies. Print out your findings. Report back to the class what cars are available. Include any of the following information you can: car rental cost, fuel price, cost for rental insurance, driver's license requirements, additional services offered (e.g., availability of maps and directions to your destinations) and any other interesting information you discovered in your search.

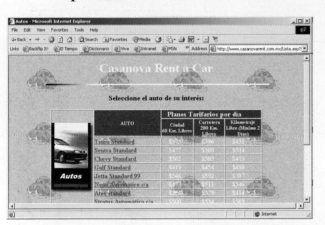

C Comunicación

Find a Web site that features a car of your choice. Design a detailed brochure in color describing the main features of the car and any custom features that are available to order. Finally, present the brochure and explain its contents to the class.

Repaso

Now that I have completed this chapter, I can...

	Go to these pages for help:
talk about places in a city.	98
ask for and give directions.	98
tell others what to do or not to do.	98
give advice and make suggestions.	107
discuss what is sold in specific stores.	107
talk about everyday activities.	120
discuss whom and what people know.	120
identify parts of a car.	128

I can also...

talk about life in Mexico.	109, 123
read traffic signs in Spanish-speaking countries.	133
plan a trip to Mexico.	142

Trabalenguas

De Guadalajara vengo, jara traigo, jara vendo, a medio doy cada jara.
¡Qué jara tan cara traigo de Guadalajara!

Vocabulario

a la derecha (izquierda) to the right (left) *3A*

la **acera** sidewalk *3B*

adelante ahead *3A*

el **aeropuerto** airport *3A*

la **alarma** alarm *3B*

el **almacén** department store, grocery store, warehouse *3A*

el **alto** stop *3B*

el **apartamento** apartment *3A*

el **barrio** neighborhood *3B*

el **baúl** trunk *3B*

el **caballero** gentleman *3A*

el **capó** hood *3B*

la **carnicería** meat market, butcher shop *3A*

la **carretera** road *3A*

la **catedral** cathedral *3A*

el **césped** lawn, grass *3B*

el **cinturón de seguridad** safety belt *3B*

el **claxon** horn *3B*

el **coche** car *3B*

conducir to drive *3B*

conocer to know, to be acquainted with, to be familar with *3B*

la **cuadra** city block *3A*

la **curva** curve *3B*

la **dama** lady *3A*

de cerca close up, from a short distance *3B*

la **demora** delay *3B*

deportivo,-a sporty *3B*

la **derecha** right *3A*

derecho straight ahead *3A*

la **dirección** instruction, guidance, direction *3A;* address *3B;* direction *3B*

doblar to turn (a corner) *3B*

el **dulce** candy *3A*

la **dulcería** candy store *3A*

la **enchilada** enchilada *3A*

la **esquina** corner *3A*

la **estación (de autobuses/del metro/del tren)** station (bus, subway, train) *3A*

el **este** east *3B*

la **exhibición** exhibition *3B*

exigente demanding *3B*

el **faro** headlight *3B*

la **florería** flower shop *3A*

el **freno** brake *3B*

la **frutería** fruit store *3A*

hacia toward *3A*

la **heladería** ice cream parlor *3A*

la **iglesia** church *3A*

la **izquierda** left *3A*

el **limpiaparabrisas** windshield wiper *3B*

la **llanta** tire *3B*

manejar to drive *3B*

el **mexicano,-a** Mexican *3A*

mientras (que) while *3B*

moderno,-a modern *3B*

el **monumento** monument *3A*

el **motor** engine *3B*

el **noreste** northeast *3B*

el **noroeste** northwest *3B*

el **norte** north *3B*

el **oeste** west *3B*

la **oficina de correos** post office *3A*

ofrecer to offer *3B*

la **panadería** bakery *3A*

la **papelería** stationery store *3A*

el **parabrisas** windshield *3B*

el **parachoques** fender *3B*

parar to stop *3A*

la **placa** license plate *3B*

el **policía, la policía** police (officer) *3A*

prohibido,-a not permitted, prohibited *3B*

el **próximo,-a** next *3A*

el **puente** bridge *3A*

la **rueda** wheel *3B*

la **seguridad** safety *3B*

la **señal** sign *3B*

sino but (on the contrary), although, even though *3B*

subir to climb, to go up the stairs, to take up, to bring up, to carry up *3B*

el **sur** south *3B*

el **sureste** southeast *3B*

el **suroeste** southwest *3B*

el **taco** taco *3A*

tardar to delay *3B*

tardar en (+ *infinitive*) to be long, to take a long time *3B*

tirar to throw away *3B*

la **torre** tower *3A*

la **tortilla** corn meal pancake (Mexico), omelet (Spain) *3A*

el **tráfico** traffic *3B*

el **vecino, la vecina** neighbor *3B*

la **vitrina** store window, glass showcase *3A*

el **volante** steering wheel *3B*

la **zapatería** shoe store *3A*

Una policía mexicana.

¡Este coche no tiene ruedas!

Capítulo 4

Las diversiones

Objetivos

- ❖ discuss activities at a special event
- ❖ describe in the past
- ❖ identify animals
- ❖ discuss details about the past
- ❖ express past intentions
- ❖ talk about nationality
- ❖ add emphasis to a description
- ❖ discuss size
- ❖ indicate possession

Visit the web-based activities at www.emcp.com

Vocabulario I
En el parque de atracciones

la rueda de Chicago

la montaña rusa

el coche antiguo

¡Mira su cara! ¡Qué chistoso!

el globo

¿Te gustó la montaña rusa?

el carrusel

Fue fascinante. Como puedes imaginarte, había mucha gente que gritaba de miedo, pero yo no.

las golosinas

los carros chocones

el algodón de azúcar

las palomitas de maíz

El parque es maravilloso.
La gente monta en las atracciones del parque.

las montañas

los fuegos artificiales

el globo

española

Alcázar

mexicano

CHICHEN ITZA

el desfile

1 ¿Dónde ocurre?

Di si lo que oyes es más común en un parque de atracciones o en un colegio.

A. Es común en un parque de atracciones.

B. Es común en un colegio.

2 En el parque de atracciones

¿Tienes un parque de atracciones favorito? ¿Cuáles son algunas de las atracciones en ese parque? ¿Qué puedes comprar para comer allí? ¿Qué más te gusta en ese parque? Haz una lista de lo que ofrece tu parque de atracciones favorito.

Atracciones	Comidas	Otra
1. montaña rusa – Se llama "La arriesgada".	1. las palomitas de maíz	1.

Diálogo I

¡Qué mentira!

PACO: El fin de semana fui al parque de atracciones con mi amiga guatemalteca.

SARA: ¡Qué bueno! ¿Montaron en todas las atracciones?

PACO: Sí, montamos en todas.

SARA: ¡Qué mentira! Tú no montaste en la montaña rusa.

PACO: Bueno, es que había mucha gente y ya puedes imaginarte.

SARA: Sí, sí, claro.

PACO: Pero mi amiga sí pudo montar. Gritaba como loca.

SARA: ¡Qué chistoso!

PACO: Sí, fue maravilloso.

3 ¿Qué recuerdas?

1. ¿Cuándo fue Paco al parque de atracciones?
2. ¿Con quién fue Paco?
3. ¿En qué atracciones montaron?
4. ¿En qué atracción no montó Paco? ¿Por qué?
5. ¿Qué hacía la amiga de Paco que pudo montar en la montaña rusa?

4 Algo personal

1. ¿Visitaste un parque de atracciones recientemente? ¿Cuál?
2. ¿Cuál es tu atracción favorita en el parque de atracciones? ¿Por qué?
3. ¿Tienes un parque de atracciones favorito? ¿Cómo se llama?

Nos encanta el carrusel.

5 ¿Cuál es la respuesta correcta?

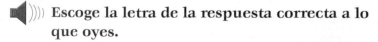

Escoge la letra de la respuesta correcta a lo que oyes.

A. A mucha gente le gusta las palomitas de maíz.

B. Es el carrusel. ¡Les encanta a los niños!

C. Sí. Fue fascinante y quiero montar en ella otra vez.

D. No. Es un coche antiguo.

El Salvador

El Salvador está ubicado[1] entre Honduras, Guatemala y el océano Pacífico. La capital, San Salvador, es la ciudad más grande del país, con más de 500.000 habitantes. San Salvador y otras ciudades principales, como Santa Ana y San Miguel, están en la región central. Esta región es de tipo volcánico y, por lo tanto, tiene muchos temblores y terremotos[2]. Hay más de veinte volcanes activos en este área.

El volcán Ilamatepec.

Antes de la llegada de los españoles en el siglo XVI, la región era parte del territorio maya. En 1524, empezó la conquista española de la población nativa para tomar posesión de las tierras[3] que hoy son El Salvador. En 1525, el conquistador español, Diego Alvarado, fundó la ciudad de San Salvador en el Valle de las Hamacas. El Salvador consiguió su independencia de España en 1821.

En la historia reciente de esta nación hay mucha violencia, problemas sociales y económicos, y una guerra[4] civil. Los problemas sociales existen por el gran contraste que hay entre los pocos ricos y los muchos pobres. Los problemas económicos se deben a que la mayor parte de su economía depende de la producción del café. Hoy, el país quiere resolver estos problemas y mejorar[5] sus sistemas político y económico para dar a su gente un mejor futuro.

Suchitoto, El Salvador.

[1]located   [2]earthquakes   [3]lands   [4]war   [5]improve

6 Conexión con otras disciplinas: geografía

Busca información sobre El Salvador en la internet o en la biblioteca y haz un folleto (*brochure*) de una página para dar a conocer a la gente de otros países las cosas buenas y los puntos geográficos importantes de El Salvador.

¡Oportunidades!

El Salvador

Would you be interested in visiting El Salvador as a volunteer or as a venture traveler? There are many different ways to volunteer in El Salvador, and many organizations exist to help. The *Centro Internacional de Solidaridad (CIS)* language schools in San Salvador offer English teachers opportunities to volunteer. In addition, Green Arrow's Conservation Connection Placement Program in Costa Rica will help volunteers find work throughout Central America. If you are interested in the field of volcanology, you can hike around the rim of San Salvador's Boquerón volcano or explore a trail that takes you into the crater.

Idioma

Talking about the past: imperfect tense

You already have learned the *pretérito,* which expresses completed past actions.
A second tense, the imperfect tense *(el imperfecto),* also refers to the past, but without
indicating specifically when the event or condition begins or ends.

Form the imperfect tense of regular verbs by dropping the *-ar, -er* or *-ir* ending
from the infinitive and by adding the endings indicated in bold. All verbs in Spanish
follow this pattern except for *ser, ir* and *ver,* which you will learn later in this lesson.

hablar					
yo	habl**aba**	*I was speaking (I used to speak)*	nosotros nosotras	habl**ábamos**	*we were speaking (we used to speak)*
tú	habl**abas**	*you were speaking (you used to speak)*	vosotros vosotras	habl**abais**	*you were speaking (you used to speak)*
Ud.		*you were speaking (you used to speak)*	Uds.		*you were speaking (you used to speak)*
él	habl**aba**	*he was speaking (he used to speak)*	ellos	habl**aban**	*they were speaking (they used to speak)*
ella		*she was speaking (she used to speak)*	ellas		*they were speaking (they used to speak)*

comer					
yo	com**ía**	*I was eating (I used to eat)*	nosotros nosotras	com**íamos**	*we were eating (we used to eat)*
tú	com**ías**	*you were eating (you used to eat)*	vosotros vosotras	com**íais**	*you were eating (you used to eat)*
Ud.		*you were eating (you used to eat)*	Uds.		*you were eating (you used to eat)*
él	com**ía**	*he was eating (he used to eat)*	ellos	com**ían**	*they were eating (they used to eat)*
ella		*she was eating (she used to eat)*	ellas		*they were eating (they used to eat)*

vivir					
yo	viv**ía**	*I was living* (*I used to live*)	nosotros nosotras	viv**íamos**	*we were living* (*we used to live*)
tú	viv**ías**	*you were living* (*you used to live*)	vosotros vosotras	viv**íais**	*you were living* (*you used to live*)
Ud.		*you were living* (*you used to live*)	Uds.		*you were living* (*you used to live*)
él	viv**ía**	*he was living* (*he used to live*)	ellos	viv**ían**	*they were living* (*they used to live*)
ella		*she was living* (*she used to live*)	ellas		*they were living* (*they used to live*)

The imperfect tense is used to describe an ongoing past action, a repeated (habitual) past action or a long-standing situation.

Hablaba con Pedro cuando....   **I was talking** with Pedro when....
Comíamos juntos todos los días.   **We used to/would eat** together every day.
Vivíamos en San Salvador.   **We were living** in San Salvador.

Note: The impersonal expression *había* is the imperfect tense of *haber* (to have) and is the equivalent of **there was/there were**.

Práctica

7 **¿Qué hacían por la tarde?**

Quieres saber qué hacían ayer por la tarde las personas indicadas. Haz preguntas, usando la forma apropiada del imperfecto de los siguientes verbos. Usa las pistas que se dan.

MODELO   montar la rueda de Chicago (él)
          ¿Montaba él en la rueda de Chicago?

1. viajar a San Salvador (ella)
2. trabajar en el parque de atracciones (Uds.)
3. gritar en la montaña rusa (él)
4. hablar con un amigo mexicano (tú)
5. aprender español (nosotros)
6. jugar con los globos (tú)
7. correr (ellos)
8. dormir en su cuarto (él)
9. leer (yo)
10. escribir correos electrónicos (nosotros)
11. acostarse (Ud.)
12. divertirse en el carrusel (Uds.)

¿Montaba él en la rueda de Chicago?

8 El parque de atracciones

Tu vecino te invitó a ir con su familia a un parque de atracciones. Completa las siguientes oraciones con el imperfecto de los verbos indicados para decir qué hizo cada persona durante la visita al parque.

MODELO Su hermano menor <u>pedía</u> monedas para montar en las atracciones. (pedir)

1. Yo __ a todo el mundo. (mirar)
2. Sus primos __ a una montaña artificial. (subir)
3. Sus padres __ con todo el mundo. (hablar)
4. Nosotros __ un día maravilloso. (pasar)
5. Todos nosotros __ música popular. (escuchar)
6. Su hermana mayor __ en la montaña rusa. (montar)
7. Su prima __ golosinas. (comer)
8. Su abuelo__. (dormir)

9 En los carros chocones

Usando el imperfecto, haz oraciones diciendo qué hacían las personas mencionadas cuando tú montabas en los carros chocones.

MODELO tú / mirar un desfile de carros antiguos
Tú mirabas un desfile de carros antiguos

1. yo / gritar en los carros chocones
2. nosotros / comer unas golosinas
3. cuatro muchachos / recoger basura
4. un hombre chistoso / vender globos rojos
5. tú / jugar con unos globos
6. unas chicas / cepillarse el pelo
7. Uds. / broncearse al sol

10 De vacaciones

Marta estaba de vacaciones con su familia la semana pasada. Cambia los verbos indicados en las siguientes oraciones al imperfecto para decir qué hacían todos en su familia durante la semana.

MODELO Ellos *visitan* el parque de atracciones todos los días.
Ellos visitaban el parque de atracciones todos los días.

1. *Se levantan* a las seis y media todos los días para ir al parque de atracciones.
2. Los hermanos de Marta *montan* en la montaña rusa todos los días.
3. El abuelo de Marta *lee* el periódico en el parque todas las mañanas.
4. La mamá de Marta *grita* cuando *monta* en las atracciones.
5. Marta y su hermana *comen* golosinas todas las noches.
6. *Duermen* en un hotel que *está* cerca del parque.
7. Marta *se acuesta* todas las noches a las once.
8. *Se divierten* mucho todos los días.

11 Cuando Luisa tenía seis años

Completa el siguiente párrafo con las formas apropiadas del imperfecto.

Mi hermano y yo siempre 1. *(visitar)* el parque de atracciones los fines de semana cuando yo 2. *(tener)* seis años. Nosotros 3. *(caminar)* por el parque y 4. *(hablar)* de nuestras vidas. Nosotros 5. *(parar)* muchas veces para comer algo y para tomar unos refrescos. Me parece que él siempre 6. *(comer)* en menos de cinco minutos. Yo 7. *(tardar)* más tiempo. Cuando nosotros 8. *(terminar)*, 9. *(montar)* en la montaña rusa varias veces y, luego, 10. *(salir)* para ir a casa. Mis padres también 11. *(hacer)* lo mismo a los seis años, pero ellos no 12. *(poder)* comer en el parque porque sus padres siempre los 13. *(esperar)* para comer en casa.

12 Armando y su familia

Armando vivía con su familia en otra ciudad antes de vivir en San Salvador. Trabajando en parejas, alterna con tu compañero/a de clase para decir lo que varias personas en su familia hacían cuando vivían en la otra ciudad.

 la hermana de Armando / escribir a unos parientes en San Salvador
La hermana de Armando escribía a unos parientes en San Salvador.

1. Armando / salir a jugar al fútbol con unos amigos
2. la abuela / comprar golosinas en la dulcería
3. sus primos / correr por el parque de atracciones
4. el tío y la tía / visitar los museos de historia
5. la tía Luisa / mirar las vitrinas de los almacenes nuevos
6. su hermano mayor / comer los sábados en un restaurante mexicano

✦ Comunicación

13 ¿Qué hacías el sábado pasado a diferentes horas?

Haz oraciones completas para decir lo que tú hacías el sábado pasado a diferentes horas, usando los siguientes verbos y pistas: *dormir, despertarse, levantarse, bañarse, vestirse, desayunar, salir de la casa, llegar a la escuela, almorzar, estudiar español, hacer la tarea, acostarse, dormirse.*

MODELO Me despertaba a las seis y media.

14 ¿Qué recuerdas?

En parejas, alternen en hacer y contestar las siguientes preguntas para decir qué recuerdan de cuando tenían seis años. Usen el imperfecto.

1. ¿A qué hora salías para la escuela cuando tenías seis años?
2. ¿Te gustaban tus profesores/as?
3. ¿A qué jugabas con tus amigos/as?
4. ¿A qué hora comía tu familia los domingos?
5. ¿A qué hora tenías que acostarte?
6. ¿Qué hacías durante el verano a los seis años?

el león africano

el tigre

la pantera

la jirafa

el hipopótamo

15 **¿Qué es?**

Escucha las oraciones y decide qué animal se describe.

A. el elefante   **B.** la jirafa   **C.** el flamenco   **D.** la serpiente   **E.** el hipopótamo

16 **En el zoológico**

Identifica los animales que ves
en estas fotos.

MODELO   Es un camello.

1   **2**   **3**   **4**   **5**   **6**

Diálogo II

¡Qué lástima!

PACO: Sara, ¿qué hiciste tú el fin de semana pasado?

SARA: Mi familia y yo fuimos al zoológico.

PACO: ¿Vieron muchos animales?

SARA: No, no muchos. Eran como cien animales. No tuvimos tiempo de verlos todos.

PACO: Por lo menos viste las iguanas.

SARA: ¿Las iguanas? A mí no me gustan las iguanas. Nosotros sólo vimos los animales salvajes de África.

PACO: ¡Qué lástima! La iguana es mi animal favorito.

SARA: ¿Tu animal favorito? Es muy feo.

PACO: Sí, es feo, pero la sopa de iguana que prepara mi mamá me gusta mucho.

SARA: ¡Qué tonto eres! La próxima vez le digo a tu mamá que te prepare una sopa de mono.

PACO: Muy chistosa.

17 ¿Qué recuerdas?

1. ¿Qué hicieron Sara y su familia el fin de semana pasado?
2. ¿Vieron muchos animales?
3. ¿Cuántos animales eran?
4. ¿Qué animales vieron?
5. ¿Cuál es el animal favorito de Paco?

¿Cuál es tu animal favorito?

18 Algo personal

1. ¿Te gustan los zoológicos? Explica.
2. ¿Cuándo fue la última vez que fuiste a un zoológico?
3. ¿Qué animales había? ¿Eran africanos?
4. ¿Conoces a alguna persona con un apellido de animal? ¿Cómo se llama?

19 Dictado

Escucha la información y escribe las palabras que faltan (missing).

El (1) de mi ciudad es muy grande y completo. Hay muchas especies de animales de muchos lugares, como (2), Australia y América del Sur. Hay (3) pequeños y grandes, dóciles y (4). Los (5) son mis favoritos. También me encanta ver los gatos grandes como las (6), los (7) y los (8) de lugares exóticos. A los niños pequeños les llaman la atención los (9). También les gusta mucho ver los (10), pero pueden ser peligrosos. La última vez que fui al zoológico, un (11) atacó a una de las personas que trabajaba allí. Por suerte, no pasó nada, pero sirve para recordarnos no caminar cerca de las jaulas.

Sopa de iguana, por favor

Helen, una estudiante estadounidense, estaba en San Salvador viviendo con una familia salvadoreña. Un día, estaba enferma con gripe. "Te voy a hacer sopa de iguana", le dijo la señora de la casa. Helen no podía imaginar comer iguana. Pensaba que la iguana era un reptil con cara de dinosaurio y le daba miedo y asco[1]. Por curiosidad, la comió. "*Tastes just like chicken*", pensó. A diferencia del pollo, la carne de iguana tiene muy poca grasa[2], algo que les gusta a los nutricionistas. A diferencia de la carne de res[3], es mucho más fácil criar[4] iguanas porque necesitan poca atención y no necesitan grandes áreas de tierras deforestadas. Las fincas de iguanas necesitan árboles[5] y eso les gusta a los ecologistas. Hoy en día, la carne de iguana criada en fincas en El Salvador se exporta a tiendas latinas en ciudades grandes como Washington, D.C. y Nueva York. Las fincas de iguana ayudan a conservar a esta especie protegida. Ahora la gente de América Central que vive lejos de su país puede comer iguana legalmente. La carne de iguana se come desde los tiempos de los mayas y se considera deliciosa y una fuente[6] natural de energía.

Una iguana.

[1]disgust [2]fat [3]beef [4]raise [5]trees [6]source

Poor iguana :(

Comemos huevos de iguana.

20 Conexión con otras disciplinas: ciencias

Contesta las siguientes preguntas.

1. ¿Qué sopa comen muchos salvadoreños cuando tienen gripe?
2. ¿Qué sopa comen muchos estadounidenses cuando tienen gripe?
3. ¿A qué carne se parece la carne de iguana? ¿Cuál es la diferencia?
4. Compara la crianza (*raising*) de ganado (*cattle*) y de iguanas. ¿Cuál es mejor para el medio ambiente?

Estructura

Irregular imperfect tense verbs: *ser, ir* and *ver*

Three verbs are irregular in the imperfect tense in Spanish.

ser	
era	éramos
eras	erais
era	eran

ir	
iba	íbamos
ibas	ibais
iba	iban

ver	
veía	veíamos
veías	veíais
veía	veían

In addition to describing an ongoing past action, a repeated (habitual) past action or a long-standing situation, the imperfect tense may be used in the following situations:

- to refer to a physical, mental or emotional characteristic or condition in the past

  Era inteligente y chistoso.   **He was** smart and funny.

  Tenían miedo a las serpientes.   **They were** afraid of snakes.

- to describe or provide background information about the past

  Eran las siete de la noche.   **It was** 7:00 P.M.

  Yo tenía once años.   **I was** eleven years old.

  Hacía mucho frío.   **It was** very cold.

  Había muchos animales.   **There were** many animals.

- to indicate past intentions

  Iba a ir al zoológico ayer.   **I was going to go** to the zoo yesterday.

  Queríamos ver la película sobre el zoológico.   **We wanted to see** the movie about the zoo.

Iba a ir al zoológico ayer.

Práctica

21 ¿Qué hacían todos ayer?

Visitabas un parque de atracciones ayer con tu familia. Completa las siguientes oraciones con la forma apropiada del imperfecto de los verbos entre paréntesis para describir la visita.

MODELO   El parque <u>era</u> maravilloso. (ser)

El parque era maravilloso.

1. Las atracciones __ fascinantes. (ser)
2. Mi hermana menor __ la muchacha más simpática de todo el parque. (ser)
3. Mis hermanas __ sólo para montar en la montaña rusa. (ir)
4. Yo __ a comprar una serpiente de El Salvador, pero no tenía dinero. (ir)
5. Mi hermano y yo __ una exhibición de carros antiguos por la tarde. (ver)
6. Mucha gente __ los fuegos artificiales. (ver)
7. Nosotros __ a montar en globo pero tuvimos miedo. (ir)
8. Uds. __ los chicos más chistosos del parque. (ser)
9. Tú __ un desfile por más de una hora. (ver)
10. Cuando salíamos del parque __ las once de la noche. (ser)

22 ¿Cuántos años tenían?

Las siguientes personas fueron al zoológico por última vez el año pasado. Di cuántos años tenían cuando fueron al zoológico el año pasado, según la edad que tienen hoy.

MODELO   Manuela tiene 20 años.
          Manuela tenía 19 años el año pasado.

Manuela tiene 20 años.

1. Mi abuela tiene 59 años.
2. Fernando y Alicia tienen 18 años.
3. La señorita León tiene 25 años.
4. Mi primo tiene 14 años.
5. Tú tienes 17 años.
6. Mi amigo y yo tenemos 15 años.
7. Uds. tienen 21 años.
8. Yo tengo....

23 ¿Qué animales?

Tú fuiste al zoológico con algunos amigos la semana pasada para ver los animales favoritos de cada uno. Di qué animales fueron a ver, según las fotos.

MODELO Ana
Ana iba a ver los tigres.

1. nosotros   2. Diana y Francisco   3. tú   4. Miguel y Pablo

5. Uds.   6. Jaime   7. Alicia y Patricia   8. yo

✦ Comunicación

24 Una visita al zoológico

Estás hablando con unos amigos de su visita al zoológico el fin de semana pasado. En grupos pequeños, describan los animales que vieron. Pueden usar elementos de cada columna y hacer los cambios necesarios en sus descripciones. Después de cada descripción, los otros miembros de tu grupo deben adivinar (guess) qué animal estás describiendo.

MODELO A: Era feroz.
B: Era el león.

los hipopótamos		rápido
la cebra		gordo y lento
las serpientes		rápido y chistoso
la jirafa		largo
la tortuga		chistoso
el tigre	ser	alto
los flamencos		rápido y negro
los elefantes		rosado y delgado
la leona		grande
los monos		feroz
los gorilas		lento y viejo

Mira el siguiente horario del zoológico El Reino Animal. Luego, trabajando en parejas, alterna con tu compañero/a de clase en preguntar y contestar a qué hora ocurrían diferentes actividades ayer en el zoológico.

MODELO   los fuegos artificiales
   A: ¿A qué hora eran ayer los fuegos artificiales?
   B: Eran a las siete.

El Reino Animal

11:30, 4:00
Exhibición:
Los animales
salvajes africanos

7:00
Fuegos
artificiales

3:30
Exhibición:
Gatos grandes,
los tigres

3:00
Película:
Los animales
salvajes de
América Central

10:30
Exhibición:
Los monos de
América Central

9:30, 2:30
Exhibición:
Las serpientes
del desierto

12:00
Vista:
El mundo de
los hipopótamos

9:00
Película:
Bienvenidos a
Zoofari

1:30
El desfile
de la selva

11:00
Película:
Los maravillosos animales
de América del Norte

4:30
Película:
Los fascinantes
animales de
América del Sur

8:00
Gran desfile

1. la exhibición de los monos de América Central
2. el Gran desfile
3. la película sobre el zoológico
4. el desfile de la selva
5. las exhibiciones de animales salvajes africanos
6. la visita al mundo de los hipopótamos
7. la película sobre los animales de América del Sur
8. la exhibición de los tigres

¡Extra!

Otros animales

el águila	*eagle*
el avestruz	*ostrich*
la ballena	*whale*
el cocodrilo	*crocodile*
el delfín	*dolphin*
la foca	*seal*
el loro	*parrot*
el rinoceronte	*rhinoceros*
el tiburón	*shark*
el venado, el ciervo	*deer*

Los fuegos artificiales.

26 ¿Qué hacías tú en el zoológico?

Hablando con un(a) compañero/a de clase, se dan cuenta de que *(you realize)* los dos fueron al zoológico ayer. Trabajando en parejas, y usando la información de la actividad anterior, alternen en hacer y contestar preguntas sobre lo que Uds. hicieron en diferentes horas.

¡Qué mono tan mono!

¡Extra!

Los monos

You might find it interesting to know that the word *mono* is used in Colombia to refer to blond people. In Mexico and in Spain the word *mono* is equivalent to "cute." To say "blond" in El Salvador, use the word *chele* for a man or *chela* for a woman.

Repaso rápido: *ser* vs. *estar*

Do you remember how to use *ser* and *estar*?

- *Ser* may express origin.

Soy de El Salvador.	**I am** from El Salvador.
Soy salvadoreño.	**I am** Salvadoran.

- Sometimes *ser* expresses a characteristic that distinguishes people or objects from one another.

El zoológico **era** fascinante.	The zoo **was** fascinating.
¡Qué inteligente **eres**!	How smart **you are!**

- *Estar* is used to express a temporary condition.

Estamos muy bien.	**We are** very well.
¡Qué gordo **estaba** el hipopótamo!	How fat the hippopotamus **was!**

- *Estar* also may refer to location.

¿Dónde **está** el zoológico?	Where **is** the zoo?

Although *estar* generally is used to express location, note this exception: *Ser* can refer to the location of an event, in which case it is the equivalent of **to take place**.

¿Dónde **son** los fuegos artificiales?	Where do the fireworks **take place**?

27 ¿Ser o estar?

Completa las siguientes oraciones con la forma apropiada del presente o del imperfecto de *ser* o *estar*, según las situaciones.

MODELOS El zoológico de San Diego <u>es</u> uno de los zoológicos estadounidenses más grandes.

Cuando fuimos al zoológico el día <u>estaba</u> nublado.

1. El hipopótamo __ un animal muy gordo. No conozco ninguno delgado.
2. Las golosinas no __ muy buenas para tu cuerpo. No debes comerlas.
3. Mi amiga panameña __ en San Salvador de vacaciones el mes pasado cuando la llamé.
4. Las panteras __ salvajes y muy feroces. Nadie tiene una en su casa.
5. ¡La serpiente __ sobre mi cámara cuando trataba de tomar una foto! ¡Qué miedo!
6. El desfile __ ayer a las dos de la tarde en el parque.
7. ¿__ enfermas las tortugas ecuatorianas anteayer?
8. David __ muy chistoso hoy. Ayer estaba muy triste.
9. Este zoológico __ muy grande. Tiene más de tres mil animales.
10. ¡Las montañas que vimos en América Central __ fascinantes!

El desfile.

En el zoológico de San Diego.

Estructura

Adjectives of nationality

You will recall that singular masculine adjectives that end in -o have a feminine form that ends in -a and most singular adjectives that end with an -e or with a consonant have only one singular form. However, for masculine adjectives of nationality that end with a consonant, add -a to make the feminine form: *español/española*.

Adjectives of Nationality	
Soy de...	**Soy...**
(la) Argentina	argentino,-a
Bolivia	boliviano,-a
Chile	chileno,-a
Colombia	colombiano,-a
Costa Rica	costarricense
Cuba	cubano,-a
Ecuador	ecuatoriano,-a
El Salvador	salvadoreño,-a
España	español/española
(los) Estados Unidos	estadounidense
Guatemala	guatemalteco,-a
Honduras	hondureño,-a
México	mexicano,-a
Nicaragua	nicaragüense
Panamá	panameño,-a
(el) Paraguay	paraguayo,-a
(el) Perú	peruano,-a
Puerto Rico	puertorriqueño,-a
(la) República Dominicana	dominicano,-a
(el) Uruguay	uruguayo,-a
Venezuela	venezolano,-a

Adjectives of nationality are used after the word they are describing. However, sometimes a word you are describing may be omitted in order to avoid repeating a noun. In such cases the article remains and the adjective must agree with the noun that was omitted.

*¿Te gustan los (animals/objects) colombianos o **los** (animals/objects) **salvadoreños**?*

Do you like the Colombian (animals/objects) or **the Salvadoran ones**?

Práctica

28 Las nacionalidades

Unos amigos te presentaron a algunas personas de otros países durante una visita al zoológico. Di de qué país eran, conectando lógicamente las oraciones de la columna B con las oraciones de la columna A.

A

1. La señora Martínez era de España.
2. Margarita era del Perú.
3. Los señores Toro eran de España también.
4. Todos éramos de los Estados Unidos.
5. Miguel y Rogelio eran de la República Dominicana.
6. Paco era de Chile.
7. Ana y Paula eran de Panamá.
8. Silvia era de Guatemala.
9. Los amigos de Fernando eran de Nicaragua.
10. La señorita Sánchez era de Puerto Rico.

B

A. Éramos estadounidenses.
B. Eran panameñas.
C. Eran dominicanos.
D. Era chileno.
E. Eran nicaragüenses.
F. Era guatemalteca.
G. Era peruana.
H. Era puertorriqueña.
I. Eran españoles.
J. Era española.

29 Eres veterinario/a

Imagina que eres veterinario/a y fuiste a un zoológico en El Salvador para hacer un estudio. Completa las observaciones que hiciste durante tu visita, usando las indicaciones que se dan. Sigue el modelo.

MODELO serpientes / americano / enfermo / por comer algo malo
Las serpientes americanas estaban enfermas por comer algo malo.

1. leones / africano / salvaje
2. monos / hondureño / contento / de verme
3. panteras / negro / feroz
4. zoológico / salvadoreño / maravilloso
5. iguanas / mexicano / muy chistoso
6. camellos / nervioso / de ver a tanta gente
7. elefantes / africano / cansado / por no dormir bien

¡Extra!

¿Qué es América?

In the Spanish-speaking world, the word *América* refers to *América del Sur, América Central* and *América del Norte.* Additionally, the adjective *americano,-a* refers to anyone from any part of *América*. For this reason, if you are from the United States when traveling in the Spanish-speaking world, demonstrate good diplomacy and a knowledge of this cultural and linguistic difference by referring to yourself as an *estadounidense.*

Una serpiente.

30 Son de muchas nacionalidades

En parejas, alternen en preguntar y en contestar de dónde eran las siguientes personas que Uds. conocieron en la visita al zoológico.

MODELO la señora Varela / Lima

    A: ¿De dónde era la señora Varela?

    B: Era del Perú.

    A: Ah, ¿sí? ¿Era peruana?

    B: Claro. Era de Lima.

1. el señor De la Torre / La Habana
2. Ricardo / Santa Fe de Bogotá
3. Lucía y Carmen / Buenos Aires
4. Karin y su esposo / San José
5. José y su amiga / Caracas
6. el señor y la señora Vargas / La Paz
7. las amigas de María / Quito
8. Raúl / Tegucigalpa

La Sra. Varela es de Lima.

Comunicación

31 Son de todas partes del mundo

En grupos, cada persona pregunta el nombre y la nacionalidad de siete estudiantes de otros grupos. (Todos deben contestar con una de las nacionalidades de cualquiera de los países de habla hispana.) Luego, regresa a tu grupo y comparte *(share)* la información con tus compañeros/as. Un miembro del grupo debe preparar un resumen *(summary)* de toda la información. Por último, otro miembro del grupo debe presentar la información a la clase, señalando a las personas y diciendo su nacionalidad.

MODELO **A:** ¿Cómo te llamas?

    B: Me llamo Paloma.

    A: ¿Cuál es tu nacionalidad?

    B: Soy salvadoreña.

¡Extra!

¿Nombres de animales o de personas?

Do you know any Tigers? How about people with the name Bird? In Spanish-speaking countries, it is fairly common to meet people with last names that are the same as the names of animals. Do not be surprised, for example, if one day you are introduced to Mr. and Mrs. Lion *(el señor* and *la señora León)*, or to their friend Miss Bull *(la señorita Toro)*, whose first name is *Paloma* (Dove). For some people the use of an animal's name to refer to a person may seem odd. However, in many cultures you will find that animal names for people are quite common and very acceptable.

¿Cómo te llamas?

32 Cuando éramos pequeños/as

¿Qué hacías cuando eras pequeño/a? Haz una lista de por lo menos ocho cosas. Luego, trabajando en parejas, lean el uno al otro lo que escribieron y hagan una lista de las actividades que los dos tienen en común en sus listas. Por último, da un reporte de estas actividades a otra pareja de estudiantes.

Cuando era pequeño/a:
1. Montaba en la montaña rusa con mi familia.
2. Comía muchas golosinas.

Cuando era pequeño/a:
1. Comía muchas golosinas.
2. Montaba en bicicleta con mis amigos del barrio.

33 El fin de semana pasado

En grupos de tres, hablen de lo que Uds. hacían durante el fin de semana pasado a diferentes horas. Pueden usar algunos de los verbos indicados si quieren.

MODELO
A: ¿Qué hacías a la una el sábado?
B: Almorzaba a la una el sábado.
C: ¿Qué comías?
B: Comía pescado y una ensalada.

almorzar   estudiar español   dormirse
dormir
hacer la tarea
salir de la casa
mirar la televisión
acostarse
levantarse   desayunarse
despertarse
bañarse

Lectura cultural

¡Salvemos[1] El Imposible!

Parque nacional, El Salvador.

En el siglo pasado, en el pequeño país de El Salvador, productores de café llevaban el café en mula desde las montañas del norte del país hasta el puerto de Acajutla. Tenían que pasar por una selva y a través de[2] un barranco[3]. Este peligroso paso[4] lo llamaban "El Paso Imposible". En un siglo, El Salvador ha crecido[5] mucho. Hoy, es el país de mayor densidad de población en toda América Latina. También es el país con el porcentaje de bosques[6] más pequeño en América Latina: solamente el 2% del territorio de El Salvador es bosque.

Una especie de pájaro.

En 1989, el gobierno salvadoreño creó un parque nacional en uno de los últimos bosques tropicales que quedaban. Como el parque incluye el antiguo paso "El Imposible", también se le llamó El Imposible. Hoy, el Parque Nacional El Imposible es el último refugio para los animales salvajes[7] de El Salvador, como el puma, el oso hormiguero[8], el mono, 300 especies de pájaros y 25 especies de serpientes. SalvaNATURA, un grupo de jóvenes salvadoreños, está trabajando para proteger El Imposible. Desde 1995, este grupo de ecologistas ha estado educando a las comunidades salvadoreñas, quienes desde entonces han creado[9] clubes de ecología que participan en campañas de reforestación. Trabajando juntos, no es imposible salvar El Imposible.

[1]Let's save [2]through [3]ravine [4]passage [5]has grown [6]forests [7]wild [8]anteater [9]have created

34 ¿Qué recuerdas?

Di si lo siguiente es cierto o falso.

1. De todos los países latinoamericanos, El Salvador tiene la mayor densidad de población.
2. De todos los países latinoamericanos, El Salvador tiene el mayor porcentaje de bosques.
3. Monos, serpientes y pumas viven en El Imposible.
4. El parque se llama El Imposible porque es imposible salvar a los animales.
5. SalvaNATURA es un grupo ecologista salvadoreño.

> • What's the closest national park to where you live? Compare the wildlife of that park with that of El Imposible. How are both parks important to the ecology of the region?

35 Algo personal

1. ¿Por qué crees que solamente el 2% de El Salvador es bosque?
2. ¿Crees que es importante proteger El Imposible? ¿Por qué?
3. ¿Cómo podrías ayudar a SalvaNATURA a proteger El Imposible?

¿Qué aprendí?

Autoevaluación

Como repaso y autoevaluación, responde lo siguiente:

Visit the web-based activities at www.emcp.com

1. Name two things you would see at an amusement park.

2. Imagine you went to an amusement park last weekend. Describe the day and say what you did.

3. Name six animals in Spanish that you would expect to see at the zoo.

4. Describe something you did, where you went and what you saw when you were ten.

5. Give the nationality of a person from the following countries: El Salvador, México, Puerto Rico, España, Estados Unidos.

6. What do you know about El Salvador?

Palabras y expresiones

Nacionalidades
africano,-a
argentino,-a
boliviano,-a
chileno,-a
colombiano,-a
costarricense
cubano,-a
dominicano,-a
ecuatoriano,-a
español, española
estadounidense
guatemalteco,-a
hondureño,-a
nicaragüense
panameño,-a
paraguayo,-a
peruano,-a
puertorriqueño,-a

salvadoreño,-a
uruguayo,-a
venezolano,-a

En el parque de atracciones
el algodón de azúcar
la atracción
los carros chocones
el carrusel
el desfile
los fuegos artificiales
el globo
la golosina
la montaña rusa
las palomitas de maíz
la rueda de Chicago

En el zoológico
el animal
el camello
la cebra
el elefante
el flamenco
el gorila
el guía, la guía
el hipopótamo
la iguana
el zoológico
la jirafa
el león
el mono

la pantera
la selva
la serpiente
el tigre
la tortuga

Para describir
antiguo,-a
chistoso,-a
fascinante
feroz
maravilloso,-a
salvaje

Verbos
gritar
había

imaginar(se)
molestar

Expresiones y otras palabras
el África
la América (Central/del Norte/del Sur)
bienvenido,-a
la cámara
como
más de
la montaña
la visita

Una cámara.

Mira el algodón de azúcar.

◆Vocabulario I
En el circo

la banda

Me gusta ver a los trapecistas porque es muy emocionante.

la trapecista

¡Pobre payaso!

Los acróbatas tienen mucha destreza.

la acróbata

el malabarista

el payaso

¡Qué mentira tan grande!

El león es grandísimo.

el osito de peluche

el oso

Durante las vacaciones fuimos al Circo del Sol.
El Circo del Sol es un gran circo.

la jaula

la taquilla

el boleto

la fila

1 ¿Qué ves en el circo?

Di si lo que oyes es cierto o falso, según la ilustración del Vocabulario I.
Si lo que oyes es falso, di lo que es cierto.

2 ¿Qué vio Elena?

Elena fue al circo el sábado y hoy está hablando con Pablo sobre lo que ella
vio. Completa el siguiente diálogo con las palabras de la lista para saber lo
que dicen.

osos   malabarisTas   emocionante   banda
     payasos   acróbatas

Pablo: Oye, Elena, ¿te gustó el circo adonde fuiste el sábado?
Elena: Sí, fue estupendo. Había (1) chistosos, una (2) de música, (3) con mucha destreza
   y unos (4) marrones lindísimos.
Pablo: Y, ¿qué era lo más (5)?
Elena: Lo más emocionante fueron los leones.
Pablo: Y, ¿qué era lo más peligroso?
Elena: Lo más peligroso eran los (6) jugando con fuego.

Diálogo I

Soy un gran malabarista

JORGE: Hay un gran circo en la ciudad. ¿Les gustaría ir?

MARINA: ¡Ay, sí! Yo oí que era un circo grandísimo.

ARIEL: Bueno, ¡vamos!

ARIEL: ¿Qué hay en este circo?

JORGE: Hay acróbatas, malabaristas y trapecistas.

ARIEL: ¿Malabaristas? ¡Yo soy un gran malabarista!

MARINA: ¡Qué mentira tan grande!

JORGE: A ver. Aquí tienes tres naranjas. Queremos ver.

MARINA: ¡Ja, ja! Lo que eres es un payaso.

3 ¿Qué recuerdas?

1. ¿Adónde quiere ir Jorge?
2. ¿Qué oyó Marina?
3. ¿Qué dice Jorge que hay en el circo?
4. ¿Qué dice Ariel que él es?
5. ¿Qué dice Marina de Ariel?

4 Algo personal

1. ¿Te gusta el circo? ¿Por qué?
2. ¿Te gustaría ser acróbata o malabarista? ¿Por qué?
3. ¿Qué te parece más peligroso, un león o un oso? ¿Por qué?

¿Te gustaría ser acróbata?

5 ¿Qué es?

Escucha y, luego, identifica las cosas y personas que se encuentran en el circo.

A   B   C   D   E

Honduras

Honduras está en América Central, entre el Mar Caribe, Nicaragua, El Salvador y Guatemala. La capital del país, y la ciudad más grande, es Tegucigalpa, con más de 700.000 habitantes. Como México y Guatemala, Honduras tiene una larga historia y mucha influencia del gran imperio maya. Los mayas fundaron la ciudad de Copán en el siglo V en la región que hoy es Honduras. Esta ciudad era un importante centro cultural y religioso. Cuando los españoles llegaron a Copán para empezar la colonización en el siglo XV, sólo encontraron ruinas del antiguo imperio maya.

La economía de Honduras está basada[1] en la producción de café y de plátanos, aunque también se producen minerales como el zinc, el oro y la plata. Honduras es un país

Un pueblo colonial, Honduras.

Ruínas de Copán.

muy bonito, con montañas de origen volcánico que tienen hasta 2.800 m de altura, bosques que cubren[2] casi la mitad del país y muchos ríos que van a parar al océano Atlántico. El clima de este país centroamericano es tropical. Durante los meses de noviembre a enero llueve mucho y el resto del tiempo hace un clima seco y caluroso, con temperaturas de 80 grados casi todos los días. ¿Has oído hablar del libro *Mosquito Coast (La costa de los mosquitos),* que fue también una película con Harrison Ford? Pues, si te interesa, esta costa está en Honduras y es un lugar muy poco habitado.

En las costas de Honduras.

[1]based   [2]cover

6 Conexión con otras disciplinas: geografía

Haz un mapa de Honduras, incluyendo países vecinos (El Salvador, Guatemala y Nicaragua), océanos, montañas y ríos. Añade los nombres y las capitales de estos países.

Estructura

Special endings: *ísimo/a* and *ito/ita*

Adding an ending to an adjective or noun can have special significance in Spanish. For example, when you would use "very," "most" or "extremely" with an adjective in English, the ending *-ísimo* (and the variations *-ísima, -ísimos* and *-ísimas*) often can be added to an adjective in Spanish. For adjectives that end in a vowel, the appropriate *-ísimo* ending usually replaces the final vowel.

*Ése es un león **grande.***	That is a **big** lion.
*Ése es un león **grandísimo.***	That is a **very big** lion.

but:

*El oso era **pequeño.***	The bear was **small.**
*El oso era **pequeñísimo.***	The bear was **very small.**

For adjectives that end in *-ble,* change the *-ble* to *-bil* before adding the *-ísimo* ending.

*Ese malabarista era **amable.***	That juggler was **nice.**
*Ese malabarista era **amabilísimo.***	That juggler was **very nice.**

Adjectives with an accent mark lose the accent mark when an *-ísimo* ending is added.

*Las trapecistas eran **rápidas.***	The trapeze artists were **fast.**
*Las trapecistas eran **rapidísimas.***	The trapeze artists were **very fast.**

Attach the appropriate form of *-ísimo/a* directly to the end of adjectives that end in a consonant, but first remove any plural ending before adding *-ísimo/a.*

*Era **fácil** jugar con los payasos.*	It was **easy** to play with the clowns.
*Era **facilísimo** jugar con los payasos.*	It was **very easy** to play with the clowns.

but:

*La banda tocaba cosas **difíciles.***	The band played **difficult** things.
*La banda tocaba cosas **dificilísimas.***	The band played **extremely difficult** things.

Adjectives that end in *-co/-ca, -go/-ga* or *-z* require a spelling change when a form of *-ísimo* is added.

c	→	***qu:***	*cómico* →	*comi**qu**ísimo*
g	→	***gu:***	*larga* →	*lar**gu**ísima*
z	→	***c:***	*feliz* →	*feli**c**ísimo*

Es comiquísimo.

Similarly, you can add another set of endings to a noun to show affection or to indicate that someone or something is small. The most common of these endings is a form of *-ito (-ita, -itos, -itas)*, which usually replaces the final vowel of a noun. Other diminutive endings include *-cito (-cita, -citos, -citas)*, *-illo (-illa, -illos, -illas)*, *-uelo (-uela, -uelos, -uelas)* and *-ico (-ica, -icos, -icas)*. Like all adjectives, these endings must match the gender and number of the noun. There are many exceptions for this rule: *animal → animalito*. Try to become familiar with as many variations as you can since the endings vary from person to person and from country to country.

-ito: *oso* → *osito*   **-cito:** *león* → *leoncito*   **-illo:** *payaso* → *payasillo*

-uelo: *pollo* → *polluelo*   **-ico:** *gato* → *gatico*

Práctica

7 ¡No es cierto!

Imagina que alguien te está haciendo las siguientes descripciones sobre algunas cosas que había en el circo, pero tú piensas lo contrario (opposite). Haz oraciones para decir qué piensas tú, usando una forma de -ísimo/a.

MODELO   El circo era pequeño.
No es cierto. El circo era grandísimo.

1. La taquilla era grande.
2. Los elefantes eran delgados.
3. Los malabaristas eran bajos.
4. Los caballos eran lentos.
5. La banda era mala.
6. Todos nosotros estábamos tristes.
7. Los payasos eran aburridos.

El circo era grandísimo.

8 Fuimos al circo

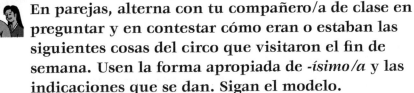

En parejas, alterna con tu compañero/a de clase en preguntar y en contestar cómo eran o estaban las siguientes cosas del circo que visitaron el fin de semana. Usen la forma apropiada de -ísimo/a y las indicaciones que se dan. Sigan el modelo.

MODELO   estar / las jaulas muy sucias
A: ¿Estaban las jaulas muy sucias?
B: Sí. ¡Las jaulas estaban sucísimas!

1. estar / la fila muy larga
2. ser / los osos muy grandes
3. ser / los tigres muy feroces
4. estar / tu amiga muy cansada al final del día
5. ser / los malabaristas muy buenos
6. ser / los boletos muy caros

El malabarista.

9 ¡Vamos a exagerar!

Ana siempre exagera lo que dice. Cambia los adjetivos indicados con la forma apropiada de *-ísimo* para ver qué escribió en su diario.

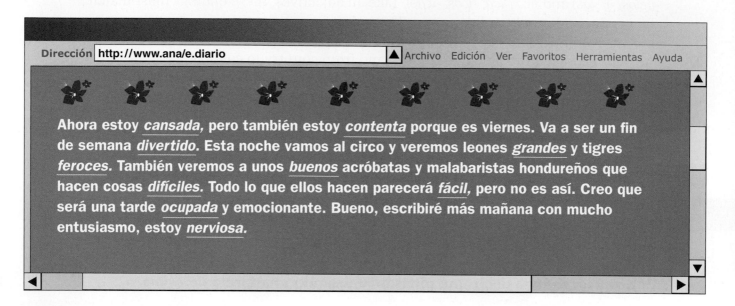

Dirección | http://www.ana/e.diario | ▲ | Archivo   Edición   Ver   Favoritos   Herramientas   Ayuda

Ahora estoy *cansada*, pero también estoy *contenta* porque es viernes. Va a ser un fin de semana *divertido*. Esta noche vamos al circo y veremos leones *grandes* y tigres *feroces*. También veremos a unos *buenos* acróbatas y malabaristas hondureños que hacen cosas *difíciles*. Todo lo que ellos hacen parecerá *fácil*, pero no es así. Creo que será una tarde *ocupada* y emocionante. Bueno, escribiré más mañana con mucho entusiasmo, estoy *nerviosa*.

10 De menor a mayor

Escribe la forma original de los siguientes diminutivos.

MODELO   un payasito
un payaso

1. unos papelitos
2. un leoncito
3. una florecita
4. unos flamenquitos
5. unos polluelos
6. unos globitos
7. una casita
8. una ventanilla

Una leona.

11 ¡Qué pesado!

Como Ana, Ernesto exagera mucho, pero a él le gusta usar las terminaciones *-ito* e *-ita* en todo lo que dice. Cambia las palabras indicadas a la forma apropiada de *-ito* o *-ita* para ver cómo diría *(would say)* Ernesto las siguientes oraciones.

MODELO   Había muchos *payasos* en el circo.
Había muchos *payasitos* en el circo.

1. Mis *primas* veían a los *tigres*.
2. A mis *amigos* no les gustaron los *osos*.
3. La *banda* del circo tocaba buena *música*.
4. Los *caballos* hacían una *fila* muy simpática.
5. Veíamos un *león* muy bonito en una *jaula*.
6. Los *payasos* eran muy divertidos.

Los payasitos del circo.

Comunicación

12 ¿Qué animal es?

Escribe en español el nombre de un animal (e.g., la jirafa). Luego, trabajando en parejas, alternen en hacer y contestar preguntas para poder identificar el animal. Pueden hacer no más de cinco preguntas antes de adivinar qué es. Las respuestas deben usar la palabra sí o la palabra no. La persona que adivine primero qué animal es gana.

El oso no es pequeñito y blanco.

MODELO A: ¿Es pequeñito y blanco?
　　　　　　B: No.

Estructura

Adjective placement

You will recall that adjectives are masculine or feminine and singular or plural and usually follow the nouns they modify.

*Era un tigre **feroz.***	It was a **fierce tiger.**
*Los payasos del circo eran **divertidos.***	The circus clowns were **funny.**

Exceptions to this rule include demonstrative adjectives *(este, ese, aquel)*, adjectives of quantity *(mucho, poco)*, cardinal numbers *(dos, tres)*, question-asking words *(¿qué?)* and indefinite adjectives *(otro)*. They precede the nouns they modify.

*¿Conoces a **ese** hombre?*	Do you know **that** man?
*Vimos **pocos** gorilas.*	We saw **few** gorillas.
*Había **seis** elefantes en el circo.*	There were **six** elephants in the circus.
*¿**Qué** payaso preferías?*	**What** clown did you prefer?
*El **otro** payaso es guatemalteco.*	The **other** clown is Guatemalan.

Adjectives that describe a permanent characteristic often precede the noun they describe.

*La **blanca** nieve caía.*	The **white** snow was falling.

Ordinal numbers usually precede a noun, although they may sometimes be used after a noun, especially in headings and for titles.

Note: Cardinal numbers precede ordinal numbers when both are used in one sentence to refer to the same noun.

*Éste es el **tercer** circo del año.*	This is the **third** circus of the year.
*Eran los **dos primeros** hombres en la fila.*	They were the **first two** men in the line.

but:

*Juan Carlos **I** (Juan Carlos **Primero**)*	Juan Carlos **I** (Juan Carlos **the First**)

Several common adjectives may be used before or after the nouns they describe.
Note: Before a masculine singular noun, *bueno* changes to *buen* and *malo* changes to *mal*.

*Era un **buen** circo.*
*Era un circo **bueno.***

It was a **good** circus.

*Ella no era una **mala** acróbata.*
*Ella no era una acróbata **mala.***

She was not a **bad** acrobat.

Some adjectives actually change their meaning according to whether they are used before or after a noun. For example, placed before a noun, *grande* may be the equivalent of **great.** (Before singular nouns, *grande* changes to *gran.*) Placed after a noun, a form of *grande* conveys that someone or something is **big.**

*Es un **gran** circo.*
*Es un circo **grande.***

It is a **great** circus.
It is a **big** circus.

Here are other adjectives that change their meanings depending upon their placement before or after a noun:

*un amigo **viejo***	an **old** (elderly) friend	*un **viejo** amigo*	an **old** (I have known him a long time) friend
*la chica **pobre***	the **poor** (without much money) girl	*la **pobre** chica*	the **poor** (pitiful) girl
*el **mismo** payaso*	the **same** clown	*el payaso **mismo***	the clown **himself**
*un coche **nuevo***	a (never-owned) **new** car	*un **nuevo** coche*	a **new** car (that is new to me, but that may have been previously owned)

If two or more adjectives describe a noun, they may be used as follows: place both (or all) after the noun, connecting the last two with the word *y;* or place one before and one (or more) after the noun, according to the preceding rules. (The shorter, more subjective adjective usually precedes the noun.)

*Era el **primer** circo **grande**
y **bueno** del año.*

It was the **first good, big** circus of the year.

Práctica

13 ¿Cómo era todo en el circo?

Completa las siguientes oraciones con los adjetivos indicados, decidiendo la posición correcta para cada uno y haciendo los cambios necesarios.

1. Los __ leones __ eran lo mejor del circo. (africano)
2. El muchacho más joven era un __ acróbata __. (bueno)
3. Era un __ circo __ porque era buenísimo. (grande)
4. Había una __ banda __. Tenía cincuenta personas. (grande)
5. Los __ osos __ eran muy cariñosos. (blanco)
6. Había __ payasos __ muy chistosos. (cuatro)
7. Los acróbatas tenían __ destreza __. (mucho)

14 Cuando fui al circo, había...

Usando las pistas entre paréntesis y haciendo los cambios necesarios, di qué había en el circo cuando fuiste.

MODELO fila / largo (La fila no era corta.)
Había una fila larga.

1. mujer / pobre (Una mujer sin dinero perdió su boleto y no podía entrar.)
2. ositos de peluche / mucho (Vi más de diez mil ositos de peluche.)
3. banda / grande (La banda era pequeña pero fantástica.)
4. amigo / viejo (Vi a un amigo que conozco hace mucho tiempo.)
5. acróbatas / hondureño (Los acróbatas eran de Honduras.)
6. payasos / malo (Los payasos no eran buenos.)
7. oso / blanco (El oso que vi no era negro.)

15 Circo Internacional

Mira el dibujo y escribe ocho oraciones completas para describir las siguientes cosas, usando por lo menos dos adjetivos en cada descripción.

1. el circo
2. el elefante
3. las trapecistas
4. los osos
5. la banda
6. los leones
7. la jaula de los leones
8. el payaso

Comunicación

16 Cuando fui al circo

 Trabajando en parejas, hablen de la última vez que fueron al circo. En su conversación, describan todo lo que vieron e hicieron. Pueden usar algunas de estas palabras en sus descripciones, si quieren.

trapecista
boleto
payaso
banda
era
acróbata
destreza
había
cómico
estaba
divertido
talentoso
grande
emocionante
feroz

el cielo

la estrella

la oveja

la vaca

el establo

el gallo

volar

el conejo

el pájaro

el pavo

saltar

el cerdo

¡Guau, guau!

ladrar

el pato

el ratón

el cuerno

la gallina

el rabo

la pluma

el toro

Una gallina se le escapó.
Esto ocurrió en la noche.
La gallina fue a parar al establo.
La gallina que escapó era la suya.

la pata

el árbol

la luna

el bosque

el burro

El burro está detrás del árbol.

17 ¿Qué animal es?

Escoge la letra del animal y di qué animal es, según las descripciones que oyes.

MODELO Es un perro.

¡Extra!

La pata

The word *pata* can mean paw or leg (when referring to an animal's leg). In addition, the term is used to refer to a female duck *(la pata)*. Finally, a useful expression you may wish to memorize is *Metí la pata,* meaning **I made a mistake.**

A   **B**   **C**   **D**   **E**   **F**

18 ¿Dónde están estos animales?

Prepara tres listas de animales, según dónde se pueden encontrar. Usa *la casa, la finca* y *el zoológico* para clasificarlos.

MODELO

casa	finca	zoológico
el perro	la vaca	el hipopótamo

Diálogo II

¡Qué chistoso!

MARINA: ¿Fuiste a la finca de tu familia el domingo?

ARIEL: Sí, fue muy divertido.

MARINA: ¿Por qué? ¿Qué ocurrió?

ARIEL: Tú sabes que mi hermano y yo tenemos una gallina cada uno.

MARINA: Sí, sí.

ARIEL: Pues, una gallina se escapó y mi hermano salió detrás de ella. Cuando la gallina paró cerca de los cerdos, mi hermano saltó encima de ella, pero ella voló y él fue a parar encima de los cerdos.

MARINA: ¡Qué chistoso!

ARIEL: Sí, pero lo más chistoso fue que la gallina que se escapó era mi gallina, no la suya. ¡Ja, ja!

MARINA: ¡Qué burro!

ARIEL: ¡Ay, no! Pobre hermano.

19 ¿Qué recuerdas?

1. ¿Adónde fue Ariel?
2. ¿Cómo fue el día en la finca?
3. ¿Qué tienen Ariel y su hermano?
4. ¿Qué le pasó a una gallina?
5. ¿De quién era la gallina que se escapó?

20 Algo personal

1. ¿Conoces una finca? ¿Dónde?
2. ¿Hay muchas fincas en tu estado? ¿Dónde están?
3. ¿Cuál es tu animal favorito de una finca?

¿Qué le pasó a la gallina?

21 El fin de semana en una finca

Tu tío estuvo en una finca durante el fin de semana pasado y te está hablando de su gran aventura. ¿Qué animales te está describiendo?

MODELO Era un gallo.

Era un gallo.

Gestos y palabras para describir animales

En Honduras hay muchas fincas donde hay vacas, cerdos, gallinas y caballos. Los animales y las personas conviven[1] pero cada uno tiene su lugar. No se piensa en un animal como una versión del ser humano. Es más, cuando se habla de las partes del cuerpo de un animal, no se usan las mismas palabras que se usan para referirse a una persona. Los animales no tienen piernas sino patas. La pezuña[2] se refiere a un animal mientras que el pie se refiere a una persona. Las personas tienen piel pero los animales tienen pellejo. Las personas tienen cuellos pero los animales tienen pescuezos.

Los gestos que se usan para describir la altura[3] de un animal y de una persona también son diferentes. Para mostrar[4] qué tan alto es un animal, los hondureños extienden la mano horizontalmente, como si estuvieran poniendo la mano sobre la cabeza del animal. Para describir la altura de una persona, la mano está vertical con los dedos para arriba. Si describes la altura de una

Un caballo en una finca.

persona con el gesto horizontal, estarías diciendo que la persona es un animal, lo cual es un insulto. Expresiones como **animal** o **burro** son insultos porque los animales no tienen educación o cultura. No todos los nombres de animales son insultos. En Honduras, por ejemplo, **gallo** quiere decir **bueno** o **experto**.

Así es mi perro.

Así es mi hijo.

[1]live together   [2]hoof   [3]height   [4]show

22   Gestos y palabras para describir animales

Contesta las siguientes preguntas según lo que aprendiste en la Cultura viva.

1. ¿Cómo diferencian los hispanohablantes entre un animal y una persona?
2. ¿Por qué es un insulto decir que una persona tiene patas largas?
3. En Honduras, ¿cuál es el gesto correcto para describir la altura de una persona?
4. En Honduras, ¿cómo es una persona gallo?

Idioma

Possessive adjectives: long forms

You will recall that you can show possession in Spanish by using *de* + a noun/pronoun (*el caballo de mis tíos/de ellos*). In addition, you can show possession using the short-form possessive adjectives: *mi(s), tu(s), su(s), nuestro(s), nuestra(s), vuestro(s), vuestra(s)*. There are also long-form (or stressed) possessive adjectives.

los adjetivos posesivos (formas largas)	
mío(s), mía(s)	*my, (of) mine*
tuyo(s), tuya(s)	*your, (of) yours*
suyo(s), suya(s)	*your, (of) yours* (Ud.), *his, (of) his, her, (of) hers, its*
nuestro(s), nuestra(s)	*our, (of) ours*
vuestro(s), vuestra(s)	*your, (of) yours*
suyo(s), suya(s)	*your, (of) yours* (Uds.), *their, (of) theirs*

The long-form possessive adjectives agree with and usually follow the nouns they modify.

*Ésa es la gallina **mía**.*	That is **my** hen.
*¿Es ése el cerdo **tuyo**?*	Is that **your** pig?
*Éste es el toro **nuestro**.*	This is **our** bull.
*¿Son éstos los pavos **suyos**?*	Are these **your** turkeys?
*Todos ésos son animales **nuestros**.*	All of those are **our** animals.

The possessive adjectives also may be used immediately after a form of the verb *ser*.

*¿Son **suyos**?*	Are they **yours**?
*Sí, son **nuestros**.*	Yes, they are **ours**.

To clarify the meaning of a sentence containing *suyo(s), suya(s)*, it may sometimes be necessary to substitute a phrase that uses *de* followed by a prepositional pronoun.

*¿Son los animales **suyos**?* → *¿Son los animales **de Ud./de él/de ella/ de Uds./de ellos/de ellas**?*

(Are the animals **yours/his/hers/ yours/theirs?**)

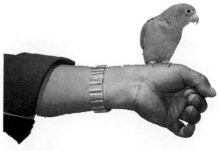

¿Es suyo?

Possessive pronouns may be used in place of a possessive adjective and a noun. They are formed by placing a definite article in front of the long-form possessive adjectives.

Observe how possessive pronouns are used in the following sentences:

Veo tu burro y **el mío** también.	I see your donkey and **mine,** too.
Mis vacas están delgadas y también lo están **las tuyas.**	My cows are thin and so are **yours.**
¿Es ese conejo **el nuestro?**	Is that rabbit **ours?**
Nuestros gallos son ésos y **los suyos** son éstos.	Our roosters are (those ones) over there and **yours** are (these ones) over here.

Práctica

23 **La fiesta de la Finca El Suspiro**

Tienen una fiesta el fin de semana en su finca, y quieren saber cuántas personas van a ir. Di con quién van a la fiesta las siguientes personas, usando las indicaciones que se dan.

MODELO   la señora Martínez / unas primas
La señora Martínez va a ir a
la fiesta con unas primas suyas.

1. yo / una amiga
2. tú / unos compañeros
3. nosotros / unos parientes
4. tu amiga / una tía
5. tus padres / unos amigos
6. Uds. / unos sobrinos
7. mi hermano / unas amigas
8. Ud. / una compañera

24 **Te invito a ver los animales en mi finca**

Luis llama a Elisa para invitarla a ver los animales de su finca. Completa su diálogo para saber lo que dicen, usando las siguientes palabras: *de él, de ellas, mi, mío, mis, nuestros, tu, tus, tuyo.* **Cada palabra se usa sólo una vez.**

Luis: Aló, Elisa. Te llamo para ver si quieres venir a la finca para ver (1) animales.

Elisa: Sí. Me gustaría mucho. ¿Te importa si voy con Mateo?

Luis: ¿Mateo? ¿Quién es? ¿Es (2) novio?

Elisa: No. Es un sobrino (3) de Honduras que está visitándome.

Luis: No, no hay problema.

Elisa: ¿Puedo también ir con Alicia y Conchita, las hermanas menores (4), y Nena, una amiguita (5)?

Luis: Es mucha gente, ¿no?

Elisa: Sí, pero a ellos les gustaría mucho ver (6) animales. Y ahora que lo pienso, a (7) padres también les gustaría verlos... y a Pepe también.

Luis: ¿Quién es? ¿Otro primo (8)? ¿Un vecino?

Elisa: ¡Claro que no! ¡Es (9) perro!

25 ¿De quiénes son?

Hay una confusión hoy con todos los animales en la Finca El Suspiro. En parejas, alterna con tu compañero/a de clase en hacer y en contestar preguntas para decir si los siguientes animales son o no son de las personas indicadas. Sigue el modelo.

MODELO ellos / gallinas

    A: ¿Son sus gallinas?

    B: Sí, (No, no) son las gallinas suyas.

1. ellas / pavos
2. tú / pato
3. él / vacas
4. ella / conejo
5. nosotros / animales
6. tú / toro
7. Uds. / cerdo

¿Es tu pato?

26 ¡De nuevo!

Haz otra vez las oraciones 1, 3, 4, 5 y 7 de la actividad anterior, tratando de hacerlas más claras. Sigue el modelo.

MODELO ella / ovejas

    A: ¿Son las ovejas *de ella*?

    B: Sí, (No, no) las ovejas son *de ella*.

27 ¿Me ayudas con el inventario?

Los Hernández, los García y los Velázquez tienen tres fincas vecinas. Sus animales se escaparon y se mezclaron

¿Son las ovejas de ella?

(became mixed) ayer. Ahora el señor García está haciendo un inventario de los animales. Completa las siguientes oraciones para ver lo que dice durante el inventario.

1. Yo tengo mis animales y tú....
2. Uds. tienen su pavo y nosotros....
3. Los Hernández tienen su burro y los Velázquez....
4. Ud. tiene su oveja y yo....
5. Tú tienes tus pájaros y Uds....
6. María Velázquez tiene sus gallinas y Manuel Hernández....
7. Nosotros tenemos nuestros caballos y los Hernández y los Velázquez....

28 En la feria agrícola

En la feria agrícola *(4-H fair)* de tu comunidad hay animales tuyos y animales de un amigo tuyo. Di de quién es y dónde está cada uno de los animales, usando las pistas que se dan. Sigue el modelo.

MODELO ese / tú
Ese burro es el tuyo.

1. ese / tú   2. aquellas / Paco   3. esas / yo   4. aquel / nosotros

5. aquellos / yo   6. estas / Uds.   7. estos / Celia   8. esos / él

Comunicación

29 ¿El tuyo, el mío o el nuestro?

Trabajando en grupos de tres, hablen de lo que tienen hoy en su posesión. Describan cada objeto. Pueden hablar de algunas de las siguientes cosas, si quieren: un cuaderno, un cepillo, una calculadora, un lápiz, una regla, un diccionario.

MODELO **A:** Tengo un lápiz. Es amarillo. ¿Tienes tú un lápiz?
      B: Sí. Aquí está. Es rojo. Y tú, ¿tienes tú un lápiz?
      C: Claro. Es amarillo también. Los nuestros son amarillos y el tuyo es rojo.

30 Una competencia

En grupos pequeños, imaginen que están compitiendo y cada persona quiere ganar. Alternen en decir que sus posesiones son mejores que las posesiones de la otra persona. ¡Sean creativos! Usen cosas de la caja si quieren.

MODELO A: Mi casa es muy bonita.

B: La mía es más bonita.

C: Pues, mi casa es mejor que las suyas. Es la mejor de todas.

casa   radio   patineta   bicicleta

coche   estéreo

computadora   ropa   tenis

Mi casa es muy bonita.

Estructura

Lo with adjectives/adverbs

You have seen the word *lo* used as a direct object pronoun meaning **him, it** or **you.** *Lo* can also be used with an adjective or adverb followed by the word *que* as an equivalent for **how (+ adjective/adverb).**

*¿Sabes **lo grande** que es el establo?*	Do you know **how big** the stable is?
*¿Sabes **lo feroces** que son los leones?*	Do you know **how ferocious** the lions are?
*Uds. saben **lo mucho** que me gustan los bosques.*	You know **how much** I like the forest.
*¡No sabes **lo chistoso** que era!*	You don't know **how funny** it was!

Note: Although the form of the adjective may change, the word *lo* remains the same in each example.

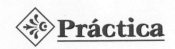

Práctica

31 **¡Y tú lo sabes!**

Sigue el modelo y contesta a las siguientes preguntas usando la palabra *lo* con un adjetivo o un adverbio.

MODELO ¿Son grandes los toros?
¡No sabes lo grandes que son!

1. ¿Son bonitas esas flores?
2. ¿Es chistoso tu ratón?
3. ¿Era interesante tu visita a la finca?
4. ¿Era emocionante la música?
5. ¿Van a ser modernos los establos?
6. ¿Está lejos tu finca?

¿Son bonitas esas flores?

Comunicación

32 **Nuestros animales**

Bring to class a cutout or drawing of a farm animal along with a written description of the animal. Then, in groups of three or four, take turns describing the animal. Vote on the best animal and description in your group (the way judges vote on the best animal at a 4-H fair). As a group, improve the description of the group's animal. Next, set the picture or drawing in front of the class along with other groups' animals. Read the description and see if your classmates can guess which animal is being described. Finally, the class must vote on the winning animal.

33 **Charlando de tu vida**

Completa las siguientes oraciones sobre tu vida personal.

1. Lo interesante es que....
2. Lo chistoso es que....
3. Lo bueno es que....
4. Lo malo es que....
5. Lo magnífico es que....

Los chistoso es que....

Lectura personal

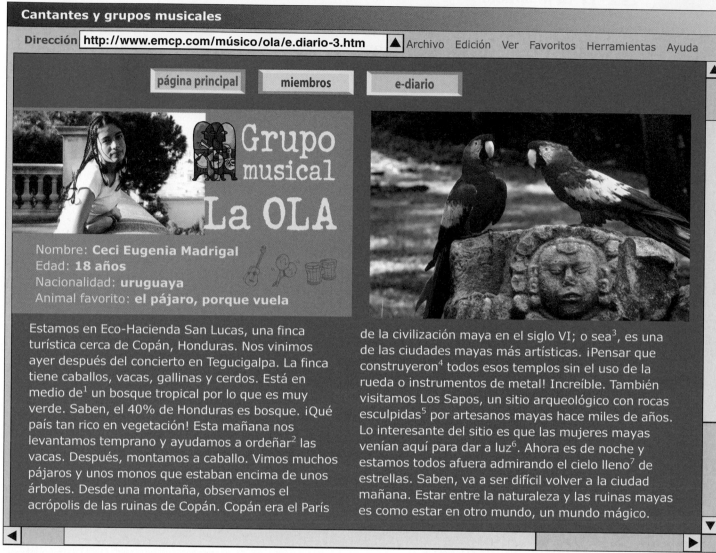

Dirección http://www.emcp.com/músico/ola/e.diario-3.htm ▲ Archivo Edición Ver Favoritos Herramientas Ayuda

página principal   miembros   e-diario

Grupo musical La OLA

Nombre: Ceci Eugenia Madrigal
Edad: 18 años
Nacionalidad: uruguaya
Animal favorito: el pájaro, porque vuela

Estamos en Eco-Hacienda San Lucas, una finca turística cerca de Copán, Honduras. Nos vinimos ayer después del concierto en Tegucigalpa. La finca tiene caballos, vacas, gallinas y cerdos. Está en medio de[1] un bosque tropical por lo que es muy verde. Saben, el 40% de Honduras es bosque. ¡Qué país tan rico en vegetación! Esta mañana nos levantamos temprano y ayudamos a ordeñar[2] las vacas. Después, montamos a caballo. Vimos muchos pájaros y unos monos que estaban encima de unos árboles. Desde una montaña, observamos el acrópolis de las ruinas de Copán. Copán era el París de la civilización maya en el siglo VI; o sea[3], es una de las ciudades mayas más artísticas. ¡Pensar que construyeron[4] todos esos templos sin el uso de la rueda o instrumentos de metal! Increíble. También visitamos Los Sapos, un sitio arqueológico con rocas esculpidas[5] por artesanos mayas hace miles de años. Lo interesante del sitio es que las mujeres mayas venían aquí para dar a luz[6]. Ahora es de noche y estamos todos afuera admirando el cielo lleno[7] de estrellas. Saben, va a ser difícil volver a la ciudad mañana. Estar entre la naturaleza y las ruinas mayas es como estar en otro mundo, un mundo mágico.

[1]in the middle of   [2]to milk   [3]that is   [4]built   [5]carved, sculpted   [6]to give birth   [7]full

34 ¿Qué recuerdas?

1. Eco-Hacienda San Lucas está....
2. El 40% de Honduras es....
3. En Copán hay....
4. Los mayas no usaban....
5. Se cree que en Los Sapos, las mujeres mayas....

35 Algo personal

1. ¿Te gustaría ir a una finca turística? ¿Por qué?
2. ¿Cuál es tu animal favorito? ¿Por qué?
3. ¿Qué crees que es lo más interesante de Copán? Explica.

- ¿Has visitado alguna granja? Compara una granja típica de los Estados Unidos con Eco-Hacienda San Lucas.

- ¿Qué hace que la Eco Hacienda San Lucas sea tan especial?

¿Qué aprendí?

Visit the web-based activities at www.emcp.com

Autoevaluación

Como repaso y autoevaluación, responde lo siguiente:

1. What four things would you see at a circus?
2. Imagine you went to the circus. Describe your experience, including something that was extremely fun or interesting.
3. Say you saw an elephant that was very fat.
4. Describe an animal and a person using diminutives.
5. In Spanish, name three animals.
6. Name two items that are yours and one that belongs to your friend.
7. Ask a friend if she knows how big the sky is.
8. What do you know about Honduras?

Palabras y expresiones

El circo
el acróbata, la acróbata
la banda
el boleto
el circo
la destreza
la fila
la jaula
el malabarista, la malabarista
el oso (de peluche)
el payaso
la taquilla
el trapecista, la trapecista

La finca
el árbol
el bosque
el burro
el cerdo
el cielo
el conejo
el cuerno
el establo
la estrella
la finca
la gallina
el gallo
la luna
la oveja

el pájaro
la pata
el pato
el pavo
la pluma
el rabo
el ratón
el toro
la vaca

Verbos
escapar(se)
ladrar
ocurrir
saltar
volar (ue)

Expresiones y otras palabras
detrás de
durante
emocionante
encima de
gran
ir a parar
lo (+ adjective/adverb)
mío,-a
nuestro,-a
pobre
suyo,-a
tuyo,-a

Esperamos en la taquilla.

Mi osito de peluche.

Tú lees

Preparación

Como preparación para la lectura, di qué quieren decir las palabras indicadas según el contexto.

1. El año *pasado* el circo visitó Honduras por primera vez.
2. El circo va a hacer más de cincuenta *presentaciones* en la capital.
3. El público recibió a los artistas con grandes *aplausos*.
4. El circo tiene una *carpa* muy grande de muchos colores.

¡El gran Circo de los Hermanos Suárez!

El gran Circo de los Hermanos Suárez visitó Honduras por primera vez el año pasado en su gira[1] por América Central. ¡La visita fue un éxito[2] total! La gente decía que era lo mejor que visitaba Honduras en muchos años. Pues, bien, este año está otra vez aquí y ya está divirtiendo al público hondureño. Con más de cincuenta presentaciones, el circo hace su gira más larga por el país. Este maravilloso circo, el más grande de México, tiene fascinantes atracciones para personas de todas las edades.

Ayer mi familia y yo visitamos el circo en su primera presentación de este año en la ciudad. Todos estábamos muy emocionados[3] y contentos. Al principio[4] pensábamos que todo iba a ser un dolor[5] de cabeza pues sabíamos que mucha gente iba para verlo,

pero todo era diferente de lo que imaginábamos. La fila para comprar los boletos era corta y rápida. La gente entraba al circo en forma muy organizada[6] y lo mejor de todo, el circo era excelente. En su gran carpa[7] había acróbatas de gran destreza, payasos y muchos animales salvajes. Los feroces tigres y leones africanos hacían gritar a más de una persona. El desfile de los elefantes sorprendía[8] a chicos y a grandes. Los payasos eran muy chistosos y hacían morir de la risa[9] a todo el mundo. Los acróbatas nos hacían poner los pelos de punta[10]. Al terminar la función todos premiábamos[11] a los artistas con grandes aplausos.

Ud., si no tiene planes para la semana que viene, ya sabe adónde ir. El circo va a estar en la ciudad por diez semanas más. Hay funciones todos los días y los boletos no son caros. Vaya con su familia y diviértase.

[1]tour [2]sucess [3]excited [4]At the beginning [5]pain [6]organized
[7]tent [8]surprised [9]die laughing [10]hair standing on end (with fear)
[11]rewarded

¡Vayamos al circo!

A ¿Qué recuerdas?

1. ¿Qué circo visitó Honduras el año pasado?
2. ¿De dónde es el circo?
3. ¿Qué decía la gente de este circo?
4. ¿Cuántas presentaciones va a hacer el circo?
5. ¿A qué hora son las funciones los sábados?
6. ¿Cómo era la fila para comprar los boletos?
7. ¿Qué animales había en este circo?

B Algo personal

1. ¿Piensas que el Circo de los Hermanos Suárez es un circo bueno?
2. ¿Hay algún circo de visita donde tú vives? ¿Cómo se llama?
3. ¿Por cuánto tiempo va a estar?
4. ¿Te gusta ir al circo?
5. ¿Buscas información en el periódico de los eventos que quieres ver o visitar? Explica.

¿Te gustan los elefantes del circo?

Tú escribes

Estrategia

Writing a poem
Do you like to express yourself in writing? Try writing a poem.
A poem creates a picture that can be seen by the mind's eye and conveys to your reader thoughts and feelings you have about an aspect of your life. Some poems are serious in nature and explore social issues, while others are creative descriptions that present something in a unique way. The following instructions take you step-by-step through the process of writing a cinquain, which is a five-line poem.

How to write a cinquain

Prewriting

Step One: Decide on an **object, person, place** or **idea** that you would like to write about.

Step Two: Brainstorm and list as many descriptions and adjectives about your topic as you can think of. Be creative. Use your imagination. Consult the Spanish/English dictionary if necessary.

Step Three: Read this example of a cinquain and observe how it is composed.

La vida
Contenta, triste
Los años pasan
Lentos, rápidos
Como una montaña rusa.

Composing

Line 1: Write the name of the **object, person, place** or **idea** you want to write about.
Line 2: Write two descriptions or adjectives about the topic in line 1.
Line 3: Write a phrase comparing something with the topic in line 1.
Line 4: Write two descriptions or adjectives about line 2.
Line 5: Write a word or a group of words that describes and ties together both lines 1 and 3.

Now compose your own cinquain poem by following the indicated guidelines.

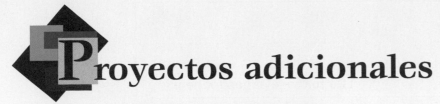

Proyectos adicionales

A Conexión con la tecnología

Visit a virtual zoo. Search the Internet for sites that allow you to visit a virtual zoo. Report back to the class about the Internet locations of the ones you liked the most. See how many animals you could name in Spanish.

B Conexión con otras disciplinas: biología

Busca más información sobre los animales salvajes que acabas de estudiar. Por ejemplo, ¿son los animales herbívoros o carnívoros? ¿Son mamíferos *(mammals)* u ovíparos *(egg-laying animals)*? ¿Dónde viven comúnmente *(usually)*? ¿Qué comen? Puedes añadir cualquier otra información que te interese. Puedes encontrar la información sobre estos animales en la biblioteca o en la Internet.

C Comunicación

This activity has three parts. *Parte A:* Working in pairs, each student conducts a survey on the current emotional or physical condition of four different students in the class and then returns to his or her partner to compile the results. *Parte B:* One member of each pair reports the information to the class, while a student (or the teacher) makes a graph *(gráfica)* of the results on the blackboard for the entire class. *Parte C:* Students then take turns asking one another questions in Spanish about the information on the graph.

MODELO Parte A:

A: ¿Cómo estás?
B: Estoy apurado/a.

Parte B:

En nuestra encuesta, tres estudiantes estaban contentos, uno estaba triste, tres estaban cansados y uno estaba apurado.

	contentos	apurados	cansados	enfermos	nerviosos	tristes
Pareja 1	I/||	I	|||	I	\	I
Pareja 2	||I	|I	|I	|I		
Pareja 3	|I	I			I	
Pareja 4	|I	I	|I	I	\	I
TOTAL	11	5	7	4	3	2

Parte C:

A: ¿Cuántos estudiantes en la clase estaban apurados?
B: Cinco estudiantes estaban apurados.

D Conexión con la tecnología

Utilize a spreadsheet program to chart the results of the classroom survey in activity C in the form of a bar graph or a pie chart. Make it more interesting by including different colors and by importing graphics and clip art.

Repaso

Now that I have completed this chapter, I can...

Trabalenguas

El hipopótamo Hipo está con hipo.
¿Quién le quita el hipo al hipopótamo Hipo?

Vocabulario

el **acróbata**, la **acróbata**
acrobat *4B*

el **África** Africa *4A*

africano,-a African *4A*

el **algodón de azúcar** cotton
candy *4A*

la **América (Central/del
Norte/del Sur)** America *4A*

el **animal** animal *4A*

antiguo,-a antique, ancient,
old *4A*

el **árbol** tree *4B*

argentino,-a Argentinian *4A*

la **atracción** attraction, ride *4A*

la **banda** band *4A*

bienvenido,-a welcome *4A*

el **boleto** ticket *4B*

boliviano,-a Bolivian *4A*

el **bosque** forest *4B*

el **burro** burro, donkey *4B*

la **cámara** camera *4A*

el **camello** camel *4A*

los **carros chocones** bumper
cars *4A*

el **carrusel** carrousel,
merry-go-round *4A*

la **cebra** zebra *4A*

el **cerdo** pig, pork *4B*

chileno,-a Chilean *4A*

chistoso,-a funny *4A*

el **cielo** sky *4B*

el **circo** circus *4B*

colombiano,-a Colombian *4A*

como like, since, such as *4A*

el **conejo** rabbit *4B*

costarricense Costa Rican *4A*

cubano,-a Cuban *4A*

el **cuerno** horn *4B*

el **desfile** parade *4A*

la **destreza** skill, expertise *4B*

detrás de behind, after *4B*

dominicano,-a Dominican *4A*

durante during *4B*

ecuatoriano,-a Ecuadorian *4A*

el **elefante** elephant *4A*

emocionante exciting *4B*

encima de above, over,
on top of *4B*

escapar(se) to escape *4B*

español, española
Spanish *4A*

el **establo** stable *4B*

estadounidense something or
someone from the United
States *4A*

la **estrella** star *4B*

fascinante fascinating *4A*

feroz fierce *4A*

la **fila** line, row *4B*

la **finca** ranch, farm *4B*

el **flamenco** flamingo *4A*

los **fuegos artificiales**
fireworks *4A*

la **gallina** hen *4B*

el **gallo** rooster *4B*

el **globo** balloon, globe *4A*

la **golosina** sweets *4A*

el **gorila** gorilla *4A*

gran big (of *grande* before a
m., s. noun); great *4B*

gritar to shout *4A*

guatemalteco,-a
Guatemalan *4A*

el **guía**, la **guía** guide *4A*

había there was, there were *4A*

el **hipopótamo** hippopotamus *4A*

hondureño,-a Honduran *4A*

la **iguana** iguana *4A*

imaginar(se) to imagine *4A*

ir a parar to end up *4B*

la **jaula** cage *4B*

la **jirafa** giraffe *4A*

ladrar to bark *4B*

el **león** lion *4A*

lo (+ *adjective/adverb*) how
(adjective/adverb) *4B*

la **luna** moon *4B*

el **malabarista**, la **malabarista**
juggler *4B*

maravilloso,-a marvelous,
fantastic *4A*

más de more than *4A*

mío,-a (of) mine *4B*

molestar to bother *4A*

el **mono** monkey *4A*

la **montaña** mountain *4A*

la **montaña rusa** roller coaster *4A*

nicaragüense Nicaraguan *4A*

nuestro,-a our, (of) ours *4B*

ocurrir to occur *4B*

el **oso** (de peluche) (teddy)
bear *4B*

la **oveja** sheep *4B*

el **pájaro** bird *4B*

las **palomitas de maíz**
popcorn *4A*

panameño,-a Panamanian *4A*

la **pantera** panther *4A*

paraguayo,-a Paraguayan *4A*

la **pata** paw, leg (for animals) *4B*

el **pato** duck *4B*

el **pavo** turkey *4B*

el **payaso** clown *4B*

peruano,-a Peruvian *4A*

la **pluma** feather *4B*

pobre poor *4B*

puertorriqueño,-a Puerto
Rican *4A*

el **rabo** tail *4B*

el **ratón** mouse *4B*

la **rueda de Chicago** Ferris
wheel *4A*

saltar to jump *4B*

salvadoreño,-a Salvadoran *4A*

salvaje wild *4A*

la **selva** jungle *4A*

la **serpiente** snake *4A*

suyo,-a his, (of) his, her,
(of) hers, its, (of) yours,
(of) theirs *4B*

la **taquilla** box office, ticket
office *4B*

el **tigre** tiger *4A*

el **toro** bull *4B*

la **tortuga** turtle *4A*

el **trapecista**, la **trapecista**
trapeze artist *4B*

tuyo,-a (of) yours *4B*

uruguayo,-a Uruguayan *4A*

la **vaca** cow *4B*

venezolano,-a Venezuelan *4A*

la **visita** visit *4A*

volar (ue) to fly *4B*

el **zoológico** zoo *4A*

Capítulo 5

¿Qué compraron?

Objetivos

- ❖ name some foods
- ❖ talk about the past
- ❖ talk about what someone remembers
- ❖ express an opinion
- ❖ describe clothing
- ❖ ask for advice
- ❖ state what was happening at a specific time
- ❖ describe how something was done
- ❖ express length of time

Visit the web-based activities at www.emcp.com

Habichuelas muy tierna 1.90

Vocabulario I

En el supermercado

el cereal

No, tenemos una en casa.

Es probable que cuando salí, la dejé sobre la mesa de la cocina.

¡Qué chiste!

¿Querías comprar una papaya?

¡Ay, no me acordaba que había una papaya en casa! Yo no recuerdo. ¿En qué parte estaba? ¿En el refrigerador?

el té

la piña

¡Hubo una papaya! Yo me la comí.

la papaya

el melón

la ciruela

el durazno

Los chicos compraban anoche la comida necesaria para quince días. Ellos consiguieron todo lo que buscaban.

la sandía

1 En el supermercado

🔊 **Selecciona la foto que corresponde con lo que oyes.**

A   B   C   D   E   F   G

2 Un virus en la computadora

Imagina que un virus corrompió *(corrupted)* la lista de compras que hacías en tu computadora. Pon las letras de cada comida en su orden correcto.

lista.doc

1. jorsotna
2. elhec
3. npa
4. rnoduasz
5. pyapasa
6. loesmne
7. ñaip
8. ét
9. eauglch
10. ateotms
11. niatmllaequ
12. ugjo de arjnana
13. díanas
14. realce

la bolsa

la toronja   la pera

Diálogo I

Una sandía

CÉSAR: ¿Compramos una sandía?

MARÍA: No, es muy grande y no nos va a caber en el refrigerador.

CÉSAR: Ay, pero tú nunca quieres comprar lo que a mí me gusta.

MARÍA: ¿Qué estás diciendo?

CÉSAR: Sí, el otro día que estuvimos por el supermercado yo quería comprar unas ciruelas y tú dijiste que no.

MARÍA: Eso no es verdad. Yo no recuerdo eso.

CÉSAR: La otra vez yo quería comprar diez papayas y tú dijiste que yo estaba loco.

MARÍA: Pues, claro, diez papayas, sólo a ti se te ocurre eso.

CÉSAR: Entonces, ¿por qué no compramos una piña para la "niña"?

MARÍA: ¡Qué chiste tan malo!

3 ¿Qué recuerdas?

1. ¿Por qué no deben comprar una sandía, según María?
2. ¿Quién nunca quiere comprar lo que le gusta a César?
3. ¿Qué quería comprar César el otro día que estuvieron por el supermercado?
4. ¿Cuántas papayas quería comprar César la otra vez?
5. ¿Qué fruta deben comprar para la "niña", según César?

4 Algo personal

1. ¿A qué supermercado fuiste la última vez?
2. ¿Qué compraste allí?
3. ¿Compraste lo que a ti te gusta? Explica.
4. Cuando vas al supermercado, ¿te cabe siempre todo lo que compras en el refrigerador?

¡Extra!

Más frutas

la cereza	cherry
el coco	coconut
la frambuesa	raspberry
la guayaba	guava
el melocotón	peach
la mora	mulberry

5 Quería comprar...

Di la letra de la ilustración que identifica lo que querían comprar las siguientes personas, según lo que oyes.

A   **B**   **C**   **D**   **E**

Hay playas muy bonitas en el Caribe.

deportes, música y literatura. A nivel internacional, se destacan en deportes como el béisbol, el boxeo y el básquetbol. En la música, ritmos como el merengue, la salsa y el mambo se bailan en todo el mundo. La literatura caribeña tiene un gran representante en el autor cubano José Martí. Su libro de poemas, *Versos sencillos,* es muy famoso. La canción *Guantanamera,* que es muy conocida, está basada en uno de los versos de este libro.

El Caribe, islas de encanto

Cuba, Puerto Rico y la República Dominicana son los tres lugares del Caribe donde el español es la lengua principal. Estas tres islas de encanto[1] tienen playas muy bonitas, abundantes palmeras[2] magníficas y clima tropical todo el año. Históricamente están unidas porque Cristóbal Colón las visitó durante sus viajes al continente americano en el siglo XV.

En El Caribe tiene, además, una gran influencia en el mundo por sus contribuciones en

José Martí, poeta cubano.

[1]enchantment   [2]palm trees

6 Conexión con otras disciplinas: geografía

Busca información en la biblioteca o la internet sobre algún lugar que te gustaría conocer de alguno de los países de la Cultura viva. Luego, dibuja un mapa con los países del Caribe e identifica las capitales y las ciudades importantes, los ríos, montañas y cualquier punto que creas importante.

¡Oportunidades!

Viaje al Caribe
Travel to the Spanish-speaking islands of the Caribbean is very popular among Americans, especially during a long, cold winter. Many companies offer reduced rates and reasonable travel packages. If you travel to the Caribbean, speaking Spanish will enable you to find unique areas and experience activities that are off the beaten path of other tourists.

Idioma

Repaso rápido: the preterite tense

You have learned to recognize and use the preterite tense to express simple past actions in Spanish. Review the formation of regular verbs for this frequently used verb tense in the chart that follows.

	preparar	comer	vivir
yo	preparé	comí	viví
tú	preparaste	comiste	viviste
Ud./él/ella	preparó	comió	vivió
nosotros/nosotras	preparamos	comimos	vivimos
vosotros/vosotras	preparasteis	comisteis	vivisteis
Uds./ellos/ellas	prepararon	comieron	vivieron

Do you recall the spelling changes that occur in the preterite tense?

expli**car**	c → qu	expli**qu**é
pa**gar**	g → gu	pa**gu**é
almor**zar**	z → c	almor**c**é

Do you remember that the verbs *conseguir (i, **i**), despedirse (i, **i**), divertirse (ie, **i**), dormir (ue, **u**), mentir (ie, **i**), pedir (i, **i**), preferir (ie, **i**), repetir (i, **i**), seguir (i, **i**), sentir (ie, **i**), sentirse (ie, **i**),* and *vestirse (i, **i**)* all require a stem change in the *Ud., él, ella, Uds., ellos* and *ellas* form of the preterite tense?

sentir (ie, **i**): sentí, sentiste, s**i**ntió, sentimos, sentisteis, s**i**ntieron
dormir (ue, **u**): dormí, dormiste, d**u**rmió, dormimos, dormisteis, d**u**rmieron
pedir (i, **i**): pedí, pediste, p**i**dió, pedimos, pedisteis, p**i**dieron

Note: Some verbs change their meaning in the preterite tense. You have learned to use *conocer* to indicate who someone knows or to state what someone is familiar with. In the preterite tense, *conocer* is the equivalent of **to meet.**

*¿A quién **conociste** tú anoche?*   Whom **did you meet** last night?
***Conocí** a la familia de Alberto.*   **I met** Alberto's family.

7 ¿Qué hicieron por la tarde?

Completa estas oraciones con el pretérito de los verbos indicados para decir lo que hicieron las siguientes personas por la tarde.

MODELO   Martín *(ver)* una película sobre la República Dominicana.
Martín *vio* una película sobre la República Dominicana.

1. Tú *(quedarte)* en tu casa viendo televisión.
2. Ud. *(conseguir)* un regalo para un amigo.
3. Yo *(tocar)* el piano.
4. Nosotras *(conocer)* a unos chicos de Puerto Rico.
5. Ellos *(salir)* a caminar.
6. Alicia *(llamar)* a sus abuelos.
7. Graciela *(leer)* una revista.
8. Uds. *(comer)* comida del Caribe.

Se quedaron en casa viendo televisión.

8 Invitación a cenar

Pablo invitó a varios amigos a cenar a su casa el fin de semana pasado y él tuvo que preparar todo con la ayuda de su hermano, Jorge, y su hermanastra, Eliana. Completa cada oración con el pretérito del verbo apropiado para decir lo que pasó.

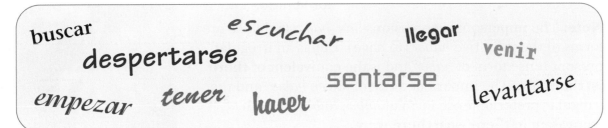

buscar   escuchar   llegar   venir
despertarse   sentarse   levantarse
empezar   tener   hacer

1. Yo __ a las cinco y media.
2. Poco después, yo __ a las seis.
3. Jorge __ algunos de los ingredientes en el supermercado.
4. Yo no fui con ella porque yo __ que arreglar la cocina.
5. Yo __ a cocinar a las cuatro.
6. Eliana __ para ayudarme a las cinco.
7. Nosotros __ una receta especial con papayas y duraznos.
8. Mis amigos __ a las ocho.
9. Nosotros __ a comer a las ocho y media.
10. Nosotros __ unos discos compactos de música salsa durante la cena.

¿Tuviste que arreglar la cocina?

Prepararon una receta especial con papayas.

Preterite vs. imperfect tense

A sentence may have various combinations of the two past tenses: *pretérito/pretérito, imperfecto/pretérito, pretérito/imperfecto, imperfecto/imperfecto.* For example, all verbs may be in the preterite tense if you are stating simple facts.

Fui al supermercado y compré unas ciruelas. — **I went** to the supermarket and **bought** some plums.

A sentence also may have one verb that is in the imperfect tense and another that is in the preterite tense: Use the imperfect tense in a sentence to describe a repeated (habitual) past action or ongoing condition; use the preterite tense to state what happened during the repeated or ongoing action/condition.

Estaba en el supermercado cuando tú llamaste. — **I was** in the supermarket when **you called.**

Finally, more than one verb may be in the imperfect tense when you are describing simultaneous ongoing actions or conditions.

Jugábamos videojuegos mientras esperábamos a Ramiro. — **We were playing** video games while **we were waiting** for Ramiro.

Note: The impersonal expressions *hay, había* and *hubo* are forms of the infinitive *haber* (to have). *Hay* is an irregular present-tense form of *haber* and is the equivalent of **there is/there are.** The imperfect tense of *haber, había,* and the irregular preterite-tense form of *haber, hubo,* are both equivalent to **there was/there were.**

Práctica

9 El sábado pasado

Jugábamos videojuegos.

Completa estas oraciones, escogiendo la palabra (o frase) correcta para decir lo que las siguientes personas hacían o hicieron el sábado pasado.

1. Edgar y Enrique *(fueron / iban)* al supermercado.
2. Ellos *(salieron / salían)* a las cinco para ir al supermercado.
3. *(Llovió / Llovía)* cuando ellos *(llegaron / llegaban)* al supermercado.
4. Un señor *(compró / compraba)* cinco piñas.
5. *(Fueron / Eran)* las siete cuando ellos *(salieron / salían)* del supermercado.
6. Yo *(estuve / estaba)* en mi cuarto cuando Edgar y Enrique *(llegaron / llegaban)* de hacer sus compras.
7. Enrique *(fue / iba)* a comprar toronjas, pero no *(tuvo / tenía)* bastante dinero.
8. Unos amigos *(me llamaron / me llamaban)* el sábado a las nueve.
9. Tú *(comiste / comías)* cuando mis amigos *(llamaron / llamaban)*.

10 ¿Qué hiciste tú el domingo?

Completa el diálogo entre Sandra y Lucila con el imperfecto o con el pretérito de los verbos indicados.

Sandra: Aló. ¿Está Lucila?
Lucila: Hola, Sandra.
Sandra: Hola. Pues, ¿qué *(1. hacer)* tú el domingo?
Lucila: Alfonso y yo *(2. ir)* al zoológico.
Sandra: ¡Qué bueno! Dime, ¿no *(3. ir)* a ir al circo?
Lucila: Alfonso *(4. querer)* ir al zoológico y yo no *(5. tener)* problema, el zoológico me gusta mucho.
Sandra: Pues, ¿*(6. divertirse)* Uds. mucho?
Lucila: Sí y no. En las dos primeras horas nosotros *(7. divertirse)* mucho, pero después *(8. llover)* casi todo el día y no *(9. poder)* ver todos los animales.
Sandra: ¡Qué lástima! Aquí el domingo *(10. hacer)* sol todo el día.
Lucila: Bueno, el domingo aquí *(11. ser)* un día fantástico para quedarse en casa.

Aló. ¿Está Lucila?

11 ¿Cuándo?

Completa las oraciones con *hay, había* o *hubo*, según sea correcto.

1. Anoche __ una cena especial en casa de Pablo cuando yo llegué del centro.
2. El lunes pasado __ una cena en la casa de mis abuelos, pero nadie podía ir.
3. El fin de semana que viene __ una cena especial en la casa de Alfonso.
4. El mes pasado no __ ninguna cena especial en la casa de Alfonso.
5. El mes pasado __ dos cenas especiales en mi familia.
6. Esta noche __ una cena en la casa de Iván y voy a ir con un amigo.

¿Hay una cena especial esta noche?

Hubo una celebración especial en casa de mi abuelo.

12 ¿Qué pasó en el supermercado?

Completa este párrafo con el imperfecto o con el pretérito de los verbos indicados para decir lo que te pasó ayer en el supermercado.

Ayer por la mañana yo *(1. ver)* a mi amigo, Hernán, en el supermercado. Él *(2. ir)* de compras con su mamá a quien yo *(3. conocer)* una vez en el colegio. Ella me *(4. decir)* que *(5. estar)* comprando unas frutas. Yo no *(6. tener)* mucho tiempo, pero nosotros *(7. hablar)* por unos minutos. Luego, la mamá de Hernán *(8. decir)* que ellos *(9. tener)* que seguir con las compras. Yo les *(10. decir)* "hasta luego" y me *(11. ir)* para mi casa. Yo *(12. salir)* del supermercado y *(13. tomar)* un autobús para ir a mi casa. Cuando yo *(14. entrar)* a la casa, mi mamá me *(15. decir)* que ella me *(16. estar)* esperando mucho tiempo. Ella me *(17. preguntar)* que por qué *(18. ser)* la demora. Yo le *(19. decir)* que me

¿Qué pasó en el supermercado?

(20. encontrar) con Hernán y su mamá en el supermercado y que yo *(21. estar)* hablando con ellos por unos minutos. Después, mi mamá me *(22. decir)* que nosotros *(23. ir)* a almorzar en diez minutos. Yo *(24. subir)* al baño donde *(25. lavarse)* las manos y *(26. ir)* para almorzar.

13 La familia prepara una cena

Di lo que hacían estas personas para preparar una cena.

MODELO la madre y la abuela (preparar el arroz) / los hijos (hacer los quehaceres)
La madre y la abuela preparaban el arroz mientras que los hijos hacían los quehaceres.

1. tú (barrer el piso) / yo (arreglar la mesa)
2. la tía (poner flores en la mesa) / el tío (poner el mantel y las servilletas)
3. el padre (lavar los platos) / los hijos (limpiar los cubiertos)
4. Ud. (sacar unas frutas del refrigerador) / el abuelo (cortar un melón)
5. las primas (preparar una ensalada) / la hija (hacer una sopa)
6. los primos (comprar unos refrescos) / los hijos (cocinar la carne)

La madre y la abuela preparaban el arroz.

Comunicación

14 **No había luz**

Imagina que anoche se fue la luz *(blackout)* en el lugar donde vives. Trabajando en parejas, hablen sobre lo que cada uno hacía y lo que otros miembros de la familia hacían cuando la luz se fue.

¿Qué hacías anoche cuando se fue la luz?

> **MODELO** A: ¿Qué hacías anoche cuando se fue la luz?
>
> B: Cuando se fue la luz yo estaba en el supermercado. ¿Y tú?
>
> A: Cuando se fue la luz yo comía con unos amigos.

15 **¿Qué hiciste la semana pasada?**

En parejas, hablen sobre lo que cada uno de Uds. hizo la semana pasada. Puedes inventar la información si lo deseas. Recuerda preguntar por cualquier detalle *(detail)* adicional, según lo que tu compañero/a te cuenta.

> **MODELO** A: ¿Qué hiciste el lunes de la semana pasada?
>
> B: Fui a un supermercado en la República Dominicana.
>
> A: Y, ¿cómo era el supermercado?
>
> B: Era muy grande y había muchas frutas.

La semana pasada trabajé en la tienda.

Fui al supermercado en la República Dominicana.

la salchicha

la carne de res

la ternera

la costilla

Un filete de ternera para freír, por favor.

CARNES

16 Carne, pescado o marisco

Escucha lo que algunas personas buscan en el supermercado. Di si lo que buscan es *carne*, *pescado* o *marisco*.

¡Extra!

Más carnes, pescados y mariscos

la chuleta de puerco,	*pork chop*
la chuleta de cerdo	
el cordero	*lamb*
el solomillo de ternera	*filet mignon*
la langosta	*lobster*
el langostino	*prawn*
el salmón	*salmon*
la trucha	*trout*

17 En la sección de carnes, pescados y mariscos

Trabajando en parejas, alterna con tu compañero/a de clase en hacer y contestar preguntas para decir lo que compraron las siguientes personas cuando fueron al supermercado.

MODELO Isabel

A: ¿Qué compró Isabel?
B: Isabel compró almejas.

1. Jorge y Alfredo
2. Francisco
3. tú
4. Uds.
5. Catalina y Maurico
6. nosotros

Diálogo II

¿Algo más?

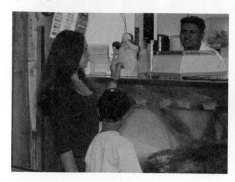
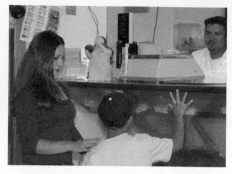

MARÍA: Un filete de pescado para freír, por favor.

SEÑOR: Sí, cómo no. ¿Qué más se le ofrece?

MARÍA: Un kilo de ternera y medio kilo de costillas.

SEÑOR: ¿Algo más?

CÉSAR: Sí, cinco kilos de camarones.

MARÍA: Chico, ¿qué te pasa? No, los camarones no. Eso es todo.

CÉSAR: ¿Por qué no? A mí me gustan mucho.

MARÍA: Es que cuestan mucho y no tenemos mucho dinero.

CÉSAR: Entonces, creo que el atún me gusta mucho más.

18 ¿Qué recuerdas?

1. ¿Qué quiere María para freír?
2. ¿Cuántos kilos de ternera quiere María?
3. ¿De qué quiere cinco kilos César?
4. ¿A quién le gustan mucho los camarones?
5. ¿Por qué no quiere comprar los camarones María?

19 Algo personal

1. ¿Qué carne, pescado o marisco te gusta mucho?
2. ¿Qué carne, pescado o marisco te gusta poco?
3. ¿Te gusta freír las carnes o los pescados?

¿Te gusta freír el pescado?

20 Me gusta mucho

Indica la letra de la ilustración que corresponde con lo que oyes.

A   B   C   D   E

Cultura viva

Las paladares

En Cuba, una paladar es un restaurante pequeño en una casa operado[1] por una familia y no por el gobierno cubano. El nombre **paladar** viene de una telenovela de Brasil que la televisión cubana presentó en el año 1993. En esta telenovela, una joven pobre que vende sandwiches por las playas termina millonaria y dueña[2] de unos restaurantes llamados La Paladar. Muchos cubanos siguieron el ejemplo de esta joven y en vez de vender comida en el mercado negro, decidieron vender comida preparada en sus casas. A estos restaurantes en casas se les llamaron **paladares.** En ese año, el gobierno de

Una paladar cubana.

Cuba pasó la Ley[3] 141, que permitió a las familias cubanas el derecho a poner un negocio[4], siguiendo las reglas del gobierno. En las paladares, por ejemplo, se permiten sólo cuatro mesas y no se permite vender ni carne de res ni mariscos. Las paladares son muy populares entre los turistas porque se come muy bien en una atmósfera familiar y es menos caro que los restaurantes de los hoteles o los restaurantes del estado. Uno de los platos que las paladares sirven es el **congrí,** el famoso plato cubano de arroz y frijoles.

Las paladares son muy populares.

El congrí.

[1]managed [2]owner [3]Law [4]business

21 Las paladares

Di si lo siguiente es cierto o falso, según la Cultura viva. Si es falso, di lo que es cierto.

1. Las paladares son restaurantes en Cuba.
2. Las paladares son del gobierno cubano.
3. Las paladares pueden tener cuarenta mesas.
4. El nombre **paladar** viene de una telenovela de Brasil.
5. La comida de las paladares es más cara que la comida de los hoteles.
6. **Congrí** es arroz y frijoles.

Estructura

Present tense of *reír* and *freír*

The verbs *reír(se)* and *freír* are irregular in the present tense. However, both verbs are formed following the same pattern, so learning the conjugation of one will help you learn the conjugation of the other.

reír(se)	
(me) río	(nos) reímos
(te) ríes	(os) reís
(se) ríe	(se) ríen
gerundio: riendo (riéndose)	

freír	
frío	freímos
fríes	freís
fríe	fríen
gerundio: friendo	

 Práctica

22 Todos se ríen

Haz las preguntas apropiadas para saber por qué se ríen las siguientes personas.

MODELO   Nubia

  ¿Por qué se ríe Nubia?

1. Darío
2. Alejandro y Mónica
3. ella
4. ellos
5. yo
6. Uds.
7. tú
8. nosotros

¿Por qué se ríe Nubia?

23 **¿Qué fríen?**

Di lo que fríen las siguientes personas, usando la forma apropiada del presente del verbo *freír* y las indicaciones.

MODELO Margarita / para la cena
Margarita fríe pescado para la cena.

1. yo / para un picnic

2. Samuel / para el almuerzo

3. tú / para una ensalada

4. Uds. / para el desayuno

5. Rosita y Efraín / para la cena

6. nosotros / para una cena especial

✤ Comunicación

24 **La comida**

Trabajando en parejas, hablen de la forma en que les gusta preparar algunas comidas y por qué les gusta comerlas así. Digan si prefieren carnes, pescados o mariscos, o si sólo comen verduras.

MODELO A: Yo siempre frío los huevos para el desayuno. ¿Y tú?
B: No, yo prefiero cocinarlos en agua, porque son mejores para la salud.

Siempre frío los huevos para el desayuno.

Irregular preterite-tense verbs

The following are some verbs that are irregular in the preterite tense. Learning them will improve your ability to talk about the past.

andar *(to walk):*	anduve, anduviste, anduvo, anduvimos, anduvisteis, anduvieron
caber *(to fit):*	cupe, cupiste, cupo, cupimos, cupisteis, cupieron
conducir *(to drive):*	conduje, condujiste, condujo, condujimos, condujisteis, condujeron
freír *(to fry):*	freí, freíste, frió, freímos, freísteis, frieron
leer *(to read):*	leí, leíste, leyó, leímos, leísteis, leyeron
poder *(to be able):*	pude, pudiste, pudo, pudimos, pudisteis, pudieron
poner *(to put):*	puse, pusiste, puso, pusimos, pusisteis, pusieron
querer *(to want):*	quise, quisiste, quiso, quisimos, quisisteis, quisieron
reír *(to laugh):*	reí, reíste, rió, reímos, reísteis, rieron
saber *(to know):*	supe, supiste, supo, supimos, supisteis, supieron
traducir *(to translate):*	traduje, tradujiste, tradujo, tradujimos, tradujisteis, tradujeron
traer *(to bring):*	traje, trajiste, trajo, trajimos, trajisteis, trajeron
venir *(to come):*	vine, viniste, vino, vinimos, vinisteis, vinieron

Note: In the preterite tense, *saber* is the equivalent of **to find out.**

*¿Qué **supiste** anoche?*	What **did you find out** last night?
***Supe** que Ignacio preparó almejas.*	**I found out** that Ignacio prepared clams.

Supe que Ignacio preparó las almejas.

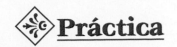

Práctica

25 ¿Qué hicieron?

Haz ocho oraciones lógicas, usando elementos de cada columna y haciendo los cambios que sean necesarios.

I	II	III
yo	andar	mucho tocino en aceite
tú	freír	la ternera en el refrigerador
Luisa y Gilma	poder	la fecha de la cena ayer
Fabiola	poner	poner todo en el baúl
Héctor	querer	del supermercado hace media hora
mis padres	saber	preparar unos cangrejos al horno
mi hermana	traer	dos kilos de camarones del mercado
nosotros	venir	por el supermercado toda la tarde

26 Ayer por la mañana

Di lo que hacían estas personas ayer por la mañana según las ilustraciones.

MODELO Gloria / poder ir
Gloria pudo ir al centro.

1. yo / querer ir   2. tú / venir   3. Uds. / querer ir   4. Liliana / andar

5. los Mora / conducir   6. los chicos / andar   7. Inés y Jairo / ir   8. nosotros / conducir

27 Trabajando en un restaurante

El jefe *(boss)* del restaurante donde trabajas estuvo enfermo ayer y ahora te hace unas preguntas sobre lo que pasó ayer. Trabajando en parejas, alterna con tu compañero/a de clase en hacer y en contestar las preguntas que te hace tu jefe.

MODELO quién / traer / demasiadas toronjas del mercado (Patricia)
> **A:** ¿Quién trajo demasiadas toronjas del mercado?
> **B:** Patricia trajo demasiadas toronjas del mercado.

1. cuánta carne de res / freír / tú (diez kilos)
2. qué / no caber / en el refrigerador (los mariscos)
3. quién / traducir / el menú al español (yo)
4. quién / no poder / trabajar ayer (Mauricio y Nicolás)
5. dónde / poner / Orlando el atún (la cocina)
6. cuántas personas / venir / al restaurante ayer (setenta)

28 En el restaurante

Di lo que les pasó a estas personas, usando la forma apropiada del pretérito o del imperfecto de los verbos indicados.

MODELO Cuando nosotros *(leer)* el menú, el mesero *(venir)* a la mesa.
> Cuando *leíamos* el menú, el mesero *vino* a la mesa.

1. Yo *(querer)* comer ternera, pero el restaurante no *(tener)* ternera.
2. Tú no *(traer)* dinero y no *(poder)* pagar tu comida.
3. Cuando la gente *(llegar)*, los meseros *(poner)* las mesas.
4. Pablo y Rafael no *(poder)* pedir las almejas porque *(ser)* muy caras.
5. Yo no *(saber)* qué pedir cuando el mesero me *(preguntar)* lo que yo *(querer)*.
6. A la hora de comer el postre, a Samuel no le *(caber)* el flan porque *(comer)* muchas costillas.

Leíamos el menú.

29 En el supermercado

Completa el siguiente párrafo con el imperfecto o con el pretérito de los verbos indicados para saber lo que hicieron César y María en el supermercado.

César y María *(1. ir)* ayer al supermercado. Ellos *(2. andar)* por el supermercado toda la mañana y *(3. comprar)* mucha comida. Ellos *(4. estar)* muy felices porque *(5. poder)* conseguirlo todo. *(6. Llevar)* el carro sin nada y lo *(7. traer)* lleno con frutas, carnes y verduras. El carro *(8. tener)* tanta comida que ellos casi no *(9. caber)*. Un muchacho del supermercado *(10. venir)* para ayudarlos, pero César *(11. decir)* que no *(12. necesitar)* ayuda. Él *(13. poner)* todo en el carro. María nunca *(14. saber)* cómo César, un niño de diez años, lo *(15. hacer)*, pero ella cree que lo *(16. hacer)* muy bien.

✤ Comunicación

30 La última vez que fuiste de compras

En parejas, hablen sobre la última vez que fueron de compras a un supermercado o a una tienda. Usen el pretérito y el imperfecto en su conversación. Pueden inventar la información si quieren.

MODELO A: ¿Por dónde anduviste de compras la última vez?

B: Anduve de compras en un supermercado muy grande.

A: ¿Pudiste conseguir todo lo que buscabas?

B: No, no pude conseguir mis dulces favoritos.

Anduve de compras en un supermercado muy grande.

31 Una encuesta

Hazles las preguntas de la siguiente encuesta a cinco compañeros/as de clase para saber quiénes hicieron las actividades indicadas la semana pasada. Luego, prepara los resultados de tu encuesta y preséntalos a la clase.

MODELO Sólo un estudiante anduvo por un supermercado, nadie condujo a un centro comercial, dos estudiantes frieron un huevo...

Encuesta	1	2	3	4	5	Total
1. ¿Anduviste por un supermercado?	✓					1
2. ¿Condujiste a un centro comercial?						0
3. ¿Freíste un huevo?	✓				✓	2
4. ¿Leíste un libro?	✓					1
5. ¿Reíste en clase?	✓	✓	✓		✓	4
6. ¿Viniste a la escuela sin tu tarea?				✓		1
7. ¿Pudiste dormir ocho horas seguidas?	✓		✓	✓		3

Lectura cultural

LA COCINA *Cubana*

Doña Blanca en la cocina.

*Mientras Doña Blanca Ruiz de Castaño, una señora cubana, freía plátanos[1] en su cocina, la revista **Marea Alta** le hizo las siguientes preguntas sobre la comida cubana.*

Unos plátanos fritos.

MA: Díganos, Doña Blanca, ¿cómo es la comida cubana?

BRC: La comida cubana es muy condimentada[2] pero no es picante[3]. Es la perfecta combinación entre las tradiciones de España y de África.

MA: ¿Cuáles son algunos platos típicos de Cuba?

BRC: Los platos típicos incluyen el congrí (arroz blanco con frijoles[4] negros), ropa vieja (carne deshilachada[5] con verduras), maduros (plátanos fritos), cucurucho (dulce hecho de coco, papaya y miel[6]). Dos preparaciones principales en la cocina cubana son el sofrito y el adobo. El sofrito es una mezcla[7] de ajo, cebolla y pimientos fritos en aceite. Es la base de cualquier sopa. El adobo es ajo, sal, comino[8], orégano y jugo de limón. Cuando se cocina carne, pollo o mariscos, siempre se macera[9] primero con adobo.

MA: ¿Cómo son un desayuno, un almuerzo y una cena típicos?

BRC: Un desayuno típico cubano es café con leche y tostadas. El almuerzo puede ser un sandwich y flan de postre. La cena consiste generalmente de carne o pescado con maduros, frijoles, yuca en mojo...

MA: ¿Yuca en mojo?

BRC: La yuca es un tubérculo[10] de masa[11] blanca y el mojo es una mezcla de aceite de oliva, jugo de limón, cebolla, ajo y comino que se le pone encima.

MA: Mmm, ¡qué rico!

[1]plantains [2]flavorful [3]spicy, hot
[4]beans [5]shredded [6]honey
[7]mixture [8]cumin [9]marinates
[10]tuber [11]flesh

32 ¿Qué recuerdas?

Di si lo siguiente es cierto o falso según la Lectura cultural. Si es falso, di lo que es cierto.

1. La comida cubana es picante como la comida mexicana.
2. La comida cubana tiene influencias españolas y africanas.
3. El adobo tiene aceite de oliva, jugo de limón, cebolla, ajo y comino.
4. Una cena cubana puede consistir de carne o pescado con maduros, frijoles y yuca en mojo.
5. La yuca es un tubérculo de masa blanca.
6. El mojo es una mezcla de aceite de oliva y jugo de papaya.

> • ¿Cuál es una comida típica en donde vives?
>
> • Compara la comida cubana con la comida en tu casa. ¿Qué es similar? ¿Qué es diferente? ¿Qué condimentos son diferentes?

33 Algo personal

1. ¿Te gustaría comer la comida cubana? ¿Qué te gustaría comer? Explica.
2. Imagina que tus amigos te piden preparar carne de res como los cubanos. ¿Qué ingredientes puedes usar?
3. ¿Cómo es tu desayuno? ¿Y tu almuerzo? ¿Y tu comida?

¿Qué aprendí?

Autoevaluación
Como repaso y autoevaluación, responde lo siguiente:

Visit the web-based activities at www.emcp.com

1. Name three food items you learned in this lesson.

2. Say three things you did yesterday.

3. How would you say in Spanish that you met the president yesterday?

4. In three or four sentences, describe the last time you were invited somewhere for dinner.

5. Tell a friend that there was a special dinner at the Cuban restaurant in your neighborhood last year.

6. Write a complete sentence identifying at least one person who fries food and name the food they fry.

7. How would you say in Spanish that you found out that the food server from the restaurant speaks Spanish?

8. What do you know about food in Cuba?

Palabras y expresiones

La comida
- la almeja
- el atún
- el camarón
- el cangrejo
- la carne de res
- el cereal
- la ciruela
- la costilla
- la crema
- el durazno
- el filete
- el flan
- el limón
- la mantequilla de maní
- el marisco
- el melón
- la papaya
- la pera
- la piña
- el pulpo
- la salchicha
- la sandía
- el sandwich
- el té
- la ternera
- el tocino
- la toronja

Verbos
- acordar(se) (ue) (de)
- andar
- caber
- freír (i, i)
- hubo
- reír(se) (i, i)
- traducir

Expresiones y otras palabras
- anoche
- la bolsa
- el chiste
- demasiado,-a
- necesario,-a
- la parte
- probable
- todo

Las piñas y los limones son populares en el Caribe.

Vocabulario I
En la tienda

1 En la tienda

Escoge la letra que corresponde con lo que oyes y di lo que se describe.

MODELO F. los rubís

A　　　**B**　　　**C**　　　**D**　　　**E**　　　**F**

2 ¡A completar!

Completa el siguiente diálogo, escogiendo las palabras apropiadas de la lista.

| anochecer | apurarme | prendas | probársela |
| rayas | surtido | tipo | variedad |

Señorita: El (1) de faldas es muy bueno.

Dependiente: Sí, tenemos una buena (2) de (3).

Señorita: Ésta a (4) me gusta mucho. Es mi (5) de falda.

Dependiente: ¿Quiere (6)? Allí está el vestidor.

Señorita: Sí, claro, pero debo (7) porque va a (8).

¡Extra!

En la joyería

la cadena	chain
el diamante	diamond
la esmeralda	emerald
la medalla	medal
la piedra preciosa	precious stone
el zarcillo	earring

Sí, hay una buena variedad de prendas de todo tipo.

Claro, si es posible.

¿Quiere probárselo?

¡Felizmente, pero no soy rica! Bueno, debo apurarme, va a anochecer.

¡Cómo no! ¿Quiere comprarlo?

el rubí

el cajero

Diálogo I

Buscando una blusa

MARTA: El surtido de blusas aquí es muy bueno.

DIANA: Sí, hay una gran variedad.

MARTA: ¿Qué te parece esta blusa?

DIANA: No me gusta la tela a cuadros.

MARTA: Y ésta a rayas, ¿qué te parece? A mí me gusta mucho.

DIANA: No es muy bonita pero tampoco es fea.

MARTA: Voy a probármela.

DIANA: Muy bien. ¡Mira! allí está el vestidor.

MARTA: ¿Qué tal? ¿Cómo me veo?

DIANA: La verdad, con esa tela a rayas pareces una cebra.

MARTA: Ja, ja, tienes razón, eso estaba pensando. ¿Qué me aconsejas?

DIANA: Que debes apurarte porque debemos ir a comer con Jorge y Edgar.

3 ¿Qué recuerdas?

1. ¿De qué es bueno el surtido?
2. ¿Qué no le gusta a Diana?
3. ¿Qué le gusta mucho a Marta?
4. ¿Adónde va Marta a probarse la blusa?
5. ¿Qué parece Marta con la blusa de tela a rayas, según Diana?
6. ¿Por qué debe apurarse Marta?

¡Extra!

Expresiones adicionales

el color claro	*light color*
el color liso	*solid color*
el color oscuro	*dark color*
estampado/a	*printed*
hacer juego	*to match*
la talla	*size*
el vestido largo	*full-length evening dress*

4 Algo personal

1. ¿Pides consejo cuando vas a comprar ropa? ¿A quién se lo pides?
2. ¿Aconsejas a tus amigos/as cuando vas de compras con ellos?
3. ¿Te pruebas la ropa que vas a comprar?

5 ¿Cuál es la respuesta correcta?

Escoge una respuesta correcta a lo que oyes.

No me gusta la Tela y no es elegante.

No, no soy rica.

La consigues en la joyería.

Prefiero el amarillo.

Mi consejo es que no la compres.

La República Dominicana y su diseñador estrella

La moda es algo muy importante para los jóvenes hispanos y los países latinos tienen muchos diseñadores[1] famosos. La República Dominicana tiene a uno de los diseñadores hispanos más importantes del mundo, Oscar de la Renta.

Oscar de la Renta nació en Santo Domingo, República Dominicana, de padres españoles. A los dieciocho años fue a España, a la Academia de San Fernando en Madrid, para estudiar pintura. Oscar llegó al mundo de la moda por buena suerte[2]. Mientras que él estudiaba en Madrid, diseñaba ropa para sus amigos, sólo para divertirse. Un día la esposa del embajador de los Estados Unidos vio ropa de Oscar y le pidió diseñar un vestido para la fiesta de quinceañera de su hija. La hija de los embajadores fue fotografiada y su

Oscar de la Renta ayuda a financiar una escuela en la República Dominicana.

foto publicada en *Life Magazine* y Oscar se hizo famoso.

Su primer trabajo como diseñador oficial lo hizo para Balenciaga, otro diseñador internacional de España. Después de trabajar con Balenciaga trabajó para Lanvin en París y más tarde llegó a Nueva York para trabajar con Elizabeth Arden. En 1965 de la Renta fundó[3] su línea de ropa. Hoy él tiene varios premios y honores internacionales, pero dice que ninguno le gusta tanto como los de la orden Juan Pablo Duarte, grado Caballero[4] y la orden de Cristóbal Colón, grado Gran Comandante que recibió de su país, La República Dominicana. Oscar de la Renta también tiene premios por todas las cosas que hace por su país, como ayudar a los pobres y financiar escuelas para niños sin padres.

Oscar de la Renta.

[1]designers   [2]good luck   [3]founded   [4]Knight degree from the order of Juan Pablo Duarte

6 La República Dominicana y su diseñador estrella

Di si las siguientes oraciones son ciertas o falsas. Si son falsas, di lo que es cierto.

1. Oscar de la Renta es de España.
2. Oscar de la Renta es famoso por su ropa.
3. De la Renta diseñaba ropa para divertirse.
4. De la Renta hizo un vestido para una chica de veinte años.
5. Oscar trabajó para Balenciaga y Elizabeth Arden.
6. De la Renta no ayuda a nadie en la República Dominicana.

Idioma

The imperfect progressive tense

The imperfect progressive tense tells what was going on at a specific time in the past, often when something else happened. It is formed by combining the imperfect tense of *estar* with the present participle of a verb.

Yo **estaba pensando** en comprar un suéter a cuadros.	I **was thinking** about buying a plaid sweater.
Cuando los vi ayer **estaban comprando** una tela a rayas.	When I saw them yesterday, **they were buying** a striped fabric.

Object pronouns may precede the form of *estar* or may follow and be attached to the present participle, which may require a written accent mark in order to maintain the original stress of the present participle without the pronoun.

La estaba aconsejando. → Estaba aconsejándo**la**.

Nos estábamos probando unas camisas. → Estábamos probándo**nos** unas camisas.

The two most commonly used progressive tenses are the present and the imperfect progressive, which usually consist of a form of the verb *estar* plus a present participle. In addition to *estar*, several other verbs can be used to form the progressive tenses. The most common of these are *seguir*, which you already have learned to use, *andar, continuar* and *venir*.

Andrés y Blanca **siguen** comprando.	Andrés and Blanca **keep on** buying.
Camila **andaba** por el parque jugando.	Camila **was walking** down the park playing.
Yo **continuaba** esperando.	I **kept on (continued)** waiting.
Venían caminando.	**They came** walking.

Venían caminando.

Práctica

7 ¿Qué te pasó?

Completa la siguiente conversación telefónica entre Luis y Juan, usando la forma apropiada del imperfecto progresivo de los verbos indicados.

Luis: ¿Qué tal, Juan?
Juan: Regular.
Luis: ¿Qué te pasó?
Juan: Esta mañana muy temprano cuando yo *(1. dormir)*, un camión pasó por mi calle y su claxon me despertó. Luego, cuando *(2. bañarse)*, el agua caliente se acabó, y cuando *(3. peinarse)*, la luz se fue. Después, cuando *(4. desayunar)*, se me cayó el jugo de naranja en mi camisa a cuadros nueva.
Luis: ¡Lo siento!
Juan: Pero eso no es todo. Cuando la profesora *(5. preguntar)* la tarea, me dormí. Luego, cuando mis amigos y yo *(6. jugar)* al fútbol, empezó a llover. Cuando *(7. volver)* a casa, vi que no tenía los cuadernos para hacer mis tareas. ¿Y sabes qué pasó ahora cuando *(8. ver)* mi programa favorito de televisión?
Luis: No, ¿qué pasó?
Juan: ¡Tú me llamaste!

¿Qué tal, Juan?

8 ¿Qué le dice?

Completa las siguientes oraciones, usando la forma apropiada del imperfecto progresivo de los verbos indicados para saber lo que Carolina le dice a Álvaro sobre su día de compras con Margarita.

MODELO A las ocho Margarita todavía *(seguir / buscar)* una blusa a cuadros.
A las ocho Margarita todavía *seguía buscando* una blusa a cuadros.

1. A las ocho y diez nosotras *(andar / caminar)* por todo el centro comercial.
2. A las ocho y veinte nosotras *(seguir / entrar)* en las tiendas.
3. A las ocho y media Margarita *(seguir / probarse)* blusas.
4. A las nueve la dependienta *(continuar / sacar)* blusas para Margarita.
5. A las nueve y cuarto la dependienta *(seguir / dar)* consejos a Margarita.
6. A las nueve y media yo *(continuar / esperar)* a Margarita.
7. A las diez menos veinte Margarita y la dependienta *(continuar / hablar)*.
8. A las diez nosotras *(venir / correr)* para la casa.

Margarita todavía seguía buscando una blusa a cuadros.

9 En la tienda de ropa

Di lo que hacían los siguientes miembros de tu familia cuando estaban comprando en la tienda de ropa, usando las siguientes pistas.

MODELO Graciela / estar / probarse una blusa a cuadros
Graciela estaba probándose una blusa a cuadros.

1. yo / estar / pedir un consejo a la dependienta
2. mi sobrino / continuar / molestar a su hermana
3. mis primas / estar / mirar unos rubís en la joyería
4. mis padres / continuar / decidir qué ropa comprar
5. tú / estar / dar consejos a todos
6. mi abuelo / estar / ver el surtido de corbatas
7. mi hermano / seguir / apurar a todo el mundo
8. todos nosotros / estar / pensar qué comprar

Ellas estaban mirando las camisas.

10 Todavía no consiguen nada

Las siguientes personas todavía no conseguían lo que estaban buscando, después de pasar todo el día en las tiendas. Haz oraciones completas para decir lo que buscaban.

MODELO Jimena / seguir / falda a cuadros
Jimena seguía buscando una falda a cuadros.

1. nosotros / seguir / abrigos de lana
2. Claudia y Marcela / seguir / vestido a rayas
3. Gloria / seguir / botas negras de cuero
4. Alfonso / continuar / traje de baño
5. Uds. / continuar / tela a rayas
6. Daniel / continuar / pantalón de tela desteñida
7. Fernando y Raquel / continuar / anillo de rubís
8. yo / continuar / ropa interior
9. tú / seguir / guantes

Jimena consiguió una falda a cuadros.

11 ¿Qué estaban haciendo?

Anoche llamaste a un(a) amigo/a a su casa, pero nadie contestó el teléfono. Trabajando en parejas, alterna con tu compañero/a de clase en hacer preguntas y contestarlas para saber qué estaban haciendo todos en ese momento.

MODELO tu hermana mayor / pasar la aspiradora
A: ¿Qué estaba haciendo tu hermana mayor?
B: Estaba pasando la aspiradora.

1. tú / oír música en la sala
2. tu hermano mayor / sacando la compra del carro
3. tu abuelo / dormir en su cuarto
4. tu papá y tu mamá / leer unos libros en el patio
5. tus hermanas menores / andar por el centro comercial
6. Uds. / hacer muchas cosas

12 Cuando los vi ayer, estaban...

Di lo que estaban haciendo estas personas, de acuerdo con las ilustraciones.

MODELO Horacio
Cuando lo vi, Horacio estaba probándose (se estaba probando) un suéter a rayas.

1. mi hermano 2. Ignacio y Mercedes 3. Gustavo 4. tú y yo 5. tú

❧ Comunicación

13 De compras durante las vacaciones

 With a classmate, talk about what you remember about the last time you went shopping while on vacation. Ask about such things as where each of you went, what items you purchased and what other members in your family were doing while you were shopping. You may both make up any of the answers you wish. Use the imperfect progressive and preterite tenses in your answers.

MODELO
A: Dime, ¿adónde fuiste de compras en tus últimas vacaciones?
B: Fui a las tiendas del centro en Santo Domingo.
A: ¿Qué compraste?
B: Compré una blusa a rayas muy bonita.
A: ¿Y qué estaban haciendo tus padres cuando tú fuiste de compras?
B: Mis padres estaban caminando en la playa y mis hermanos estaban nadando en la piscina.

¿Qué compraste?

14 Ayer a las ocho

 Trabajando en parejas, hablen sobre lo que cada uno de Uds. y otros miembros de su familia estaban haciendo anoche a las ocho.

MODELO
A: Yo estaba viendo televisión, mi padre seguía trabajando en su coche y mis hermanas jugaban al ajedrez.
B: Yo estaba en el cento comercial. Estaba buscando una camisa nueva. Mis hermanos estaban haciendo las tareas y mis padres estaban viendo televisión.

Adverbs ending in *-mente*

In Spanish, many adverbs end in *-mente,* which often corresponds to **-ly** in English: *rápida***mente** (rapid**ly**). You can form many other Spanish adverbs by adding *-mente* to the end of the feminine form of an adjective.

adjective	feminine form (+ mente)		adverb
especial	especial (+ mente)	=	especialmente
fácil	fácil (+ mente)	=	fácilmente
feliz	feliz (+ mente)	=	felizmente
necesario	necesaria (+ mente)	=	necesariamente
probable	probable (+ mente)	=	probablemente
sólo	sola (+ mente)	=	solamente

Práctica

15 Recuerdos

Marta está recordando lo que hacían sus compañeros de la escuela primaria. Cambia cada adjetivo en las oraciones a un adverbio para ver qué recuerda.

Yadira siempre jugaba al tenis.

MODELO Yadira siempre jugaba *(maravilloso)* al tenis.
Yadira siempre jugaba *maravillosamente* al tenis.

1. Santiago hablaba *(cariñoso)* con su amiga, Cecilia, porque la quería mucho.
2. Sebastián siempre hablaba *(amable)* con todos porque era muy simpático.
3. Estefanía jugaba al voleibol y *(necesario)* tenía que jugar todos los días.
4. Adriana siempre caminaba *(rápido)* porque siempre tenía mucha prisa.
5. Juanita era muy especial y *(probable)* ella era la mejor estudiante.
6. Arturo estudiaba mucho y hablaba *(inteligente)*.

16 Maravillosamente

Completa las siguientes oraciones, escogiendo entre los adjetivos de la lista y cambiándolos a adverbios.

perfecto   rápido   inteligente   lento   amable   loco

1. Cristina decidió que quería comprar muy __.
2. Antonio nos aconsejó __.
3. A Ramiro le queda el traje nuevo __.
4. Cuando mis perros no saben dónde estoy ladran __.
5. Cuando no tengo prisa camino __.
6. Paula es mi amiga y casi siempre me habla __.

17 Una amiga del barrio

Mauricio siempre salía de compras con una amiga de su barrio. Ahora ellos no salen juntos y él recuerda lo que ella hacía. Completa lógicamente el siguiente párrafo, escogiendo las palabras de la lista y añadiendo la terminación *-mente.*

feliz   rápido   especial   fácil   solo   inteligente

Mi amiga, Mónica, siempre caminaba (1) a las ofertas especiales en la tienda porque siempre sabía dónde encontrarlas. Me gustaba ir con ella porque ella sabía comprar muy (2). Ella iba de un departamento a otro, (3), como en una fiesta. A ella no le gustaba comprar (4) para ella. También compraba para otros, (5) para personas como yo. Como conocía tan bien a la gente escogía (6) los mejores regalos para cada persona. A todos les gustaba recibir regalos de Mónica.

✤ Comunicación

18 El juego de las preguntas y respuestas

En grupos de cuatro o cinco estudiantes, cada grupo prepara cinco preguntas que tienen un adverbio en la respuesta. Luego, los estudiantes de un grupo leen sus preguntas y seleccionan a otro/a estudiante de la clase para ver quién puede contestar rápidamente (sólo tienen diez segundos para contestar cada pregunta). Cuando el primer grupo termina, el siguiente grupo lee sus preguntas hasta que todos los grupos tengan la oportunidad de leer todas sus preguntas. Cada vez que un/a estudiante contesta correctamente a una pregunta, gana un punto para su grupo. El grupo con más puntos gana.

MODELO A: ¿Cómo camina el conejo?
        B: Camina rápidamente.
        C: ¿Cómo pasas tu cumpleaños?
        D: Lo paso felizmente.

¿Cómo camina el conejo?

19 ¡A crear!

Trabajando en parejas, alterna con tu compañero/a de clase en hacer oraciones lógicas con los verbos y los adjetivos que siguen. Cambia los adjetivos a adverbios terminados en *-mente.* Pueden inventar descripciones chistosas, si quieren.

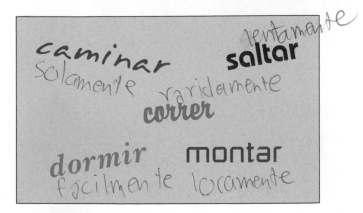

Vocabulario II
En el restaurante

la salsa de tomate

el camarero

la mayonesa

la mostaza

el pimentero

el salero

El camarero sirve el plato principal.

la azucarera

Estoy muy llena.

la propina

Este restaurante es agradable y la comida está muy rica.

Sí, deliciosa. Tiene un buen sabor.

¿Qué le pones a tu carne?

Pero, ¿qué es?

Me estás tomando el pelo.

Es un aderezo especial que le suelo agregar a la carne. ¿Quieres? Te va a agradar.

Es un secreto de este restaurante. Es una salsa diferente. Es de cabeza de mono.

el cocinero

la salsa

la cuenta

Hace diez minutos que los chicos están comiendo. Hacía mucho tiempo que la chica no comía carne.

20 ¿Qué es?

Indica la letra de la foto que corresponde con lo que oyes.

A B C D E F

21 En el restaurante

Completa las siguientes oraciones lógicamente, usando las palabras apropiadas.

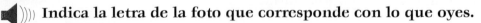

secreto   sabor   rica   agradar   aderezo

1. La comida está muy __.
2. Esta carne tiene un buen __.
3. Esta salsa es un __ especial que le suelo añadir a la ensalada.
4. La receta del pollo es un __ de este restaurante.
5. Prueba esta sopa. Te va a __.

Diálogo II
Una comida muy rica

DIANA: La comida estaba muy rica.

MARTA: Sí, hacía mucho tiempo que no comía una ternera tan buena.

EDGAR: Las costillas que pedí tenían un sabor excelente.

JORGE: ¿Quieren pedir algo de postre?

DIANA: No, gracias. Yo estoy muy llena.

JORGE: Edgar, pídele la cuenta a la camarera.

EDGAR: Uy, Jorge, ¡son quinientos dólares!

JORGE: ¿Cómo? Entonces, tenemos que quedarnos a lavar platos.

DIANA: Marta, no les creas. Nos están tomando el pelo.

22 ¿Qué recuerdas?

1. ¿Cómo estaba la comida, según Diana?
2. ¿Qué hacía mucho tiempo que no comía Marta?
3. ¿Qué pidió Edgar?
4. ¿Por qué no quiere pedir Diana algo de postre?
5. ¿De cuánto es la cuenta, según Edgar?

23 Algo personal

1. ¿Cómo estaba la comida la última vez que fuiste a un restaurante?
2. ¿Pides postre cuando vas a un restaurante? ¿Por qué sí o por qué no?
3. ¿Quién paga la cuenta cuando vas a comer a un restaurante con un(a) amigo/a? Explica.
4. ¿Les tomas el pelo a tus amigos/as? ¿Cuándo? ¿Por qué?

¿Cómo estaba la comida?

24 ¿Lógico o ilógico?

Di si lo que oyes es lógico o ilógico. Si lo que oyes es ilógico, di lo que es lógico.

Los restaurantes puertorriqueños sirven comida criolla.

La comida criolla

Puerto Rico tiene restaurantes muy buenos que sirven una variedad de platos internacionales. Muchos restaurantes también sirven la auténtica comida puertorriqueña que se llama "comida criolla". La comida criolla es una mezcla[1] interesante y deliciosa de influencia española, africana, arawaka y taíno, y usa ingredientes como el cilantro, la papaya, el cacao, plátanos y yampi. Uno de los platos más tradicionales es el asopao[2] preparado con pescado o con pollo. Especias como el pimentón[3], el orégano y el ajo le dan un sabor muy rico. Otra sopa criolla es el sancocho, hecho con verduras, carnes y plátano. El arroz con gandules[4] y el pernil asado[5] son también muy populares. Para acompañar la comida, muchos restaurantes sirven tostones, rodajas de plátano verde que se aplastan[6] y se fríen, o mofongo, bolas[7] de plátano verde aplastados con bastante ajo. Los postres típicos incluyen tembleque (un flan hecho con leche de coco) y arroz con dulce (arroz con leche de coco, azúcar y especias). La comida criolla está llena de sabor.

El mofongo.

[1]blend [2]gumbo [3]paprika [4]pigeon peas [5]roasted pork shoulder [6]mash [7]balls

25 La comida criolla

Di si lo siguiente es cierto o falso, según la Cultura viva.

1. La comida criolla es una mezcla de influencia española, africana, arawaka y taíno.
2. Un ingrediente común en la comida criolla es el chile.
3. El asopao es una sopa tradicional de Puerto Rico.
4. Los tostones y el mofongo están hechos con coco.
5. Tembleque y arroz con dulce son postres típicos.

26 Comparando

Compara la comida criolla de Puerto Rico con la comida típica de donde vives. ¿Qué ingredientes tienen en común? ¿Cuáles son algunas diferencias?

Idioma

Repaso rápido: *Hace* (+ time) *que*

Use the following four elements to describe an action that began in the past and has continued into the present time:

> **hace** *(+ time expression)* **que** *(+ present tense of a verb)*
>   1   2   3   4

Hace una hora que ando   I have been walking
  1   2   3   4   in the shopping center for one hour.
por el centro comercial.   (An hour ago I started walking in the shopping
                           center and I am still doing the same thing.)

For questions, reverse the order of *hace* and the time expression if a form of *¿cuánto?* introduces the question.

¿Cuánto tiempo hace que andas   How long have you been walking
        2   1   3   4   in the shopping center?
por el centro comercial?

27 Preguntas y respuestas

Trabajando con un(a) compañero/a de clase, alterna en hacer preguntas y contestarlas.

MODELO no ir a un restaurante elegante
> **A:** ¿Cuánto tiempo hace que no vas a un restaurante elegante?
> **B:** Hace seis meses que no voy a un restaurante elegante.

1. no comer una carne muy rica
2. no saber un secreto
3. no tomar el pelo a un(a) amigo/a
4. no ponerle pimienta a la comida
5. no comprar mayonesa
6. no pagar la cuenta en un restaurante

¿Cuánto tiempo hace que no vas a un restaurante elegante?

Estructura

Hacía (+ time) *que*

Express an action that continued for a period of time in the past by using the following pattern:

hacía +	(time expression) +	que +	(imperfect tense of a verb)
1	2	3	4

Hacía una hora que andaba   I had been walking
   1   2   3   4   in the shopping center for an hour.
por el centro comercial.

When a form of *¿cuánto?* introduces a question, reverse the order of *hacía* and the time expression.

¿Cuánto tiempo hacía que andabas   How long had you been walking
    2   1   3   4   in the shopping center?
por el centro comercial?

 **Práctica**

28 Comiendo en un restaurante

Imagina que fuiste a comer a un restaurante con otra persona. Explica qué pasó, cambiando estas oraciones al pasado.

> **MODELO** Hace ocho meses que vamos al mismo restaurante.
> *Hacía* ocho meses que *íbamos* al mismo restaurante.

1. Hace tres semanas que no comemos pescado con mayonesa.
2. Hace mucho tiempo que quiero probar el nuevo aderezo.
3. Hace poco que no como huevos con sal y pimienta.
4. Hace media hora que estamos en el restaurante.
5. Hace más de media hora que mi amigo está en el teléfono.
6. Hace media hora que esperamos al camarero con la cuenta.

Hace ocho meses que vamos al mismo restaurante.

Capítulo 5   *doscientos treinta y nueve* **239**

29 ¿Cuánto tiempo hacía?

Di cuánto tiempo hacía que estabas haciendo estas actividades cuando algo ocurrió.

MODELO 12:00 P.M. Empecé a leer un libro interesante.
          12:05 P.M. Me llamaste. (Estaba leyendo.)
                      Hacía cinco minutos que leía un libro cuando me llamaste.

Empecé a leer un libro interesante.

1. 12:05 P.M.   Empezamos a hablar por teléfono.
   12:15 P.M.   Tuviste que colgar el teléfono. (Estábamos hablando.)
2. 12:30 P.M.   Decidí ir al supermercado para comprar algunas frutas y verduras.
   12:35 P.M.   Salí de la casa. (Estaba lloviendo.)
3. 12:55 P.M.   Llegué al supermercado.
   1:30 P.M.   Encontré la última verdura de mi lista. (Estaba haciendo compras.)
4. 2:00 P.M.   Llegué a la casa.
   2:30 P.M.   Empecé a cocinar. (Estaba preparando todo para cocinar.)
5. 3:15 P.M.   Le serví la comida a mi familia.
   3:20 P.M.   Les pregunté si les gustó el sabor de mi receta secreta. (No estaban diciendo nada.)
6. 3:20 P.M.   Empezaron a reírse.
   3:25 P.M.   Me dijeron que era deliciosa. (Estaban tomándome el pelo.)
7. 6:00 P.M.   Empezaron a lavar los platos y limpiar la cocina.
   7:00 P.M.   Terminaron los quehaceres de la cocina. (¡Yo estaba viendo televisión!)

✦ Comunicación

30 Unas preguntas para ti

Contesta estas preguntas, usando una expresión con *hace* o una expresión con *hacía*.

1. ¿Cuánto tiempo hace que no vas a comer con tu mejor amigo/a del colegio?
2. ¿Cuánto tiempo hace que no vas al mismo restaurante?
3. ¿Cuánto tiempo hacía que ibas al colegio cuando conociste a tu mejor amigo/a?
4. ¿Cuánto tiempo hace que tu profesor/a enseña español?
5. ¿Cuánto tiempo hacía que estudiabas español cuando empezaste este año?
6. ¿Cuánto tiempo hacía que ibas a otro colegio cuando empezaste a estudiar en este colegio?
7. ¿Cuánto tiempo hace que estudias español?
8. ¿Cuánto tiempo hacía que tu profesor/a enseñaba español cuando empezó a trabajar en este colegio?

¿Cuánto tiempo hace que Sandra estudia español?

31 En el restaurante

Trabajando en grupos de tres, un(a) estudiante hace el papel de camarero/a, y los otros de clientes que están comiendo en un restaurante. Hablen sobre cómo está la comida y el tiempo que hacía que no comían un plato. Al final el camarero/a debe preguntar si quieren postre y preguntar cómo estaba la comida. Luego, uno de los clientes debe pedir la cuenta.

MODELO
A: Las costillas estaban muy ricas.
B: Sí, hacía mucho tiempo que no comía unas costillas con un sabor tan bueno.
C: ¿Quieren pedir algo de postre?
A: No, gracias.
B: Camarero, ¿nos puede traer la cuenta?
C: Sí, con mucho gusto.

¿Quieren pedir algo de postre?

Lectura personal

Cantantes y grupos musicales

Dirección **http://www.emcp.com/músico/ola/e.diario-4.htm** ▲ Archivo Edición Ver Favoritos Herramientas Ayuda

página principal   miembros   e-diario

Grupo musical La OLA

Nombre: Carlos Cubillas Lorca
Edad: 19 años
Nacionalidad: chileno
Comida favorita: sopa de mariscos

El carnaval en Puerto Rico.

Ésta es la segunda vez que estamos en San Juan, Puerto Rico. Me agrada mucho esta isla de playas blancas y montañas verdes. Ayer, después del concierto, fuimos a un restaurante donde el mesero nos dio el consejo de pedir mofongo. Era como un puré de plátanos con un relleno[1] de mariscos. ¡Delicioso! Después de engordar unos kilos, nos fuimos de compras a la Plaza de la Dársena en el Viejo San Juan. Yadira y Chantal compraron joyas. Ceci decidió comprar una prenda con mundillo del pueblo[2] de Moca. Mundillo es un encaje[3] muy delicado que solamente existe en Puerto Rico y en España. Xavier se probó una guayabera, camisa que se originó hace dos siglos en Cuba, pero que es muy popular en Puerto Rico. ¡Le queda bien con su sombrero de Montecristo! A Manuel le fascinaron las caretas, máscaras[4] que usan los vejigantes en los carnavales. Los vejigantes son caracteres imaginarios, que además de ser muy coloridos, asustan[5] un poco. La careta que Manuel compró es de Loíza y está hecha de cáscara de coco[6]. Es el perfecto ejemplo de la fusión de las culturas africana, española e indígena que tanto se ve en esta isla. Yo me compré un güiro hecho de una calabaza[7] dura[8]. Quiero tocarlo en nuestro próximo concierto. ¿Qué les parece?

[1]filling [2]village, town [3]lace [4]masks [5]frighten [6]coconut shell [7]pumpkin [8]hard

32 ¿Qué recuerdas?

Conecta lógicamente las frases de la derecha con las palabras de la izquierda.

1. güiro
2. mofongo
3. careta
4. guayabera
5. Moca
6. vejigante

A. personaje imaginario
B. plato típico de Puerto Rico
C. pueblo en donde hacen mundillo
D. máscara que se usa en los carnavales
E. instrumento musical
F. camisa

- Compare and contrast the arts and crafts from Puerto Rico and your home region. Do both places use local produce? Does the art in both places reflect its cultural, racial and ethnic heritages?

33 Algo más

1. ¿Te gustan los ingredientes del mofongo? ¿Qué sabor crees que tiene?
2. ¿Qué te gustaría comprar en la plaza de la Dársena? ¿Por qué?
3. ¿Qué tipo de productos artesanales *(arts and crafts)* compran los turistas en tu estado?

¿Qué aprendí?

Autoevaluación
Como repaso y autoevaluación, responde lo siguiente:

1. Describe a favorite article of clothing (color, design, fabric, etc.).
2. Say something you were doing last weekend when there were no classes.
3. How might you ask someone for their advice?
4. Describe how you were when you were six or seven, using what you have learned in this lesson about adverbs.
5. Say that you ate three hours ago.
6. How long have you been studying Spanish?
7. What can you say in Spanish to describe how you feel about the food you are eating?
8. What do you know about the Caribbean?

Palabras y expresiones

En la tienda
a cuadros
a rayas
el cajero, la cajera
desteñido,-a
la joyería
la prenda
el rubí
el surtido
la tela
el tipo
la variedad
el vestidor

En el restaurante
el aderezo
agradable
la azucarera
el cocinero, la cocinera

la cuenta
delicioso,-a
lleno,-a
la mayonesa
el camarero,
   la camarera
la mostaza
el pimentero
la propina
rico,-a
el sabor
el salero
la salsa
la salsa de tomate

Verbos
aconsejar
agradar
agregar
anochecer
apurar(se)
decidir
probar(se) (ue)
servir (i, i)
soler (ue)

Expresiones y otras palabras
además
el consejo
el cuadro
cualquier, cualquiera
diferente
elegante
posible
principal
¿Qué (te, le, les) parece?
la raya
la razón
el secreto
tener razón
tomar el pelo

Una joyería en Puerto Rico.

Un pimentero.

¡Viento en popa!

Tú lees

Preparación

Contesta las siguientes preguntas como preparación para la lectura.

1. What do you think this reading is about, based upon the title, the pictures and the graphics?
2. As you skim the subtitles and the first lines of the paragraphs, what information do you think the reading might contain?

Un baile caribeño.

El Caribe

CRUCEROS DE LA ALEGRÍA POR EL CARIBE DESDE **US$ 865**(*)

INCLUYE

- Tiquete aéreo Bogotá/San Juan/Bogotá.
- Traslados aeropuerto/hotel/puerto/aeropuerto.
- Propinas en aeropuerto y puerto.
- Una (1) noche de alojamiento en San Juan, Hotel Caribe Hilton.
- Propinas a porteros y camareras en el hotel.
- Desayuno americano en el hotel.
- Medio día de visita a la ciudad.
- Tour de compras en San Juan a la Plaza de las Américas.
- Crucero de siete (7) días abordo del *msCarlaCosta*.
- Pensión completa durante el crucero.
- Shows nocturnos todas las noches abordo del barco.
- Fiesta de disfraces abordo del barco.
- Acceso a todas las áreas sociales y de recreación del barco: piscina, sauna, jacuzzi, gimnasio, teatro, discotecas, etc.

EL MEJOR PROGRAMA POR EL CARIBE.

RECORRIDO

- San Juan.
- Curacao.
- Caracas.
- Grenada
- Martinic
- St. Tho
- San Ju

Consulte su agencia de viajes o llame
2175577 - 2177304 - 2177324
Bogotá.

LA PLAYA MAS BELLA DE R. DOMINICANA
DEPORTES ACUÁTICOS • EXQUISITA COMIDA • Y DIVERSIÓN SIN LÍMITES

TODO INCLUIDO
- Tiquete aéreo Bogotá/Pta. Cana/Bogotá • Alojamiento 8 días HOTEL PLAYA BAVARO. Pta. Cana Rep. Dominicana • Habitación con terraza. TV a color y antena parabólica • Desayuno y cena buffet diarios • Impuestos y servicios hoteleros • Shows y espectáculos nocturnos - discoteca • 2 horas de widsorf y 2 horas de vela a la semana - Snorkeling 4 horas • Voleibol, tenis, aeróbicos, Ping pong y tiro con arco • Traslados aerópuerto/hotel aeropuerto.

INVERCREDITO
INFORMES Y RESERVAS

Alvaro Velez & Cia.
Cra. 11 No. 75-71 Of. 202
Tels.: Bogotá: 2116877 - 2175804 - 2175724
Cali: 843434 Medellin: 2514244 - 2513397

VUELO DIRECTO BOGOTA/PLAYA BAVARO/BOGOTA

A ¿Qué recuerdas?

1. ¿Por cuántos días es el plan que va a Cuba?
2. ¿Qué viaje es más caro, el plan a Cuba o el crucero por el Caribe?
3. ¿Cómo se llama el crucero que va a San Juan, Curaçao, Caracas, Grenada, Martinica y St. Thomas?
4. ¿Qué deportes se practican en el hotel Playa Bávaro en la República Dominicana?
5. ¿Cuándo salen los viajes para Cuba?
6. ¿En dónde se ofrecen sol, aguas azules, frutas, mariscos y gente alegre?

La Habana Vieja, Cuba.

B Algo personal

1. ¿Qué plan te gustó más? ¿Por qué?
2. ¿Qué cosas te gustaría hacer en un viaje al Caribe?
3. ¿Qué piensas que es lo más importante en un plan de viajes?
4. ¿Cuál es tu medio de transporte favorito? ¿Por qué?
5. ¿Te gustaría hacer un crucero por el Caribe? ¿Por qué?

Una playa caribeña.

Tú escribes

Concept maps

It is a good idea to brainstorm in order to generate ideas before beginning to write about a topic. As you list your ideas, creating a concept map on paper can help you organize your thoughts before you begin to write so that they follow a logical order. The activity that follows will help you to learn how to develop a concept map.

The following activity consists of creating a concept map that will help you to write about a memorable dinner. First, think of a dinner that stands out in your mind—such as a birthday, a holiday or a special date—and write a three- or four-word title that describes the dinner in the center of a piece of paper. Next, draw lines extending out from it in different directions, and add secondary circles containing related topics such as who was there, when it took place, where it took place, and what happened. Branching out from these circles, add more circles containing details about the guests, the menu, the clothing, the preparations and so on.

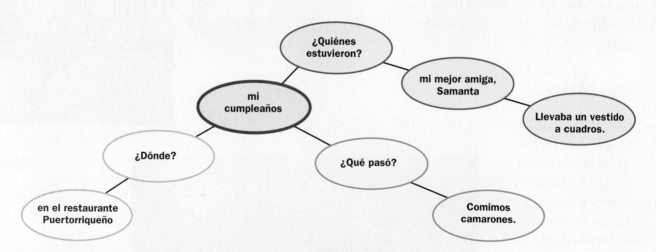

Organize your ideas logically into a complete paragraph in Spanish that describes your memorable dinner. Be sure to give your paragraph a title and use transition words to make your ideas flow smoothly, such as *sin embargo*, *luego*, etc.

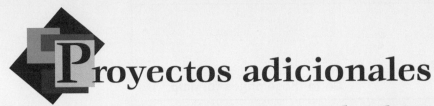royectos adicionales

A Conexión con otras disciplinas: habilidades para la vida diaria

Search the Internet or go to the library for Caribbean recipes of any of the dishes you learned in this chapter. Print out several that you would like to try. You may wish to prepare one or more of the recipes to share with others in the class. Bring a copy of the recipe to share with the class, as well.

B Conexión con la tecnología

Plan a weeklong trip to a Spanish-speaking country in the Caribbean. You may want to search the Internet for travel sites offering discount airfares to Caribbean destinations and compare prices from several sites. Include any details you learn during the search. For example, can you find any package deals that include a stay in a hotel, a guided tour or other special perks? How much more would a particular airline charge for traveling first class? Are there cheaper charter flights to particular destinations? Print out the results of the Internet travel sites offering the best deals and compare them with other students' findings.

C Comunicación

Interview a classmate and find out about his or her last visit to a clothing or shoe store. Where did the person go? What clothing or shoes did your partner look at? Did the person buy anything? What? Is he/she happy with the purchase? Write a summary of your partner's trip to the clothing store. Be specific and give examples of clothing purchases, material and any other pertinent information.

¿Adónde fuiste de compras?

Repaso

Now that I have completed this chapter, I can...

	Go to these pages for help:
name some foods.	202, 212
talk about the past.	202
talk about what someone remembers.	202
express an opinion.	212
describe clothing.	224
ask for advice.	224
state what was happening at a specific time.	234
describe how something was done.	234
express length of time.	234

I can also...

read in Spanish about life in the Caribbean.	205
combine reading strategies.	244

Trabalenguas

Me trajo Tajo tres trajes,
tres trajes me trajo Tajo.

Vocabulario

a cuadros plaid, checkered *5B*
a rayas striped *5B*
aconsejar to advise,
    to suggest *5B*
acordar(se) (ue) (de)
    to remember *5A*
además besides, furthermore *5B*
el **aderezo** seasoning, flavoring,
    dressing *5B*
agradable nice, pleasing,
    agreeable *5B*
agradar to please *5B*
agregar to add *5B*
la **almeja** clam *5A*
andar to walk, to go *5A*
anoche last night *5A*
anochecer to get dark, to turn
    to dusk *5B*
apurar(se) to hurry up *5B*
el **atún** tuna *5A*
la **azucarera** sugar bowl *5B*
la **bolsa** bag *5A*
caber to fit (into) *5A*
el **cajero**, la **cajera** cashier *5B*
el **camarero**, la **camarera** food
    server *5B*
el **camarón** shrimp *5A*
el **cangrejo** crab *5A*
la **carne de res** beef *5A*
el **cereal** cereal *5A*
el **chiste** joke *5A*
la **ciruela** plum *5A*
el **cocinero**, la **cocinera** cook *5B*
el **consejo** advise *5B*
la **costilla** rib *5A*
la **crema** cream *5A*

el **cuadro** painting, square *5B*
cualquier, cualquiera any *5B*
la **cuenta** bill, check *5B*
decidir to decide *5B*
delicioso,-a delicious *5B*
demasiado,-a too (much) *5A*
desteñido,-a faded *5B*
diferente different *5B*
el **durazno** peach *5A*
elegante elegant *5B*
el **filete** fillet, boneless cut of
    meat or fish *5A*
el **flan** custard *5A*
freír (i, i) to fry *5A*
hubo there was, there were *5A*
la **joyería** jewelry store *5B*
el **limón** lemon *5A*
lleno,-a full *5A*
la **mantequilla de maní** peanut
    butter *5A*
el **marisco** seafood *5A*
la **mayonesa** mayonnaise *5B*
el **melón** melon *5A*
la **mostaza** mustard *5B*
necesario,-a necessary *5A*
la **papaya** papaya *5A*
la **parte** place, part *5A*
la **pera** pear *5A*
el **pimentero** pepper shaker *5B*
la **piña** pineapple *5A*
posible possible *5B*
la **prenda** garment *5B*
principal principal, main *5B*
probable probable *5A*
probar(se) (ue) to try, to test,
    to prove *5B*

la **propina** tip *5B*
el **pulpo** octopus, squid *5A*
¿Qué (te, le, les) parece?
    What do/does
    (you/he/she/they) think? *5B*
la **raya** stripe *5B*
la **razón** reason *5B*
reír(se) (i, i) to laugh *5A*
rico,-a rich, delicious *5B*
el **rubí** ruby *5B*
el **sabor** flavor *5B*
la **salchicha** sausage *5A*
el **salero** saltshaker *5B*
la **salsa** sauce *5B*
la **salsa de tomate** ketchup *5B*
la **sandía** watermelon *5A*
el **sándwich** sandwich *5A*
el **secreto** secret *5B*
servir (i, i) to serve *5B*
soler (ue) to be accustomed
    to, to be used to *5B*
el **surtido** assortment, supply,
    selection *5B*
el **té** tea *5A*
la **tela** fabric, cloth *5B*
tener razón to be right *5B*
la **ternera** veal *5A*
el **tipo** type, kind *5B*
el **tocino** bacon *5A*
todo everything *5A*
tomar el pelo to pull
    someone's leg *5B*
la **toronja** grapefruit *5A*
traducir to translate *5A*
la **variedad** variety *5B*
el **vestidor** fitting room *5B*

Anoche cenamos salchichas.

¿Qué buscaban en la tienda?

Capítulo 6

Hogar, dulce hogar

Objetivos

- ❖ describe a household
- ❖ talk about family
- ❖ tell someone what to do
- ❖ state wishes and preferences
- ❖ talk about everyday activities
- ❖ invite someone to do something
- ❖ make a request
- ❖ express doubt, emotion and uncertainty
- ❖ state hopes and opinions

Visit the web-based activities at www.emcp.com

Vocabulario I
En el hogar

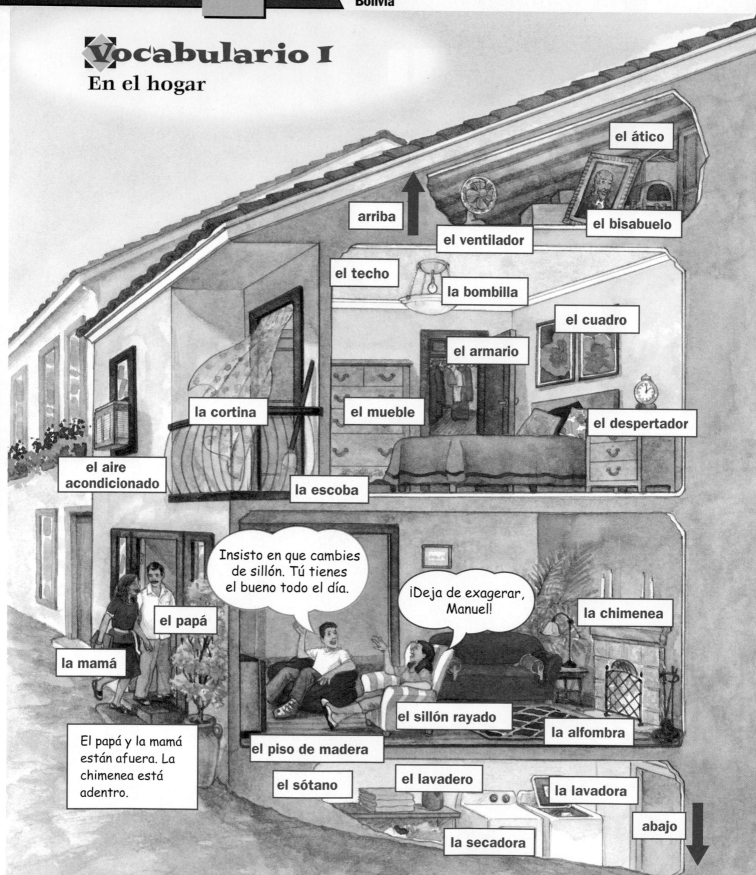

1 ¿*Mueble* o *comida*?

 Di si lo que oyes es: *un mueble* o *una comida*.

Es un mueble.   *Es una comida.*

2 Juego

En un minuto, haz una lista de tantas cosas que hay en una casa como puedas.

3 Mi hogar

Haz una ilustración del interior de dos o tres cuartos de tu casa. Identifica en español dos o tres cosas que hay en cada cuarto. Luego, trabaja con otro/a estudiante y hablen Uds. de sus casas.

MODELO   **A:** ¿Qué cuarto es?
           B: Es mi cuarto.
           A: ¿Qué es esto?
           B: Es un despertador.

Estrategia

Word families
Look at a word and try to determine whether or not it looks like another word you already know in Spanish. For example, do you see the similarity between the new word *despertador* (alarm clock) and *despertar* (to wake up), which you have already learned? Recognizing this similarity often will help you learn new vocabulary or remember words you have already learned.

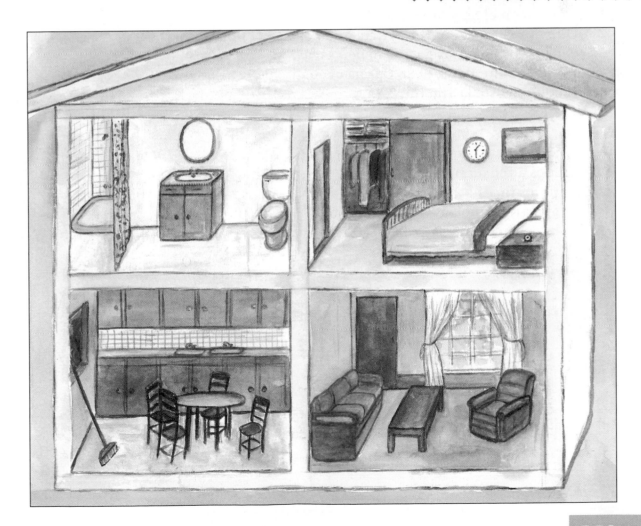

Diálogo I
El ático de los García

SRA. GARCÍA: Tenemos que comprar un ventilador para este ático.
SR. GARCÍA: Sí, y bombillas nuevas también.
SRA. GARCÍA: No podemos limpiar con tantos muebles aquí.

SRA. GARCÍA: Debemos sacar la alfombra, el sillón y el armario.
SR. GARCÍA: ¡Cuántos muebles para llevar afuera!
SRA. GARCÍA: ¡Ay, no exageres! No son tantos.

SRA. GARCÍA: Llevemos el armario y el sillón a la sala.
SR. GARCÍA: Sí, y también el cuadro de la bisabuela y esas cortinas.
SRA. GARCÍA: No. Insisto en que pongas esas cortinas feas en la basura.

4 ¿Qué recuerdas?

1. ¿Qué hacen el Sr. y la Sra. García?
2. ¿Qué necesitan comprar para el ático el Sr. y la Sra. García?
3. ¿Qué dice la Sra. García que deben sacar?
4. ¿Dónde quiere llevar el Sr. García el cuadro de la bisabuela?
5. ¿En qué insiste la Sra. García?

5 Algo personal

1. ¿Tienes ático en tu casa?
2. ¿Limpias tu ático o tu sótano cada año?
3. ¿Te gustaría conocer a tus bisabuelos? ¿Por qué?
4. ¿Cómo es tu casa? Descríbela.

6 ¿Qué es?

 Identifica lo que oyes, según las descripciones.

Describe tu casa.

A. la cortina   C. la chimenea   E. el despertador

B. el armario   D. el ventilador   F. la lavadora

La Paz es la capital más alta del mundo.

Bolivia, país de quechuas y aymaras

Bolivia tiene más de ocho millones de habitantes cuya gran mayoría es de origen quechua y aymara. Por eso tiene tres lenguas oficiales—el español, el quechua y el aymara. El país fue nombrado en honor de Simón Bolívar, quien escribió la primera constitución y quien fue el primer presidente del país. Bolivia está en América del Sur, en el área conocida como el Altiplano, o tierras altas[1], las cuales están al pie de los Andes. En el Altiplano, entre los países de Bolivia y Perú, está el lago Titicaca, que es el lago navegable más alto del mundo. Este lago es importante para la economía de Bolivia, especialmente para el transporte de productos, ya que el país no tiene salida al mar. Conectado al lago Titicaca por un río está el lago Poopó, el cual es un lago de agua salada[2].

Aymaras en el Lago Titicaca.

Bolivia tiene la rara distinción de tener dos capitales: La Paz y Sucre. La Paz, la capital más alta del mundo (aproximadamente 3.500 metros sobre el nivel del mar), es la capital administrativa; Sucre es la capital constitucional. Otra ciudad importante de Bolivia es Potosí, donde se encuentran algunas de las minas de plata más ricas del mundo.

[1]highlands [2]salt water

Ellos son quechuas.

7 Conexión con otras disciplinas: historia

Contesta las siguientes preguntas, según la Cultura viva.

1. ¿Cuál es el origen de la mayoría de los habitantes de Bolivia?
2. ¿Qué idiomas se hablan en Bolivia?
3. ¿Quién fue Simón Bolívar?
4. ¿Cuáles son las dos capitales de Bolivia?
5. ¿Qué ciudad es importante en Bolivia por las minas de plata?
6. ¿Cuál es el lago navegable más alto del mundo?

Idioma

Repaso rápido: stem-changing verbs

You have already learned to use several verbs that require a stem change in the present indicative, indicated by the first set of letters in parentheses after infinitives in this textbook: *pensar (ie), poder (ue), pedir (i, i), doler (ue).* Can you name any other verbs that require this kind of change?

¿Qué piensa Ud.?	What do you think?
¿Puedes limpiar el sótano?	Can you clean the basement?
Siempre pides ayuda con los quehaceres.	You always ask for help with chores.
Me duele la espalda.	My back hurts.

8 Un día en mi casa

Completa el siguiente párrafo con la forma correcta del presente de los verbos indicados. Sigue el modelo.

MODELO ¿*(Querer)* poner el ventilador o el aire acondicionado?
¿*Quieres* poner el ventilador o el aire acondicionado?

Mis abuelos *(1. pensar)* que va a hacer calor esta noche. Papá *(2. querer)* encontrar un ventilador para poner en la sala. Dice que *(3. costar)* menos que el aire acondicionado. Él *(4. seguir)* buscando el ventilador en el sótano, en el ático y en el garaje. Después de pasar toda la mañana buscando un ventilador, *(5. encontrar)* uno en una tienda no lejos de la casa. Mamá y nosotros *(6. preferir)* poner el aire acondicionado. Mis hermanos *(7. cerrar)* las cortinas y ponen el aire. Papá *(8. volver)* a casa. Tiene calor y está cansado. Decide no usar su ventilador nuevo y dejar puesto el aire acondicionado. Nosotros nos *(9. reírse)* porque ¡conseguir el ventilador tomó mucho más tiempo que poner el aire acondicionado!

¿Quieres poner el ventilador?

Estructura

The subjunctive

You have learned to use various tenses in the indicative mood (e.g., present tense, preterite tense, imperfect tense) to express certainty and to state facts. The subjunctive mood *(el subjuntivo)* allows you to convey subjectivity (your opinion) or express uncertainty. In particular, the subjunctive mood can be useful when suggesting, requesting or ordering that someone do something, or for expressing emotion, hope or doubt.

Form the present-tense subjunctive by dropping the final -o from the *yo* form of the present-tense verb and adding *-e, -es, -e, -emos, -éis* or *-en* for- *ar* verbs; add *-a, -as, -a, -amos, -áis* or *-an* for -er and -ir verbs.

el presente del subjuntivo					
-ar		**-er**		**-ir**	
habl**e**	habl**emos**	com**a**	com**amos**	viv**a**	viv**amos**
habl**es**	habl**éis**	com**as**	com**áis**	viv**as**	viv**áis**
habl**e**	habl**en**	com**a**	com**an**	viv**a**	viv**an**

You already have learned how to use commands to tell people what you would or would not like them to do. It is also possible to suggest what you would or would not like others to do by using the word *que* followed by the third-person *(Ud./él/ella/Uds./ ellos/ellas)* subjunctive form of a verb. This indirect or implied command is roughly equivalent to "let (someone do something)" in English.

command		**indirect command**
***Saque Ud.** la basura.*	→	*Que la **saque** otra persona.*
(**Take out** the garbage.)		(**Let** someone else **take** it **out.**)

Indirect commands often consist of the verbs *decir* (to tell, to say) or *querer* (to want, to love, to like) followed by *que* and a verb in the subjunctive mood. These "causal verbs" indicate that one person is indirectly trying to influence another. When a causal verb is followed by another that has a different subject, the verb that follows *que* must be in the subjunctive.

> **(verb) + *que* + (subjunctive)**

| *Mi abuelo me **dice que** (yo) **llame** a las diez.* | My grandfather **says to call** at ten. |
| *Mi madre **quiere que** (yo) **barra** la cocina.* | My mother **wants me to sweep** the kitchen. |

Note: If there is no change of subject, use the infinitive in place of the word *que* and a subjunctive verb: *Yo quiero hacer la cama.*

Some other verbs that indicate that one person is indirectly trying to influence another include *aconsejar, decidir, insistir (en), necesitar, pedir, permitir* and *preferir*. These and other causal verbs follow the pattern of *querer* and *decir* and are followed by the subjunctive when there is a change of subject in the part of the sentence (clause) introduced by *que*.

¡Extra!

El subjuntivo: un poco más

The subjunctive requires the same spelling changes as the *Ud.* commands you already have learned: *-car (**c** → **qu**), -cer (**c** → **zc**), -cir (**c** → **zc**), -gar (**g** → **gu**), -ger (**g** → **j**), -guir (**gu** → **g**)* and *-zar (**z** → **c**).*

| *Paula **insiste en que Ramón pinte** la cerca.* | Paula **insists that Ramón paint** the fence. |
| *Ramón **prefiere que Felipe** lo **haga.*** | Ramón **prefers that Felipe do** it. |

Práctica

9 ¡Todo para sus necesidades!

Encuentra seis verbos en subjuntivo en los siguientes anuncios del periódico.

Nuestras clases de verano
ayudan
a sus hijos
para que lean
con comprensión

¿Alfombras? ¡Le aconsejamos que compre la mejor! **ALADÍN**

Es fácil que los cuartos de su hogar queden lindos usando juegos de cama **Coltejer**.

¿Buscando un reloj que diga la hora exacta? **¡RONA!** En la boutique la Élite lo consigue.

Es dudoso que Ud. tenga un pelo limpio si no usa Champú Adoro

Antes de que llegue la noche, compre lámparas **Mirta** para su hogar.

10 ¿Cuál no va?

Busca los verbos que están en subjuntivo.

1. hable	estamos	lavo	lavas
2. agrada	aconsejan	decidamos	tengo
3. fríen	paguen	hacen	ponen
4. pasamos	sentimos	almorzamos	pidamos
5. cree	duerma	vive	dice
6. hablas	contestas	comes	juegues
7. saltamos	molestamos	gritemos	comemos
8. conduzco	doblo	ofrezca	manejo

11 Un fin de semana con la familia

Todos se están preparando para un fin de semana con la familia. Completa las oraciones con la forma correcta de los verbos entre paréntesis para decir qué hace cada uno para ayudar.

MODELO ¿Mi hermana? Que *(siga / sigue)* preparando el aderezo para la ensalada.
¿Mi hermana? Que *siga* preparando el aderezo para la ensalada.

1. ¿Marcos y Juana? Que *(limpian / limpien)* el ático.
2. ¿Mi abuelo? Que *(conduce / conduzca)* el carro al mercado.
3. ¿Mi mamá? Que *(empiece / empieza)* a preparar la comida.
4. ¿Mi papá? Que *(pase / pasa)* la cortadora de césped.
5. ¿Mis primos? Que *(cuelguen / cuelgan)* los abrigos.
6. ¿Mis sobrinos? Que *(se sientan / se sienten)* en la cocina para comer.
7. ¿Marta y Ana? Que *(recojan / recogen)* la mesa después de la cena.
8. ¿Mi hermano? Que *(saca / saque)* la basura.

12 ¡Que no lo haga si no quiere!

Di que estas personas no hagan lo que no quieran hacer.

MODELO Mi papá no quiere recoger la mesa.
Que no la recoja, entonces.

1. Pablo no quiere cambiar la bombilla.
2. Mi mamá y mi abuela no quieren mirar el partido de fútbol.
3. Mis hermanos no quieren conseguir una escoba nueva.
4. Susana y Alejandro no quieren lavar los platos.
5. Mis primas no quieren limpiar el ático.
6. El abuelo no quiere barrer el piso de madera.
7. Mi hermanita no quiere ponerse el suéter.
8. Mis hermanitas no quieren quitarse los zapatos.

Mis hermanos no quieren conseguir una escoba nueva.

13 ¡Que hagan lo que quieran!

Todo el mundo quiere hacer algo diferente durante el fin de semana. Di que estas personas pueden hacer lo que quieran.

MODELO Mis hermanos quieren ver televisión.
Que vean televisión.

1. Mi abuela y mis hermanas quieren hacer compras.
2. Paula y mi madre quieren preparar galletas.
3. Mi padre quiere conseguir un mueble nuevo.
4. Los niños quieren levantarse temprano.
5. Raúl quiere almorzar solo.
6. Mi tía quiere tocar el piano.
7. Mi abuelo quiere acostarse tarde.
8. Mi primo y mi sobrina quieren jugar a las cartas.
9. Mi tía quiere dormir bastante.
10. Mi hermano mayor quiere ganar un premio en deportes.

¡Que vean televisión!

14 ¿Qué quieren?

Hay miembros de tu familia que quieren que tú y tu hermano hagan algo. Completa estas oraciones con la forma apropiada del subjuntivo de los verbos indicados.

MODELO Nuestros tíos quieren que *(buscar)* un despertador para ellos.
Nuestros tíos quieren que *busquemos* un despertador para ellos.

1. Nuestro abuelo quiere que *(buscar)* algo suyo que está en el ático.
2. Nuestras sobrinas quieren que *(seguir)* jugando con ellas.
3. Nuestro tío quiere que nosotros *(lavar)* su coche.
4. Nuestras tías quieren que *(divertirse)* mucho todo el tiempo.
5. Nuestro papá quiere que *(vestirse)* bien antes de salir.
6. Nuestra mamá quiere que *(limpiar)* la alfombra.
7. Nuestros abuelos quieren que *(dormir)* más de seis horas todos los días.

15 Hay mucho que hacer hoy

Hay mucho que hacer hoy en tu casa y todos están dando órdenes diferentes. Trabajando en parejas, alterna con tu compañero/a de clase en hacer preguntas y contestarlas para saber lo que dicen las siguientes personas.

MODELO los padres (nosotros / poner la ropa en la secadora)

> **A:** ¿Qué dicen los padres?
>
> **B:** Dicen que (nosotros) pongamos la ropa en la secadora.

1. papá (mis tíos / pagar la cuenta del teléfono)
2. mamá (yo / pasar la aspiradora por el piso de madera)
3. el tío Jaime (mis hermanos / buscar una bombilla para la lámpara de la sala)
4. los abuelos (mi hermana menor / poner la mesa)
5. los padres (tú / lavar las cortinas en la lavadora)
6. la tía María (nosotros / subir la ropa de verano al ático)
7. los tíos (mis hermanos / comprar una escoba en la tienda)
8. tú (nosotros / salir ahora)

Los padres dicen que pongamos la ropa en la secadora.

16 El diario de Pedro

Completa este párrafo que Pedro escribió en su página de Web, usando las formas apropiadas de los verbos indicados.

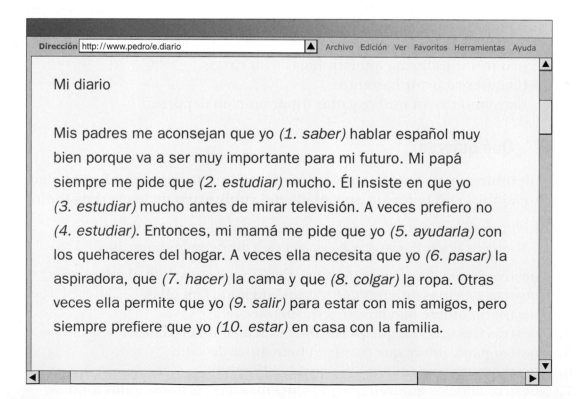

Dirección http://www.pedro/e.diario ▲ Archivo Edición Ver Favoritos Herramientas Ayuda

Mi diario

Mis padres me aconsejan que yo *(1. saber)* hablar español muy bien porque va a ser muy importante para mi futuro. Mi papá siempre me pide que *(2. estudiar)* mucho. Él insiste en que yo *(3. estudiar)* mucho antes de mirar televisión. A veces prefiero no *(4. estudiar)*. Entonces, mi mamá me pide que yo *(5. ayudarla)* con los quehaceres del hogar. A veces ella necesita que yo *(6. pasar)* la aspiradora, que *(7. hacer)* la cama y que *(8. colgar)* la ropa. Otras veces ella permite que yo *(9. salir)* para estar con mis amigos, pero siempre prefiere que yo *(10. estar)* en casa con la familia.

17 ¿Un día típico?

Contesta estas preguntas, usando las indicaciones entre paréntesis.

MODELO ¿Qué prefieres tú? (tú / lavar la ropa en la lavadora nueva)
Yo prefiero que tú laves la ropa en la lavadora nueva.

1. ¿Qué pide la tía Eva? (su sobrino / cambiar la bombilla)
2. ¿Qué quiere tu padrastro? (yo / limpiar el sótano)
3. ¿Qué prefiere Juan? (ellos / lavar y secar la ropa)
4. ¿Qué necesita tu bisabuela? (yo / pintar el mueble)
5. ¿Qué decide tu mamá? (mi hermano / ayudar al padrastro)
6. ¿Qué permites tú? (Uds. / estar en el sótano donde hay aire acondicionado)
7. ¿Qué necesitan Uds.? (alguien / arreglar el armario)
8. ¿Qué aconsejan ellos? (nosotros / estudiar mucho)
9. ¿En qué insiste tu tío? (su esposa / jugar al tenis)

Prefiero que tú laves la ropa.

✧ Comunicación

18 En tu familia

Escribe una lista de instrucciones para gente que conoces, usando cada uno de los siguientes verbos: *aconsejar, decidir, insistir (en), necesitar, pedir, permitir* y *preferir*. Luego, trabajando en parejas, alternen en hacer y contestar preguntas sobre la información en la lista.

MODELO A: ¿Qué insistes que tu hermana haga?
B: Insisto en que ella limpie su armario porque está muy sucio.

19 En casa

Escribe cuatro oraciones originales, usando el subjuntivo para describir las circunstancias que se muestran *(are shown)* en las ilustraciones. Luego, trabajando con otro/a estudiante, hablen de lo que ven en las ilustraciones.

1

2

3

4

La familia Rojas se encarga de su jardín.

el padrastro

la madrastra

la madre

el padre

Julia

el hermanastro

la hermanastra

Los miembros de la familia de Julia.

20 ¿Prefieren estar adentro o afuera?

Escucha lo que dicen varias personas y decide si prefieren estar adentro o afuera. Selecciona la letra de la ilustración apropiada.

A

Te invito a la casa.

B

21 En mi casa

Di qué son las siguientes cosas que se pueden encontrar en una casa.

1 **2** **3** **4** **5**

Diálogo II

¡Qué buena eres!

DANIEL: Mamá, papá dice que está cansado.

MAMÁ: ¿Qué quiere tu papá?

DANIEL: Quiere que le lleves un refresco.

MAMÁ: Sí, toma. Llévale este refresco.

PAPÁ: Ay, estoy cortando el césped desde las nueve y ¡hace calor!

MAMÁ: ¿Quieres que ponga el aire acondicionado?

PAPÁ: No, gracias Marta. Prefiero el aire puro, pero sí me gustaría otro refresco.

MAMÁ: Bueno, pues, abro la ventana y te preparo un jugo.

PAPÁ: ¡Qué buena eres! ¡Dame también un beso!

MAMÁ: ¡Bueno, cómo no!

22 ¿Qué recuerdas?

1. ¿Qué dice el papá?
2. ¿Qué quiere el papá?
3. ¿Desde qué hora corta el papá el césped?
4. ¿Qué prefiere el papá, el aire acondicionado o el aire puro?
5. ¿Qué abre la mamá?
6. ¿Qué más quiere el papá?

23 Algo personal

1. ¿Cortas el césped en tu casa? ¿Quién lo hace?
2. Si hace calor, ¿prefieres poner el aire acondicionado o abrir una ventana?
3. ¿Te gusta trabajar en el jardín o prefieres trabajar adentro de la casa? Explica.

24 ¿Quién es?

 Indica la letra de la ilustración que corresponde con lo que oyes.

A   **B**

Las casas coloniales

Sucre es la capital histórica de Bolivia y la "Ciudad Blanca de América". Visitar la ciudad es como volver al pasado. Los edificios, la mayoría blancos con balcones, campanarios[1], rejas de hierro y techos de tejas[2], recuerdan el rico pasado colonial de Bolivia, cuando la plata de las minas de Potosí financiaba el capitalismo de Europa en los siglos XVI y XVII.

Las casas coloniales en Sucre se parecen a las casas coloniales en otras partes de América Latina. Todas fueron el producto de constructores[3] que importaban los estilos de España y asimilaban las tradiciones locales.

Un edificio colonial en Sucre.

Se trata de arquitectura española en América, o arquitectura hispanoamericana. El carácter austero, minimalista y repetitivo son los principios básicos de la casa colonial. Afuera, la casa es modesta, con muros gruesos[4] de adobe y pocas ventanas. Adentro, la casa es abierta con patios llenos de fuentes[5] y flores.

La casa colonial está construida[6] alrededor de un patio abierto central. Alrededor del patio hay un corredor y alrededor del corredor están los cuartos. El orden espacial es similar al orden espacial de un pueblo. Hay un espacio abierto (el patio o la plaza), un espacio de transición, abierto solamente de un lado (el corredor o las calles) y un espacio cerrado por todos sus lados (los cuartos o los edificios).

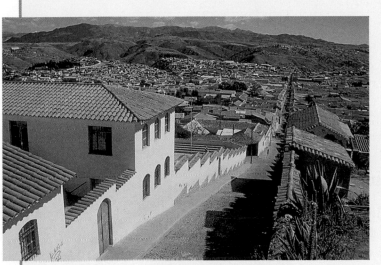

Sucre, Bolivia, la "Ciudad Blanca".

[1]bell towers   [2]roof tiles   [3]builders   [4]thick   [5]fountains   [6]built

25 Las casas coloniales

Contesta las siguientes preguntas, según la Cultura viva.

1. ¿Cómo son los edificios en el centro de Sucre?
2. ¿En qué se parece la casa colonial a un pueblo español?
3. ¿Cómo se comparan las casas coloniales con tu casa o una casa en tu comunidad?

26 Conexión con otras disciplinas: dibujo

Dibuja un plano *(floor plan)* de una casa colonial con base en la descripción de la Cultura viva. Luego, trabajando en parejas, hablen de los dibujos.

Estructura

Irregular subjunctive verbs

Some verbs are irregular in the present-tense subjunctive. They do not have a present-tense indicative *yo* form that ends in *-o*.

	dar	estar	ir	saber	ser
yo	dé	esté	vaya	sepa	sea
tú	des	estés	vayas	sepas	seas
Ud./él/ella	dé	esté	vaya	sepa	sea
nosotros/nosotras	demos	estemos	vayamos	sepamos	seamos
vosotros/vosotras	deis	estéis	vayáis	sepáis	seáis
Uds./ellos/ellas	den	estén	vayan	sepan	sean

Note: The only other verb that is irregular in the subjunctive is *haber*. The indicative form *hay* becomes *haya* in the subjunctive: *Insisto en que haya aire acondicionado en la casa* (I insist that the house have air conditioning).

 **Práctica**

27 ¿Cuándo deben estar en la reunión?

 Decide a qué hora cada miembro de la familia debe estar en la casa para una reunión. En parejas, alterna con tu compañero/a de clase en hacer preguntas y contestarlas, usando las indicaciones que se dan.

MODELO el esposo de Luisa / ocho de la mañana

> **A:** ¿A qué hora debe estar el esposo de Luisa?
>
> **B:** Prefiero que el esposo de Luisa esté a las ocho de la mañana.

1. la esposa de Carlos / siete y media de la tarde
2. yo / siete menos cuarto de la tarde
3. mi hermanastro / cinco de la tarde
4. mis tíos / siete de la tarde
5. mi madrastra / siete y cuarto de la mañana
6. mis hermanastras / siete de la tarde
7. nosotros / seis de la tarde
8. mi abuelo / cinco de la tarde

¿A qué hora debe estar el esposo de Luisa?

28 ¿Qué dicen?

Usa elementos de cada columna para hacer oraciones sobre lo que aconsejan varias personas en la familia de Daniel.

MODELO Su mamá aconseja que nosotros estemos más tiempo en casa.

su mamá	ella	estar	en casa a las cinco
sus padres	Uds.	ser	al zoológico
su bisabuelo	yo	dar	más tiempo en casa
sus tíos	nosotros	ir	buenos estudiantes
sus abuelos	tú		de comer a los gatos
su hermanastro	él		a arreglar el armario
su papá	ellos		dinero para la fiesta

29 ¿Adónde van?

Di adónde deben ir diferentes miembros de la familia, según las ilustraciones.

MODELO mis tíos / mis hermanas

Mis tíos dicen que mis hermanas vayan al museo.

1. mi bisabuelo / mi hermano y yo

2. mi hermanastra / tú

3. mi madrastra / nosotros

4. mi padrastro / yo

5. mis tías / Uds.

6. mi abuela / mi hermano

✿ Comunicación

30 ¿Qué debemos hacer?

Trabajando en grupos, alternen en sugerir *(suggest)* diferentes actividades y quehaceres que pueden hacer durante el día.

MODELO limpiar la chimenea

A: ¿Limpiamos la chimenea?

B: Sí, (No, no) quiero que la limpiemos.

C: Prefiero que Paco y Marta la limpien. Yo prefiero que vayamos al cine.

31 Buscando soluciones a problemas

Aquí hay una lista de los problemas que tienen algunas personas. Trabajando en parejas, digan quién tiene cada problema (pueden inventar los nombres) y ofrezcan soluciones. Luego, hablen de otros problemas que conozcan y ofrezcan soluciones.

MODELO A: Patricia tiene mucha ropa vieja.
B: Sugiero que vaya al centro comercial para comprar ropa nueva.

- tiene mucha ropa vieja (ir al centro comercial)
- siempre está triste (estar feliz)
- duerme en clase (acostarse más temprano)
- no puede estudiar en su cuarto (ir a la biblioteca)

- no le gusta estar adentro (estar afuera)
- quiere ir a vivir con una familia boliviana (saber español)
- siempre tiene el control remoto en la mano (dárselo a otra persona)
- siempre es aburrido (ser divertido)

Estructura

Using an infinitive instead of the subjunctive

You have learned several verbs that are followed by the subjunctive when there is a change of subject. However, the verbs *dejar, hacer, invitar* and *permitir* (sometimes referred to as **causal** verbs) may be followed by an infinitive instead of the subjunctive, even when there is a change of subject. In such instances, the sentence requires an indirect object.

*Papá **me deja que use** la cortadora de césped.*   *Papá **me deja usar** la cortadora de césped.*

*Yo no **permito que** el **niño juegue** en la sala.*   *Yo no **le permito jugar** en la sala.*

*Mi madre **hace que nosotros comamos** todo.*   *Mi madre **nos hace comer** todo.*

Práctica

32 En algunos hogares

Lee sobre algunas situaciones que pasan todos los días. Luego, di las oraciones en forma diferente sin usar el subjuntivo.

MODELO Un papá *permite* a sus hijos que *corten* el césped.
Un papá *les permite cortar* el césped.

1. Una madrastra deja que sus hijos vayan al cine.
2. Unos muchachos invitan a sus amigos a que vengan a su casa.
3. Una tía permite que su sobrina juegue afuera, al aire libre.
4. Unos abuelos hacen que sus nietos tomen toda la sopa.
5. Unos padres no dejan que sus hijos manejen su carro.

Un papá les permite cortar el césped.

33 Nosotros decidimos todo

Tus padres y tus tíos fueron juntos al teatro, dejándote en casa a ti, a tus hermanos y a tus primos. Tú y tu prima mayor deciden lo que pueden o no pueden hacer sus hermanos menores. Trabajando en parejas, tomen sus decisiones, usando *dejar, hacer, invitar* o *permitir,* sin usar el subjuntivo.

MODELO A: Quieren salir de la casa.

B: Les dejamos salir de la casa. / No les dejamos salir de la casa.

1. Quieren mirar una telenovela.
2. Prefieren estar arriba jugando.
3. Piden poder jugar con sus amigos.
4. Quieren limpiar el sótano.
5. Tienen ganas de navegar por la internet.
6. Quieren comer tacos y tomar refrescos.
7. Deciden que quieren estudiar.

◈ Comunicación

¿No me van a dejar salir?

34 Las reglas son duras

Imagina que tú y tu compañero/a son profesores/as de una clase nueva. Trabajando en parejas, hablen de las reglas *(rules)* de clase. Como son muy estrictos/as, todas las reglas deben empezar con la palabra *no*.

MODELO No les permitimos hablar en clase.

35 ¿Quién va a hacer qué?

In groups of six, first decide who will play the role of various family members. Then form two concentric circles of three, with students who are playing the part of adults in one circle and students who are playing the part of children in the other circle. Now do the following: 1) The adults ask the children to perform a household chore or to help with an errand; 2) the children must answer by saying someone else should do the requested task; 3) the adults rotate one person to the left and begin the activity again, making a different request. Switch roles after each person has had an opportunity to make three requests or to respond three times.

MODELO A: María, quiero que pongas la ropa en el armario, por favor.

B: Ay, no, Papá. Que lo haga Pepita.

Lectura cultural

Uta

Uta quiere decir casa en aymara, el idioma de una cultura andina[1] muy antigua. Desde hace miles de años, los aymaras han habitado[2] Bolivia, Perú, el norte de Chile y Paraguay. A pesar de[3] la conquista[4] por los incas en 1460 y, luego, por los españoles, los aymaras han logrado mantener[5] vivas su cultura y su lengua. Hoy día, hay más de un millón y medio de aymaras. La mayoría vive de la producción de papas y cereales y del cuidado de llamas y ovejas.

Una casa aymara.

Utas en el Lago Titicaca, Bolivia.

La casa tradicional de los aymaras no ha cambiado[6] mucho a través del tiempo. La mayoría están hechas de adobe con techos de paja[7]. Una casa típica consiste en un recinto[8] pequeño con varias estructuras (3 a 5 en total). El cuarto en donde se cocina está separado de los cuartos en donde se duerme. Todas las estructuras dan hacia un área exterior donde se realizan los quehaceres, como tejer[9] y trillar[10]. Todos los hombres de una comunidad ayudan a construir[11] las casas. Antes de empezar, le hacen a Pachamama (la Tierra Madre) una ofrenda[12], la cual incluye enterrar[13] el feto de una llama.

Uta es un lugar sagrado[14], y por esa razón, ninguna casa aymara tiene baño. Para "ir al baño", los aymaras van al aire libre, lejos de la casa.

[1]Andean (from the Andes)   [2]have inhabited   [3]In spite of   [4]conquest   [5]to maintain   [6]has not changed   [7]straw   [8]enclosure   [9]to weave   [10]to thresh   [11]to build   [12]offering   [13]to bury   [14]sacred

36 ¿Qué recuerdas?

1. ¿Quiénes son los aymaras? ¿Cómo se dice *casa* en aymara?
2. ¿De qué material son los muros de las casas aymaras? ¿Y los techos?
3. ¿En qué parte de la casa se realizan muchos de los quehaceres?
4. ¿Qué le ofrecen a Pachamama antes de construir una casa?

- Compara una casa típica aymara con una casa típica donde tú vives. Si quieres puedes hacer un diagrama de Venn para mostrar las diferencias y las similitudes.

37 Algo personal

1. ¿De qué materiales está hecha tu casa o apartamento?
2. ¿Cuántos cuartos tiene tu hogar? ¿Dónde está la cocina?
3. ¿Dónde se realizan la mayoría de los quehaceres en tu hogar? ¿Estás más tiempo adentro o afuera de tu hogar?

¿Qué aprendí?

Visit the web-based activities at www.emcp.com

Autoevaluación

Como repaso y autoevaluación, responde lo siguiente:

1. Describe your home.
2. Who is in your family?
3. How would you tell your little brother to help you cut the lawn?
4. How might a home in Latin America be different from your home?
5. Say something your parents want you to do.
6. List two bits of advice for a friend who is about to take a trip to a Spanish-speaking country.
7. Name three things that your parents do not permit you to do.
8. What do you know about Bolivia?

Palabras y expresiones

La casa
el aire (acondicionado)
la alfombra
el armario
el ático
la bombilla
la cerca
la chimenea
la cortadora de césped
la cortina
el cuadro
el despertador
la escoba
el hogar
el ladrillo

el lavadero
la lavadora
la madera
el mueble
el muro
la reja

la secadora
el sillón
el sótano
el techo
el tocador
el ventilador

La familia
el bisabuelo,
    la bisabuela
el hermanastro,
    la hermanastra
la madrastra
la mamá
el miembro
el padrastro
el papá

Verbos
cortar
dejar
encargar(se) (de)
exagerar
ganar
insistir (en)
invitar
referir(se) (ie, i)

Expresiones y otras palabras
abajo
adentro
afuera
al aire libre
arriba
el beso
la broma
el cuidado
el premio
tener cuidado
puro,-a
rayado,-a

La bombilla.

El cuadro.

El mueble.

Vocabulario I

Las reglas

1 Dictado

 Escucha la información y escribe lo que oyes.

2 A corregir

Corrige la información incorrecta, según el Vocabulario I.

MODELO Eva espera que su mamá la deje *limpiar el piso.*
Eva espera que su mamá la deje *manejar su carro para ir al club.*

1. La mamá *deja que Eva pueda usar el carro.*
2. A Eva *no le gusta el carro* de su mamá.
3. *No es importante que* Eva regrese a tiempo.
4. *Eva no está segura de que* vaya a regresar a tiempo.
5. Le interesa a Eva *seguir a su hermano.*
6. La mamá dice que a Eva *le interesan más las reglas que las llaves.*
7. Eva *no quiere manejar el carro.*

3 A completar

Completa las siguientes oraciones, usando las palabras de la lista. Cada palabra se usa una vez.

1. Me fascina mucho ir al __ para hablar con mis amigos.
2. Es preciso que __ a las diez de la noche.
3. Es seguro que voy a regresar a __.
4. No olvides llevar las __ de la casa.
5. Me va a __ si puedo llevar tu carro.
6. Voy a __, pero debes manejar con cuidado.
7. Me __ que me dejes manejar tu carro.
8. Es __ que te voy a cuidar mucho tu carro.

Diálogo I

¿Y las llaves?

JAVIER: Me fascina manejar rápido.

PABLO: ¡Ten cuidado! No tenemos prisa por llegar al club.

JAVIER: Sí, está bien. Voy a complacerte.

JAVIER: ¿Podemos dejar el carro aquí?

PABLO: Dudo que puedas dejarlo aquí. Mira, hay una señal de prohibido.

JAVIER: Estoy seguro de que no hay otro lugar cerca.

PABLO: Sí, sí, mira allí hay uno.

JAVIER: Bueno, vamos ya a divertirnos al club.

PABLO: Oye, ¿y las llaves del carro?

JAVIER: ¡Ay, las dejé en el carro!

PABLO: Bueno, está claro que el club no va a estar tan divertido.

4 ¿Qué recuerdas?

1. ¿Qué le fascina a Javier?
2. ¿Tienen prisa?
3. ¿De qué duda Pablo?
4. ¿De qué está seguro Javier?
5. ¿Qué dejó Javier en el carro?
6. ¿Qué está claro para Pablo?

5 Algo personal

1. ¿Sabes manejar? ¿Cómo manejas?
2. ¿Sigues siempre las reglas?
3. ¿A qué lugares vas con tus amigos?
4. ¿Dejaste las llaves dentro del carro alguna vez?

¿Sabes manejar?

6 ¿Y las llaves?

Di si lo que oyes es cierto o falso, según el Diálogo I. Si es falso, corrige la información.

Bolívar y los países bolivarianos

Simón Bolívar, el Libertador.

Sucre, Bolivia.

Los países bolivarianos son Bolivia, Colombia, Ecuador, Perú, Venezuela y Panamá. El nombre de países bolivarianos se les da a estas repúblicas porque Simón Bolívar ayudó a liberar todo el territorio de los españoles. Luego, el territorio se dividió en los países que hoy conocemos. En estos países Bolívar es conocido como el Libertador.

Bolívar nació en Caracas, Venezuela, en 1783 y murió[1] el 17 de diciembre de 1830 en Santa Marta, Colombia. La mayor parte de su vida la dedicó a la lucha por la independencia de estos países. Su sueño era el de unir[2] a todas las repúblicas que liberó para formar una sola nación bajo el nombre

Cali, Colombia.

de la Gran Colombia, pero murió sin poder ver realizado este gran sueño.

El sueño de unidad de Bolívar sigue siendo el ideal de los gobiernos de estos cinco países. En principio, el objetivo es el de buscar la unidad de sus mercados y así fortalecer[3] la economía del área. El camino para llegar a esta meta es largo y difícil. Todavía son muchos los obstáculos que hay que sobrepasar, pero posiblemente algún día este sueño sea realidad.

Casa donde nació Simón Bolívar, Caracas, Venezuela.

[1] dicd [2] unite [3] strengthen

7 Conexión con otras disciplinas: geografía

Prepara un mapa de América del Sur y añade color a los países bolivarianos. Luego, pon los nombres de las capitales de estos países, las montañas, los lagos, los ríos y otros puntos geográficos que puedas. Busca información en la biblioteca o en la internet si es necesario.

Idioma

The subjunctive with verbs of emotion and doubt

In Spanish, the subjunctive is used after verbs of emotion and after verbs that express doubt when there is a change of subject in the clause that is introduced by *que*. You have already learned some verbs that convey emotion: *esperar* (to hope), *sentir* (to be sorry, to feel sorry, to regret), *temer* (to fear) and *tener miedo* (to be afraid).

***Espero que regreses** temprano.*	**I hope you return** early.

Other verbs that express emotion are usually conjugated following the pattern of *gustar*:

agradar to please	*gustar* to like, to be pleasing
alegrar (de) to make happy	*importar* to be important, to matter
complacer to please	*interesar* to interest
divertir to amuse, to have fun	*molestar* to bother
encantar to enchant, to delight	*parecer bien/mal* to seem right/wrong
fascinar to fascinate	*preocupar* to worry

***Me agrada que estés** bien.*	**I'm glad (It pleases me) that you're** well.

Note: When the verb *alegrar* becomes reflexive it is followed by the word *de* and no longer follows the pattern of *gustar*. Compare these two sentences:

***Me alegra que ayudes** en casa.*	
***Me alegro de que ayudes** en casa.*	**I am glad** you help at home.

The principal verb of doubt is *dudar* (to doubt). The verbs *creer* and *pensar* and the expression *estar seguro/a (de)* imply doubt when they are negative and, therefore, require the subjunctive.

***Dudo que Miguel vaya** a ayudar.*	**I doubt (that) Miguel is going** to help.
***No creo que él ayude** mucho.*	**I don't think (that) he helps** much.
***No pienso que a Miguel le guste** pasar la aspiradora.*	**I don't think Miguel likes** to vacuum.
***No estoy seguro de que vaya** a ayudar.*	**I'm not sure he is going** to help.

Me alegra que ayudes en casa.

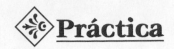

✤ **Práctica**

▸ **8 Antes de una fiesta en el hogar de los Miranda**

Estas personas están hablando de lo que sienten antes de una fiesta en el hogar de los Miranda. ¿Cómo cambia lo que dicen estas personas si pones las frases entre paréntesis al comienzo *(beginning)*?

MODELO Nadie viene a la fiesta. (Tengo miedo de...)
Tengo miedo de que nadie venga a la fiesta.

1. La fiesta empieza a tiempo. (Me alegra...)
2. No llegan a tiempo. (Temo que mis padres...)
3. Nos sentamos en el jardín. (¿Esperan Uds...?)
4. La familia Miranda tiene una casa grande. (Nos complace...)
5. Los niños juegan afuera. (Me encanta...)
6. La casa está lejos. (Me molesta...)
7. Tú vas a Venezuela. (Les fascina...)
8. El Sr. Miranda es una persona inteligente. (A mí me interesa...)
9. Nosotros vamos en tu carro. (Me alegro de...)
10. La comida es muy mala. (Me molesta...)

Me alegra que la fiesta empiece a tiempo.

▸ **9 Dando opiniones**

Di lo que piensan o sienten las siguientes personas, según las indicaciones.

MODELO a Raúl / gustar / Marta / regresar a tiempo
A Raúl le gusta que Marta regrese a tiempo.

1. a sus padres / agradar / Marta y Tomás / ayudar en la casa
2. a Raúl / molestar / yo / traer a Marta después de la medianoche
3. yo / tener miedo de / Marta / no tener las llaves de la casa
4. a Tomás / parecerle bien / su hermana / seguir las reglas
5. Ud. / esperar / nosotros / ir a la fiesta del club con Marta
6. la novia de Tomás / no pensar / él / tener que estar en la casa todo el día
7. a sus tíos / no importar / tú / ser amigo de Tomás
8. a nosotros / preocupar / Marta y Tomás / comer poco

A su madre le molesta que no siga las reglas.

10 El hogar de los Chávez

Combina las dos oraciones en una sola oración para saber cómo son algunas cosas en el hogar de los Chávez.

La familia Chávez.

MODELO ¿Puedes manejar el carro al club cuando tus padres no están? (Lo dudo.)
Dudo que yo pueda manejar el carro al club cuando mis padres no estén.

1. ¿Tienen Uds. mucho que hacer hoy? (Temo que sí.)
2. ¿Sabe manejar la tía? (Me encanta que sí.)
3. ¿Va a llevarlos al club después del trabajo? (Me agrada que sí.)
4. ¿Regresan tus padres temprano? (Me alegra que sí.)
5. ¿Te parece bien que no tengan las llaves? (Me parece mal.)
6. ¿Cuándo empieza a pasar la aspiradora tu hermano? (Pronto, espero.)
7. ¿Están aquí los abuelos? (No, lo siento.)
8. ¿Van a acabar a tiempo? (Me preocupa que no.)

11 ¡Nadie está seguro de nada!

Nadie está seguro de nada en el hogar de la familia de David. Di qué están pensando hoy algunos miembros de su familia, usando *dudar, no creer, no estar seguro/a de* o *no pensar,* y las indicaciones que se dan.

MODELO Mi hermana tiene las llaves de la casa. (mi madre)
Mi madre no cree que mi hermana tenga las llaves de la casa.

1. El aire acondicionado está funcionando bien. (tú)
2. Mi mamá y mi papá compran más muebles para la casa. (mi hermanastro)
3. Nosotros siempre tenemos mucho cuidado cuando lavamos los platos. (ellos)
4. Les gustan las bromas a mis primos. (mi tía)
5. La fiesta va a ser en el club. (nosotros)
6. Antonio y Felipe se encargan de arreglar la cocina hoy. (yo)
7. La cerradura de la casa es nueva. (mi abuela)
8. Mi hermana invita a sus amigas a almorzar. (Uds.)

Mi madre no cree que mi hermana tenga las llaves de casa.

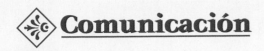

◈ Comunicación

12 ¿Qué sienten en el hogar tuyo?

Trabajando en parejas, hablen de lo que sienten los miembros de sus familias. Pueden alternar en completar las siguientes oraciones con ideas que sean verdaderas para sus familias o pueden inventar las ideas, si prefieren.

MODELO A mi madre le complace que...

A: A mi madre le complace que yo ayude con los quehaceres.

B: A mi madre le complace que yo vaya bien en mis clases.

A mi hermano le preocupa que...	A mis tíos les complace que...
A mis hermanas les gusta que...	A mi abuelo le interesa que...
A mis padres les alegra que...	A mi padre le agrada que...
A mi abuela le fascina que...	A mi madre le molesta que...

13 Lo dudo

¿Es inteligente?

En parejas, alterna con tu compañero/a de clase en decir cinco oraciones y, luego, ponerlas en duda. Usen *dudar, no creer, no estar seguro/a* o *no pensar* en cada oración y traten de ser tan creativos/as como sea posible.

MODELO **A:** Pienso que la gente va a ser más inteligente en el año dos mil diez.

B: Dudo (No creo/No estoy seguro,-a /No pienso) que la gente vaya a ser más inteligente en el año dos mil diez.

14 Expresando tus emociones personales

Con otro/a estudiante, hablen de lo que sienten, usando las expresiones que se dan y el subjuntivo si es necesario. Pueden usar otras expresiones para expresar sus emociones personales si lo prefieren.

MODELO Me molesta que...

Me molesta que mis padres no me permitan manejar.

Me interesa... Siento... Temo... Me complace... Espero... Me fascina... Me encanta... Me molesta...

es posible

Cualquiera puede hacerlo.

es imposible

15 Los aparatos de la casa

Selecciona la letra de la foto que corresponde con lo que oyes.

A B C D E F

16 ¡Qué fácil!

Di qué haces con los siguientes aparatos o cómo te ayudan en la casa.

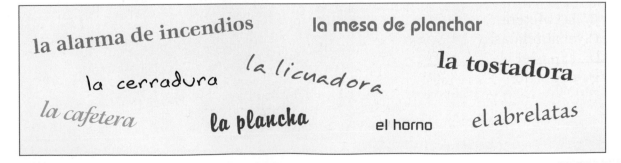

la alarma de incendios   la mesa de planchar

la cerradura   la licuadora   la tostadora

la cafetera   la plancha   el horno   el abrelatas

Diálogo II

El abrelatas

JAVIER: ¡No es posible que sea tan tarde!

PABLO: Sí, nos olvidamos de la hora.

JAVIER: Bueno, pero nos divertimos mucho.

PABLO: Más vale que pensemos ahora en el carro.

JAVIER: Sí, ¿cómo vamos a abrir esa cerradura?

PABLO: Es evidente que tenemos que pedir ayuda.

JAVIER: Qué lástima que la cerradura necesite una llave.

PABLO: ¿Cómo así? ¿Qué dices?

JAVIER: Sí, porque no tengo llave, pero tengo un abrelatas.

17 ¿Qué recuerdas?

1. ¿De qué se olvidaron los chicos?
2. ¿Quiénes se divirtieron mucho?
3. ¿En qué deben pensar los chicos?
4. ¿Qué es evidente para Pablo?
5. ¿Qué tiene Javier para abrir el carro?

18 Algo personal

1. ¿Te olvidas del tiempo cuando sales a divertirte con tus amigos?
2. ¿Pides ayuda cuando tienes problemas?
3. ¿Qué haces cuando no tienes llaves para entrar a tu casa o tu carro?
4. ¿Usas algún aparato de la casa para algo diferente de lo que se usa normalmente?

19 ¿Qué es?

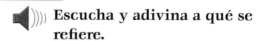 Escucha y adivina a qué se refiere.

A. la licuadora
B. la cafetera
C. el abrelatas
D. el pastel
E. el horno

¿Qué es?

Cultura viva

La boda.

Las celebraciones familiares

La familia es muy importante en los países bolivarianos. En la celebración de un evento significativo, como puede ser un cumpleaños, la familia se reúne y celebra. En los pueblos, las celebraciones familiares siempre incluyen a los compadres y las comadres[1]. Estas personas importantes se escogen cuando el niño nace[2]. El compadre es el que prepara la fiesta de bautizo[3] y apoya[4] al niño durante su vida. En Ayabaca, Bolivia, el compadrazgo[5] se celebra en la primera semana de marzo. En esta festividad, los lazos[6] de compradrazgo se renuevan[7] en cada casa. También se baila y se toca música por las calles.

Las familias en cada país bolivariano tienen su manera única de celebrar los eventos especiales. En las bodas tradicionales en Venezuela, por ejemplo, las familias de los novios se intercambian[8] 13 monedas de oro, llamadas arras, que simbolizan prosperidad y buena suerte. En el Perú, es costumbre poner dijes[9] amarrados[10] con cintas[11] en el pastel de boda. Antes de cortar el pastel, las señoritas toman una cinta. A la que le toca la cinta con un anillo se dice que va a ser la próxima novia. En Colombia, las familias se reúnen el 31 de diciembre y siguen la tradición de los agüeros[12] con la esperanza[13] de un año nuevo lleno de prosperidad. Algunos agüeros incluyen comerse 12 uvas mientras se piden 12 deseos, dar la vuelta a la cuadra con una maleta, poncrsc ropa interior amarilla y regalarse tres monedas.

El bautizo.

[1]godparents of the son or daughter [2]is born [3]baptism [4]supports [5]relationship between godparent and parent [6]ties [7]renew
[8]exchange [9]charms [10]tied [11]ribbons [12]omens [13]hope

20 Las celebraciones familiares

Completa las siguientes oraciones, según la Cultura viva sobre los países bolivarianos.

1. La familia en los países bolivarianos es...
2. Muchas celebraciones familiares incluyen a...
3. Cada uno de los países bolivarianos tiene su manera única de...
4. En las bodas tradicionales en Venezuela, las familias...
5. En el Año Nuevo, las familias colombianas...

21 Comparaciones

Compara una tradición de un país bolivariano con una tradición de tu familia.

Estructura

The subjunctive with impersonal expressions

Impersonal expressions in Spanish are followed by *que* and the subjunctive when they express doubt or state an opinion and when the verb that follows has its own subject. Compare these sentences:

Es importante que limpies tu cuarto. → **It is important for you to clean (that you clean)** your room.

but:

Es importante limpiar la casa hoy. → **It is important to clean** the house today.

Some of the more common impersonal expressions include the following:

es difícil (que)	it is unlikely (that)	*es posible (que)*	it is possible (that)
es dudoso (que)	it is doubtful (that)	*es preciso (que)*	it is necessary (that)
es fácil (que)	it is likely (that)	*es probable (que)*	it is probable (that)
es importante (que)	it is important (that)	*es una lástima (que)*	it is a pity (that)
es imposible (que)	it is impossible (that)	*es urgente (que)*	it is urgent (that)
es mejor (que)	it is better (that)	*más vale (que)*	it is better (that)
es necesario (que)	it is necessary (that)	*conviene (que)*	it is fitting (that)

The impersonal expressions *es claro* (it is clear), *es evidente* (it is evident), *es obvio* (it is obvious), *es seguro* (it is sure) and *es verdad* (it is true) are followed by the indicative. However, when these expressions are **negative,** they express doubt and, therefore, they require the subjunctive.

Es evidente que quieres ayudar. → **It is clear that you want** to help.

No es evidente que quieras ayudar. → **It is not clear that you want** to help.

Es evidente que quieres ayudar.

Práctica

22 ¿Qué dices tú?

Completa estas oraciones con la forma apropiada de los verbos indicados para dar tu opinión.

MODELOS Es evidente que Uds. *quieren* mucho a sus padres. (querer)

Es fácil que mis padres *lleguen* pronto. (llegar)

1. Es preciso que tú __ más tiempo en casa. (estar)
2. Es necesario que yo __ de comer tanto. (dejar)
3. Es claro que Inés __ arreglar el aire acondicionado. (saber)
4. Es dudoso que Ramón __ unas cortinas nuevas para su casa. (comprar)
5. No es seguro que sus amigos __ al club también. (ir)
6. Es imposible que nosotros __ dos casas. (tener)
7. Es probable que nosotros __ a los países bolivarianos. (viajar)
8. Es obvio que Uds. __ los dientes todos los días. (cepillarse)
9. Es difícil que ellos __ de su hogar. (irse)

23 ¿Cuál es tu opinión?

Da una opinión para cada una de las situaciones que se muestran en las siguientes ilustraciones, usando las indicaciones que se dan.

MODELO es una lástima / yo

Es una lástima que yo no pueda salir a jugar al béisbol.

1. conviene / Pablo y Rosa

2. es necesario / Juan

3. más vale / Ana

4. es urgente / él

5. es importante / ellos

6. es preciso / tú

24 ¡Gracias por el permiso!

Tus padres te dan permiso para ir de camping con unos amigos, pero primero expresan unas opiniones. Haz oraciones completas para saber lo que ellos dicen, usando las indicaciones que se dan.

MODELO   mejor / Uds. / llevar / mucha agua
         Es mejor que Uds. lleven mucha agua.

1. lástima / nosotros / no ir
2. fácil / Uds. / perderse / en las montañas
3. preciso / nadie / estar solo
4. conviene / Uds. / llevar / sus chaquetas
5. posible / hacer / mucho frío
6. probable / yo / recogerlos
7. más vale / tú / llamarnos / cuando regresen
8. importante / Uds. / divertirse / en este camping

Es mejor que Uds. lleven mucha agua.

25 Es preciso que...

Di qué es preciso que las siguientes personas hagan, añadiendo las palabras que sean necesarias.

MODELO   Uds. / encontrar / muebles pequeños
         Es preciso que Uds. encuentren unos muebles pequeños.

1. mi bisabuela / conseguir / mesa de planchar
2. los padres de mi amigo / tener / perro / cuidar la casa
3. yo / tener / armario grande
4. nosotros / buscar / cafetera nueva
5. mi papá / comprar / horno microondas
6. tú / preparar / pastel ahora mismo
7. mis tíos / tener / buenos vecinos
8. mi hermana y su marido / comprar / sillón barato

¿Son estos muebles pequeños?

El sillón.

26 ¿Te complace?

Las siguientes personas tienen algo ahora que no tenían ayer. Di qué te complace que tengan.

Tenía una cerradura muy mala.

MODELO Mi hermanastro tenía una cerradura muy mala. (bueno)
Me complace que tenga ahora una cerradura buena.

1. Mi hermanastra tenía un lavadero muy feo. (bonito)
2. La madre de mi amigo tenía un lavaplatos eléctrico viejo. (nuevo)
3. Nosotros teníamos un armario pequeño. (grande)
4. Mis tíos tenían unas bombillas de poca luz. (mucho)
5. Tú tenías una computatora blanca. (azul)
6. Mis vecinos tenían una licuadora vieja. (nuevo)
7. Mi abuela tenía un horno antiguo en su cocina. (microondas)

 # Comunicación

27 Los aparatos de la casa

Di qué aparatos son, de acuerdo con las siguientes pistas.

Es una alarma de incendios.

MODELO Es importante que tengan este aparato para saber cuándo hay un incendio en la casa.
Es la alarma de incendios.

1. Es poco probable que puedan cocinar rápidamente la comida sin este aparato.
2. Es seguro que pueden hacer muchos jugos con este aparato.
3. Conviene que tengan este aparato para tener fresca y fría la comida.
4. Es una lástima que no tengan este aparato cuando es verano y hace mucho calor.
5. Es fácil que hagan el café con este aparato.
6. Es claro que pueden lavar fácilmente los platos y los cubiertos con este aparato.
7. Es posible que usen este aparato para limpiar las alfombras.
8. Es imposible que planchen la ropa sin este aparato.
9. Es difícil que puedan cocinar la comida sin este aparato.
10. Más vale que tengan este aparato si quieren abrir una lata de guisantes.

28 Anuncios de publicidad

Trabajas en publicidad *(advertising)* y estás escribiendo los textos para algunos anuncios *(advertisements)*. Completa estos anuncios lógicamente con una de las expresiones de la lista y el subjuntivo de un verbo apropiado. Puedes usar uno de los siguientes verbos, si quieres: *abrir, comprar, correr, encontrar, llamar, tomar, enviar.*

es importante	interesa
conviene	creemos
más vale	es mejor
es urgente	

¡Oportunidades!

Carreras que usan el español

You already are aware that the ability to communicate in another language can enhance your career *(carrera)* opportunities. By now you have accumulated many skills in Spanish that will allow you to work in various fields someday. One possibility might be a career in advertising. Would you like to use your creativity and work in an advertising agency to promote products for people who speak Spanish? Marketing is a career that also offers many opportunities to use a second language and communicate ideas to other people. Consider these jobs as a unique way for you to practice your Spanish and use your imagination without limits.

MODELO

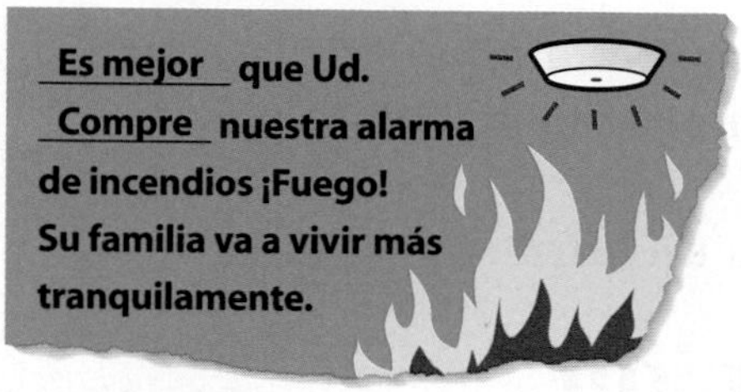
Es mejor que Ud.
Compre nuestra alarma
de incendios ¡Fuego!
Su familia va a vivir más
tranquilamente.

1.

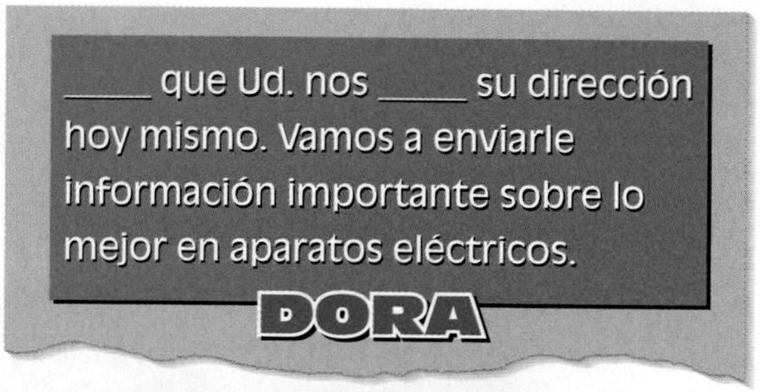
_____ que Ud. nos _____ su dirección hoy mismo. Vamos a enviarle información importante sobre lo mejor en aparatos eléctricos.
DORA

2.

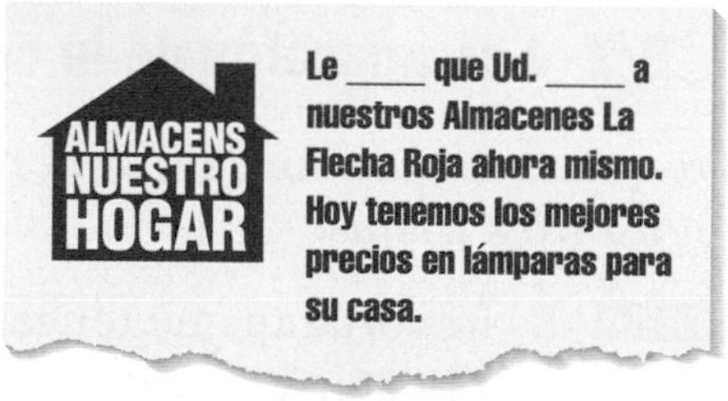
ALMACENS NUESTRO HOGAR
Le _____ que Ud. _____ a nuestros Almacenes La Flecha Roja ahora mismo. Hoy tenemos los mejores precios en lámparas para su casa.

3.

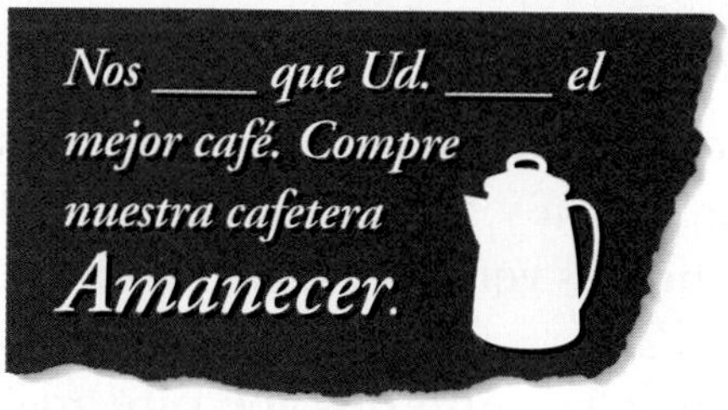
Nos _____ que Ud. _____ el mejor café. Compre nuestra cafetera
Amanecer.

4.

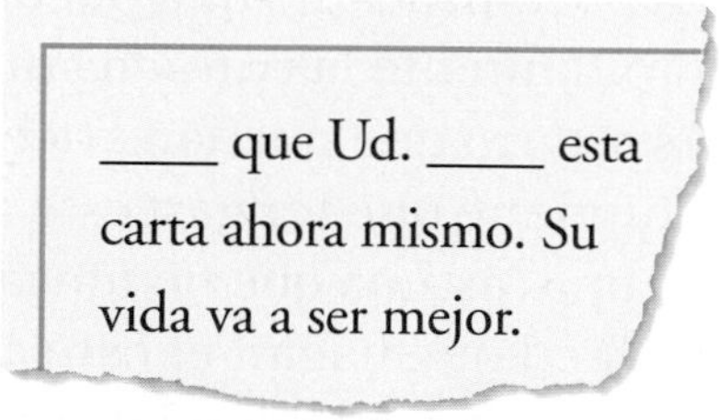
_____ que Ud. _____ esta carta ahora mismo. Su vida va a ser mejor.

5.

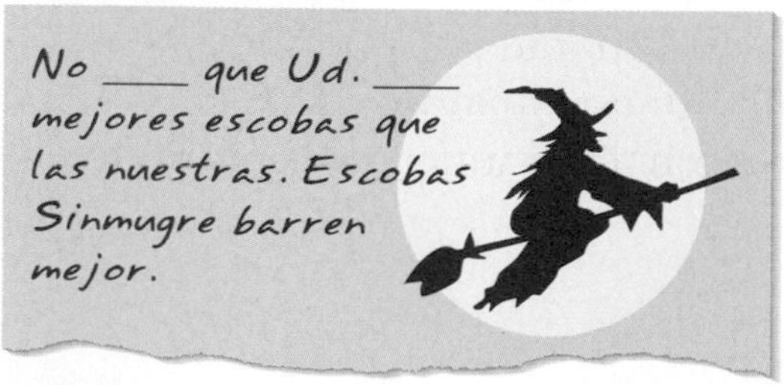
No _____ que Ud. _____ mejores escobas que las nuestras. Escobas Sinmugre barren mejor.

6.

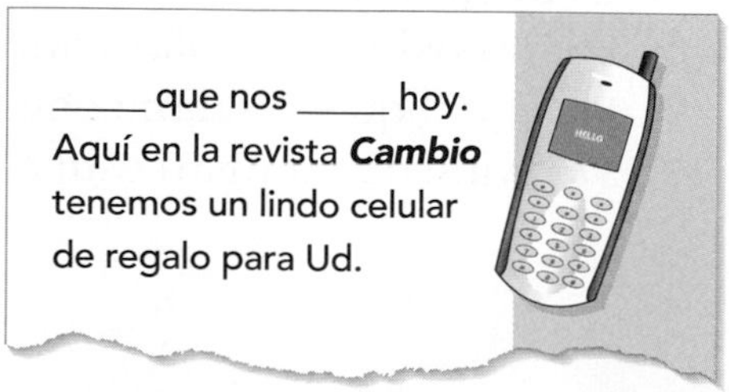
_____ que nos _____ hoy.
Aquí en la revista Cambio tenemos un lindo celular de regalo para Ud.

29 Planes para el fin de semana

En parejas, preparen una conversación por teléfono donde Uds. deciden lo que van a hacer durante el fin de semana.

¡Aló! ¿Julio?

MODELO
A: ¡Aló! ¿Julio?
B: Hola, Luz. ¿Qué vamos a hacer el fin de semana?
A: Vamos al centro a almorzar.
B: Es mejor que nos quedemos en casa. Es posible que llueva, y además, podemos escuchar CDs y completar la tarea de español.
A: Pues, mejor naveguemos en la internet.

30 ¿Qué piensas tú?

Expresa tus opiniones o dudas sobre algunos eventos importantes que hay en tu vida (e.g., en la familia, en tu colegio, etc.), usando una de las siguientes expresiones: *conviene, es dudoso, es fácil, es importante, es imposible, es una lástima, es mejor, es necesario, es posible, es preciso, es probable, es urgente, más vale.* Puedes inventar la información si quieres. Sé creativo/a.

MODELO Es dudoso que mi tío de Venezuela venga a la fiesta de cumpleaños de mi hermanastro.

31 Una visita

Trabajando en parejas, hagan planes para visitar a un pariente (abuelo, tía, primo, etc.) en el futuro próximo. Pueden describir a la persona, decir dónde vive, etc., pero tienen que decir por qué quieren ver a la persona pronto.

Visitaremos a la abuela.

Lectura personal

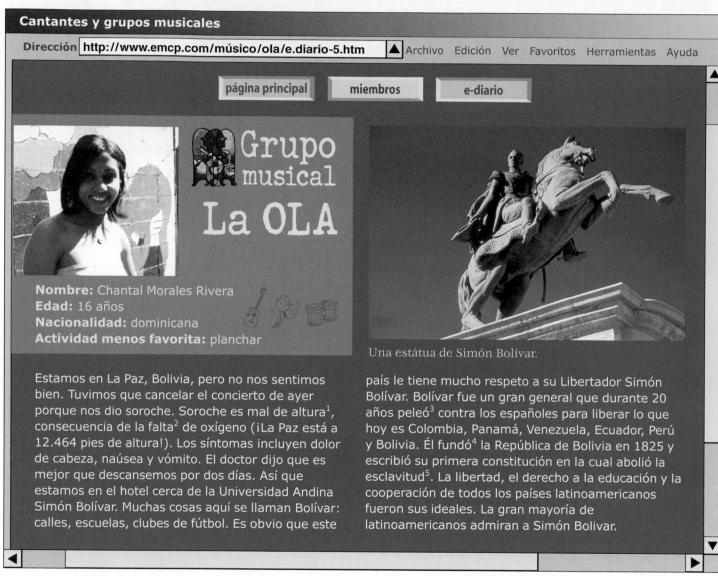

Cantantes y grupos musicales

Dirección http://www.emcp.com/músico/ola/e.diario-5.htm ▲ Archivo Edición Ver Favoritos Herramientas Ayuda

página principal   miembros   e-diario

Grupo musical La OLA

Nombre: Chantal Morales Rivera
Edad: 16 años
Nacionalidad: dominicana
Actividad menos favorita: planchar

Una estátua de Simón Bolívar.

Estamos en La Paz, Bolivia, pero no nos sentimos bien. Tuvimos que cancelar el concierto de ayer porque nos dio soroche. Soroche es mal de altura[1], consecuencia de la falta[2] de oxígeno (¡La Paz está a 12.464 pies de altura!). Los síntomas incluyen dolor de cabeza, naúsea y vómito. El doctor dijo que es mejor que descansemos por dos días. Así que estamos en el hotel cerca de la Universidad Andina Simón Bolívar. Muchas cosas aquí se llaman Bolívar: calles, escuelas, clubes de fútbol. Es obvio que este país le tiene mucho respeto a su Libertador Simón Bolívar. Bolívar fue un gran general que durante 20 años peleó[3] contra los españoles para liberar lo que hoy es Colombia, Panamá, Venezuela, Ecuador, Perú y Bolivia. Él fundó[4] la República de Bolivia en 1825 y escribió su primera constitución en la cual abolió la esclavitud[5]. La libertad, el derecho a la educación y la cooperación de todos los países latinoamericanos fueron sus ideales. La gran mayoría de latinoamericanos admiran a Simón Bolívar.

[1]height [2]lack [3]fought [4]founded [5]slavery

32 ¿Qué recuerdas?

1. ¿Cuál es la capital más alta del mundo? ¿A qué altura está?
2. ¿Qué es soroche? ¿Cuál es la causa?
3. ¿Quién fue Simón Bolívar? ¿Qué hizo por Bolivia?

33 Algo personal

1. ¿De qué altura es el lugar más alto que conoces? ¿Cómo te sentiste allí?
2. ¿Hay alguna calle o edificio en tu comunidad que tiene el nombre de un personaje histórico? Explica.
3. ¿Te interesaría visitar La Paz? ¿Por qué sí o por qué no?

- Algunas veces se piensa en Simón Bolívar como el George Washington de América del Sur. Explica por qué.

¿Qué aprendí?

Visit the web-based activities at www.emcp.com

Autoevaluación

Como repaso y autoevaluación, responde lo siguiente:

1. State two rules in your house.

2. What are the *países bolivarianos*?

3. Say three things that make you happy, that bother you or that worry you.

4. Name four household appliances in Spanish.

5. Use two impersonal expressions to give your opinion about the chores you do at home.

6. State one similarity and one difference between how a special event is celebrated in the *países bolivarianos* and how a similar event is celebrated in your family.

Palabras y expresiones

Aparatos de la casa
el abrelatas
la alarma de incendios
el aparato
la cafetera
la cerradura
el horno
la licuadora
la llave
la mesa de planchar
la plancha
la tostadora

Para describir
claro,-a
dudoso,-a
evidente
imposible
obvio,-a
preciso,-a
seguro,-a
urgente

Verbos
alegrar(se) (de)
cambiar
comenzar (ie)

complacer
convenir
discutir
dudar
encantar
esperar
fascinar
interesar
planchar
regresar
sonreír(se) (i, i)
temer
valer

Expresiones y otras palabras
a tiempo
el club
cualquiera
el incendio
la lástima
más vale que
el pastel
el plan
la regla
ser difícil que
ser fácil que

Conviene que tengan estos aparatos en la casa.

Tú lees

Estrategia

Skimming

You can become a better reader in Spanish by learning how to skim content. Skimming is looking over a reading quickly to get a general idea of what it is about. This allows you to predict what will be in the reading. Skimming also helps you to anticipate related vocabulary that will probably be found in the reading.

Preparación

Contesta las siguientes preguntas como preparación para la lectura.

1. Skim the content of the reading by looking at the title, the subtitles, pictures and the first sentence of each paragraph. What do you predict the reading is about?
2. Which of the following words and expressions do you think you will find in the reading?

   A. rebelde
   B. los valores morales
   C. el respeto
   D. la unidad familiar
   E. tradicional
   F. independiente
   G. la autoridad

La familia hispana

Cristina (Venezuela): En Venezuela hacemos muchas actividades en familia. Durante la semana, siempre se cena con toda la familia porque para el almuerzo es difícil que nos reunamos todos. Los fines de semana, salimos a hacer compras, a comer o a alguna fiesta. A veces los sábados vamos a la playa a comer pescado y casi todos los domingos vamos a casa de los abuelos donde nos divertimos con los primos hablando de lo que pasó durante la semana. En mi país el respeto a los padres es muy importante. Si mi mamá o mi papá me dicen que regrese temprano, tengo que regresar temprano.

Muchas veces pedimos la bendición[1] a nuestros padres o seres queridos[2] adultos, ya sea[3] como saludo o despedida.

Almudena (España): En España la vida del hogar es muy diferente de lo que era hace unos años. Por ejemplo, las familias son más pequeñas. También, las chicas y los chicos se casan cuando son mayores, generalmente a los veintisiete o veintiocho años. Hoy hay muchas mujeres que trabajan fuera de su casa. En general, la gente pasa más su tiempo haciendo cosas personales, como navegar en la internet, pero todavía se cena en familia, y los fines de semana se va a visitar a parientes o amigos. Los hijos normalmente viven con sus padres hasta que se casan. El respeto a los adultos es también muy importante en mi país. No se discute lo que dicen los padres.

Conchita (Guatemala): Al igual que[4] en otros países, la vida familiar está cambiando según[5] el ritmo de vida de la época[6] y el lugar. En Guatemala hay muchas familias pobres. A veces los hijos de estas familias tienen que trabajar en la calle desde muy pequeños. Los hijos mayores incluso[7] llegan a ser los que llevan la comida a la casa y dan el dinero para la educación de sus hermanos menores. Pero también hay familias de clase media y alta muy ricas en las que los padres son los que dan todo a los hijos. En muchas de estas casas hay empleadas de servicio[8] que ayudan con los quehaceres de la casa. Los hijos se dedican a estudiar y a jugar con sus amigos o amigas.

Alberto (Costa Rica): En mi país los padres ponen mucha atención al comportamiento[9] de sus hijos, especialmente a las relaciones con los amigos, para así evitar[10] problemas como la drogadicción o el alcoholismo. Al igual que en otros países, los hijos se quedan[11] en la casa de los padres hasta que terminan la universidad o se casan. Antes, las familias eran bastante grandes, pero esto está cambiando. Hoy en día una familia promedio[12] consiste de cuatro miembros, los papás y dos hijos. Es bonito escuchar las conversaciones de nuestros familiares sobre viejos tiempos, especialmente en visitas o en fiestas en las que todos nos reunimos.

Juan Andrés (Colombia): En Colombia la unidad familiar sigue siendo importante. Nos gusta mucho estar juntos y vivir en el mismo hogar. Es en el hogar donde aprendemos a querer y donde los padres nos educan[13] y nos transmiten los valores[14] morales. La casa es el lugar donde compartimos[15] lo bueno y lo malo de la vida. Los hijos podemos quedarnos en la casa de nuestros padres toda la vida si queremos. En la casa tenemos mucha libertad, lo que nos permite hacer lo que nos guste. Pero claro, debemos respetar las reglas de la casa. También podemos traer a nuestros amigos para estudiar o hacer fiestas. Muchas veces a nuestros padres les gusta estar en las fiestas porque así pueden conocer a nuestros amigos, hablar con ellos y, lo más importante, bailar con ellos.

[1]blessing [2]loved ones [3]whether [4]Just as [5]according to [6]era [7]even [8]maids
[9]behavior [10]avoid [11]stay [12]average [13]educate [14]values [15]share

A ¿Qué recuerdas?

1. ¿En qué país piden los chicos y las chicas la bendición de los padres?
2. ¿Adónde va Cristina los sábados?
3. ¿En qué pasa más su tiempo hoy la gente en España?
4. ¿Dónde hay muchas familias pobres, según la lectura?
5. ¿Quiénes tienen que trabajar en la calle para conseguir dinero?
6. ¿Qué problemas dice Alberto que pueden tener en su país los jóvenes?
7. ¿Hasta cuándo se quedan los hijos en la casa, según Alberto?
8. ¿Qué debe respetar Juan Andrés en su casa?

B Algo personal

1. ¿En qué son diferentes las familias hispanas de tu familia?
2. ¿Crees que los problemas de la drogadicción y el alcoholismo se pueden acabar? ¿Cómo?
3. ¿Qué piensas de quedarte en casa con tus padres hasta los treinta años? ¿Te gustaría? Explica.
4. ¿Qué fue lo más interesante de la lectura para ti?

Estrategia

Comparing and contrasting
You can compare and/or contrast different aspects of a topic to offer your reader a clear mental picture of what you are describing. One way to compare/contrast items is by using a Venn diagram (overlapping circles, each containing one aspect of a topic) to create visual representation of what two topics have in common.

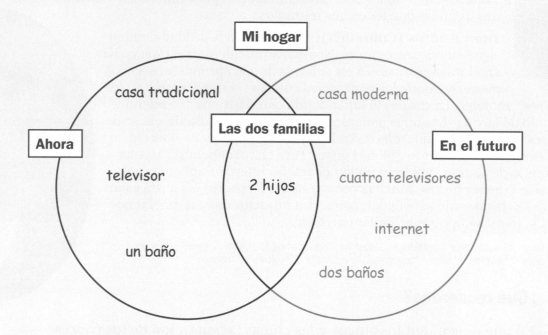

Write a short composition comparing and contrasting your home and family life now with how you think your own home and family will be in ten years. Tell about your likes and dislikes and how you would like things to be in the future. Add artwork or graphics to your composition when you are finished to enhance the descriptions.

MODELO

Somos cinco personas en mi familia: mi padre, mi madrastra, mi hermano David, mi hermana Blanca y yo. Vivimos en una casa antigua. En el futuro, quiero que mi casa sea moderna, con una piscina muy grande. También quiero que mi casa tenga muchos baños. No me gusta que mi hermana y yo usemos el mismo baño. Cuando tenga mi propia familia espero tener dos hijos y también quiero que cada uno tenga su baño.

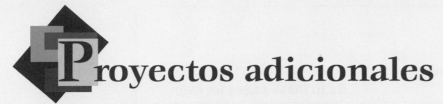
Proyectos adicionales

A Conexión con la tecnología

Use a camera or a camcorder to photograph or film the different parts of your house. Then prepare a script in Spanish to identify the rooms and objects being seen, and to tell which family members you advise to do particular household chores. Be creative! Share your presentation with the rest of the class.

B Comunicación

Trabajando en parejas, hablen de sus familias. Deben decir dos o tres cosas sobre algún miembro de la familia. Pueden inventar la información, si prefieren.

> **A:** ¿Quiénes son los miembros de tu familia?
> **B:** Mi madrastra se llama Lucía. Hace siete años que es la esposa de mi papá. Trabaja en una joyería en un centro comercial.
> **B:** ¿Quiénes son los miembros de tu familia?
> **A:** Tengo una bisabuela. Tiene 90 años.

C Conexión con la tecnología

How important is technology in your life? Many people depend upon it to run their homes and offices. Write a paragraph that discusses the technology you want your own home to have. Remember to use the subjunctive after verbs of emotion or doubt and after the impersonal expressions you have learned.

MODELOS Es importante que mi casa tenga una computadora en todos los cuartos.
Espero que la puerta de mi garaje sea automática.

D Comparaciones

Compara la vida en casa con tu familia con lo que supiste del hogar y de la vida de familia en el mundo hispano en este capítulo.

La vida de una familia hispana.

Repaso

Now that I have completed this chapter, I can...	Go to these pages for help:
describe a household.	252
talk about family.	252
tell someone what to do.	252
state wishes and preferences.	262
talk about everyday activities.	262
invite someone to do something.	262
make a request.	272
express doubt, emotion and uncertainty.	272
state hopes and opinions.	280

I can also...

talk about my responsibilities at home.	262
talk about Latin American architecture.	265
discuss Bolivia and other countries that Simón Bolívar helped liberate.	275
identify employment opportunities in advertising and marketing.	288
skim content for ideas and cues in context.	292

Trabalenguas

Pancha plancha con cuatro planchas.
¿Con cuántas planchas Pancha plancha?

Vocabulario

a tiempo on time *6B*
abajo downstairs, down *6A*
el **abrelatas** can opener *6B*
adentro inside *6A*
afuera outside *6A*
el **aire (acondicionado)** air (conditioning) *6A*
al aire libre outdoors *6A*
la **alarma de incendios** fire alarm, smoke alarm *6B*
alegrar(se) (de) to be glad, to make happy *6B*
la **alfombra** carpet, rug *6A*
el **aparato** appliance, apparatus *6B*
el **armario** closet, wardrobe, cupboard *6A*
arriba upstairs, above, up *6A*
el **ático** attic *6A*
el **beso** kiss *6A*
el **bisabuelo**, la **bisabuela** great-grandfather, great-grandmother *6A*
la **bombilla** light bulb *6A*
la **broma** joke *6A*
la **cafetera** coffee pot, coffee maker *6B*
cambiar to change *6B*
la **cerca** fence *6A*
la **cerradura** lock *6B*
la **chimenea** chimney, fireplace *6A*
claro,-a clear *6B*
el **club** club *6B*
comenzar (ie) to begin, to start *6B*

complacer to please *6B*
convenir to be fitting, to agree *6B*
la **cortadora de césped** lawn mower *6A*
cortar to cut, to mow *6A*
la **cortina** drape, curtain *6A*
el **cuadro** picture, painting *6A*
cualquiera any at all *6B*
el **cuidado** care *6A*
dejar to let, to allow *6A*
el **despertador** alarm clock *6A*
discutir to discuss, to argue *6B*
dudar to doubt *6B*
dudoso,-a doubtful *6B*
encantar to enchant, to delight *6B*
encargar(se) (de) to make responsible (for), to put in charge (of), to take care (of), to take charge (of) *6A*
la **escoba** broom *6A*
esperar to hope *6B*
evidente evident, clear *6B*
exagerar to exaggerate *6A*
fascinar to fascinate *6B*
ganar to win, to earn *6A*
el **hermanastro**, la **hermanastra** stepbrother, stepsister *6A*
el **hogar** home *6A*
el **horno** oven *6B*
imposible impossible *6B*
el **incendio** the fire *6B*
insistir (en) to insist (on) *6A*
interesar to interest *6B*
invitar to invite *6A*
el **ladrillo** brick *6A*
la **lástima** shame, pity *6B*
el **lavadero** laundry room *6A*
la **lavadora** washer *6A*
la **licuadora** blender *6B*
la **llave** key *6B*
la **madera** wood *6A*
la **madrastra** stepmother *6A*
la **mamá** mother, mom *6A*
más vale que it is better that *6B*
la **mesa de planchar** ironing board *6B*
el **miembro** member *6A*
el **mueble** piece of furniture *6A*
el **muro** wall (exterior) *6A*
obvio,-a obvious *6B*
el **padrastro** stepfather *6A*

el **papá** father, dad *6A*
el **pastel** cake, pastry *6B*
el **plan** plan *6B*
la **plancha** iron *6B*
planchar to iron *6B*
preciso,-a necessary *6B*
el **premio** prize *6A*
puro,-a pure, fresh *6A*
rayado,-a scratched, striped *6A*
referir(se) (ie, i) to refer *6A*
la **regla** ruler, rule *6B*
regresar to return, to go back, to come back *6B*
la **reja** wrought iron window grille, wrought iron fence *6A*
la **secadora** dryer *6A*
seguro,-a sure *6B*
ser difícil que to be unlikely that *6B*
ser fácil que to be likely that *6B*
el **sillón** armchair, easy chair *6A*
sonreír(se) (i, i) to smile *6B*
el **sótano** basement *6A*
la **tostadora** toaster *6B*
el **techo** roof *6A*
temer to fear *6B*
tener cuidado to be careful *6A*
urgente urgent *6B*
valer to be worth *6B*
el **ventilador** fan *6A*

Es obvio que los muebles son grandes.

La reja de mi casa es azul.

Capítulo 7

Última hora

Objetivos

- ❖ say what has happened
- ❖ discuss the news
- ❖ talk about a television broadcast
- ❖ describe people and objects
- ❖ identify sections of newspapers and magazines
- ❖ relate two events in the past
- ❖ talk about a radio broadcast
- ❖ talk about soccer

Visit the web-based activities at www.emcp.com

Vocabulario I
En las noticias

La República
EL DIARIO PLURAL — AÑO VI · NÚMERO 1808 · LUNES, 11 DE AGOSTO

Noticias en fotos

AQUÍ ESTÁN LAS MEJORES FOTOS DE LOS ACONTECIMIENTOS Y SUCESOS QUE HAN HECHO NOTICIA EN LAS ÚLTIMAS 24 HORAS:

Destrucción por temblor en el sur del país

Un temblor de poca intensidad ocurrió ayer en Punta del Este. Con éste han sido ya dos los temblores de tierra que han ocurrido esta semana.

Accidente en la carretera Central

Gran celebración en la capital Página 2

Misterio por robo en banco

Una importante reunión de miembros de la comunidad del barrio Villa del Cerro con miembros de la policía se realizó esta mañana para estudiar la situación de los robos que han venido pasando en el sector.

Página 3

NO!! A LA

Protesta en reunión de bancos

Catástrofe por el huracán Mario Página 2

el reportero

Aquí mostramos la jaula donde estaba el animal. En esta ocasión este tigre lastimó a una persona, pero todas las actividades en el zoológico son normales ahora.

Un tigre ha escapado de su jaula. Los testigos dicen que el tigre mordió a una persona. El doctor que vio al herido dijo que las heridas no eran serias.

la reportera

1 ¿Qué oíste?

Di si lo que oyes es cierto o falso, según la información en el Vocabulario I.
Si es falso, di lo que es cierto.

2 En el periódico

Completa el artículo, usando las palabras de la lista. Cada palabra se usa una vez.

accidente	catástrofe
acontecimientos	celebraciones
protesta	robos
reunión	huracán
misterio	ocasión

Las noticias del año

Estos son los (1) más importantes que han ocurrido durante el año: En enero hubo una (2) de más de cuarenta mil personas amigas de la ecología en favor de los bosques del país. En marzo hubo una gran (3) en el país, cuando los vientos del (4) Mario barrieron con varias ciudades pequeñas de la costa este. En mayo con (5) del día de la madre se hicieron muchas (6) para las madres de todo el país. En julio, en medio de un gran (7), el Banco Central tuvo uno de los (8) más grandes de su historia sin que hasta hoy la policía sepa quién lo hizo. En septiembre un avión tuvo un (9) fatal en su viaje de Montevideo a Miami sobre la selva del Amazonas. Finalmente, el mes pasado hubo una (10) nacional de padres de familia para hablar sobre los jóvenes y la violencia.

Diálogo I

Accidente en la Carretera 10

BLANCA: ¡Hola, chicos! ¿Han hecho la tarea?
ROGELIO: No, todavía no. Estamos leyendo el periódico.
BLANCA: ¡Ay! ¿Leyeron sobre el accidente en la Carretera 10?
MARIO: No. ¿Qué pasó?

BLANCA: Miren en la página tres A. Hubo un accidente de un bus con un carro pequeño.
ROGELIO: Pasan catástrofes en esa carretera todos los días.
BLANCA: Lo sé, pero miren bien la foto que muestran en el periódico.
MARIO: ¿Esos no son los Vega?

BLANCA: Sí, claro. Ellos son los papás de Raúl.
ROGELIO: ¿Están bien? ¿Se lastimaron?
BLANCA: Un testigo vio dos personas heridas, pero parece que no eran los Vega.
MARIO: ¡Qué bueno!

3 ¿Qué recuerdas?

1. ¿Han hecho los chicos la tarea?
2. ¿Qué están haciendo los chicos?
3. ¿Qué pasó en la Carretera 10?
4. ¿Qué pasan todos los días en la Carretera 10?
5. ¿Quién está en la foto del periódico?
6. ¿Cuántos heridos vio un testigo?

4 Algo personal

1. ¿Te gusta ver o leer las noticias? Explica.
2. ¿Qué noticia importante o seria ha pasado donde tú vives?
3. ¿Hubo algún accidente donde tú vives? ¿Hubo heridos?
4. ¿Hubo algún acontecimiento importante esta semana en el país? ¿Cuál?

¿Te gusta leer o ver las noticias?

5 En las noticias

 Escoge un contenido apropiado para los titulares (*headlines*) que oyes.

A. Hubo fuegos artificiales en las principales ciudades del país.
B. No hubo heridos, ni destrucción de casas o edificios.
C. El Banco Central dijo "adiós" a un millón de dólares.
D. Hubieron cinco personas heridas en uno de los carros.
E. Hay lluvias y vientos muy fuertes en Puerto Rico.

Montevideo, Uruguay.

Los españoles llegaron a Uruguay en el siglo XVI cuando Juan Díaz de Solís descubrió lo que hoy es el Río de la Plata. Un grupo de españoles de la Compañía de Jesús estableció la ciudad de Santo Domingo de Soriano en 1624. Durante los años siguientes continuó la colonización de la región. Doscientos años más tarde, el día 25 de agosto de 1825, Uruguay declaró su independencia de España.

Hoy, Uruguay es un país cosmopolita. Su población, que en su mayoría vive en las ciudades, muestra una variedad de herencias. El ochenta y cinco por ciento de su gente es de origen europeo, generalmente español o italiano.

Uruguay, el país más pequeño de América del Sur

Es el país más pequeño de América del Sur después de Surinam. Su lengua oficial es el español. El Uruguay está ubicado entre Brasil al norte y al este, Argentina al oeste, el Océano Atlántico al sureste y el Río de la Plata al suroeste. Montevideo es la capital del país y la ciudad más grande, con una población de más de un millón de habitantes. Otras ciudades importantes del Uruguay son Salto y Punta del Este.

Punta del Este, Uruguay.

6 Uruguay

Contesta las siguientes preguntas.

1. ¿Es Uruguay un país grande? Explica.
2. ¿Qué lengua se habla en Uruguay?
3. ¿Cuáles son los países vecinos del Uruguay?
4. ¿Qué cuerpos de agua tiene el país al sur?
5. ¿Cuál es la capital del país?
6. ¿Cuántas personas viven en la capital?
7. ¿Cuándo declaró Uruguay su independencia de España?
8. ¿Cómo es Uruguay hoy? Explica.

La bandera de Uruguay.

Estructura

The present perfect tense and past participles

Combine the present tense of *haber* (to have) and the past participle *(participio)* of a verb to form the present perfect tense *(pretérito perfecto)*. Use this verb tense to talk about the past in a general sense and to say what **has happened** or what someone **has done.**

he	hemos
has	habéis
ha	han

+ | past participle |

You are familiar with past participles of words in English that usually end in *-ed.* In Spanish, form the past participle of regular *-ar* verbs by changing the *-ar* of the infinitive to *-ado.* For regular *-er* and *-ir* verbs, change the infinitive ending *-er* or *-ir* to *-ido.* Some past participles are regular, but they require an accent mark. You will need to memorize some irregular past participles.

regular		
pas**ar**	→	pas**ado** (happened)
com**er**	→	com**ido** (eaten)
viv**ir**	→	viv**ido** (lived)
¿Qué **ha pasado** en la protesta?		
(What **has happened** in the protest?)		

irregular		
abrir	→	**abierto** (opened)
cubrir	→	**cubierto** (covered)
decir	→	**dicho** (said, told)
escribir	→	**escrito** (written)
hacer	→	**hecho** (done, made)
morir	→	**muerto** (died)
poner	→	**puesto** (put)
romper	→	**roto** (broken, torn)
ver	→	**visto** (seen)
volver	→	**vuelto** (returned)
Ellos **han visto** mucho.		
(They **have seen** a lot.)		

regular with an accent mark		
caer	→	**caído** (fallen)
creer	→	**creído** (believed)
leer	→	**leído** (read)
oír	→	**oído** (heard, listened to)
reír	→	**reído** (laughed)
traer	→	**traído** (brought)
¿**Has leído** el periódico?		
(**Have** you **read** the newspaper?)		

Object pronouns precede the conjugated form of *haber.* However, when an expression uses the infinitive of *haber,* attach object pronouns directly to the end of the infinitive form.

¿Qué les ha pasado aquí?   What has happened to them here?

Siento no habértelo contado.   I am sorry I have not told you.

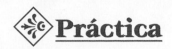 # Práctica

7 Noticias en la internet

Lee las siguientes noticias de una página del periódico La República y, luego, encuentra seis participios.

8 Una visita al zoológico

Completa las siguientes oraciones, usando el pretérito perfecto y las indicaciones que se dan.

MODELO Los gorilas <u>han comido</u> plátanos todo el día. (comer)

1. Mis amigos y yo __ por el zoológico. (caminar)
2. Yo __ todo tipo de animales salvajes. (ver)
3. Los leones __ mucho. (dormir)
4. Unos señores __ a la jaula de los leones. (entrar)
5. Nosotras __ de comer a los monos. (dar)
6. El mono __ a un árbol. (subir)
7. Mis amigos __ la exhibición de las serpientes. (visitar)
8. Nosotros __ la visita al zoológico. (terminar)

¿Has comido plátanos?

9 ¿Cuántas veces lo han hecho?

Di el número de veces al mes que cada una de las siguientes personas ha hecho las actividades indicadas, usando las indicaciones que se dan.

MODELO Srta. Montoya / ir de compras / 2
La Srta. Montoya ha ido de compras dos veces este mes.

1. Ud. / ir a una celebración / 2
2. yo / estar en una protesta / 1
3. tú / tener una reunión con tu profesor / 3
4. Liliana / comprar el periódico / 20
5. los chicos / montar en patineta / 8
6. Mauricio y Mónica / cenar juntos / 15
7. ellos / discutir sus actividades con sus padres / 4

10 Esta semana

Di cuántas veces has hecho esta semana las actividades indicadas, usando el pretérito perfecto.

MODELO dar un paseo en carro
He dado un paseo en carro dos veces esta semana.

1. leer las noticias
2. ir a una celebración
3. llegar tarde al colegio
4. conducir el carro de mis padres
5. conocer a una persona nueva
6. mentir a un amigo
7. tener un pequeño accidente

Hemos dado un paseo en carro.

11 El robo del Banco Central

Completa el siguiente diálogo, usando el pretérito perfecto de los verbos indicados para saber lo que Cecilia y Ricardo dicen sobre el robo en el Banco Central.

Cecilia: ¿Qué *(1. pasar)* hoy en las noticias?

Ricardo: Un periodista *(2. decir)* algo sobre un robo en el Banco Central.

Cecilia: ¿Cómo? ¿Un robo? ¿*(3. mostrar)* ellos el banco?

Ricardo: Todavía no. Yo *(4. ver)* las noticias todo el día. Pero, ¿por qué te preocupas tanto?

Cecilia: Bueno, tengo una amiga que *(5. trabajar)* por muchos años en ese banco.

Ricardo: ¡Ah, ya!, pero todo está bien. Todas las personas *(6. escapar)* de allí, según dijo la policía.

Cecilia: ¡Qué bien! ¿Y nadie se lastimó cuando escapaban?

Ricardo: No, nadie. Mira, Cecilia, creo que tú *(7. tener)* un día muy largo. Ve a descansar un poco.

Cecilia: Sí, está bien. No *(8. dormir)* lo suficiente. Hasta mañana, Ricardo.

12 Tu madre te hace preguntas

Trabajando con otro/a estudiante, alterna con tu compañero/a de clase en hacer preguntas y contestarlas, usando el pretérito perfecto y las indicaciones que se dan.

MODELO leer el periódico / todos nosotros
> **A:** ¿Quién ha leído el periódico?
> **B:** Todos nosotros lo hemos leído.

1. escribir estos números en la pared / Juanito
2. cubrir la mesa / mi papá
3. poner las revistas en mi cuarto / yo
4. abrir todas las ventanas / mis tíos
5. ver las noticias hoy / mi abuela
6. decir que el piso está sucio / mi papá
7. morder el pastel / Juanito
8. romper estos platos / Graciela
9. hacer estas galletas / mi hermana mayor
10. traer este televisor para la sala / tú

¿Quién ha leído el periódico?

13 La familia de Rogelio

Haz oraciones completas para decir lo que han hecho esta mañana algunos miembros de la familia de Rogelio, combinando elementos de cada columna.

MODELO Su papá ha leído una revista muy interesante.

I	II	III
sus hermanas	abrir	frutas y verduras
sus abuelos	cubrir	una noticia sobre una protesta
su sobrina	escribir	una revista muy interesante
su papá	leer	una ventana jugando al béisbol
sus tíos	oír	un pastel de limón
su mamá	poner	un e-mail a su amiga de Montevideo
su prima	romper	todos los muebles de la casa
su hermanastro	traer	sus cosas en su lugar

Su papá ha leído una revista muy interesante.

✤ Comunicación

14 ¿Quién exagera más?

 Trabajando en parejas, alternen en decir algo exagerado, usando el pretérito perfecto de los verbos indicados.

MODELO correr

    A: He corrido más de cien mil cuadras.

    B: Pues, yo he corrido más de quinientas mil cuadras.

1. tomar
2. decir
3. escribir
4. hacer
5. leer
6. oír
7. poner
8. romper
9. traer a la clase
10. ver

No hemos empezado a correr.

15 ¿Qué han hecho ellos?

Trabajando con otro/a estudiante, alternen en hacer preguntas y en contestarlas para decir lo que han hecho durante la semana varias personas que Uds. conocen. Usen el pretérito perfecto en cada pregunta y respuesta.

MODELO A: ¿Qué ha hecho tu padre esta semana?

B: Mi padre ha leído el periódico todos los días.

B: ¿Qué ha hecho tu hermana?

A: Mi hermana ha jugado al voleibol con sus amigas.

Mi hermana ha jugado al voleibol con sus amigas.

16 Comunidades

Escribe un reporte de los sucesos más importantes que han pasado durante la semana en tu comunidad. Informa sobre alguna actividad de la comunidad hispana de tu ciudad o de tu estado. Da toda la información que puedas.

MODELO El lunes hubo una celebración mexicana por el cinco de mayo.

Celebración mexicana.

¡Extra!

En las noticias

el choque	*collision*
el crimen	*crime*
la explosión	*explosion*
la guerra	*war*
la huelga	*strike*
la tormenta	*storm*
el terremoto	*earthquake*

Vocabulario II

En la televisión

la comedia

el concurso

el público

Muchas personas participan en este programa.

el anuncio comercial

Algunos anuncios comerciales son con dibujos animados.

el noticiero

el periodista

Los periodistas opinan e informan sobre los sucesos del día.

el musical

la cantante

Ella es una cantante famosísima y tiene mucho éxito.

la telenovela

el actor

la actriz

Las telenovelas son nacionales y extranjeras.

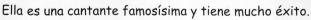

17 Los programas de televisión

Selecciona el tipo de programa de televisión que corresponde con cada descripción que oyes.

A. un musical

B. una comedia

C. un concurso

D. una telenovela

E. un noticiero

F. unos dibujos animados

18 En la televisión

Completa las siguientes oraciones, usando las palabras de la lista. Cada palabra se usa una vez.

aburren   autógrafo   extranjeras   famosísimo
fracasar   informan   participar   personajes

1. Los __ de mi telenovela favorita del Canal 5 son fantásticos.
2. Las telenovelas __ son mis favoritas.
3. Mi telenovela favorita nunca va a __, tiene mucho éxito.
4. Yo nunca he tenido el __ de alguien famoso.
5. Los periodistas del Canal 8 __ muy bien sobre los sucesos del día.
6. Los comerciales de televisión que pasan durante mis programas favoritos me __ mucho.
7. Mi hermana mayor va a __ en un programa de concurso el próximo mes.
8. Alejandro Sanz es un cantante __.

Diálogo II

¡No hay nada que ver!

ROGELIO: Me he aburrido de cambiar canales. ¡No hay nada que ver!

MARIO: ¿Cómo que no? En el canal 8 hay unos dibujos animados muy buenos ahora.

ROGELIO: Los dibujos animados no me gustan.

MARIO: Entonces en el 12 hay una comedia extranjera muy divertida.

BLANCA: Ah, sí, donde trabaja Ana María Orozco, esa actriz tan bonita.

ROGELIO: ¿A quién le interesan las actrices? Prefiero los noticieros.

MARIO: ¡Eres un aburrido!

BLANCA: ¡Chicos! Miren. ¡No lo van a creer!

MARIO: ¿Qué pasa?

BLANCA: Es Ana María Orozco. Está en la calle dando autógrafos.

ROGELIO: ¿Ana María Orozco? ¿La famosa actriz? ¿Dónde?

BLANCA: ¡Ja, ja! ¡Qué risa! Era un chiste.

19 ¿Qué recuerdas?

1. ¿Por qué está aburrido Rogelio?
2. ¿Qué hay en el canal 8 ahora?
3. ¿Qué hay en el canal 12?
4. ¿Qué prefiere ver Rogelio?
5. ¿Quién está en la calle dando autógrafos, según Blanca?
6. ¿Qué era un chiste?

¡Oportunidades!

Los canales de televisión en español
The next time you turn on the television, check out the Spanish channels. Try watching one of the news programs, a soap opera or a movie to test how much you are able to understand. Begin the habit of listening to or watching programs and following the news in Spanish, even if you do not understand everything at first, because it will help you become accustomed to the sounds of spoken Spanish. It will also keep you informed!

20 Algo personal

1. ¿Cuáles son tus canales de televisión favoritos? ¿Por qué?
2. ¿Qué tipo de programas te gustan?
3. ¿Ves los noticieros alguna vez?
4. ¿Has pedido el autógrafo a alguna persona famosa? ¿A quién?

21 Lógico o ilógico

Di si lo que oyes es lógico o ilógico. Si lo que oyes es ilógico, di lo que es lógico.

Cultura viva

La televisión uruguaya

Con la televisión por cable y la televisión por satélite, los uruguayos pueden ver una gran variedad de programas nacionales y extranjeros. Los programas extranjeros más vistos son los dibujos animados, las películas y las series dramáticas de los Estados Unidos. Las producciones nacionales más populares en Uruguay son las telenovelas, los programas de concurso, los musicales, los programas de entretenimiento[1], los noticieros y los programas de deportes.

La producción de telenovelas es una industria muy importante en Latinoamérica. Es quizás lo que distingue[2] a la televisión latina en el mundo. A diferencia de las *soap operas* de los

La telenovela *Sofía, dame tiempo.*

Estados Unidos que nunca terminan, las telenovelas latinoamericanas duran[3] generalmente de seis a diez meses. Cada una es como una película de cien horas que se transmite por media o una hora entre las siete y las diez de la noche de lunes a viernes. Los programas de entretenimiento tienen entrevistas, premios, música, comedia y la participación de la teleaudiencia. Un ejemplo de un programa de entretenimiento es el programa argentino de Susana Giménez que es muy popular en Uruguay. Los noticieros son de una hora y muchos canales tienen hasta seis ediciones en un día. La hora de los noticieros es diferente de canal a canal, así que los uruguayos pueden ver las noticias a diferentes horas del día.

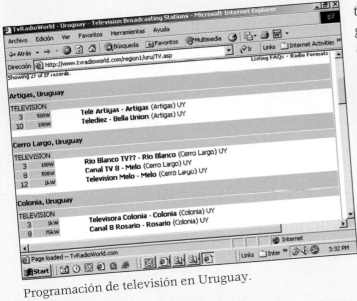
Programación de televisión en Uruguay.

[1]variety shows   [2]distinguishes   [3]last

22   La televisión uruguaya

Contesta las siguientes preguntas, según la Cultura viva.

1. ¿Cuáles son dos diferencias entre las telenovelas latinas y las *soap operas* de los Estados Unidos?
2. ¿Qué diferencia hay entre los noticieros uruguayos y los noticieros en los canales locales de tu ciudad?

Estructura

The present perfect tense of reflexive verbs

The present perfect tense of reflexive verbs is formed using a reflexive pronoun in combination with the present tense of *haber* and the past participle of a verb. Reflexive pronouns precede the conjugated form of *haber.* However, when an expression uses the infinitive *haber,* attach the reflexive pronouns directly to the end of the infinitive.

¿Se ha lastimado él?	**Did he hurt himself?**
Creo haberme lastimado.	I believe **I have hurt myself.**

 Práctica

23 ¿Qué han hecho?

Completa las siguientes oraciones con la forma apropiada del pretérito perfecto de los verbos entre paréntesis para decir lo que han hecho o lo que les ha pasado a estas personas.

MODELO   Javier _se ha lastimado_ montando en bicicleta. (lastimarse)

1. Ellos __ mucho viendo los comerciales de la televisión. (aburrirse)
2. Un periodista __ cuando decía las noticias. (caerse)
3. Yo __ mientras veía a mi cantante favorita en la televisión. (peinarse)
4. Mi madre __ temprano para ver el noticiero. (levantarse)
5. Ernesto y Carmen __ de la risa viendo una comedia en el Canal 8. (morirse)
6. Uds. __ con la información que me dieron sobre los huracanes. (equivocarse)
7. Nosotros tuvimos un pequeño accidente por __ mucho esta mañana. (apurarse)
8. Mi hermanastro __ mientras escuchaba las noticias. (bañarse)

Javier se ha lastimado montando en bicicleta.

Completa el siguiente anuncio, usando el pretérito perfecto de los verbos entre paréntesis.

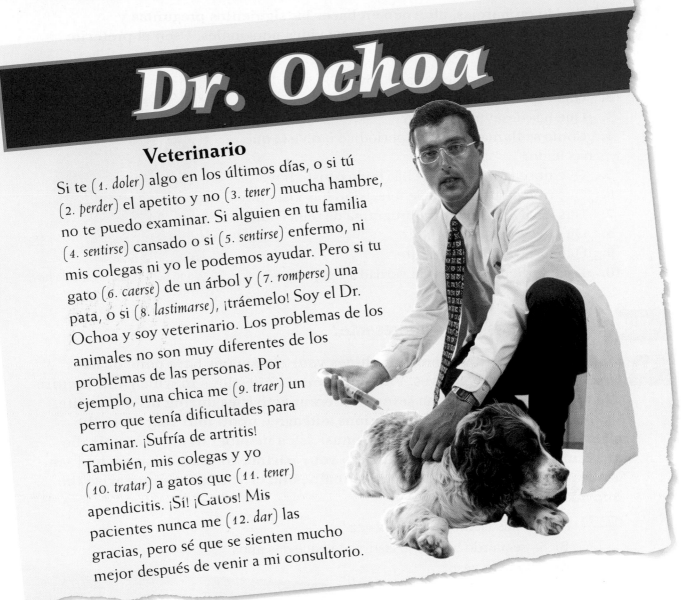

Dr. Ochoa

Veterinario

Si te (1. *doler*) algo en los últimos días, o si tú (2. *perder*) el apetito y no (3. *tener*) mucha hambre, no te puedo examinar. Si alguien en tu familia (4. *sentirse*) cansado o si (5. *sentirse*) enfermo, ni mis colegas ni yo le podemos ayudar. Pero si tu gato (6. *caerse*) de un árbol y (7. *romperse*) una pata, o si (8. *lastimarse*), ¡tráemelo! Soy el Dr. Ochoa y soy veterinario. Los problemas de los animales no son muy diferentes de los problemas de las personas. Por ejemplo, una chica me (9. *traer*) un perro que tenía dificultades para caminar. ¡Sufría de artritis! También, mis colegas y yo (10. *tratar*) a gatos que (11. *tener*) apendicitis. ¡Sí! ¡Gatos! Mis pacientes nunca me (12. *dar*) las gracias, pero sé que se sienten mucho mejor después de venir a mi consultorio.

Los pacientes del Dr. Ochoa.

◈ Comunicación

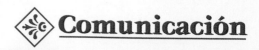

25 Una entrevista sobre tu vida

Trabajando en parejas, alternen en hacer las siguientes preguntas y contestarlas con información sobre sus vidas personales. Usen el pretérito perfecto en sus respuestas.

1. ¿A qué hora te has levantado hoy?
2. ¿Qué ropa te has puesto hoy?
3. ¿Qué has desayunado hoy?
4. ¿Cómo se llama el último periódico o revista que has leído?
5. ¿Qué noticia importante has leído o visto hoy?
6. ¿Qué tipo de programa de televisión has visto hoy?
7. ¿Has ido a ver grabar un programa de televisión?
8. ¿Qué te ha hecho reir hoy?
9. ¿Qué has roto últimamente?
10. ¿Les has dicho siempre la verdad a tus padres?

¿A qué hora te has levantado hoy?

26 ¿Qué has hecho interesante?

Find out some of the interesting things your classmates have done or have happened during their lives. First, prepare six questions in which you inquire whether someone has done several different activities during his or her life. Then, in pairs, compare the questions and agree upon four that seem the most interesting. Next, each of you must ask a member of another pair the questions you have chosen. Return to your partner to share what each of you has learned about your classmates. Finally, one of you must summarize the information for the class.

MODELO
A: ¿Te has lastimado alguna vez?
B: Sí, recuerdo haberme lastimado hace dos años.
A: ¿Y qué te pasó?
B: Me rompí un brazo en un accidente que tuve cuando tenía diez años.

¿Qué ha pasado?

Participles as adjectives

In Spanish, a past participle may be used as an adjective following a verb (such as *ser* or *estar*), or alone with a noun. As is the case with other adjectives you have learned, past participles that are used as adjectives must agree in number and gender with the noun they modify.

Los noticieros no son **aburridos.**	News programs are not **boring.**
La cantante estaba **cubierta** *de flores.*	The singer was **covered** with flowers.
Hay un lapiz **roto.**	There is a **broken** pencil.

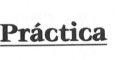

Práctica

27 Un temblor

Imagina que anoche hubo un temblor cuando tú estabas en la casa de Pedrito y su familia. Completa las siguientes oraciones con el participio de los verbos indicados para describir cómo estaba todo en ese momento.

MODELO La mesa estaba *(poner)*.
La mesa estaba puesta.

1. La comida estaba *(servir)* en la mesa.
2. Yo estaba *(sentar)* en el comedor.
3. Los niños estaban *(dormir)* en su cuarto.
4. Nosotros estábamos *(sentar)* en el comedor.
5. Pedrito estaba muy *(aburrir)* porque la televisión estaba *(apagar)*.
6. Dos tazas estaban *(romper)* en la cocina.
7. Los hermanos mayores de Pedrito estaban *(preparar)* para salir.

La mesa estaba puesta.

El niño estaba dormido en su cuarto.

28 En una reunión

Usa la forma del adjetivo de los verbos entre paréntesis para completar las siguientes oraciones y saber lo que dijeron algunas personas en una reunión.

MODELO **Raúl:** Mi abuelo me ha dicho muchas veces que la gente bien <u>informada</u> puede llegar a tener mucho éxito en la vida. (informar)

1. **Edgar:** He leído que hay un canal de comedia que es muy __. (divertir)
2. **Darío:** He visto que algunos programas de concurso dan unos premios __. (exagerar)
3. **Lucila:** Algunas personas han opinado que los libros de Eduardo Galeano son muy __. (leer)
4. **Diana:** Siempre he pensado que los programas de noticias sólo presentan información __. (aburrir)
5. **Vivian:** Algunas veces me ha parecido que las noticias están llenas de personas __. (morir)
6. **Cecilia:** He sabido que Cristina Aguilera tiene algunas canciones __ en español. (grabar)
7. **Lyda:** He oído que los dibujos animados son tus programas de televisión __. (preferir)

29 Samuel y Cristina

Completa el siguiente párrafo, usando la forma del adjetivo de los verbos entre paréntesis para saber lo que veían Samuel y Cristina en la televisión.

Samuel y Cristina estaban *(1. sentar)* esta mañana en la sala, con los ojos muy *(2. abrir)* viendo televisión. En un programa *(3. grabar)* en los Estados Unidos, mostraban actores y actrices de mucho éxito que recibían premios. Luego, los mostraban dando autógrafos al público que estaba *(4. aburrir)* por haberlos esperado mucho tiempo. Más tarde, en las noticias nacionales los chicos veían a algunos hombres *(5. lastimar)* en un accidente de carro, y que dos edificios *(6. quemar)* en un incendio el año pasado eran hoy dos bonitos edificios de oficinas. Después, en los anuncios comerciales, veían una torta *(7. morder)* que bailaba para unos niños mientras ellos desayunaban. Por la noche, los chicos casi *(8. dormir)* y con los ojos casi *(9. cerrar)* bostezaban mientras veían una comedia poco *(10. divertir)* que los puso a dormir.

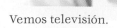

Vemos televisión.

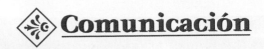
30 Eres periodista

Imagina que eres un(a) periodista y ahora cubres un accidente para el noticiero de un canal de tu ciudad. Describe para los televidentes todo lo que ves en la escena del accidente.

MODELO Hola, soy Javier Pérez del Canal 60. Esta mañana ha ocurrido un accidente entre varios carros en la carretera principal. Hay muchos vidrios rotos por todos lados. Hay dos personas lastimadas y parece que no hay ninguna persona muerta.

Soy Javier Pérez, del Canal 60.

31 En el teléfono

En parejas, creen una conversación telefónica en donde hablan de los programas de televisión. Recuerden usar un saludo apropiado al comenzar la conversación. Intercambien opiniones sobre los programas y digan si están de acuerdo o no con la opinión de tu compañero/a. Digan también qué programas les gustan y qué programas no les gustan. Usen el participio tanto como puedan.

MODELO **A:** ¡Aló! ¿Javier? ¿Qué tal?
B: Bien, gracias.
A: ¿Has visto los nuevos programas de televisión para el otoño?
B: Sí, hay una comedia con una actriz nueva muy divertida.
A: Ah, sí. Pero yo creo que esa comedia es aburrida.

¡Aló! ¿Javier?

Lectura cultural

La talentosa Natalia Oreiro

Natalia Oreiro.

A los ocho años, empezó a estudiar teatro. Entre los doce y los diecisiete años, hizo más de treinta comerciales. A los veintiún años, protagonizó[1] una película argentina, y luego, grabó su primer disco. A los veintitrés años, recibió el premio *Celebrity of the Year* del canal de televisión *E! Entertainment*. También fue nominada al premio Martín Fierro como mejor actriz dramática por su personaje en una telenovela argentina. Al año siguiente, fue nominada al premio Grammy Latino como mejor cantante pop. Además, fue nombrada madrina[2] de la selección uruguaya de fútbol para el Mundial de Fútbol Corea-Japón. ¿Quién es ella? Su nombre es Natalia Oreiro.

Natalia Oreiro nació[3] el diecinueve de mayo de 1977 en Montevideo, Uruguay. Desde pequeña supo que quería ser famosa. Cuando tenía diecisiete años, dejó Montevideo y se fue sola a Argentina para conseguir el éxito. Al poco tiempo, participó en telenovelas y empezó a grabar canciones. Con su personalidad y su música, Natalia conquistó[4] al mundo. Hoy día, esta joven cantante y actriz uruguaya tiene admiradores no solamente en América Latina sino también en países extranjeros como Rusia, Polonia y Eslovenia, entre otros.

[1]played the lead   [2]godmother   [3]was born   [4]conquered

32 ¿Qué recuerdas?

Pon los eventos de la vida de Natalia Oreiro en orden cronológico.

1. Grabó su primer disco.
2. Estudió teatro.
3. Se fue a Argentina.
4. Protagonizó una película argentina.
5. Nació en Montevideo.
6. Hizo comerciales.
7. Fue al Mundial de Fútbol Corea-Japón con el equipo uruguayo.

- ¿Conoces a alguien famoso que es al mismo tiempo actor/actriz y cantante como Natalia Oreiro? Compara los éxitos de ambas personas.

33 Algo personal

1. ¿Por qué crees que Natalia Oreiro dejó Uruguay y se fue a Argentina?
2. ¿Has visto a Natalia en alguna telenovela o has escuchado alguna canción suya? Explica.
3. ¿Cuál crees que fue el acontecimiento más importante de la vida profesional de Natalia? ¿Por qué?

Autoevaluación

Como repaso y autoevaluación, responde lo siguiente:

1. State two recent events in the news.

2. Say two things you have done during the past week.

3. What is your favorite type of television program?

4. How would you say someone "has died of laughter" in Spanish?

5. What clothing have you put on today?

6. Imagine you are a police detective and yesterday you walked into a home that had been burglarized. Describe what you saw in the room for the police report.

7. What do you know about Uruguay?

Palabras y expresiones

En las noticias
- el accidente
- el acontecimiento
- la actividad
- la catástrofe
- la celebración
- la destrucción
- la herida
- herido,-a
- el huracán
- el misterio
- la ocasión
- el periodista, la periodista
- el personaje
- la protesta
- el público
- el reportero, la reportera
- la reunión
- el robo
- el suceso
- el temblor
- el testigo, la testigo

En la televisión
- el actor
- la actriz
- el anuncio (comercial)
- el autógrafo
- el canal
- el cantante, la cantante
- la comedia
- el comercial
- el concurso
- el dibujo animado
- el éxito
- extranjero,-a
- famoso,-a

- el musical
- nacional
- el noticiero
- la risa

Verbos
- aburrir
- bostezar
- cubrir
- fracasar
- grabar
- haber
- informar
- lastimar(se)

- morder (ue)
- morir(se) (ue, u)
- mostrar (ue)
- opinar
- participar
- romper

Expresiones y otras palabras
- estar de acuerdo
- morirse de la risa
- normal
- serio,-a
- tener éxito

El testigo habla con el policía.

El noticiero.

Vocabulario I
¿Qué hay en el periódico?

EL DÍA

El fútbol de esta semana anota y destaca Página 12

el titular

Tres muertos en accidente

Muchos accidentes han ocurrido recientemente en la Avenida Juan Giannatasio. Vecinos del lugar dicen que todo se debe a la gran actividad de autobuses en esta ruta. Página 3

Muchos accidentes han ocurrido recientemente en la Avenida Juan Giannatasio. Los vecinos del lugar dicen que todo se debe a la gran actividad de autobuses que pasan por esta ruta.

En el accidente ocurrido ayer hubo varias fatalidades. Los vecinos fueron al ayuntamiento a hablar con el alcalde y los concejales para determinar la necesidad de instalar un nuevo semáforo o, al menos, obtener señales de tráfico adicionales en la avenida.

La preocupación principal de los vecinos reside en la cantidad de niños y niñas que a diario suben y bajan de los autobuses escolares. Estos niños, todos en edad escolar, pueden ser víctimas de **Página 3**

 Cultura

 Pasatiempos

 Deportes

 Hogar

 Política

 Economía

 Editorial

 Internacional

 Nacional

Tira cómica

la tabla

Destrucción por temblor en el sur del país

el artículo

Un temblor de poca in[...] ocurrió ayer en Punta del Este. Con éste han sido ya dos los temblores de tierra que han ocurrido esta semana.

No hubo bajas personales graves como consecuencia de este temblor, pero la pérdida de bienes ha sido bastante elevada.

Los residentes del bloque que mostramos en la fotografía

su hogar y la mayoría de sus muebles y pertenencias personales. Es imposible, por ahora, poner una cifra total a las pérdidas materiales de la zona, pero se estima en millones.

El gobernador de la región se dirigió hoy a la población para pedir que todos ayuden en estos tiempos de crisis y necesidad, y para asegurar a los habitantes de la región que se

la columna

1 En el periódico

Selecciona la letra del ícono y di la sección del periódico que corresponde con lo que oyes.

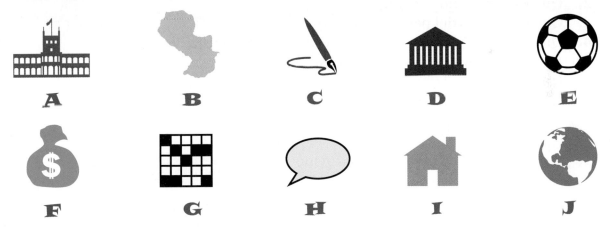

A   B   C   D   E

F   G   H   I   J

2 ¿Cuál no pertenece?

Di qué palabra no pertenece en cada uno de los siguientes grupos de palabras.

1. hogar   deportes   editorial   morder
2. romper   columna   titular   artículo
3. películas   pasatiempos   televisión   temblor
4. internacional nacional   morir   economía
5. actriz   cantante   encuesta   actor
6. encuesta   lastimarse   tabla   entrevista
7. opinión   risa   periodista   editorial
8. política   economía   deportes   anuncio

Diálogo I

Eso no es verdad

HUGO: Yo había visto las tiras cómicas en tu cuarto, pero ya no están allí. ¿Tú las has visto?

ANA: No, yo no leo tiras cómicas. Eso es para niños. Yo sólo leo la sección de economía y la sección de política.

HUGO: Uy, ¡qué culta! Entonces, ¿por qué yo las había visto en tu cuarto?

ANA: Bueno, alguien las puso allí.

HUGO: Yo no creo eso. Pienso que a ti también te gustan las cosas divertidas pero no te gusta decirlo.

ANA: No, eso no es verdad. Yo soy muy seria. Sólo me entero de las cosas importantes.

HUGO: Pues, eso es mentira.

PAPÁ: Hola, amor. Tenías razón, las tiras cómicas están muy divertidas.

3 ¿Qué recuerdas?

1. ¿Qué había visto Hugo en el cuarto de Ana?
2. ¿Qué es para niños, según Ana?
3. ¿Qué secciones del periódico lee Ana?
4. ¿Qué piensa Hugo que a Ana le gusta pero no le gusta decirlo?
5. ¿De qué dice Ana que sólo se entera?
6. ¿Dice Ana la verdad?

4 Algo personal

1. ¿Lees el periódico todos los días? ¿Qué secciones lees?
2. ¿Crees que leer las tiras cómicas es sólo para niños?
3. ¿Qué es para ti una persona culta?
4. ¿Por qué crees que es bueno ser culto/a?

5 Lógico o ilógico

Di si lo que oyes es lógico o ilógico. Si lo que oyes es ilógico, di lo que es lógico.

¡Oportunidades!

Los periódicos en español

There are many newspapers from Spanish-speaking countries that you can download from the Internet. Print one out and try to read several articles, underlining unfamiliar words and phrases. This is a good opportunity to challenge yourself and strengthen your reading comprehension in Spanish. Establish a habit of reading a newspaper every day; it will help you increase your vocabulary and keep you informed about what is happening in the world.

Asunción, Paraguay.

Paraná, que está entre el Brasil y el Paraguay, se encuentra la central hidroeléctrica de Itaipú, la más grande del mundo.

Paraguay es un país de clima cálido. La temperatura promedio al año es de veintidós grados centígrados, y el promedio al año de días soleados es de 310. El verano, que va desde diciembre hasta marzo, es caliente y la temperatura promedio es de treinta y un grados centígrados. El invierno es corto, y su temperatura promedio es de catorce grados.

Paraguay, corazón de América del Sur

En el corazón de América del Sur se encuentra Paraguay, un país maravilloso con casi seis millones de habitantes. El país está rodeado por Argentina (al sur, al este y al oeste), Brasil (al norte y al este) y Bolivia (al norte y al oeste). La capital del país es Asunción y la lengua oficial es el español, aunque hay otra lengua nacional, el guaraní, que hablan la mayoría de los paraguayos.

Paraguay no tiene costas sobre el mar, pero sus dos ríos principales, el Paraguay y el Paraná, comunican al país con el Océano Atlántico. En el

Yo hablo guaraní.

6 Paraguay

Contesta las siguientes preguntas, según la Cultura viva.

1. ¿Dónde está Paraguay?
2. ¿Cuál es la capital de Paraguay?
3. ¿Qué países están alrededor de Paraguay?
4. ¿Qué lenguas se hablan en Paraguay?
5. ¿Sobre qué océano tiene costas Paraguay?
6. ¿Dónde está la central hidroeléctrica de Itaipú?
7. ¿En qué meses es el verano en Paraguay?

Paraguay.

Idioma

Estructura

The past perfect tense

Use the past perfect tense *(pretérito pluscuamperfecto)* when you wish to describe an event in the past that had happened prior to another past event. Form this tense using the imperfect tense of *haber* and a past participle.

Ana **había leído** las tiras cómicas cuando Hugo llegó.

Ana **had read** the comic strips when Hugo arrived.

Uds. ya **se habían vestido** cuando empezó a llover.

You **had** already **dressed** when it started raining.

Object and reflexive pronouns precede the conjugated form of *haber* in the past perfect tense. However, when an expression uses the infinitive of *haber*, attach object pronouns directly to the end of the infinitive.

Ya **me había dormido.**

I **had** already **fallen asleep.**

Se fueron sin **haberme aconsejado.**

They left without **advising me.**

Práctica

7 En el autobús

Di qué habían leído en el periódico las siguientes personas en el autobús antes de llegar a su parada.

MODELO Fabiola / la columna de un periodista famoso en la sección editorial
Fabiola había leído la columna de un periodista famoso en la sección editorial.

1. Alberto y Liliana / la sección de economía
2. Jimena / los titulares de la sección internacional
3. yo / una encuesta acerca del número de personas que ya no fuman
4. tú / un artículo acerca de la economía del país
5. todos nosotros / una parte del periódico
6. Graciela / un artículo en la sección del hogar
7. Gabriel / un artículo sobre un museo en la sección de cultura
8. Marisol y Soledad / una entrevista al cantante Juanes

¡Extra!

Otras palabras en el periódico

los anuncios clasificados	*classified ads*
el crucigrama	*crossword puzzle*
la farándula	*celebrity news*
la primera plana	*front page*
el pronóstico del tiempo	*weather forecast*
el reportaje	*report*
la vida social	*society pages*

¿Qué sección había leído?

8 ¿Qué les había pasado?

Di lo que las siguientes personas no podían hacer y por qué, según las indicaciones.

MODELO Hernán quería ir a pescar. (él / pescar un resfriado)
Hernán no podía porque había pescado un resfriado.

1. Uds. querían leer las tiras cómicas. (alguien / tomarlas)
2. Tú querías llegar a tiempo a la celebración. (tú / tener un accidente)
3. Yo quería esquiar. (yo / lastimarme una pierna)
4. Nosotros queríamos pedir un autógrafo a nuestro actor favorito. (él / salir)
5. Manuel quería ver las noticias. (nosotros / llevarnos el televisor)
6. Mis primas querían leer la entrevista sobre su actriz favorita. (alguien / tirar el periódico)

9 Un e-mail de Francisco desde Paraguay

Completa el e-mail de Francisco a su amiga Pilar, usando el pluscuamperfecto de los verbos indicados para saber lo que Francisco le dice a Pilar.

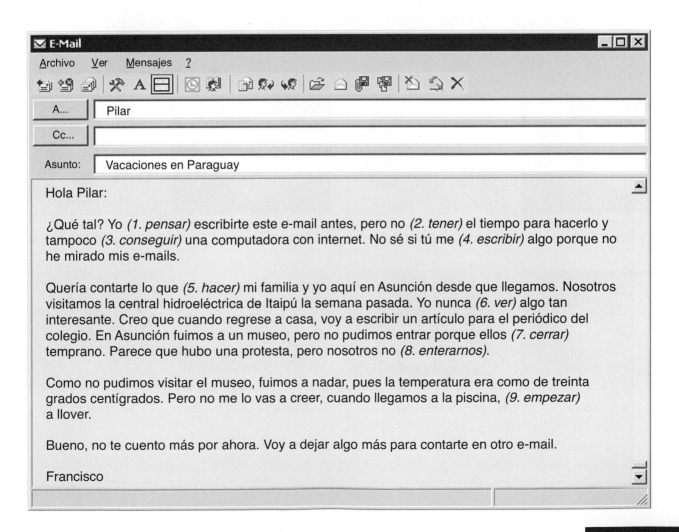

E-Mail

Archivo   Ver   Mensajes   ?

A...   Pilar
Cc...
Asunto: Vacaciones en Paraguay

Hola Pilar:

¿Qué tal? Yo *(1. pensar)* escribirte este e-mail antes, pero no *(2. tener)* el tiempo para hacerlo y tampoco *(3. conseguir)* una computadora con internet. No sé si tú me *(4. escribir)* algo porque no he mirado mis e-mails.

Quería contarte lo que *(5. hacer)* mi familia y yo aquí en Asunción desde que llegamos. Nosotros visitamos la central hidroeléctrica de Itaipú la semana pasada. Yo nunca *(6. ver)* algo tan interesante. Creo que cuando regrese a casa, voy a escribir un artículo para el periódico del colegio. En Asunción fuimos a un museo, pero no pudimos entrar porque ellos *(7. cerrar)* temprano. Parece que hubo una protesta, pero nosotros no *(8. enterarnos)*.

Como no pudimos visitar el museo, fuimos a nadar, pues la temperatura era como de treinta grados centígrados. Pero no me lo vas a creer, cuando llegamos a la piscina, *(9. empezar)* a llover.

Bueno, no te cuento más por ahora. Voy a dejar algo más para contarte en otro e-mail.

Francisco

10 El primer artículo de Efraín

Completa el párrafo, usando el pluscuamperfecto de los verbos indicados.

Mis padres y yo *(1. decidir)* invitar a la casa a algunas personas para la celebración de mi primer artículo en una revista. Yo ya *(2. llamar)* a algunos amigos para invitarlos. Mis amigos ya *(3. comprar)* la revista en una papelería. Yo *(4. escribir)* este artículo hace un mes pero hasta este mes no salió en la revista. Mi amiga, Gabriela, ya lo *(5. traducir)* al inglés para algunos amigos en los Estados Unidos hace dos semanas. Mis familiares ya *(6. leer)* algunos artículos de la revista pero todavía no *(7. llegar)* a la sección donde está mi artículo. Yo todavía no he visto la revista, pero claro, yo sé lo que yo *(8. hacer)*, pero verlo en forma final va a ser ¡fantástico!

11 Todos habían hecho algo

Imagina que tú no puedes recordar algunas cosas, y ahora le haces preguntas a tu hermano/a para tratar de recordar. Trabajando con otro/a estudiante, alternen en hacer preguntas y contestarlas, usando las indicaciones que se dan. Sigue el modelo.

MODELO papá / ir de compras
   A: ¿Había ido papá de compras?
   B: Sí, (No, no) había ido de compras.

1. la prima / ver

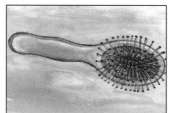

2. yo / comprar

3. el tío / leer

4. José y Pablo / jugar

5. tú / preparar

6. yo / arreglar

7. Elena / lavar

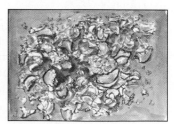

8. la abuela / romper

12 ¡Tu abuelo!

Imagina que tu abuelo te está contando cosas de cuando era joven. Haz oraciones completas, usando el pluscuamperfecto y las pistas que se dan para saber lo que tu abuelo te dice. Cambia las palabras en itálica con uno de los siguientes prefijos *super-*, *re-*, *requete-*, *archi-*, *in-* o *des-*. Sigue el modelo.

MODELO cuando jugaba al fútbol, siempre / llevar / una camiseta *muy bonita*.
Cuando jugaba al fútbol, siempre había llevado una camiseta rebonita.

1. yo / ser / un jugador de fútbol *muy famoso*
2. a los treinta años, / no leer / mucho y era una persona *de poca cultura*
3. mis amigos y yo / ser / *muy amigos* de jugadores famosos
4. cuando tenía quince años, sólo / jugar / partidos *muy malos*
5. mi madre no me dejaba jugar fútbol si yo no / limpiar / mi cuarto y si lo tenía *sin arreglar*

Estrategia

Applying prefixes

Learning prefixes will improve your ability to express yourself in Spanish. They may be used, much as in English, to make a new word or to add emphasis. Common prefixes in Spanish:

super-	(super-, very)	*¡superbien!*	very well!
re-	(very)	*¡reguapo/a!*	very attractive!
requete-	(extremely)	*¡requetebueno!*	extremely good!
archi-	(very)	*¡archifamoso/a!*	very famous!
in-	(un-, not)	*inculto*	uncultured
des-	(un-)	*despeinarse*	to mess up a hairdo

✤ Comunicación

13 Antes de acostarse

Escribe una lista de diez cosas que tú y otros miembros de tu familia habían hecho ayer antes de acostarse. Usa oraciones completas. Puedes inventar la información si quieres.

14 La semana pasada

Haz una lista de ocho actividades que hiciste la semana pasada e indica lo que habías hecho antes para prepararte para hacer cada actividad de la lista. Luego, trabajando en parejas, alterna con tu compañero/a de clase en hacer preguntas para saber lo que cada uno hizo.

MODELO **A:** ¿Qué hiciste la semana pasada?
B: Jugué un partido de fútbol.
A: ¿Qué habías hecho antes de jugar el partido?
B: Pues, había hecho mucho ejercicio.

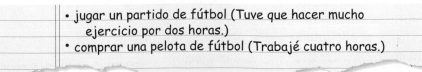

• jugar un partido de fútbol (Tuve que hacer mucho ejercicio por dos horas.)
• comprar una pelota de fútbol (Trabajé cuatro horas.)

Vocabulario II

El fútbol y la radio

el marcador

CERRO PORTEÑO 0
GUARANÍ 1

el delantero

el mediocampista

el defensor

el árbitro

el portero

el tiro

el gol

la pelota

el espectador

el aficionado

Estamos llevándoles el partido entre Cerro Porteño y Guaraní.

Vamos a ver si Cerro Porteño puede empatar en este primer tiempo.

El gol fue marcado por Carlos Barreto de pena máxima.

El marcador está uno a cero a favor de Guaraní, el equipo en el primer lugar del campeonato.

el micrófono

el comentarista

EMISORA RADIO CANAL 100

Los comentaristas narran en vivo el partido de fútbol.
En Asunción escuchan las transmisiones de fútbol por la emisora Radio Canal 100.

15 El fútbol

 Indica la letra de la respuesta que corresponde con lo que oyes.

A. la pelota
C. el gol
E. el árbitro
B. el marcador
D. el espectador
F. el aficionado

16 En un partido

Completa las siguientes oraciones, usando las palabras de la lista.
Cada palabra se usa una vez.

| campeonato | defensores | delantero | empatar |
| espectadores | equipo | pena | portero |

1. Clara quiere que el árbitro dé una __ máxima.
2. Uds. quieren que el delantero haga otro gol para __ el partido.
3. Todos queremos que el __ termine bien.
4. Gilberto y Rosario quieren que los __ no dejen hacer más goles.
5. Armando quiere que su __ gane el campeonato.
6. Leonardo y Ester quieren que los __ griten más.
7. Yo quiero que el __ no se vaya detrás de la pelota.
8. Tú quieres que el __ haga más goles.

Diálogo II

¡Gol!

HUGO: ¿Cómo está el marcador?

ANA: Está uno a cero a favor de Guaraní. El gol fue marcado por Jiménez.

HUGO: Uy, ¡qué mal! Cerro Porteño tiene que empatar.

PAPÁ: Oigan, ¿por qué no escuchamos a José Vélez narrar por la radio?

ANA: Sí, es verdad papá. Es mucho mejor.

HUGO: Estos comentaristas de la televisión son muy aburridos.

JOSÉ: Lleva la pelota el número diez en la camiseta, es el delantero Ortiz del Cerro Porteño. Ahora está muy cerca del portero de Guaraní. Mira adelante. Va a hacer el tiro. Lo hace. ¡Goool!

HUGO: ¡Goool! Alabio, alabao, a la bim, bom, bao, Cerro, Cerro, ra, ra, ra.

17 ¿Qué recuerdas?

1. ¿Cómo está el marcador?
2. ¿Por quién fue marcado el gol de Guaraní?
3. ¿A quién quiere escuchar Hugo por la radio?
4. ¿Quiénes son muy aburridos, según Hugo?
5. ¿Quién hace el gol del Cerro Porteño y qué número de camiseta lleva el jugador?

18 Algo personal

1. ¿Cuál es tu equipo de fútbol favorito?
2. ¿Quién es tu comentarista de radio o de televisión favorito/a?
3. ¿Escuchas transmisiones en vivo de deportes por la radio? ¿Qué transmisiones escuchas?
4. ¿Has escuchado alguna transmisión de radio de un partido de fútbol? ¿Dónde? ¿Qué equipos jugaban?

Humberto Rubín, comentarista paraguayo.

19 ¿Cierto o falso?

 Di si lo que oyes es cierto o falso. Si lo que oyes es falso, di lo que es cierto.

Jugadores del Cerro Porteño.

El fútbol y la radio en Paraguay

En el Paraguay hay varias emisoras de radio donde los paraguayos escuchan programas musicales, informativos, culturales, y claro, deportivos. Al igual que en la gran mayoría de los países hispanos, el deporte nacional es el fútbol, y es el deporte que más se transmite por radio. Como en muchos otros países hispanos, aunque los paraguayos ven los partidos de fútbol por la televisión, es muy normal que ellos le bajen el volumen al televisor y escuchen a los comentaristas de la radio. Para muchos aficionados, es más divertido y emocionante escuchar al comentarista de la radio que al de la televisión.

El fútbol empezó en Paraguay en 1902. El primer equipo de fútbol paraguayo, el Olimpia, lo fundó un holandés, William Paats. Este club sigue siendo uno de los clubes más populares del país y el mayor ganador de campeonatos nacionales de la Liga Paraguaya de Fútbol. Junto con el Olimpia, el Cerro Porteño, el Sol de América, el Guaraní y el Nacional son los clubes principales del país.

El Olimpia.

20 En la internet

Busca en la internet una página Web con información sobre los partidos de la Liga Paraguaya de Fútbol. Di cuáles han sido los últimos partidos de la liga, qué equipos jugaron, los marcadores y quiénes marcaron los goles. También, si puedes, escucha a los comentaristas de la radio paraguaya en directo por una emisora que los transmita por la internet y reporta a la clase tu experiencia.

Idioma

Repaso rápido: the passive voice

You already know you can combine *se* with the *él/ella/Ud.* form of a verb or with the *ellos/ellas/Uds.* form of a verb when the performer of an action is indefinite or unknown (where speakers of English often use "one," "people" or "they"). When the subject (which may precede or follow the verb) is singular, the verb is singular. Similarly, if the subject is plural, so is the verb.

*Esa entrevista **se había leído** mucho.*	That interview **had been read** a lot. (**Many people had read** that interview.)
*El español y el guaraní **se hablan** en el Paraguay.*	Spanish and Guarani **are spoken/They speak** Spanish and Guarani in Paraguay.

21 La superfiesta

Las siguientes oraciones describen lo que hacen los miembros de la familia González para prepararse para una superfiesta el día de la final de la Copa Mundial de Fútbol. Cámbialas, usando una construcción con *se*.

MODELO Primero, arreglan la sala.
Primero, se arregla la sala.

1. Luego, lavan las ventanas.
2. Más tarde, limpian el piso de la cocina.
3. Cubren la mesa con un mantel.
4. Preparan la comida.
5. Llevan al perro y al gato.
6. Ponen la mesa.
7. Después, traen los refrescos.
8. Finalmente, hacen unas galletas de perlas de chocolate.

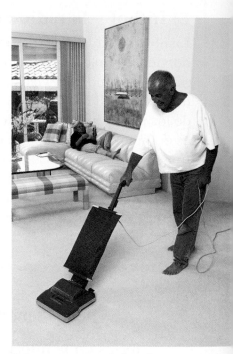

Primero, se arregla la sala.

22 En voz pasiva

Haz oraciones completas con las indicaciones que se dan, usando la voz pasiva.

MODELO hablar / español / Asunción
Se habla español en Asunción.

1. comer / restaurante
2. estudiar / biblioteca
3. escribir / cartas / español
4. ir / mercado / comprar / la comida
5. pedir / ayuda / cuando / ser / necesario
6. dormir / cuando uno / estar / enfermo

SE HABLA ESPAÑOL

Estructura

More on the passive voice

In most sentences, the subject of the sentence performs an action. These sentences are said to be in the active voice.

Barreto marcó el gol.   Barreto scored the goal.

Edgar Perea narró el partido.   Edgar Perea announced the game.

However, where the subject is not the doer of an action but instead receives an action, the sentence is said to be in the passive voice. In the passive-voice examples that follow, note the use of a form of the verb *ser* plus a past participle, which is treated like an adjective and, therefore, must agree with the subject in gender and number. The word *por* usually follows and is used to tell by whom the action was performed.

*El gol **fue marcado por** Barreto.*   The goal **was scored by** Barreto.

*El partido **fue narrado por** Edgar Perea.*   The game **was announced by** Edgar Perea.

**Práctica**

23 Durante un partido de fútbol

Repite las siguientes oraciones usando la voz pasiva para saber lo que pasa durante un partido.

MODELO El jugador número diez da muchas oportunidades para marcar un gol.
Muchas oportunidades para marcar un gol son dadas por el jugador número diez.

1. Los comentaristas de la radio narran el partido.
2. Los muchachos venden refrescos.
3. Los periodistas escriben artículos acerca del partido.
4. Los aficionados compran camisetas.
5. La policía cierra las calles cerca del estadio.
6. Los jugadores estrella marcan los goles.

El jugador número diez da muchas oportunidades para marcar un gol.

24 Roberto no tiene la información correcta

Ayuda a Roberto a corregir lo que sabe, escribiendo otra vez las siguientes oraciones en la voz pasiva y completándolas con la información correcta.

MODELO El jugador Jiménez visitó la luna por primera vez.
No, la luna *fue visitada por primera vez por Neil Armstrong.*

1. Agusto Roa Bastos escribió los *Versos Sencillos.*
   No, estos versos...
2. El Sur ganó la Guerra *(war)* Civil estadounidense.
   No, la Guerra Civil estadounidense...
3. Cristobal Colón ayudó a cinco países de la América del Sur a conseguir su libertad *(freedom)* de los españoles.
   No, estos cinco países...
4. Shakespeare escribió el libro *El viejo y el mar.*
   No, ese libro...
5. George Washington dijo *"I have a dream..."* ("Tengo un sueño...")
   No, esto...
6. Australia vendió el estado de Alaska a los Estados Unidos.
   No, este estado...

Neil Armstrong visitó la luna.

25 ¿Quiénes lo hicieron?

Trabajando con otro/a estudiante, alternen en hacer preguntas y contestarlas, usando la voz pasiva para decir quiénes hicieron las cosas indicadas.

MODELO narrar el partido (Julio Sánchez)
A: ¿Quién narró el partido?
B: El partido fue narrado por Julio Sánchez.

1. llevar en vivo el partido a los hogares del Paraguay (la emisora Radio Canal 100)
2. marcar los goles (el jugador con la camiseta número cinco)
3. cambiar el marcador en el segundo tiempo (el jugador con la camiseta número doce)
4. sacar las fotos para los periódicos (los reporteros de la sección deportiva)
5. dar camisetas a los aficionados (los jugadores del equipo)
6. describir el partido en la televisión (dos comentaristas superfamosos)

El partido fue narrado por Julio Sánchez.

26 La fiesta de la familia González

Imagina que fuiste a la fiesta que la familia González había organizado para la final del Mundial de Fútbol. Di quién había hecho cada actividad cuando llegaste, según las indicaciones. Sigue el modelo, y usa el pluscuamperfecto en cada oración.

MODELO Rosita había limpiado las ventanas.
Las ventanas habían sido limpiadas por Rosita.

1. La mamá había arreglado la sala.
2. Iván había limpiado el piso de la cocina.
3. Los niños habían cepillado al perro y al gato.
4. El papá había preparado la comida.
5. Miguel había puesto la mesa.
6. El papá había hecho unas galletas de perlas de chocolate.
7. Olga y su nuevo esposo habían traído los refrescos.
8. Alberto había comprado las flores.

Rosita había limpiado las ventanas.

✦ Comunicación

27 Hablando de fútbol

Trabajando en grupos pequeños, habla del fútbol con tus compañeros/as. Habla de la última vez que fuiste a un partido de fútbol, quién ganó el partido, quién marcó los goles, la posición en que juegan tus jugadores favoritos y la posición que tiene el equipo en el campeonato.

MODELO Mi equipo favorito es... La última vez que lo vi jugar, fue en un estadio en Los Ángeles. El último partido de ellos fue ganado por... Los goles fueron marcados por...

28 Cuando tenías diez años

Trabajando en parejas, alternen en decir actividades que cada uno de Uds. había hecho cuando tenían diez años. Usen la lista de actividades de abajo como guía, o creen su propia lista.

MODELO **A:** Cuando tenía diez años yo había leído un poema escrito por José Martí.

- leer un poema
- escuchar una canción
- comer una langosta
- ir a un concierto
- ver una película
- escuchar una transmisión de fútbol

Lectura personal

Dirección http://www.emcp.com/músico/ola/e.diario-6.htm ▲ Archivo   Edición   Ver   Favoritos   Herramientas   Ayuda

página principal   miembros   e-diario

Grupo musical La OLA

Nombre: **Xavier Rodríguez Guerra**
Edad: **18 años**
Nacionalidad: **estadounidense**
Deporte favorito: **el fútbol**

Estamos en Asunción, la capital de Paraguay. Después de nuestro concierto, fui a ver un partido de fútbol en el estadio Puerto Sajonia. Fue un partido superemocionante entre Olimpia y Guaraní, dos equipos paraguayos requetebuenos. Olimpia abrió el marcador con un impecable cabezazo[1]. A los cuarenta minutos el árbitro sancionó una pena máxima a favor de Guaraní. Era prácticamente el empate. Guaraní disparó[2] ¡pero la pelota dio en el palo del arco[3] del Olimpia! No obstante[4], el buen juego continuó. El empate llegó en el segundo tiempo cuando el delantero de Guaraní, desde cuarenta metros hizo un tiro que se incrustó[5] en el arco del Olimpia. Cinco minutos más tarde, mientras los aficionados de Guaraní celebraban el gol, Olimpia tomó posesión de la pelota y marcó su segundo gol. Guaraní trabajó de manera intensa hasta el final pero no logró empatar. Olimpia ganó el partido 2 a 1. ¡Qué partido!

[1]header [2]shot [3]goalpost [4]Nevertheless [5]was lodged

29 ¿Qué recuerdas?

1. ¿Qué hizo Xavier después del concierto?
2. ¿Qué equipos jugaron?
3. ¿En qué tiempo llegó el empate del Guaraní?
4. ¿Qué equipo ganó el partido?
5. ¿Cuál fue el marcador final del partido?

30 Algo personal

1. ¿Eres aficionado/a al fútbol? ¿Por qué sí o por qué no?
2. ¿Sabes el nombre del equipo de fútbol de tu estado? ¿Cuáles son los colores de sus camisetas?
3. ¿Has visto alguna vez un partido de fútbol? Describe un partido emocionante.

- Compara un partido de fútbol con un partido de fútbol americano. ¿Por qué crees que el fútbol, el deporte más popular en el mundo, no es tan popular como el fútbol americano en los Estados Unidos?

¿Qué aprendí?

Visit the web-based activities at www.emcp.com

Autoevaluación

Como repaso y autoevaluación, responde lo siguiente:

(1) What sections of a newspaper do you enjoy reading?

(2) A friend has arrived late to a school dance. Say three things that had happened before the friend arrived.

(3) Describe three things you did or saw prior to arriving at school today.

(4) You are working as a professional radio announcer and today you are announcing for a soccer match. What might you say to your audience?

(5) Say something about two things that were done, said or written by someone you know.

(6) What do you know about Paraguay?

Palabras y expresiones

El fútbol
- el aficionado, la aficionada
- el árbitro, la árbitro
- el campeonato
- el defensor, la defensora
- el delantero, la delantera
- el espectador, la espectadora
- el gol
- el marcador
- el mediocampista, la mediocampista
- la pelota
- la pena (máxima)
- el portero, la portera
- el tiempo
- el tiro

El periódico
- el artículo
- el aviso
- la columna
- la cultura
- la economía
- editorial
- la encuesta
- la entrevista
- internacional
- la política
- la sección
- la tabla

- la tira cómica
- cl titular

La radio
- el comentarista, la comentarista
- la emisora
- en vivo
- el micrófono
- la transmisión

Verbos
- empatar
- enterar(se) de
- escuchar

- llevar
- marcar
- narrar

Expresiones y otras palabras
- acerca de
- a favor (de)
- alrededor de
- culto,-a
- económico,-a
- máximo,-a
- la oportunidad
- ya

El micrófono.

La pelota.

¡Viento en popa!

Tú lees

Estrategia

Determining the main theme of a reading
When reading informative texts, such as a news article, begin by skimming the content to identify the main idea and distinguish it from any supporting information. The main idea is the central theme around which the article is built. The supporting details form the body of the paragraphs serve to develop the main topic. Knowing which part of the reading is the main idea and which is the supporting information will help you better understand the reading.

Preparación

Como preparación para la lectura, lee rápidamente *(skim)* el artículo y decide cuál de las siguientes ideas representa el tema principal y cuáles representan las ideas de apoyo *(support)*.

1. Hay un total de ochenta piezas en la exhibición y participan diez artistas latinoamericanos.
2. La exhibición estará hasta el doce de octubre y es gratuita.
3. Se pueden observar las diferentes técnicas de arte que los participantes de esta exposición representan.
4. Un grupo de famosos artistas latinoamericanos se une para hacer una original exhibición de arte.

Cultura

Gran exhibición de artistas latinoamericanos
El arte latinoamericano unido en Montevideo

Un grupo de famosos artistas latinoamericanos se ha unido en una singular ocasión organizada por la Facultad de Bellas Artes de la Universidad de Montevideo para hacer una original exhibición donde se muestran, entre otros[1], trabajos de la chilena Patricia Israel, el

uruguayo Carlos Colombino y el colombiano Fernando Botero. Esta exhibición busca celebrar la diversidad de las bellas artes en los países latinoamericanos.

Los asistentes a este evento van a poder observar las diferentes técnicas de arte que los participantes de esta exposición representan. Un total de ochenta piezas forman la exhibición, con la participación de un total de diez artistas latinoamericanos. Hay pinturas[2] al óleo y en pasteles, esculturas en piedra y mármol[3], y muchos medios mixtos. La escultora Patricia Israel presenta una escultura en piedra con piezas de orfebrería[4]. El artista Carlos Colombino expone su famosa xilopintura *Piedra Ritual* y el maestro Fernando Botero su escultura *Los amantes*, que recientemente fue vendida a un rico empresario de

Minneapolis, en Estados Unidos.

La exhibición, que empezó en el mes de junio, estará hasta el doce de octubre en el salón principal de exposiciones de la Facultad de Bellas Artes de la Universidad de Montevideo. Si no ha visitado esta fabulosa exhibición, recuerde que la entrada es gratuita[5] y el horario al público es de martes a domingo, de diez de la mañana a ocho de la noche. No falte[6] a este gran evento.

[1]among others [2]paintings [3]marble [4]goldsmithery [5]free [6]miss

A ¿Qué recuerdas?

1. ¿Dónde ocurre la exhibición de arte?
2. ¿Quién organiza la exhibición?
3. ¿Cuántas obras hay en la exhibición?
4. ¿Cuáles son algunos de los artistas que van a estar en la exhibición y de qué países son?
5. ¿A quién fue vendida la escultura *Los amantes* de Botero?
6. ¿Hasta cuándo va a estar la exhibición?
7. ¿Cuál es el horario de la exhibición?

B Algo personal

1. ¿Has ido a alguna exhibición de arte donde vives? ¿Dónde?
2. ¿Qué tipo de arte te gusta más, la pintura o la escultura? ¿Por qué?
3. ¿Lees la sección de cultura de algún periódico? Explica.
4. ¿Qué lees en la sección de cultura de un periódico?
5. ¿Qué piensas del artículo de la lectura?

¿Has ido a alguna exhibición de arte?

Tú escribes

Write a news article reporting about a person, an event, a tragedy, a discovery, etc., that you consider interesting. Make sure your writing models the following pattern for reporting the news:

1. Provide a **title** that summarizes the theme of the article.
2. State the **dateline** to indicate where the report takes place.
3. Begin with the **who?, what?, when?, where?** or **why?** information to catch the readers' attention and make them want to continue reading the rest of the article.
4. Include supporting details in the paragraphs in order to develop the main theme.

VIERNES
26 DE SEPTIEMBRE

el Periódico

66 Deportes

ARCHIVO / MIGUEL LORENZO

BALONCESTO

La ACB sigue sin contrato de TV a una semana de la Liga

TVE da largas al deseo de los clubs de un acuerdo conjunto con C+

JOSÉ CARLOS SORRIBES
BARCELONA

Dentro de ocho días, el sábado 4 de octubre, se iniciará la temporada 2003-2004 de la Liga ACB, considerada la mejor competición europea, pero la Asociación de Clubs no tiene un contrato televisivo que sustituya al finalizado con el Canal Plus. Su intención de volver a firmar con TVE, y ofrecer partidos de Liga en abierto en un nuevo compromiso compartido con Sogecable (propieta-

rio del canal de pago), se ha visto frenada por la actitud de la cadena pública, muy reticente a emprender las negociaciones.

Después de cuatro años de acuerdo con C+, entre 1999 y 2003, por un montante global de unos 10.000 millones de pesetas (unos 60 millones de euros), la patronal de los clubs pronto comprendió que el nuevo mercado, a la baja, de los derechos televisivos iba a hacer imposible prolongar un compromiso tan favorable. La ACB, además, quiso volver a la idea tradicional del baloncesto en

por televisión», afirma un portavoz de la asociación.

El brillante papel de la selección española en el Europeo de Suecia, y las audiencias de sus partidos, parecieron dar un impulso a las negociaciones. Entonces se llegó a comentar que el secretario de Estado para el Deporte, Juan Antonio Gómez-Angulo, podría ejercer de mediador. Esas buenas intenciones no se han confirmado con el paso de los días.

CALENDARIO EN SUSPENSO // Pendientes de que TVE mueva ficha, en un

▶▶ Navarro, con el balón, en la última final de la Liga contra el Pamesa.

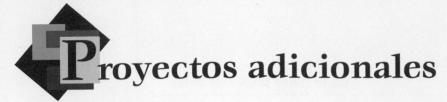

Proyectos adicionales

A Comparando

Find someone in your class or school who has cable or satellite access to the Spanish television networks that broadcast in your community. Have them tape excerpts of several types of programs such as the news, the weather, a sitcom, a soap opera, a variety show, commercials, etc. View them in class and try to identify what type of program it is. Then discuss the differences between the programming shown on those networks and the programming on other networks that broadcast in the United States.

B Conexión con la tecnología

Imagine you have been asked to audition to report your school's news on a local Hispanic radio station. Make a three- to five-minute tape recording in Spanish to submit as your audition. Start your report by identifying yourself and telling the name and call letters for the radio station. Include the weather for today, the results of the most recent sports events, the traffic report and any other newsworthy information happening in your school at the present time. In order to get the job you will need to be creative, so incorporate any special effects you can.

C Un noticiero

In small groups, produce a news show where each member of the group will be in charge of a segment of the program. Possible segments may include local news, international news, sports, entertainment and commercials. If possible, have someone videotape the program and show the finished product to the class.

Producimos un noticiero local.

Repaso

Now that I have completed this chapter, I can...	Go to these pages for help:
say what has happened.	300
discuss the news.	300
talk about a television broadcast.	310
describe people and objects.	310
identify sections of newspapers and magazines.	322
relate two events in the past.	322
talk about a radio broadcast.	330
talk about soccer.	330

I can also...

talk about life in Uruguay and Paraguay.	303, 325
use Spanish to obtain information from various media.	324
use prefixes in Spanish to add emphasis.	329

Trabalenguas

Han dicho que he dicho un dicho,
tal dicho no lo he dicho yo.
Porque si yo hubiera
dicho el dicho, bien dicho
habría estado el dicho
por haberlo dicho yo.

Vocabulario

a favor (de) in favor (of) 7B
aburrir(se) to bore 7A
el **accidente** accident 7A
acerca de about 7B
el **acontecimiento** event, happening 7A
la **actividad** activity 7A
el **actor** actor 7A
la **actriz** actress 7A
el **aficionado,** la **aficionada** fan 7B
alrededor de around 7B
el **anuncio (comercial)** announcement, advertisement 7A
el **árbitro,** la **árbitro** referee, umpire 7B
el **artículo** article 7B
el **autógrafo** autograph 7A
el **aviso** printed advertisement 7B
bostezar to yawn 7A
el **campeonato** championship 7B
el **canal** channel 7A
el **cantante,** la **cantante** singer 7A
la **catástrofc** catastrophe 7A
la **celebración** celebration 7A
la **columna** column 7B
la **comedia** comedy 7A
el **comentarista,** la **comentarista** commentator 7B
el **comercial** commercial, announcement, advertisement 7A
el **concurso** contest, competition 7A
cubrir to cover 7A
culto,-a cultured, well-read 7B
la **cultura** culture 7B
el **defensor,** la **defensora** defender 7B
el **delantero,** la **delantera** forward 7B
la **destrucción** destruction 7A
el **dibujo animado** cartoon 7A

la **economía** economy 7B
económico,-a economic 7B
editorial editorial 7B
la **emisora** radio station 7B
empatar to tie (the score of a game) 7B
en vivo live 7B
la **encuesta** survey, poll 7B
enterar(se) de to find out, to become aware, to learn about 7B
la **entrevista** interview 7B
escuchar to hear, to listen (to) 7B
el **espectador,** la **espectadora** spectator 7B
estar de acuerdo to agree 7A
el **éxito** success 7A
extranjero,-a foreign 7A
famoso,-a famous 7A
fracasar to fail 7A
el **gol** goal 7B
grabar to record 7A
haber to have (auxiliary verb) 7A
la **herida** wound 7A
herido,-a injured 7A
el **huracán** hurricane 7A
informar to inform 7A
internacional international 7B
lastimar(se) to injure (oneself), to hurt (oneself) 7A
llevar to take, to carry, to wear, to bring 7B
el **marcador** score 7B
marcar to score 7B
máximo,-a maximum 7B
el **mediocampista,** la **mediocampista** midfielder 7B
el **micrófono** microphone 7B
el **misterio** mystery 7A
morder (ue) to bite 7A
morir(se) (ue, u) to die 7A

morirse de la risa to die laughing 7A
mostrar (ue) to show 7A
el **musical** musical 7A
nacional national 7A
narrar to announce, to narrate 7B
normal normal 7A
el **noticiero** news program 7A
la **ocasión** occasion 7A
opinar to give an opinion, to form an opinion 7A
la **oportunidad** opportunity 7B
participar to participate 7A
la **pelota** ball 7B
la **pena (máxima)** penalty 7B
el **periodista,** la **periodista** journalist 7A
el **personaje** character 7A
la **política** politics 7B
el **portero,** la **portera** goalkeeper, goalie 7B
la **protesta** protest 7A
el **público** public, audience 7A
el **reportero,** la **reportera** reporter 7A
la **reunión** meeting, reunion 7A
la **risa** laugh 7A
el **robo** robbery 7A
romper to break, to tear 7A
la **sección** section 7B
serio,-a serious 7A
el **suceso** event, happening 7A
la **tabla** chart 7B
el **temblor** tremor, earthquake 7A
tener éxito to be successful 7A
el **testigo,** la **testigo** witness 7A
el **tiempo** time, weather, verb tense, period 7B
la **tira cómica** comic strip 7B
el **tiro** shot 7B
el **titular** headline 7B
la **transmisión** transmission 7B
ya already, now 7B

8

¡Vámonos a España!

Objetivos

- ❖ express emotion
- ❖ talk about everyday activities
- ❖ talk about the future
- ❖ plan a vacation
- ❖ state what is probable
- ❖ make travel and lodging arrangements
- ❖ use the twenty-four-hour clock
- ❖ talk about schedules
- ❖ express logical conclusions
- ❖ talk about hopes and dreams

Visit the web-based activities at www.emcp.com

Vocabulario I
¡Soñaremos!

1 ¿Qué foto?

Escoge la foto del lugar donde es más probable encontrar lo que oyes en la descripción.

A

B

2 ¿Quién se describe?

Lee las descripciones y decide quién se describe.

1. Este hombre es un líder de una monarquía.
2. Es el hijo de la reina y el rey.
3. Es la hija de un monarca.
4. Esta mujer es una líder de una monarquía.

A. el príncipe
B. la reina
C. el rey
D. la princesa

Diálogo I

El sueño de Carlos

CARLOS: Anoche soñé con una corrida de toros.

JUAN: Y, ¿qué soñaste? ¿Que tú eras el toro?

CARLOS: No, tonto, que yo era el rey de España y que estaba en una corrida.

JUAN: Ah, sí. ¡Qué divertido!

CARLOS: Sí, pero lo más divertido fue que tú eras el matador.

JUAN: Bueno, ¿y qué tal yo como matador?

CARLOS: Pues, lo hiciste muy mal. El toro gozó más que tú.

JUAN: ¡Qué triste! Entonces en tu próximo sueño voy a ser un príncipe.

CARLOS: Seguro que sueño contigo, ¡pero de payaso!

3 ¿Qué recuerdas?

1. ¿Con qué soñó Carlos anoche?
2. ¿Quién era Carlos en su sueño?
3. ¿Qué fue lo más divertido del sueño de Carlos?
4. ¿Qué tal fue Juan como matador en el sueño de Carlos?
5. ¿Qué quiere Juan que sueñe de él Carlos la próxima vez?

4 Algo personal

1. ¿Soñaste anoche? ¿Con qué?
2. ¿Cuál ha sido tu sueño más divertido últimamente?
3. ¿Has visto alguna vez una corrida de toros? ¿Te gustó?
4. ¿Qué piensas de las corridas de toros? Explica.

5 ¿Quién es?

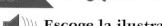 Escoge la ilustración que corresponde con lo que oyes.

A   **B**   **C**   **D**

Cultura viva

San Fermín, Pamplona.

La Feria de Abril, Sevilla.

De vacaciones en España

España es el destino número uno de vacaciones en Europa y es fácil comprender por qué. España es un país con museos famosos, increíble arquitectura, playas blancas, montañas verdes y una rica historia que dejó ruinas romanas, castillos, mezquitas, barrios judíos[1], catedrales y palacios.

Para los jóvenes turistas, España es un lugar muy divertido. Si están en la Costa Brava, pueden hacer deportes acuáticos como windsurf y vela[2]. Si están en Madrid, la capital, pueden visitar muchos parques de atracciones o caminar por El Rastro, un enorme mercado al aire libre.

La vida nocturna en España es famosa. Los españoles cenan a las 9 ó 10 de la noche y, luego, salen con amigos a hablar, caminar por las calles, bailar, comer tapas y seguir hablando. La vida nocturna es aún más alegre cuando hay un festival, y en España, siempre hay alguno. Entre los más famosos están las fiestas de San Fermín en julio, en las cuales muchos chicos y chicas corren por las calles de Pamplona seguidos por toros. En marzo, durante Las Fallas de Valencia, miles de personas ven figuras de madera gigantes quemarse en medio de grandes celebraciones. En abril, Sevilla celebra su cultura en una gran feria con flamenco, caballos, corridas de toros y trajes tradicionales. Durante los meses de primavera y verano, casi todos los fines de semana hay, en un lugar u otro de España, algún tipo de celebración o fiesta.

Las Fallas de Valencia.

[1]Jewish quarters   [2]sailing

6 ¡A divertirse!

Con base en la Cultura viva, haz una lista de seis cosas que se pueden hacer y ver en un viaje a España. Pon la lista en orden de preferencia (el número 1 siendo lo que más te gustaría hacer y el 6 lo que menos te gustaría hacer). Compara tu lista con la de tus compañeros(as) de clase.

Capítulo 8   *trescientos cincuenta y uno*   351

Idioma

7 San Pablo

Hoy estás en el Aeropuerto de San Pablo, en Sevilla. Di adónde van a ir estas personas y a qué hora van a salir, combinando palabras y expresiones de las tres columnas. Añade las palabras que sean necesarias.

MODELO   Tú vas a ir a Santiago y vas a salir a las diez menos cuarto de la noche.

A	B	C
Alba y Jorge	San Sebastián	1:05 P.M.
doña Sofía	Madrid	2:10 P.M.
Uds.	Barcelona	8:25 A.M.
el Sr. Jiménez	Las Palmas	9:10 A.M.
Petra y Lourdes	Oviedo	5:45 P.M.
tú	Valencia	7:30 A.M.
la Srta. Lorente	Santiago	9:45 P.M.

8 ¿Adónde vas a ir?

En parejas, hablen de sus planes para las próximas vacaciones (adónde van a ir, cuándo van a ir, con quién, qué van a hacer, qué lugares van a visitar, etc.). Usa las expresiones que has aprendido en esta lección.

MODELO   A: ¿Adónde vas a ir de vacaciones?
   B: Voy a ir a Valencia, España.
   A: ¿Qué vas a hacer allá?
   B: Voy a ir a la playa.
   A: ¿Cómo vas a ir?
   B: Voy a ir en tren.

Peñíscola, Valencia.

The future tense

Much as in English, you can sometimes use the present tense of a verb in conversation in order to refer to the future.

Vamos a Bilbao mañana.   **We're going** to Bilbao tomorrow.

You also have learned to talk about the future using the construction *ir + a + infinitive*.

¿Van a ir en tren?   **Are you going to go** by train?

Spanish also has a true future tense *(el futuro)* that may be used to tell what will happen. It is usually formed by adding the endings *-é, -ás, -á, -emos, -éis* and *-án* to the infinitive form of the verb.

viajar	
viajar**é**	viajar**emos**
viajar**ás**	viajar**éis**
viajar**á**	viajar**án**

comer	
comer**é**	comer**emos**
comer**ás**	comer**éis**
comer**á**	comer**án**

abrir	
abrir**é**	abrir**emos**
abrir**ás**	abrir**éis**
abrir**á**	abrir**án**

Look at these examples:

*Yo **viajaré** a Ponferrada mañana.*   **I'll travel** to Ponferrada tomorrow.
*Nosotros **iremos** en avión.*   **We'll go** by plane.
*El tren **llegará** a las tres.*   The train **will arrive** at three o'clock.

The future tense also may be used in Spanish to express uncertainty in questions and probability in answers that refer to the present. Compare the following:

*¿A qué hora **llegará**?*   **I wonder** what time it will arrive.
*Él **saldrá** en el próximo tren.*   **He is probably (He must be) leaving** on the next train.

***Comerán** tortillas ahora.*   **I imagine they are eating** tortillas.
*Ellos **estarán** en la playa.*   **They probably are (must be)** at the beach.

Práctica

9 Hablando de las vacaciones

Tú y unos amigos están haciendo planes para las próximas vacaciones. Completa las siguientes oraciones con la forma del futuro de los verbos indicados.

MODELO   Elena *(conocer)* las islas Canarias.
            Elena *conocerá* las islas Canarias.

1. Nosotros *(comer)* tapas en Málaga.
2. Alejandro *(ir)* a las corridas de toros en Sevilla.
3. Ernesto y Paloma *(visitar)* el parque del Retiro.
4. Yo *(viajar)* a la casa de mis tíos en la Costa Brava.
5. Tú *(esquiar)* en los Pirineos.
6. José y Antonio *(trabajar)* en un supermercado.
7. Mi familia y yo *(ir)* a Ponferrada.

10 Francisco hace planes

Completa el párrafo sobre los planes que Francisco tiene para mañana, usando el futuro de los verbos indicados.

Mañana yo *(1. ir)* a la estación por la mañana y *(2. comprar)* el billete para mi viaje a Las Baleares. Luego, *(3. regresar)* a casa y *(4. preparar)* una tortilla para mi almuerzo. Después del almuerzo, mi hermano y yo *(5. conducir)* a una tienda en el centro donde él *(6. mirar)* una maleta que quiere comprar. Por la tarde, mis padres y yo *(7. hablar)* de los gastos de mi viaje. Van a ser muchos, pero por suerte mi padre los *(8. cubrir)* casi todos. Finalmente por la noche, yo *(9. ver)* mi programa favorito de televisión, "El gran hermano", y *(10. comer)* una ensalada antes de ir a dormir.

Francisco tiene planes para mañana.

11 ¿Qué harán?

Haz oraciones completas, usando las ilustraciones y poniendo los verbos en el futuro.

MODELO Andrés / comer
Andrés comerá pollo.

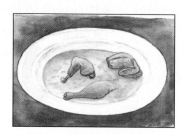

1. nosotros / ver

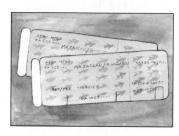

2. tú / recoger

3. Almudena / ir

4. María y Borja / saborear

5. yo / subir

6. Alberto / preparar

12 ¿Adónde irán en Segovia?

Las siguientes personas están de vacaciones en Segovia. Trabajando en parejas, alterna con tu compañero/a de clase en preguntar y contestar a qué lugares irán cada una de las siguientes personas, según el mapa y las indicaciones que se dan.

MODELO   Claudia y sus abuelos / 2

   A: ¿Adónde irán Claudia y sus abuelos?
   B: Claudia y sus abuelos irán a la Iglesia de San Clemente.

1. Guillermo y yo / 6
2. doña Teresa / 11
3. Óscar y su prima / 16
4. Cristina / 19
5. Roberto y su esposa / 9
6. tú / 23
7. yo / 3
8. Uds. / 22

Correspondencia con la enumeración en el plano de Segovia

❶	Iglesia de San Millán	⓭	Iglesia de San Andrés
❷	Iglesia de San Clemente	⓮	Alcázar
❸	Acueducto	⓯	Casa del Sol, Museo Provincial de Segovia
❹	Iglesia de San Justo	⓰	Casa de las Cadenas
❺	Monasterio de San Antonio el Real	⓱	Iglesia de San Juan de los Caballeros
❻	Casa de los Picos	⓲	Iglesia de San Sebastián
❼	Alhóndiga	⓳	Iglesia de San Nicolás
❽	Iglesia de San Martín	⓴	Iglesia de San Quirce
❾	Torreón de los Lozoya	㉑	Iglesia de San Esteban
❿	Convento del Corpus Cristi	㉒	Palacio Episcopal
⓫	Catedral	㉓	Torre de Hércules
⓬	Iglesia de San Miguel	㉔	Iglesia de La Trinidad

13 ¿Qué te preguntas?

Expresa las siguientes ideas con una pregunta, usando el futuro de probabilidad.

MODELO Me pregunto qué llevo de ropa para mi viaje.

¿Qué llevaré de ropa para mi viaje?

1. Me pregunto cómo prepara mi tía las tortillas.
2. Me pregunto dónde están los billetes.
3. Me pregunto quién viaja también a España.
4. Me pregunto cuánto cuestan los billetes.
5. Me pregunto cuál es la temperatura en Barcelona.
6. Me pregunto quién cubre nuestra visita a Barcelona para el periódico.

¿Qué llevaré de ropa para mi viaje?

14 Probablemente

Di dónde están las siguientes personas según las ilustraciones y qué es probable que hagan. Usa el futuro de probabilidad.

MODELO tú

Tú estás en una plaza de toros.
Estarás en una corrida.

1. Pedro

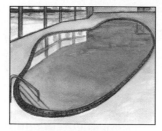

2. Alberto y Enrique

3. Elena y su esposo

4. Ana

5. Pedro y su esposa

6. Laura

Comunicación

 15 Cuando llegues a Madrid

Trabajando en parejas, hablen de sus planes para un futuro viaje a España. Si quieren pueden usar el tiempo futuro de algunos de los verbos indicados.

llegar	conocer	levantarse	vestirse	cepillarse
irse	despedirse	acostarse	comer	comprar

MODELO En Madrid, me despertaré a las diez porque me acostaré tarde.

 16 ¿Dónde piensas que estará?

Trabajando en parejas, alternen en presentar la situación y en adivinar *(guess)* qué estarán haciendo las siguientes personas, según lo que se ve en las fotos.

MODELO Julia
Julia dormirá y soñará
con sus vacaciones.

1. la tía de Julia   2. Felipe y Marta   3. Ana y su amigo   4. Ramiro

5. Sandra   6. Carmen   7. Andrés y su prima

 17 Un viaje estudiantil

Imagina que haces un viaje a España para estudiar en un programa para estudiantes extranjeros. En parejas, alterna con otro/a estudiante en preguntar y en contestar a qué hora harás las siguientes actividades.

1. despertarte   3. bañarte   5. peinarte
2. levantarte   4. desayunarte   6. despedirte de todos nosotros

18 ¿Qué es?

Escucha las definiciones y determina a qué palabra se refiere.

A. los folletos
B. las guías
C. los itinerarios
D. la visa

19 Juego

Haz una lista, en un minuto, de las cosas que necesitas para ir de viaje a España.

20 En la agencia de viajes

Antes de ir a la agencia de viajes para conseguir información para tus vacaciones, quieres preparar algunas preguntas para el/la agente. Escribe seis preguntas que le piensas hacer.

MODELO ¿Tiene Ud. folletos para un viaje a Toledo, España?

¡Oportunidades!

En la agencia de viajes

If you are traveling within a Spanish-speaking country, you may have to go to a travel agency to confirm your reservations for the airplane and hotels scheduled in your itinerary. Perhaps you also will need to make new arrangements to include additional interesting sites you want to visit.

Take that opportunity to practice all you have learned in Spanish and see if you can acquire new words that you did not know.

Diálogo II
Voy a San Sebastián

EL AGENTE: Buenas tardes. ¿Cómo puedo ayudarle?

EL CLIENTE: Debo ir a San Sebastián la semana que viene y necesitaré reservaciones de vuelo y hotel.

EL AGENTE: Muy bien. ¿Necesita un billete de ida y vuelta?

EL CLIENTE: Sí, de ida y vuelta, por favor.

EL AGENTE: Saldrá en el vuelo 386 el viernes a las tres y quince y llegará a las cinco y media.

EL CLIENTE: Perfecto. Me quedaré en el hotel desde el viernes hasta el domingo.

EL AGENTE: ¿Quiere cargar el total a su tarjeta o pagará con cheque?

EL CLIENTE: Pagaré con cheque, gracias.

EL AGENTE: Aquí tiene sus billetes y la información sobre su hotel. ¡Buen viaje!

21 ¿Qué recuerdas?

1. ¿Adónde necesita viajar el señor?
2. ¿Quiere el señor un billete sólo de ida?
3. ¿Necesitará el señor un hotel?
4. ¿En qué vuelo saldrá el señor?
5. ¿Cómo pagará por el viaje?

22 Algo personal

1. ¿Has viajado alguna vez en avión?
2. ¿Qué hace tu familia cuando necesita billetes de avión? ¿Va a una agencia de viajes?
3. ¿Te gustaría ir a algún hotel de lujo en España? ¿Por qué?
4. ¿Cómo cargas las compras que haces?

¿Te gustaría ir a algún hotel en España?

23 ¿Dónde? ¿Cómo? y ¿Cuándo?

Di si lo que oyes es cierto o falso, según el Diálogo II. Si es falso, corrige la información.

¡Olé!

En esta corrida no hay toros.

Si estás en España un domingo por la tarde durante la primavera, puedes ir a una corrida de toros en la plaza. Las corridas de toros son una forma de arte para algunos, un deporte para otros y aún para otros son una forma de tortura animal. No hay duda de que las corridas de toros son una de las tradiciones más antiguas, arraigadas[1] y controversiales en España, Francia, Portugal y algunos países hispanos.

El espectáculo que se ofrece en las corridas involucra[2] a muchas personas, no sólo al matador y al toro. En el ruedo[3], ayudando a lidiar al toro[4], están los banderilleros, los picadores y los peones, que trabajan con el matador. El alguacil es la persona que tiene las llaves de la plaza y debe abrir todas las puertas, incluso la puerta del *callejón de los sustos*[5], que es la puerta por la que salen los toros.

Taquilla en la calle Sierpes, Sevilla.

Los espectadores de la corrida también forman parte[6] del espectáculo. Cuando el matador hace un buen trabajo, se oye en la plaza a la gente gritando *Olé* y enseñando pañuelos blancos. Si el matador no es muy bueno, la gente silba[7] y hasta puede tirar cosas al ruedo. ¡A veces, los espectadores son más peligrosos para el matador que el toro!

También es cierto que todas las corridas no son serias. Hay corridas divertidas donde actúan otros animales que no son toros y donde los toreros no tienen que mirar con miedo hacia el *callejón de los sustos*.

Cristina Sánchez, una torera.

[1]rooted   [2]involves   [3]bullring
[4]to fight the bull   [5]the alley of the scares
[6]are part   [7]whistle

24 ¿Qué es el toreo?

Trabajando en parejas, busquen información en la internet o en la biblioteca sobre las corridas de toros. Luego, preparen una presentación corta en español que puedan compartir con otros estudiantes de la clase.

Estructura

The future tense: irregular forms

Some Spanish verbs use a modified form of the infinitive in the future tense. However, their endings remain the same as for regular verbs. The following verbs drop the letter *e* from the infinitive ending:

caber	poder	querer	saber
cabré	**podr**é	**querr**é	**sabr**é
cabrás	**podr**ás	**querr**ás	**sabr**ás
cabrá	**podr**á	**querr**á	**sabr**á
cabremos	**podr**emos	**querr**emos	**sabr**emos
cabréis	**podr**éis	**querr**éis	**sabr**éis
cabrán	**podr**án	**querr**án	**sabr**án

The vowel of the infinitive endings *-er* and *-ir* changes to *d* in these verbs:

poner	salir	tener	venir
pondré	**saldr**é	**tendr**é	**vendr**é
pondrás	**saldr**ás	**tendr**ás	**vendr**ás
pondrá	**saldr**á	**tendr**á	**vendr**á
pondremos	**saldr**emos	**tendr**emos	**vendr**emos
pondréis	**saldr**éis	**tendr**éis	**vendr**éis
pondrán	**saldr**án	**tendr**án	**vendr**án

The letters *e* and *c* are dropped from the infinitives *decir* and *hacer* before adding the future-tense endings.

decir	hacer
diré	**har**é
dirás	**har**ás
dirá	**har**á
diremos	**har**emos
diréis	**har**éis
dirán	**har**án

Haremos un viaje en el AVE.

Práctica

25 Preparaciones para viajar

Completa estas oraciones con la forma apropiada
del futuro de los verbos indicados.

MODELO   Los chicos <u>querrán</u> ver todos los itinerarios.
(querer)

1. Javier __ las reservaciones del hotel mañana.
(hacer)
2. El agente no __ si hay vuelos sin mirar en la
pantalla. (saber)
3. ¿Cuándo __ Marcos su nombre completo y la otra
información que necesitan a los señores de la agencia? (decirles)
4. El viernes, a lo mejor nosotros __ a las nueve de la mañana. (salir)
5. Benjamín y Esteban __ que pagar los billetes con cheque. (tener)
6. Cuando regresemos de España, __ en una compañía aérea diferente. (venir)
7. Yo __ que Uds. me traigan algo de España. (querer)
8. Tanta ropa no __ en una maleta. (caber)

Los chicos querrán ver todos los itinerarios.

26 Las vacaciones de la señora García

Cuando la señora García piensa en voz alta *(aloud)* acerca de lo que hará
durante sus vacaciones, su secretaria entra a su oficina. Completa lo siguiente
con el futuro del verbo indicado para saber lo que pasa.

Sra. García: Mañana es mi primer día de vacaciones. ¡Por fin, *(1. poder)* descansar!
(2. Levantarse) al mediodía. *(3. Ponerse)* un pantalón y una blusa
requetecómodos, ¡nada de faldas y trajes!, y unos zapatos deportivos.
(4. Desayunar) en el patio. *(5. Leer)* ese libro que hace meses está en mi
cuarto. Y, lo mejor de todo, ¡no *(6. tener)* que ir a reuniones a ninguna
parte! *(7. Hacer)* exactamente lo que quiera todos los días.

Secretaria: Buenos días, Sra. García. Su esposo está al teléfono.

Sra. García: Gracias. Hola, Pedro.
¿Pasa algo?

Pedro: No, te llamo para decirte que
no hagas planes para
mañana. A las ocho y media,
nosotros *(8. llevar)* a Luz al
médico. Luego, *(9. ir)* al
zoológico. Se lo prometí a los
niños. A la una, *(10. comer)*
en casa de tus padres. Y a las
cinco, mi hermana y sus
hijos *(11. venir)* a ver una
película.

Sra. García: ¿Y mis vacaciones?

La Sra. García y su secretaria.

27 ¡Vámonos a España!

Viajas mañana a España con tu familia. Habla del viaje, usando el futuro y elementos de cada columna. Puedes inventar la información que quieras.

MODELO Mis hermanos pondrán sus cosas en sus maletas.

I	II	III
el vuelo	saber	un vuelo con destino a Oviedo
mi mamá	querer	de Tenerife en el primer vuelo
mi papá	poder	reservaciones de ida y vuelta
mis abuelos	salir	la hora de salida
mis hermanos	venir	pagar los billetes con cheque
mis tíos	hacer	sus cosas en sus maletas
todos nosotros	tener	cargar todo en su tarjeta
yo	poner	a tiempo

28 Veo en tu futuro...

Martín fue a ver a un adivino *(fortune-teller)* ayer. Haz oraciones completas para saber lo que el adivino le dice a Martín qué va a pasar, usando las indicaciones que se dan. Añade las palabras que sean necesarias.

MODELO tú / no tener / reservaciones listas
Tú no tendrás las reservaciones listas.

1. tu hermanita / no querer ir / de viaje a última hora
2. tus tías / poder conseguir / sólo un billete de ida / vuelta
3. tu vuelo / salir / muy temprano / jueves
4. tú y tu familia / decir / sus nombres completos cuando lleguen / hotel
5. a tu hermano / no caberle / toda la ropa / una maleta
6. tus padres / tener / mucha paz / sus vacaciones
7. el agente / no saber / tarifas para un viaje / Pamplona

¿Viajarás a España?

Comunicación

You are instant-messaging with the exchange student from Barcelona who stayed with you last year, and you are talking about your upcoming visit. Ask your friend for suggestions as to what to do every day.

30 De viaje

Pronto harás un viaje por varios países con un amigo y ahora están hablando de lo que será importante recordar para el viaje. Trabajando en parejas, hablen del viaje y de lo que tendrán que hacer para prepararse.

MODELO
A: ¿Tienes las guías para España?
B: Sí. Tendré que conseguir algunas más.
A: Bueno, yo tengo folletos, pero son viejos.
B: Entonces tendremos que ir a la agencia de viajes.

31 Haciendo reservaciones

Imagina que estás en una agencia de viajes, hablando con el agente para arreglar todos los detalles (reservaciones, vuelos, horarios, compañía aérea, llegada, hotel, etc.) de un viaje que vas a hacer. Trabajando en parejas, alterna con tu compañero/a de clase en hacer preguntas y contestarlas, usando el futuro si es posible.

MODELO
A: ¿Cuál será su destino final?
B: Mi destino final será Sevilla.

¡Extra!

Otras palabras y expresiones

el asiento	*seat*
la cancelación	*cancellation*
la clase económica	*coach class*
la confirmación	*confirmation*
el cupo	*space available*
la tarjeta de embarque	*boarding pass*
la primera clase	*first class*
la ventanilla	*window*

Plaza de España, Sevilla.

Lectura cultural

Barcelona: dinámica y emocionante

Viaja a Barcelona, la capital de Cataluña, y comprenderás por qué es la ciudad más *hip* de España. A lo mejor después de visitarla, querrás vivir allí.

Vista desde Montjuïc.

Las Ramblas

Pasea sin itinerario por esta calle cosmopolita que va desde la Plaza de Cataluña hasta el Monumento a Colón. Te fascinará el mercado de pájaros, el Palau de la Virreina (una gran mansión de estilo rococó) y el Liceu, la famosa casa de ópera.

La Sagrada Familia

Esta catedral, de inspiración gótica, es la obra más famosa del arquitecto catalán Antonio Gaudí. Lamentablemente[1], Gaudí murió en 1926 antes de terminar este grandioso monumento, su gran sueño.

La arquitectura de Gaudí.

Museu Picasso

Ningún otro museo en Barcelona es más visitado que éste. Aquí verás muchas de las obras del pintor Pablo Picasso, quien vivió en Barcelona de joven y tuvo su primera exhibición, en 1900, en esta ciudad.

Montjuïc

La Sagrada Familia.

El Montjuïc es una colina[2] desde la cual puede verse la ciudad. Detrás de la plaza hay una fuente[3] luminosa. También está la Anella Olímpica, un grupo de instalaciones en donde se celebraron los Juegos Olímpicos de 1992. Bajo la colina, encontrarás la Fundación Joan Miró, una galería de arte del gran artista que nació en Barcelona.

[1]Sadly, unfortunately [2]hill [3]fountain

32 ¿Qué recuerdas?

1. ¿Dónde está Barcelona?
2. ¿Cómo se llama la calle cosmopolita donde pasean las personas? ¿Dónde empieza y dónde termina?
3. ¿Quién fue Antonio Gaudí? ¿Cuál es su más famosa obra?
4. ¿Cómo se llama un artista famoso que nació en Barcelona?
5. ¿Qué es Montjuïc? Nombra una de las atracciones allí.

33 Algo personal

1. Imagina que viajarás a Barcelona. ¿Adónde irás para oír ópera? ¿Para ver la arquitectura de Gaudí? ¿Y para tener una vista de la ciudad?
2. ¿Qué más te gustaría saber sobre Barcelona? Piensa en tres preguntas que le harías a un agente de viajes.
3. ¿Qué ciudad de los Estados Unidos crees que se parece a Barcelona? ¿Por qué?

> • ¿Sabes que en Barcelona se habla el *catalán* además del castellano? Busca información en la internet o en la biblioteca sobre este idioma de Cataluña y aprende varias palabras en catalán que ya sabes en castellano.

¿Qué aprendí?

Visit the web-based activities at www.emcp.com

Autoevaluación

Como repaso y autoevaluación, responde lo siguiente:

1. Where will you go and what will you do on your next vacation?
2. Where do you dream about going on vacation?
3. Say two things that you will do in the future.
4. Imagine you have a job interview tomorrow at 10:00 A.M. State three things you will do to prepare yourself for the interview.
5. State two things that you will have to do in ten years.
6. What do you know about Spain?

Palabras y expresiones

Las vacaciones
- aéreo,-a
- la agencia de viajes
- el agente, la agente
- el billete
- la compañía
- de ida y vuelta
- el destino
- el folleto
- el gasto
- la guía

- el itinerario
- la llegada
- el pasaporte
- la reservación
- la salida
- la tarifa
- turístico,-a
- la visa
- el vuelo

La familia real
- la princesa
- el príncipe
- la reina
- el rey

Verbos
- cargar
- gozar

- nacer
- saborear
- soñar

Expresiones y otras palabras
- a lo mejor
- el cheque
- completo,-a
- la corrida
- la dicha
- emocionado,-a
- el nombre
- puede ser
- la suerte

¿Quieres billetes?

Los toros en Sevilla.

Una agencia de viajes.

Vocabulario I
En el aeropuerto

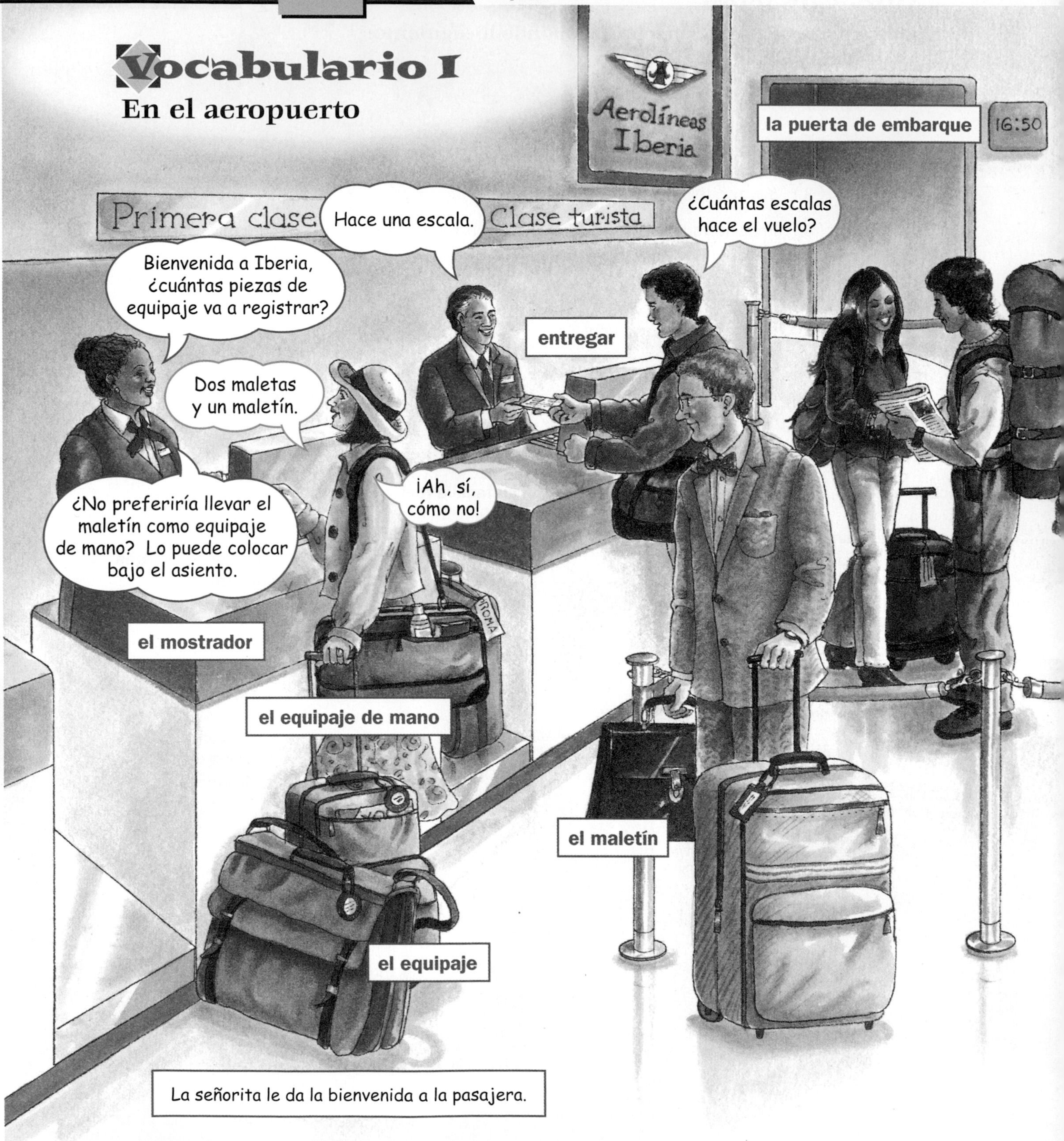

la puerta de embarque   16:50

Aerolíneas Iberia

Primera clase   Hace una escala.   Clase turista

¿Cuántas escalas hace el vuelo?

Bienvenida a Iberia, ¿cuántas piezas de equipaje va a registrar?

entregar

Dos maletas y un maletín.

¡Ah, sí, cómo no!

¿No preferiría llevar el maletín como equipaje de mano? Lo puede colocar bajo el asiento.

el mostrador

el equipaje de mano

el maletín

el equipaje

La señorita le da la bienvenida a la pasajera.

despegar

aterrizar

abordar

los pasajeros

el auxiliar de vuelo

el piloto

la auxiliar de vuelo

la tripulación

1 ¿Cierto o falso?

Di si lo que oyes es cierto o falso. Si es falso, di lo que es cierto.

2 A completar

Completa estas oraciones, usando las siguientes palabras.

> mostrador   pasajeros   embarque
>
> piezas   registrar   escalas

1. En el __ de la aerolínea hay una fila muy larga.
2. Tendremos que __ nuestro equipaje antes de subir al avión.
3. Llevamos cinco __ de equipaje.
4. Creo que el vuelo hará dos __ antes de llegar a Bilbao.
5. Su puerta de __ es la número veinticuatro.
6. Todos los __ del vuelo cincuenta y uno entran al avión.

Diálogo I

Vamos a preguntar

ALBA: ¿Tienes todo tu equipaje?

ROSA: Sí, aquí está todo, pero me gustaría tener sólo dos piezas.

ALBA: Verdad que sí, es difícil viajar con tanto equipaje de mano.

ROSA: Ahora, ¿cómo podemos ir a la estación de trenes? ¿A pie?

ALBA: Preferiría tomar un taxi. Creo que están al lado de un mostrador, en la calle.

ROSA: ¿Qué mostrador, el de la aerolínea? No puede ser.

ALBA: No estoy segura. Mejor, vamos a preguntar.

ROSA: Sí, porque estoy muy cansada.

ALBA: Mira, allí hay un mostrador de información.

3 ¿Qué recuerdas?

1. ¿Dónde crees que están Rosa y Alba?
2. ¿Con cuántas piezas de equipaje le gustaría viajar a Rosa?
3. ¿Cómo preferiría Alba ir a la estación de trenes?
4. ¿Dónde cree Alba que están los taxis?
5. ¿Qué no puede ser, según Rosa?
6. ¿Qué es mejor, según Alba?

4 Algo personal

1. ¿Te gusta viajar en avión? ¿Por qué?
2. Cuando viajas, ¿llevas mucho equipaje? ¿Por qué?
3. ¿Hay un aeropuerto en tu ciudad? ¿Cómo se llama?

5 ¿Lógico o ilógico?

Di si lo que oyes es lógico o ilógico. Si lo que oyes es ilógico, di lo que es lógico.

¿Llevas mucho equipaje?

La mezquita de Córdoba.

España

España es un país con más de cuarenta millones de habitantes que ofrece una gran diversidad. Madrid es la capital de España, la ciudad más grande, y el centro del gobierno donde está la corona[1] española, representada por los reyes de España. En Madrid está uno de los museos más importantes del mundo, el Museo del Prado.

Barcelona, el puerto más grande del país, ofrece la arquitectura del famoso Gaudí.

En la costa noroeste de España está el País Vasco (Euskadi), donde se habla uno de los idiomas más antiguos de europa, el vasco, o euskera. Los expertos creen que este idioma existe desde el periodo neolítico[2].

La tercera ciudad en población de España es Valencia y está en la costa mediterránea. Esta área es famosa por sus productos agrícolas. En contraste directo con estas ciudades grandes y cosmopolitas, España también tiene numerosas ciudades pequeñas y pueblos[3] donde la vida tiene un ritmo más lento.

Al sur de Madrid, en la región de Castilla-La Mancha, los veranos son muy calientes y los inviernos muy fríos. El clima es muy diferente en la región pesquera[4] y agrícola de Galicia, que está en la parte noroeste del país. Aunque esta región sólo representa un séptimo del tamaño del país, recibe la tercera parte de la lluvia anual de España.

Algunas personas creen que el corazón y el alma[5] de España están representados por la región de Andalucía, al sur del país. Allí uno puede ver la arquitectura mora[6] que quedó de la ocupación musulmana de la ciudad de Sevilla. Otras ciudades de la región de Andalucía donde se ve reflejada la historia musulmana de España son Córdoba y Granada.

[1]crown [2]Neolithic period, about 2 millenium BCE [3]villages
[4]fishing [5]heart and soul [6]Moorish

Santiago de Compostela.

6 ¿Qué sabes sobre España?

Contesta las siguientes preguntas, según la Cultura viva.

1. ¿Dónde están el centro del gobierno y la corona española?
2. ¿Qué museo importante está en la capital de España?
3. ¿Quién es un famoso arquitecto de Barcelona?
4. ¿Qué idioma se habla en el País Vasco?
5. ¿En qué región española los veranos son muy calientes y los inviernos muy fríos?
6. ¿Por qué región creen algunas personas que están representados el corazón y el alma de España?

Idioma

The twenty-four-hour clock

As you travel, you will sometimes encounter schedules for trains, planes, ships, movies and television programs that are written using a twenty-four-hour clock. You can learn to use this system quite easily by substracting twelve hours from any time past 12:00. What may at first seem unrecognizable or difficult to understand, the twenty-four-hour clock is quite simple and can be helpful in determining if an event occurs during the daytime or at night. Compare the following times as they would be stated using a twenty-four-hour clock:

4:15   *Son las cuatro y cuarto de la mañana.*

16:15   *Son las cuatro y cuarto de la tarde.* (16:15 – 12:00 = 4:15)

20:45   *Son las nueve menos cuarto de la noche.* (20:45 – 12:00 = 8:45)

 Práctica

 **7 Cosas del aeropuerto**

Trabajando en parejas, alterna con tu compañero/a de clase en preguntar y en contestar a qué hora ocurrirán las siguientes cosas en el aeropuerto. Usa las pistas que se dan.

MODELO   despegar / el vuelo a Santurce (13:30)
> **A:** ¿A qué hora despegará el vuelo a Santurce?
> **B:** Despegará a la una y media de la tarde.

1. llegar / Tomás y Blanca a Madrid (22:30)
2. servir el desayuno / ellos (6:30)
3. despegar / tu avión (14:20)
4. salir / el piloto (15:10)

¡Oportunidades!

En el aeropuerto
Airports can be excellent places to practice a world language since many people from different parts of the world travel through them. If you are traveling to or from a Spanish–speaking city or country, it is possible that you will meet people who speak Spanish. Test your skills and chat with someone. When you are checking in at an airport where Spanish is spoken, chances are that the airline agent will speak to you in Spanish, as well.

¿Está el avión en el aeropuerto?

Trabajas en el mostrador de una aerolínea en el aeropuerto de Barajas en Madrid contestando las preguntas por teléfono sobre salidas de vuelos nacionales. Alterna con tu compañero/a de clase en preguntar la hora de salida de los vuelos y en contestar, diciendo la hora, el destino y la puerta de embarque de donde salen.

MODELO   **A:** ¿A qué hora sale el vuelo sesenta y cinco para Málaga?

B: El vuelo sesenta y cinco para Málaga sale a la una y cuarto de la tarde por la puerta de embarque número doce.

SALIDAS			
CIUDAD	VUELOS	HORA DE EMBARQUE	PUERTA
MÁLAGA	065	13:15	12
OVIEDO	129	14:20	18
TENERIFE	012	16:10	20
SEVILLA	180	18:40	16
BILBAO	215	22:30	32

1. ¿A qué hora sale el vuelo ciento veintinueve para Oviedo?
2. ¿A qué hora sale el vuelo doce para Tenerife?
3. ¿A qué hora sale el vuelo ciento ochenta para Sevilla?
4. ¿A qué hora sale el vuelo doscientos quince para Bilbao?

¡Extra!

¿A qué hora?

Remember to ask when something is going to occur (or has already occurred) using the question *¿A qué hora...?* Answer using *a la/las* followed by the time.

¿A qué hora salieron del cine?   *Salimos a las nueve y media.*

¿A qué hora llegarán al parador?   *Llegaremos tarde, casi a las once.*

El mostrador de la aerolínea.

Comunicación

9 En la estación de Atocha

En parejas, alterna con tu compañero/a de clase en hacer y contestar preguntas, para saber a qué hora van a salir los trenes de la estación de Atocha para ir a las siguientes ciudades.

José y Ana viajan en tren.

Horario de trenes de Atocha en Madrid a:					
Ciudad	**Horas de salida**				
Córdoba	06:05	08:50	11:35	18:50	21:35
Granada	05:55	08:50	11:45	14:40	17:35
La Coruña	06:15	21:50			
Murcia	06:10	22:55			
Salamanca	00:15	04:45	12:30	18:20	
San Sebastián	00:15	2:15	11:00	14:00	17:00
Sevilla	06:05	10:20	12:30	14:40	16:20
Toledo	06:00	08:30	11:00	16:00	21:00
Zaragoza	01:15	04:15	16:15	23:15	

10 Controlador aéreo

Imagine you work at a small airport as an air traffic controller and you need to schedule fifteen airline flights leaving the airport within the next twenty-four hours. It is 9:00. Using the twenty-four-hour clock, develop the schedule for these fifteen flights. Allow time for passengers to board the planes and time for incoming flights to land, considering that the airport only has three boarding gates.

374 *trescientos setenta y cuatro* **Lección B**

Estructura

The conditional tense

You have learned to use the future tense to tell what will happen. Similarly, the conditional tense (*el condicional*) tells what would happen or what someone would do (under certain conditions). It is usually formed by adding the endings *-ía, -ías, -ía, -íamos, -íais* and *-ían* to the infinitive form of the verb.

viajar	
viajar**ía**	viajar**íamos**
viajar**ías**	viajar**íais**
viajar**ía**	viajar**ían**

comer	
comer**ía**	comer**íamos**
comer**ías**	comer**íais**
comer**ía**	comer**ían**

abrir	
abrir**ía**	abrir**íamos**
abrir**ías**	abrir**íais**
abrir**ía**	abrir**ían**

Look at the following examples:

Me gustaría ir a La Mancha. — **I would like** to go to La Mancha.

¿Viajarías allí pronto? — **Would you travel** there soon?

¡Sería fantástico! — **That would be** great!

¿Irías en tren o en avión? — **Would you go** by train or by plane?

La Mancha, España.

Práctica

11 ¿De qué hablarían?

Para saber lo que dijeron en el mostrador de la aerolínea las siguientes personas, completa las oraciones con la forma del condicional de los verbos indicados.

MODELO Antonio dijo que él <u>preferiría</u> llevar sólo una mochila como equipaje de mano. (preferir)

1. Cristina y Elisa dijeron que __ en la cafetería mientras que Sara hace el registro. (estar)
2. Lola dijo que le __ sentarse en el corredor. (gustar)
3. La señorita nos dijo que sólo __ dos piezas de equipaje por cada pasajero. (registrar)
4. Un señor nos dijo que nosotros __ abordar el avión en quince minutos. (deber)
5. Unas mujeres dijeron que __ a alguien que las ayude con sus maletas. (necesitar)

Capítulo 8   *trescientos setenta y cinco*   **375**

12 ¿Qué harían?

Usando el condicional, di lo que las siguientes personas harían si volvieran a nacer. Añade las palabras que sean necesarias.

MODELO Pedro y su hermano / ser / príncipes
Pedro y su hermano serían príncipes.

1. Esperanza y Natalia / trabajar como agentes de viajes
2. Enrique / viajar / todo el mundo
3. nosotros / conocer / más gente interesante
4. Victoria / vivir / reyes de España
5. Eduardo / trabajar / agencia de viajes
6. Diana / nacer / España
7. yo / escribir / libro sobre cómo ser feliz
8. tú / aprender / pilotar un avión

Yo sería príncipe.

13 Lo que harían si...

Usando las indicaciones que se dan, di lo que harían las siguientes personas en esas situaciones.

MODELO Carolina olvidó su equipaje de mano en la casa. (viajar en otro vuelo)
Viajaría en otro vuelo.

1. Lorenzo tiene mucha ropa para llevar. (poner todo en dos maletas)
2. Doña Ana tiene que llevar cinco maletas. (pedir ayuda a alguien)
3. Tienes que abordar en cinco minutos por la puerta de embarque nacional, pero estás en la puerta de embarque internacional. (correr a la puerta de embarque nacional)
4. No llegamos a tiempo al aeropuerto y perdemos nuestro avión a Málaga. (esperar para tomar el siguiente vuelo)
5. Los chicos no pueden registrar todo su equipaje. (dejar una maleta con sus padres)

14 ¿Qué harías tú?

Eres una persona con experiencia en viajar a España y tus amigos te hacen preguntas para pedirte consejos. Alterna con tu compañero/a de clase en hacer preguntas y en contestarlas, usando el condicional y la información que sea apropiada.

MODELO dónde / comprar los billetes
A: ¿Dónde comprarías los billetes?
B: Compraría los billetes en la agencia de viajes.

1. qué ciudades / visitar
2. a qué hora / estar en el aeropuerto
3. en qué aerolínea / volar
4. adónde / no ir
5. cuántas piezas de equipaje / llevar

Estrategia

Planning ahead

Plan ahead and do things when you are able to because you never can be certain there will be enough time tomorrow. Try to complete what you can today and do not postpone tasks. Do not procrastinate. As the saying goes: *No dejes para mañana lo que puedas hacer hoy* (Do not put off till tomorrow what you can do today).

15 ¡Deberías hacerlo ya!

Rodrigo promete muchas cosas pero nunca las cumple porque es perezoso. Completa el siguiente párrafo con la forma apropiada del condicional para ver lo que no hizo.

Rodrigo les prometió a sus padres y a su novia que haría muchas cosas durante el verano. Le dijo a su padre que (1. buscar) un trabajo, (2. cortar) el césped y (3. lavar) el carro cada semana. No lo hizo. Le dijo a su madre que (4. levantarse) temprano y la (5. ayudar) en el jardín. Tampoco lo hizo. Le prometió a su novia que los dos (6. ir) a la playa, (7. ver) buenas películas y (8. jugar) al tenis. No hicieron ninguna de estas cosas. ¡Ahora, parece que nadie quiere ayudarlo a él! Ayer, le pidió dinero a su padre, y su padre le contestó: "Mañana". Le preguntó a su madre si le (9. comprar) ropa nueva y ella respondió: "Un día de éstos". Cuando le dijo a su novia que le (10. gustar) invitarla a cenar, ella le contestó: "¡Nunca más!"

◈ Comunicación

16 En el avión

Trabajando en parejas, alternen en hacer y contestar las siguientes preguntas personales.

1. ¿Has viajado en avión alguna vez? ¿Cuándo? ¿Volverías allí?
2. ¿Hizo el avión alguna escala? ¿Dónde?
3. ¿Te gustaría ser miembro de la tripulación de un avión? ¿Qué te gustaría ser?
4. ¿Adónde te gustaría ir en el mundo? ¿Por qué?
5. ¿Qué ciudades te interesaría visitar durante un viaje a España?
6. ¿Crees que las medidas de seguridad que se toman en un avión son buenas? Explica. ¿Qué cambiarías?

He viajado del Perú a España.

17 La lotería

Con un(a) compañero/a de clase, hablen de lo que harían si ganaran (if you were to win) la lotería. Hagan una lista de diez cosas que harían y compártanla con la clase.

Firme aquí, por favor, con sus dos apellidos.

En seguida.

Es un placer tenerlo aquí.

la recepcionista

18 En un parador nacional

Selecciona la letra de la respuesta que corresponde con cada descripción que oyes.

A. la habitación doble
B. el servicio de habitaciones
C. firmar

D. la recepción
E. el ruido
F. alojarse

19 ¡A completar!

Escoge la palabra apropiada para completar las siguientes oraciones de forma lógica.

placer   botones   servicio
parador   lujo   apellidos

1. Cuando estoy en un hotel de lujo, me gusta pedir __ de habitaciones.
2. Mi nombre es Roberto y mis __ son Sánchez García.
3. La recepción de este __ es muy grande y bonita.
4. Me gustaría llamar al __ para que suba el equipaje a mi cuarto.
5. Al recepcionista le da __ que nosotros estemos en el hotel.
6. Este parador es muy elegante, es de __.

Diálogo II
Soñar no cuesta nada

ROSA: Ay, me gustaría alojarme en un hotel de lujo.

ALBA: A mí también. Tendríamos una habitación doble grande y cómoda.

ROSA: Sí, con servicio de habitaciones las veinticuatro horas.

ALBA: ¡Ay, sí!, yo pediría refrescos, golosinas y frutas todo el día.

ROSA: Y yo pediría desayunos grandes con jugos frescos todas las mañanas.

ALBA: E iríamos a pasear por el centro en limusina.

ROSA: Sí, y al volver, la recepcionista nos saludaría con placer.

ALBA: Y el botones nos subiría en seguida las compras a la habitación.

ROSA: Soñar no cuesta nada. Bueno, mejor démonos prisa que vamos a llegar tarde a la estación.

20 ¿Qué recuerdas?

1. ¿En qué tipo de hotel les gustaría alojarse a las chicas?
2. ¿Qué tipo de habitación tendrían Alba y Rosa?
3. ¿Qué pediría Alba al servicio de habitaciones?
4. ¿Qué pediría Rosa al servicio de habitaciones?
5. ¿Cómo las saludaría la recepcionista?
6. ¿Qué haría el botones con las compras?

21 Algo personal

1. ¿Adónde has viajado?
2. ¿Adónde te gustaría viajar? ¿Por qué?
3. ¿En qué tipo de hotel prefieres alojarte?
4. ¿Cómo era el último hotel donde estuviste? ¿Dónde estaba?

22 ¿Cierto o falso?

))) Di si lo que oyes es cierto o falso. Si es falso, di lo que es cierto.

Parador de Jarandilla de la Vera, Cáceres.

Viajando por España.

¡Viajando por España!

Muchos estudiantes de Europa y América viajan a España, especialmente durante el verano. TIVE, una oficina de turismo para jóvenes en España, ofrece muchos servicios a estos estudiantes, entre ellos el carné Joven Euro que permite a los estudiantes entre los catorce y veintiséis años conseguir descuentos en transportes, museos, teatros y albergues[1]. RENFE, la compañía nacional de trenes de España, ofrece a los estudiantes un veinticinco por ciento de descuento en viajes por España. Si quieren viajar por toda Europa, muchos estudiantes consiguen el *Eurorail Youthpass*.

En cuanto a lugares para alojarse, hay muchas opciones. En España hay más de cien albergues juveniles. Son sitios

Parador de Carmona, Sevilla.

baratos pero durante el verano están muy llenos y una persona puede quedarse sólo por tres días. Otra opción son los hostales. Los hostales son hoteles pequeños y sus dueños[2] son normalmente familias. Las habitaciones son sencillas pero muy limpias y con buenos precios.

Una experiencia singular, aunque más costosa, es alojarse en un parador. Los paradores son edificios de importancia histórica, artística y cultural que pertenecen[3] al estado español. El programa de paradores del gobierno español preserva lugares históricos y al mismo tiempo, ofrece al turista la oportunidad de comer y dormir en palacios, castillos y conventos.

[1]hostals   [2]owners   [3]belong   Un hostal para alojarse, Toledo.

23 ¡Viajando por España!

Contesta las siguientes preguntas, según la Cultura viva.

1. ¿En dónde se puede conseguir un carné Joven Euro? ¿Para quiénes son estos carnés?
2. ¿Qué se puede hacer con el *Eurorail Youthpass*?
3. ¿Cuáles son tres tipos de lugares para alojarse en España?
4. ¿Cuál te gustaría más? ¿Por qué?

24 El parador de tus sueños

Busca información sobre paradores nacionales en España, usando guías de turismo o la internet. Decide a qué parador te gustaría viajar. Escribe una composición sobre el parador y di por qué te gustaría visitarlo. Incluye fotos si quieres.

Estructura

The conditional tense of irregular verbs

Verbs that are irregular in the future tense have identical irregular stems in the conditional. However, their endings remain the same as regular verbs.

caber → **cabría** decir → **diría** poder → **podría** querer → **querría** saber → **sabría**

hacer → **haría** poner → **pondría** salir → **saldría** tener → **tendría** venir → **vendría**

Just as the future tense is used in Spanish to express uncertainty or probability in the present, the conditional tense can express what was uncertain or probable in the past.

Darían la merienda a las cinco y media.	They **were probably serving** tea at five thirty.
Diría que no llegaron a tiempo.	He/she **probably said** they were not on time.
Volverían juntos.	They **probably came back** together.

Práctica

25 ¿Y tú qué harías?

Di qué harías en un avión durante un vuelo largo, usando el condicional y añadiendo las palabras que sean necesarias.

1. querer / conducir el avión con el piloto
2. decirle / al piloto que me deje pilotar / avión
3. jugar / ajedrez sobre / mesita del asiento
4. hablar / con toda / tripulación
5. tener / un poco de miedo / aterrizar
6. colocarme / el cinturón de seguridad / despegar

26 Probablemente

Usa el condicional de probabilidad para indicar lo que fue probable que ocurriera con la familia de Alicia, de acuerdo con la información.

Yo soy el piloto.

MODELO Una persona me dijo que el vuelo de mis tías iba a salir a tiempo.
Una persona me dijo que el vuelo de mis tías saldría a tiempo.

1. El botones dijo que iba a llevar todas las maletas a la habitación.
2. Mi papá dijo que iba a firmar algún papel en la recepción del hotel.
3. Mis padres me dijeron que iban a salir para Madrid a las tres.
4. En el hotel me dijeron que iban a tener las habitaciones listas.
5. Mi hermano me dijo que iba a salir temprano para el aeropuerto.

27 Sin respuesta

Manuel llamó a su amiga Cristina al hotel varias veces y ni ella ni su familia contestaban al teléfono en la habitación. Haz oraciones completas, usando las indicaciones que se dan para saber lo que piensa Manuel.

MODELO Cristina no estaba a las 9:00. (desayunar en el restaurante)
Cristina desayunaría en el restaurante.

1. Su hermano no estaba a las 10:00. (pasear por el centro)
2. Sus padres no estaban a las 11:00. (visitar el museo de arte)
3. Nadie estaba a las 12:00. (almorzar en el restaurante)
4. Su hermana no estaba a las 15:00. (nadar en la playa)
5. Sus padres no estaban a las 16:45. (dar un paseo por el parque)
6. Cristina no estaba a las 21:30. (salir a cenar con su familia)

Comunicación

28 ¿Y qué es lo que no harían?

Adivina *(guess)* lo que no harían las personas de las fotos, usando el condicional. Luego, di lo que preferirían hacer.

MODELO yo
(Yo) Nunca viajaría con mucho equipaje. Yo preferiría llevar equipaje de mano con algunas cosas personales.

1. el profesor 2. mis amigos 3. Enrique Iglesias 4. mis padres 5. tú

29 ¿Ganarías un premio?

Si ganas un premio de un millón de dólares, es posible que hagas muchos planes. Con tu compañero/a alterna en hacer preguntas y en contestarlas para saber seis cosas que cada uno/a haría con el dinero.

MODELO A: ¿Qué sería lo primero que tú harías con tu millón de dólares?
B: Compraría una nueva cámara digital.

Lectura personal

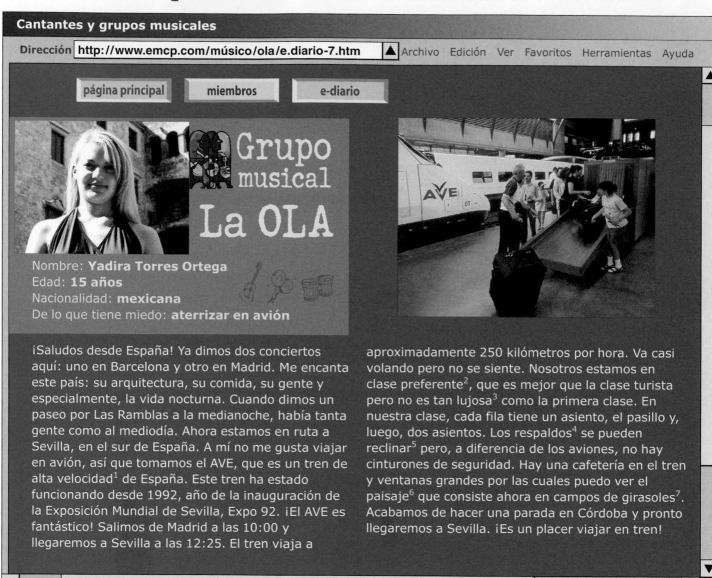

Cantantes y grupos musicales

Dirección http://www.emcp.com/músico/ola/e.diario-7.htm ▲ Archivo Edición Ver Favoritos Herramientas Ayuda

página principal   miembros   e-diario

Grupo musical La OLA

Nombre: Yadira Torres Ortega
Edad: 15 años
Nacionalidad: mexicana
De lo que tiene miedo: aterrizar en avión

¡Saludos desde España! Ya dimos dos conciertos aquí: uno en Barcelona y otro en Madrid. Me encanta este país: su arquitectura, su comida, su gente y especialmente, la vida nocturna. Cuando dimos un paseo por Las Ramblas a la medianoche, había tanta gente como al mediodía. Ahora estamos en ruta a Sevilla, en el sur de España. A mí no me gusta viajar en avión, así que tomamos el AVE, que es un tren de alta velocidad[1] de España. Este tren ha estado funcionando desde 1992, año de la inauguración de la Exposición Mundial de Sevilla, Expo 92. ¡El AVE es fantástico! Salimos de Madrid a las 10:00 y llegaremos a Sevilla a las 12:25. El tren viaja a aproximadamente 250 kilómetros por hora. Va casi volando pero no se siente. Nosotros estamos en clase preferente[2], que es mejor que la clase turista pero no es tan lujosa[3] como la primera clase. En nuestra clase, cada fila tiene un asiento, el pasillo y, luego, dos asientos. Los respaldos[4] se pueden reclinar[5] pero, a diferencia de los aviones, no hay cinturones de seguridad. Hay una cafetería en el tren y ventanas grandes por las cuales puedo ver el paisaje[6] que consiste ahora en campos de girasoles[7]. Acabamos de hacer una parada en Córdoba y pronto llegaremos a Sevilla. ¡Es un placer viajar en tren!

[1]fast-speed train [2]business class [3]luxurious [4]seat backs [5]recline [6]landscape [7]sunflower fields

30 ¿Qué recuerdas?

1. ¿Cómo se llama el tren de alta velocidad en España?
2. ¿Desde qué año existe este tren?
3. ¿Cuántas clases tiene? ¿Cómo se llaman?
4. ¿Cuántas horas dura el viaje de Madrid a Sevilla?
5. ¿Qué tiene el tren que no tiene el avión?

31 Algo personal

1. ¿Prefieres viajar por tren o por avión? Explica.
2. ¿En qué clase te gustaría viajar en el AVE? ¿Por qué?
3. Imagina que viajas de Madrid a Sevilla en el AVE. ¿Qué haces en el viaje?

- Compara el sistema de trenes en España con el sistema de trenes en donde tú vives. ¿Son muy rápidos los trenes de tu ciudad? ¿Son cómodos?

¿Qué aprendí?

Visit the web-based activities at www.emcp.com

Autoevaluación
Como repaso y autoevaluación, responde lo siguiente:

1. Tell about your last experience in an airport.

2. Using the twenty-four-hour clock, say what time you do the following activities: go to school, eat supper, go to bed.

3. What would you do if you won one million euros?

4. How would you ask an airline agent to find out at what time the plane will arrive?

5. If you could build a hotel, what would it be like? What kind of people would stay there?

6. How would you say in Spanish that it probably was two o'clock when the flight attendant brought the food?

7. What do you know about Spain?

Palabras y expresiones

En el aeropuerto
la aerolínea
el auxiliar de vuelo
la auxiliar de vuelo
el equipaje
el equipaje de mano
la escala
el maletín
el mostrador
la puerta de embarque
el pasajero
el piloto, la piloto
la tripulación

En el parador
el botones
la habitación
el lujo
el parador
la recepción
el recepcionista,
    la recepcionista
el servicio de
    habitaciones

Verbos
abordar
alojar(se)
aterrizar
colocar(se)
despegar
entregar
firmar
registrar

Expresiones y otras palabras
el apellido
bajo
la bienvenida

doble
en seguida
la pieza
el placer
el ruido
sencillo,-a
el servicio

El maletín.

La auxiliar de vuelo.

El botones.

Tú lees

Combining reading strategies
Avoid translating word for word when you read in Spanish. That is slow and tedious. Instead, combine several reading strategies you have already learned. Begin by scanning the passage for clues about its probable content. Next, skim the paragraphs looking for the main ideas and for cognates to aid your comprehension. Finally, when you encounter new words, use the context to guess their possible meanings. Apply all these strategies as you begin to read the following well-known passage taken from Spanish literature.

Preparación

Como preparación para la lectura, lee rápidamente *(skim)* la historia de Lázaro y, luego, di si lo siguiente es cierto o falso.

1. El personaje principal nació en un río.
2. Toda la acción ocurre en el norte de Francia.
3. La acción tiene lugar en el pasado.
4. Lázaro es de una familia pobre.
5. Lázaro tiene una vida muy feliz.

Lázaro cuenta su vida y de quién fue hijo

Pues sepa vuestra merced[1] que a mí me llaman Lázaro de Tormes, hijo de Tomé González y de Antonia Pérez, naturales de Tejares, aldea[2] de Salamanca. Mi nacimiento[3] fue dentro del río Tormes por la cual causa tomé el sobrenombre[4], y fue de esta manera.

Mi padre, a quien Dios[5] perdone, tenía como trabajo el proveer[6] una *aceña* que está a la orilla[7] de aquel río, en el cual fue molinero[8] más de quince años; estando mi madre una noche en el molino[9] le llegó la hora y me parió[10] a mí allí; de manera que con verdad me puedo decir nacido en el río.

Pues siendo yo niño de ocho años mi padre fue preso[11]. En este tiempo se hizo cierta armada contra[12] los moros[13] en la cual fue mi padre, que en este tiempo ya estaba fuera de la cárcel[14], y sirviendo a su

aceña

señor perdió la vida. Espero en Dios que esté en la gloria.

Mi viuda[15] madre como se viese[16] sola y sin marido, decidió acercarse a los buenos e irse a vivir a la ciudad. Allí hacía la comida a ciertos estudiantes y lavaba la ropa a ciertos mozos de caballos[17] del Comendador de la Magdalena. Allí conoció a un hombre moreno, este hombre venía algunas veces a nuestra casa, y se iba por la mañana; otras veces llegaba de día a comprar *huevos* y entraba en casa. Yo al principio tenía miedo de él viéndole el color y el mal gesto[18] que siempre tenía, pero cuando vi que con su venida[19] era mejor el comer, empecé a quererlo bien porque siempre traía pan, pedazos de carne y en el invierno *leños* a los que nos calentábamos[20].

Sucedió todo[21] de manera que mi madre vino a darme un hermano, un negrito muy bonito, con el que yo jugaba. Y me acuerdo que estando el negro de mi padrastro jugando con el niño, como éste veía a mi madre y a mí blancos, y a él no, huía[22] de él con miedo y se iba a donde estaba mi madre y señalándole con el dedo decía: «Madre, coco[23]».

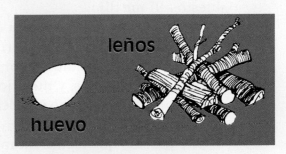

leños

huevo

Yo, aunque era pequeño todavía, noté[24] aquella palabra de mi hermanito y dije para mí: «¡Cuántos de éstos debe de haber en el mundo que huyen[25] de otros porque no se ven a sí mismos!»

Quiso nuestra mala fortuna que llegara a saberse que mi padrastro se llevaba la mitad[26] de la *cebada* que le daban para los caballos a casa de mi madre para después venderla y que también hacía perdidas las mantas[27] de los caballos. Con todo esto ayudaba a mi madre para criar[28] a mi hermanito. Se probó[29] todo esto que digo y aún más, porque a mí me preguntaban, amenazándome[30], y como niño que era respondía y descubría, con el mucho miedo que tenía, todo cuanto sabía. Mi padrastro fue preso y a mi madre le dijeron que no entrase[31] más en la casa de dicho[32] Comendador. Entonces ella se fue a servir a los que vivían en el Mesón[33] de la Solana y allí, pasando muchos trabajos, crió a mi hermanito hasta que supo andar y a mí hasta ser buen mozuelo[34] que iba a buscar vino[35] y todo lo demás[36] que me mandaban los que vivían en el mesón.

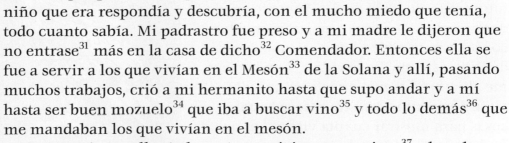

cebada

En este tiempo llegó al mesón un viejo, era un ciego[37], el cual pensando que yo sería bueno para guiarle, le pidió a mi madre que me dejase[38] ir con él. Mi madre lo hizo diciéndole cómo yo era hijo de un buen hombre el cual había muerto en la batalla[39] de los Gelves por defender la fe[40] y que ella esperaba en Dios que yo no sería peor hombre que mi padre y que le rogaba[41] que me tratase[42] bien, pues era huérfano[43].

El ciego respondió que lo haría así y que me recibía no como mozo sino como hijo. Y así empecé a servir y a guiar a mi nuevo y viejo amo[44].

Estuvimos en Salamanca algunos días, pero a mi amo la ganancia[45] le pareció poca y decidió irse de allí. Cuando íbamos a partir[46] yo fui a ver a mi madre, y, ambos llorando[47], me dio su bendición[48] y me dijo:

—Hijo, ya sé que no te veré más; sé bueno, y Dios te guíe; yo te he criado y te he puesto con buen amo, así que válete por ti solo[49]. Y me fui hacia donde estaba mi amo, que me estaba esperando.

Salimos de Salamanca y llegando al puente hay a la entrada[50] de él un animal de piedra[51], que tiene forma de toro, el ciego me mandó que me llegase[52] cerca del animal y puesto allí me dijo:

—Lázaro, acerca[53] el oído a ese toro y oirás un gran ruido dentro de él.

Yo lo hice creyendo que sería así; cuando el ciego sintió que tenía la cabeza junto a la piedra me dio tal golpe[54] con su mano contra el toro que el dolor me duró más de tres días, y me dijo:

—Aprende que el mozo de ciego un punto ha de saber más que el diablo[55].
Y se rió mucho.

Me pareció que en ese momento desperté de la simpleza[56] en que como niño dormido estaba. Y dije para mí: «Verdad dice éste, pues soy solo, tengo que ver y pensar cómo me sepa valer».

Empezamos nuestro camino y en muy pocos días me enseñó jerigonza[57] y como viese que yo tenía buen ingenio[58] estaba muy contento y me decía: «Yo no te puedo dar oro ni plata, pero te mostraré muchos consejos para vivir». Y fue así, que después de Dios, éste me dio la vida y, siendo ciego, me alumbró[59] y guió en la carrera[60] de vivir. Le cuento a vuestra merced estas cosas para mostrar cuánta virtud[61] es que los hombres pobres y bajos sepan subir y cuánto vicio[62] es el que los hombres siendo ricos y altos se dejen bajar.

águila

Mi amo en su oficio[63] era un *águila:* sabía de memoria más de cien oraciones[64], tenía un tono bajo y tranquilo que hacía resonar[65] la iglesia donde rezaba[66] y cuando rezaba ponía un rostro devoto[67].

Además de esto tenía otras mil formas de sacarle el dinero a la gente. Sabía oraciones para todo, a las mujeres que iban a parir les decía si iba a ser hijo o hija y decía que Galeno[68] no supo la mitad de lo que él sabía para curar toda clase de enfermedades[69].

A todo el que le decía que sufría de algún mal, le decía mi amo:

«Haced esto, haréis lo otro». Con todo esto la gente andaba siempre detrás de él, especialmente las mujeres que creían todo cuanto les decía. De las mujeres sacaba mucho dinero y ganaba más en un mes que cien ciegos en un año.

Pero también quiero que sepa vuestra merced que con todo lo que tenía jamás vi un hombre tan avariento[70], tanto que me mataba[71] de hambre y no me daba ni siquiera[72] lo necesario. Digo verdad: si yo no hubiera sabido[73] valerme por mí mismo, muchas veces hubiera muerto[74] de hambre; pero con todo su saber, las más de las veces yo llevaba lo mejor. Para esto le hacía burlas[75], de las cuales contaré algunas.

(continuará)

[1]grace [2]village [3]birth [4]surname [5]God [6]taking care of [7]shore [8]miller [9]mill [10]gave birth [11]jailed [12]raised a certain navy against [13]Moors [14]jail [15]widowed [16]found herself [17]stable boys [18]poor appearance [19]arrival [20]warmed ourselves [21]Everything happened [22]fled [23]boogeyman [24]noticed [25]flee [26]half [27]blankets [28]to raise [29]Was proven [30]threatening me [31]she not enter [32]said [33]Inn [34]youngster [35]wine [36]everything else [37]blind [38]let me [39]battle [40]faith [41]begged [42]treat [43]orphan [44]master [45]earnings [46]leave [47]both crying [48]blessing [49]take care of yourself [50]entrance [51]stone [52]get [53]near [54]blow [55]devil [56]innocence [57]slang, vulgar language [58]intelligence [59]enlightened [60]road [61]virtue [62]vice [63]trade [64]prayers [65]resonate [66]prayed [67]devout face [68]famous Greek doctor [69]illnesses [70]greedy [71]killed [72]not even [73]if I had not known [74]have died [75]tricks

Excerpt from:

A ¿Qué recuerdas?

1. ¿Dónde nació Lázaro?
2. ¿Cómo murió el papá de Lázaro?
3. ¿Dónde fue la mamá de Lázaro después de morir su esposo?
4. ¿Cómo era el hombre para el que trabajaba Lázaro?
5. ¿Qué había en el puente?
6. ¿Qué le dijo el ciego a Lázaro que hiciera con el animal?
7. ¿Qué ganaba el ciego diciendo mentiras?

B Algo personal

1. ¿Qué crees que es lo más importante que alguien te puede dar en la vida?
2. ¿Tienes alguna persona en tu vida que te da consejos? ¿Quién?
3. ¿Tienes algún trabajo con el que ganas dinero?
4. ¿Dices muchas mentiras?
5. ¿Qué piensas de las personas que dicen mentiras?

Tú escribes

Estrategia

Creating a chronological itinerary

When you are writing the itinerary for a trip, it is a good idea to arrange the text in a chronological sequence. That is, you should present the events in the order they will occur, using words like *primero, segundo, entonces, después* and *por último*. To make clear divisions in the sequence of events, use numbers, bullets or bold print.

Imagine that at your high school seniors always take a trip after graduation. Create an itinerary for your ideal graduation trip and arrange it in chronological order. Be sure to state when the trip will occur and where you will go. Then describe what you will see, and name some of the things you will do. Conclude the composition by discussing your feelings about the upcoming trip.

La Alhambra, Granada.

¿Vamos aquí?

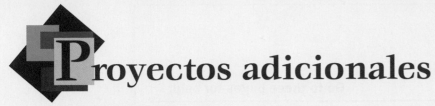

Proyectos adicionales

A Comunicación

Working in pairs, find Web sites about travel in Spain. Using the information on the sites that you find, choose three locations that you would like to travel to. Describe the locations and say what you will be doing when you arrive there.

B Conexión con la tecnología

You are going to the Canary Islands for your next vacation. You will fly with *Aerolíneas Iberia*. Search the Internet for the Web page for *Iberia* and find flight information in Spanish. Make sure to have the dates you plan to travel, the time you would like to depart and the type of seats you want. (You will need to determine what airline you will use to connect with the *Aerolíneas Iberia* flight you have chosen.) Print out the information you get and report to the class on what you found. What are the expenses for your trip?

C Conexión con otras disciplinas: habilidades para la vida diaria

Using the library or the Internet, locate information about the cuisine in a city or region of Spain that interests you. Identify a dish that is typical from that area. Get the recipe for the dish and make it for your family. When choosing a dish, keep in mind the type of ingredients you will need, so that it will be easy for you to find them. Summarize the results of your research for the class.

D Comunidades

Investigate one of the topics below (or invent one of your own) as it pertains to Spain. Prepare a short presentation in Spanish about your research, including visuals and sound, if appropriate. Be sure to name Spaniards who have been influential in the area you have chosen, give examples of their work and add any other details that may be of interest.

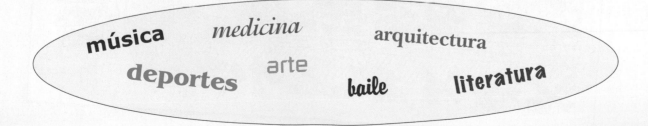

música   medicina   arquitectura
deportes   arte   baile   literatura

Repaso

Now that I have completed this chapter, I can...

	Go to these pages for help:
express emotion.	348
talk about everyday activities.	348
talk about the future.	348
plan a vacation.	358
state what is probable.	358
make travel and lodging arrangements.	358
use the twenty-four-hour clock.	372
talk about schedules.	372
express logical conclusions.	378
talk about hopes and dreams.	378

I can also...

talk about life in Spain.	351
talk about opportunities to use Spanish while traveling.	359
identify places I would like to visit on a trip to Spain.	371
discuss where to stay while visiting Spain.	381

Trabalenguas

Compraré pocas cosas, cosas pocas compraré y como compraré pocas cosas, pocas cosas pagaré.

Vocabulario

a lo mejor maybe *8A*
abordar to board *8B*
aéreo,-a pertaining to air *8A*
la **aerolínea** airline *8B*
la **agencia de viajes** travel agency *8A*
el **agente**, la **agente** agent *8A*
alojar(se) to lodge, to stay *8B*
el **apellido** last name, surname *8B*
aterrizar to land *8B*
el **auxiliar de vuelo**, la **auxiliar de vuelo** flight attendant *8B*
bajo under *8B*
la **bienvenida** welcome *8B*
el **billete** ticket *8A*
el **botones** bellhop *8B*
cargar to charge *8A*
el **cheque** check *8A*
la **clase** class *8B*
colocar(se) to put, to place *8B*
la **compañía** company *8A*
completo,-a full, complete *8A*
la **corrida** bullfight *8A*
de ida y vuelta round-trip *8A*
despegar to take off *8B*
el **destino** destination, destiny, fate *8A*
la **dicha** happiness *8A*

doble double *8B*
emocionado,-a excited *8A*
en seguida immediately *8B*
entregar to hand in *8B*
el **equipaje** luggage *8B*
el **equipaje de mano** carry-on luggage *8B*
la **escala** layover *8B*
firmar to sign *8B*
el **folleto** brochure *8A*
el **gasto** expense *8A*
gozar to enjoy *8A*
la **guía** guidebook *8A*
la **habitación** bedroom *8B*
el **itinerario** itinerary *8A*
la **llegada** arrival *8A*
el **lujo** luxury *8B*
el **maletín** briefcase, handbag, overnight bag, small suitcase *8B*
el **mostrador** counter *8B*
nacer to be born *8A*
el **nombre** name *8A*
el **parador** inn *8B*
el **pasajero** passenger *8B*
el **pasaporte** passport *8A*
la **pieza** piece *8B*
el **piloto**, la **piloto** pilot *8B*

el **placer** pleasure *8B*
la **princesa** princess *8A*
el **príncipe** prince *8A*
puede ser maybe *8A*
la **puerta de embarque** boarding gate *8B*
la **recepción** reception *8B*
el **recepcionista**, la **recepcionista** receptionist *8B*
registrar to register *8B*
la **reina** queen *8A*
la **reservación** reservation *8A*
el **rey** king *8A*
el **ruido** noise *8B*
saborear to taste, to savor *8A*
la **salida** departure, exit *8A*
sencillo,-a single, one-way *8B*
el **servicio** service *8B*
el **servicio de habitaciones** room service *8B*
soñar to dream *8A*
la **suerte** luck *8A*
la **tarifa** fare *8A*
la **tripulación** crew *8B*
turístico,-a tourist *8A*
el **vuelo** flight *8A*

La pasajera.

Los pilotos.

El avión.

9
Mi futuro

Objetivos

- ❖ **discuss careers**
- ❖ **express events in the past**
- ❖ **relate two past events**
- ❖ **talk about hopes and dreams**
- ❖ **state wishes and preferences**
- ❖ **discuss the future**
- ❖ **express uncertainty**
- ❖ **express doubt**
- ❖ **advise and suggest**
- ❖ **express emotion**
- ❖ **identify and locate countries**

Visit the web-based activities at www.emcp.com

Vocabulario I
Los empleos

el peluquero

el fotógrafo

el abogado

la agricultora

el artista

la bombera

el profesor

la taxista

la mecánica

el vendedor

la gerente

el carpintero

Todos son empleados.

el hombre de negocios

la bibliotecaria

el secretario

la programadora

el escritor

la veterinaria

la obrera

la chofer

el ingeniero

¿Qué empleo te gustaría tener a ti en el futuro?
Esperamos que hayas decidido estudiar una carrera.

1 ¿Qué empleo tienen?

Di qué empleo tienen las siguientes
personas, según lo que oyes.

MODELO Conchita es actriz.

Conchita es actriz.

2 No pertenece

Di qué palabra no es un empleo en
cada uno de los siguientes grupos.

1. carpintero   peluquera   bombero   empleo
2. piloto   artista   carrera   gerente
3. ingeniero   hombre   abogado   programador
4. veterinaria   mecánico   hablado   secretario
5. bibliotecario   carro   recepcionista   escritor
6. futuro   obrero   agricultor   vendedora
7. taxista   agente   comida   fotógrafa

Diálogo I

¿Abogada?

GLORIA: ¿Has pensado qué empleo te gustaría tener en el futuro?

MIGUEL: No, no lo he pensado. ¿Y tú?

GLORIA: Pues, yo he pensado trabajar como abogada.

MIGUEL: ¿Como abogada? Hoy hay muchos abogados.

GLORIA: Sí, lo sé, pero todavía no es que yo haya decidido ser abogada.

MIGUEL: Yo te aconsejo que estudies para ser programadora. Es el futuro.

GLORIA: Pero las computadoras a mí no me gustan.

MIGUEL: Entonces, ¿por qué no estudias para ser profesora? Hoy hacen falta profesores.

GLORIA: Sí, es verdad y me gusta mucho enseñar. Voy a pensarlo.

3 ¿Qué recuerdas?

1. ¿Ha pensado Miguel qué empleo tener en el futuro?
2. ¿En qué ha pensado Gloria trabajar?
3. ¿Qué le aconseja Miguel estudiar a Gloria?
4. ¿Qué no le gusta a Gloria?
5. ¿Qué hace falta hoy según Miguel?
6. ¿Qué le gusta mucho a Gloria?

4 Algo personal

1. ¿Has pensado qué empleo te gustaría tener en el futuro? ¿Cuál?
2. ¿Qué es lo que más te gusta hacer?
3. ¿Te ha aconsejado alguien estudiar o trabajar? Explica.

¡Extra!

Otros empleos

el corredor/la corredora de bolsa	*stockbroker*
el director/la directora de mercadeo	*marketing director*
el diseñador/la diseñadora de páginas Web	*Web page designer*
el economista/la economista	*economist*
el ingeniero/la ingeniera ambiental	*environmental engineer*
el ingeniero/la ingeniera de sistemas	*systems engineer*
el sicólogo/la sicóloga	*psychologist*
el técnico/la técnica de computación	*computer technician*

5 ¿Qué son?

 Selecciona la foto que corresponde con lo que oyes.

A   **B**   **C**   **D**   **E**   **F**

La contaminación del aire.

Beneficiamos a nuestra comunidad.

Nuestro planeta

Soñar[1] con nuestro futuro tiene relación directa con los sueños para nuestro planeta y su población. Es seguro que siempre queremos lo mejor para el mundo pero, a veces, es difícil evitar[2] problemas como la guerra[3], la pobreza y los desastres naturales. En estos casos, será importante que nosotros, y toda la comunidad mundial, ayudemos a las víctimas de estas tragedias en la reconstrucción de sus vidas.

Sin embargo, hay problemas que sí podemos evitar o tratar de controlar mejor. Pero primero será preciso que respetemos más nuestro planeta, conservando nuestros recursos naturales[4], reduciendo la contaminación del agua y del aire y buscando otras formas de energía. También sería buena idea participar en una organización que beneficie a la comunidad y al mundo. ¿Qué más puede uno hacer para que nuestro futuro y el del mundo sean lo mejor posible?

Hubo un desastre natural.

[1]To dream [2]avoid [3]war
[4]natural resources

---

6 Nuestro planeta

Haz una lista de cinco problemas que hay hoy en el mundo. Selecciona uno y lee sobre su origen y su evolución, y lo que se está haciendo hoy para solucionarlo. Busca información en la biblioteca o en la internet, si es necesario. Luego, presenta la información a la clase.

Repaso rápido: uses of *haber*

You can use the verb *haber* in various tenses as an impersonal expression.

¿Hay un empleo para mí?	**Is there** a job for me?
Había empleo para todos.	**There were** jobs for everybody.
Supe que **hubo** un accidente anoche.	I knew **there was** an accident last night.

Combine the present tense of *haber* with a past participle to form the present perfect tense *(el pretérito perfecto)* when you wish to describe something that has happened recently or to describe something that has occurred over a period of time and that continues today.

He pensado ser profesor.	**I have thought** about becoming a teacher.

Use the imperfect tense of *haber* with a past participle to form the past perfect tense *(pluscuamperfecto)*, which is used to describe an event in the past that had happened prior to another event.

Había terminado de estudiar cuando llegaste.	**I had finished** studying when you arrived.
Ya **habían estudiado** cuando sus padres llegaron.	**They had** already **studied** when their parents arrived.

7 Los planes de Hernán para después de terminar el colegio

Completa el siguiente párrafo con la forma apropiada del pretérito perfecto de los verbos entre paréntesis, para saber lo que Hernán y sus compañeros piensan hacer después de terminar el colegio.

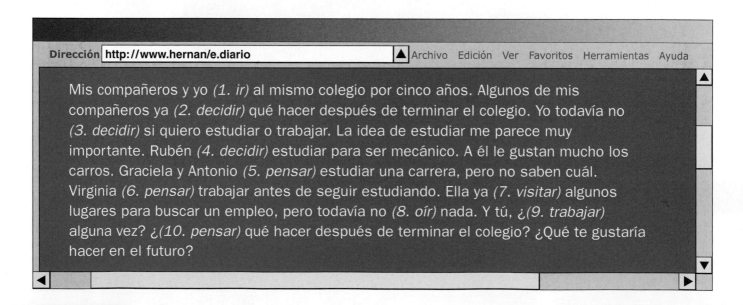

Dirección http://www.hernan/e.diario ▲ Archivo Edición Ver Favoritos Herramientas Ayuda

Mis compañeros y yo *(1. ir)* al mismo colegio por cinco años. Algunos de mis compañeros ya *(2. decidir)* qué hacer después de terminar el colegio. Yo todavía no *(3. decidir)* si quiero estudiar o trabajar. La idea de estudiar me parece muy importante. Rubén *(4. decidir)* estudiar para ser mecánico. A él le gustan mucho los carros. Graciela y Antonio *(5. pensar)* estudiar una carrera, pero no saben cuál. Virginia *(6. pensar)* trabajar antes de seguir estudiando. Ella ya *(7. visitar)* algunos lugares para buscar un empleo, pero todavía no *(8. oír)* nada. Y tú, ¿*(9. trabajar)* alguna vez? ¿*(10. pensar)* qué hacer después de terminar el colegio? ¿Qué te gustaría hacer en el futuro?

Estructura

Present perfect subjunctive

When you wish to describe something that has happened recently or to describe something that has occurred over a period of time and that continues, use the present perfect subjunctive *(pretérito perfecto del subjuntivo)*. Its formation is quite simple: Combine the present subjunctive forms of *haber* with the past participle of a verb.

hablar	hacer	vestirse (i, i)
haya hablado	haya hecho	me haya vestido
hayas hablado	hayas hecho	te hayas vestido
haya hablado	haya hecho	se haya vestido
hayamos hablado	hayamos hecho	nos hayamos vestido
hayáis hablado	hayáis hecho	os hayáis vestido
hayan hablado	hayan hecho	se hayan vestido

Look at the following examples:

*Espero que ella **haya decidido** qué estudiar.*   I hope she **has decided** what to study.
*No creo que él **haya empezado** a trabajar.*   I doubt that he **has begun** to work.

Práctica

8 ¿Has decidido qué estudiar?

Haz oracioncs para decir si piensas o no que las siguientes personas han decidido qué estudiar, según las indicaciones.

MODELOS   Carlos / sí   Daniela / no
Pienso que Carlos ya ha decidido qué estudiar.   No pienso que Daniela haya decidido todavía qué estudiar.

1. Piedad / no
2. Alfonso / sí
3. ella / sí
4. tú / no
5. Sonia / no
6. Tomás y Pedro / no
7. Diana y María / no
8. Fernando y Marina / sí

9 ¿Qué dicen todos?

Completa lógicamente las siguientes oraciones, escogiendo la forma apropiada del verbo *haber*.

MODELO   No creo que ella *(ha / haya)* ido a la universidad.
No creo que ella *haya* ido a la universidad.

1. Omar y Ricardo *(hayan / han)* decidido trabajar por un tiempo primero.
2. No creo que todos nosotros *(hemos / hayamos)* estudiado en el mismo colegio.
3. Clara cree que su hermana *(había / ha)* sido aceptada en la universidad donde ella quiere estudiar.
4. Gloria no *(ha / habías)* decidido todavía a qué universidad quiere asistir.
5. En este lugar *(hay / haya)* más de cinco empleados listos para ser gerentes.
6. El año pasado no *(hubo / había)* estudiantes que querían ser abogados.

10 Pepe habla del futuro con su mamá

Completa el siguiente diálogo con la forma apropiada del pretérito perfecto del subjuntivo de los verbos indicados.

Mamá: Espero que ya *(1. pensar)* qué estudiar después del colegio.

Pepe: No creo que yo *(2. tener)* mucho tiempo para hacerlo.

Mamá: Pero, hijo, ¿por qué?

Pepe: Porque he estado muy ocupado haciendo tareas.

Mamá: No creo yo que siempre te *(3. ver)* haciendo tareas. Muchos días te he visto perdiendo el tiempo con tus amigos en la internet.

Pepe: Ay, mamá, no perdemos el tiempo en la internet.

Mamá: No creo que Uds. alguna vez *(4. buscar)* algo importante en la internet.

Pepe: Qué exagerada eres, mamá. Es una lástima que tú no *(5. ver)* lo que buscamos mis amigos y yo la semana pasada.

Mamá: Está bien, pero creo que deben empezar a buscar dónde estudiar. En la internet hay mucha información.

Pepe: Sí, mamá, creo que empezaré a buscar algo de eso.

Mamá: Me alegro de que *(6. entender)* lo que te he dicho.

11 ¿Qué es posible que hayan estudiado?

Mira las fotos y di lo que es posible que las siguientes personas hayan estudiado.

MODELO Margarita
Es posible que ella haya
estudiado para ser mecánica.

1. Sonia

2. tú

3. Ud.

4. Emilio y Armando

5. Rita y Ana

6. Uds.

7. Eduardo

8. Olga

12 En el colegio

Haz oraciones completas para decir lo que las siguientes personas dicen.

MODELO Magdalena / conseguir un empleo (espero)
Espero que Magdalena haya conseguido un empleo.

1. yo / no preguntarme antes qué hacer en el futuro (es una lástima)
2. tú / decidir seguir estudiando (es importante)
3. Uds. / registrarse para tomar la clase de biología (dudo)
4. nosotros / pasar el examen de matemáticas (es importante)
5. Gabriel / nacer para ser abogado (no pienso)
6. Estela / tener la oportunidad de estudiar una carrera (no creo)

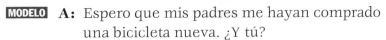

Comunicación

13 ¿Qué esperas que haya pasado?

Working in pairs, talk about some things you hope have happened. Discuss what you would do if what you are hoping does not happen. Make up any information you want. Be creative.

MODELO **A:** Espero que mis padres me hayan comprado una bicicleta nueva. ¿Y tú?
B: Yo espero que me haya ido bien en el examen de historia.

14 ¿Qué es probable?

Working in small groups, discuss some things you are not sure about, but that possibly or probably have happened. Be creative.

MODELO **A:** Es probable que nuestro profesor de historia no haya leído nuestra tarea.
B: Sí, eso es posible que haya pasado. No creo que él haya tenido tiempo para hacerlo.

¿Es probable que sea el profesor de historia?

Capítulo 9   *cuatrocientos tres* **403**

Vocabulario II
Sueños y aspiraciones

una familia unida

el buceo

el esquí

Mi sueño es practicar deportes acuáticos como el buceo o el esquí. El buceo es una experiencia fantástica.

Mi mayor aspiración es tener una familia fuerte y unida.

Mi sueño es asistir a la universidad y tener una carrera.

la universidad

el baile

la colección

Mi aspiración es trabajar en una empresa importante.

IMPORTANTE

Me gusta mucho la música suave y el baile. Tengo una colección muy grande de CDs.

la pesca

La pesca me gusta mucho. Ojalá que viva cerca de un lago para poder pescar todos los días.

Quiero tener amistades reales por todo el mundo y viajar para visitarlas.

las amistades

Quiero vivir en España. Espero ser aceptada en una universidad allá. Voy a extrañar a mis amigos de mi colegio.

15 Mis sueños

Selecciona la foto que corresponde con lo que oyes.

A   B   C   D   E   F

16 ¡A completar!

Completa el siguiente párrafo lógicamente, escogiendo las palabras apropiadas de la caja.

acuáticos   asistir   baile   buceo   colección
extrañe   fuerte   pesca

Mc llamo Julio Sánchez Fanegas, vivo en San Juan, Puerto Rico, y soy estudiante del Colegio Ponce de León. Me gustan los deportes (1). Practico el (2), el esquí y la (3). También me gusta mucho la música y el (4). Tengo una gran (5) de CDs de salsa. El próximo año es mi último año en el colegio. Al terminar quizás lo (6) mucho. Todavía no sé lo que voy a hacer después de terminar el colegio, pero mi sueño es (7) a la universidad y tener una familia, (8) y unida. Me gustaría tener dos hijos. Quizás ellos sean como yo y quieran también estudiar y tener una familia algún día.

Diálogo II

¿Qué dices, chico?

GLORIA: Mi aspiración para el próximo año es asistir a la universidad. ¿Y la tuya?

MIGUEL: Pues, mi aspiración es empezar a trabajar y ganar algo de dinero.

GLORIA: ¿No piensas seguir estudiando?

MIGUEL: No creo que estudiar sea importante.

GLORIA: ¿Qué dices, chico? Estudiar es lo más importante.

MIGUEL: Prefiero trabajar para poder comprar una casa grande en un lago.

GLORIA: Pues, si estudias vas a tener mejores oportunidades de trabajo y posiblemente vas a ganar más dinero.

MIGUEL: Eso me gusta, pero ¿qué carrera puedo estudiar?

GLORIA: Bueno, te invito a un refresco y hablamos de eso.

17 ¿Qué recuerdas?

1. ¿Cuál es la aspiración de Gloria para el próximo año?
2. ¿Cuál es la aspiración de Miguel?
3. ¿Qué cree Miguel acerca de estudiar?
4. ¿Por qué prefiere trabajar Miguel?
5. ¿Qué va a tener Miguel si estudia algo, según Gloria?
6. ¿A qué invita Gloria a Miguel?

18 Algo personal

1. ¿Cuál es tu aspiración para el próximo año?
2. ¿Piensas que seguir estudiando después del colegio es importante? Explica.
3. ¿Qué prefieres hacer después de terminar el colegio, estudiar o trabajar? Explica.
4. ¿Piensas estudiar alguna carrera? ¿Cuál?

¡Oportunidades!

Las carreras

Hay muchas carreras en el mercado internacional que requieren gente que sea bilingüe. Además, hablar una segunda lengua puede aumentar tu sueldo (*salary*) y reducir el número de candidatos que pueden calificar para la misma posición. Si te interesa una carrera específica, debes investigar las oportunidades que hay para esa carrera en el mercado global porque tú podrías ser la persona perfecta para la posición.

19 Las aspiraciones de unos amigos

Selecciona la persona que corresponde con lo que oyes.

MODELO Paco

| Arturo | Marta | Isabel | Paco | Ana | Miguel |

Cultura viva

Las universidades latinoamericanas

Existen varias diferencias entre las universidades en Latinoamérica y las de Estados Unidos. En el campus de una universidad latinoamericana, por ejemplo, no ves residencias de estudiantes ni un gran estadio. La mayoría de los estudiantes universitarios viven en casa con sus familias. Existen residencias para estudiantes que vienen de otra ciudad o país, pero éstas son privadas y no forman parte del campus. La mayoría de las universidades latinoamericanas tampoco tienen equipos deportivos o un programa atlético. Algunas universidades, como la Universidad de Puerto Rico, tienen instalaciones deportivas para el uso de la comunidad universitaria, pero el papel del deporte no es importante. El propósito[1] de las universidades es ofrecer a

Universidad Católica en Quito, Ecuador.

La UNAM, México.

Estudiantes universitarios.

los estudiantes una profesión. Con este fin, la especialización en una carrera determinada empieza temprano. Los estudiantes se matriculan[2] en una facultad[3] y siguen un determinado plan de estudio con muy pocos electivos. Como no hay contacto entre las facultades, muchas se encuentran en distintos campus. La enseñanza también difiere. Los profesores enseñan la clase poniendo énfasis en la adquisición[4] de conocimientos[5]. No se espera que los estudiantes participen activamente en la discusión del tema, como en los Estados Unidos, sino que escuchen y tomen notas.

[1]aim [2]enroll [3]professional school [4]acquisition [5]knowledge

20 La universidades latinoamericanas

Contesta las siguientes preguntas.

1. ¿En qué son los campus de las universidades en Latinoamérica diferentes a las de Estados Unidos?
2. ¿Cuál es el propósito de las universidades latinoamericanas? ¿Cuál crees que es el propósito de muchas universidades en Estados Unidos?
3. ¿Cómo son las clases diferentes en Latinoamérica y Estados Unidos? ¿Cuál prefieres?

Idioma

More on the subjunctive

As you have seen, the subjunctive mood can be used in many different situations: indirect commands, after verbs of emotion, after certain impersonal expressions, etc. In addition, some words and expressions must be followed by the subjunctive when they suggest an element of doubt, indefiniteness or hope.

- **como**

  *Va a estudiarlo **como quiera**.* He/She is going to study it **however he/she wants.**

- **cualquiera**

  Cualquiera que compres *está bien conmigo.* **Whichever one you buy** is okay with me.

- **dondequiera**

  Dondequiera que vayas, *vas a tener que trabajar mucho.* **Wherever you go,** you are going to have to work a lot.

- **quienquiera**

  Quienquiera que estudie *mucho puede estudiar aquí.* **Whoever studies** a lot can study here.

- **lo que**

  *Uds. pueden estudiar **lo que quieran**.* You can study **whatever you want.**

- **ojalá (que)**

  *¡**Ojalá (que) asistas** a la universidad!* **I hope you attend** the university!

- **quizás (quizá)**

  Quizás él esté pensando *en trabajar.* **Perhaps he is thinking** about working.

¡Ojalá que asistan a la universidad!

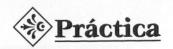

Práctica

21 Correo electrónico

Ana tiene un amigo por internet en España. Completa su correo electrónico con la forma apropiada del subjuntivo de los verbos entre paréntesis para saber lo que ella le cuenta.

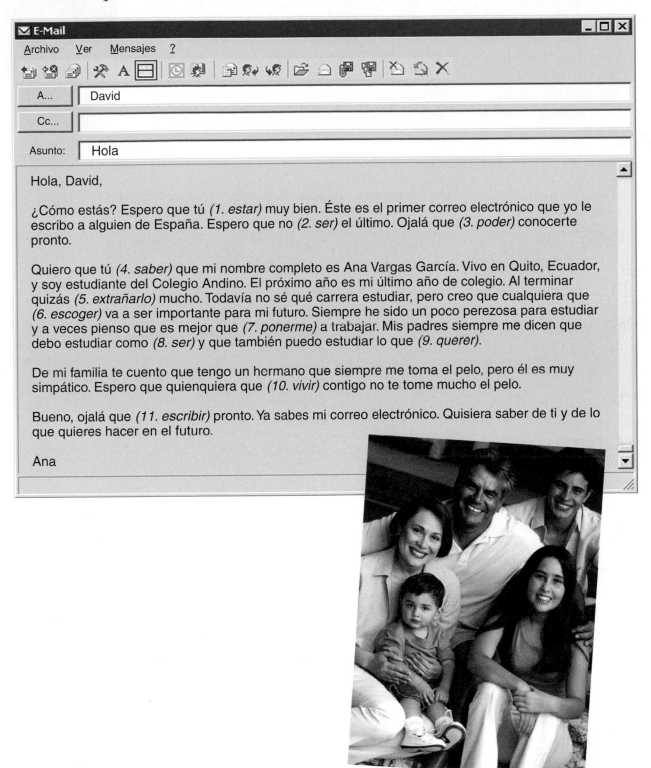

E-Mail

Archivo   Ver   Mensajes   ?

A...   David

Cc...

Asunto: Hola

Hola, David,

¿Cómo estás? Espero que tú *(1. estar)* muy bien. Éste es el primer correo electrónico que yo le escribo a alguien de España. Espero que no *(2. ser)* el último. Ojalá que *(3. poder)* conocerte pronto.

Quiero que tú *(4. saber)* que mi nombre completo es Ana Vargas García. Vivo en Quito, Ecuador, y soy estudiante del Colegio Andino. El próximo año es mi último año de colegio. Al terminar quizás *(5. extrañarlo)* mucho. Todavía no sé qué carrera estudiar, pero creo que cualquiera que *(6. escoger)* va a ser importante para mi futuro. Siempre he sido un poco perezosa para estudiar y a veces pienso que es mejor que *(7. ponerme)* a trabajar. Mis padres siempre me dicen que debo estudiar como *(8. ser)* y que también puedo estudiar lo que *(9. querer)*.

De mi familia te cuento que tengo un hermano que siempre me toma el pelo, pero él es muy simpático. Espero que quienquiera que *(10. vivir)* contigo no te tome mucho el pelo.

Bueno, ojalá que *(11. escribir)* pronto. Ya sabes mi correo electrónico. Quisiera saber de ti y de lo que quieres hacer en el futuro.

Ana

Ana y su familia.

22 Haciendo planes para mañana

Completa las siguientes oraciones con la forma apropiada de los verbos indicados.

MODELO Quizás (yo) te <u>vea</u> en la reunión. (ver)

1. Te encontraré dondequiera que __. (estar)
2. Marta y Alberto pueden hacer lo que ellos __ mientras estemos asistiendo a la reunión mañana. (querer)
3. Ven a la empresa como tú __. (preferir)
4. Ojalá que nosotros __ a tiempo. (llegar)
5. Quizás nosotros no __ que estar allí todo el día. (tener)
6. Puedes volver conmigo o quedarte, como te __ mejor. (convenir)
7. Quienquiera que __ el empleo está bien conmigo. (conseguir)

Quizás te vea en la reunión.

23 Todos dicen algo

Haz oraciones, usando las pistas que se dan para saber lo que algunas personas dicen.

MODELO cualquiera / ser / la música que tú / escuchar / debes escucharla bien suave
Cualquiera que sea la música que escuches debes escucharla bien suave.

1. cualquiera / saber / dónde es el baile debe decírnoslo ahora
2. dondequiera / tú / ir / debes de ser siempre el mismo
3. quienquiera / despertarse / primero mañana debe despertarnos a todos
4. ojalá / tú / tener / amistades para toda la vida
5. quizás / ellas / practicar / el esquí y el buceo
6. lo que / tú / hacer / hazlo bien
7. ojalá / tú / poder / escribirme pronto

✤ Comunicación

24 Reflexiones sobre mi vida personal

Trabajando en parejas, alternen en completar las siguientes oraciones con información que sea posible para su futuro.

MODELO **A:** Voy a hacer lo que *sea para ser abogado.*
B: Pues ojalá *que yo pueda asistir a la universidad.*

1. Es probable que...
2. Quizás mi familia...
3. Ojalá que...
4. Quienquiera que...
5. Espero que...
6. Cualquiera...
7. Como...
8. Dondequiera que yo y mi familia...

Ojalá que yo pueda...

25 Sueños y aspiraciones

Trabajando en parejas, hablen de sus sueños o aspiraciones, usando las siguientes palabras: *como, dondequiera, lo que, ojalá (que)* y *quizás.*

MODELO **A:** Ojalá sea un artista famoso.
B: Quizás puedas dar un concierto en nuestro colegio.

26 Nuestras aspiraciones

Trabajando con otro/a estudiante, hablen de sus aspiraciones. Digan, por ejemplo, lo que esperan hacer después de terminar el colegio. Conversen sobre si les gustaría asistir a la universidad, o si les gustaría empezar a trabajar inmediatamente, o si preferirían estudiar y trabajar al mismo tiempo. Añadan cualquier otro plan que tengan para el futuro.

Yo soy peluquero.

Yo soy reportero.

Yo soy pintora.

Lectura cultural

Hispanos galardonados[1]

Mario J. Molina (1943–)

Mario Molina nació en la Ciudad de México. Desde niño, su aspiración fue ser químico[4]. Hoy, no sólo es un químico y profesor en MIT, sino el Nobel de Química de 1995. Gracias a él y sus colegas, la producción de los aerosoles que pueden dañar[5] la capa del ozono está prohibida.

Gabriela Mistral (1889–1957)

Gabriela Mistral es la única mujer latinoamericana que ha recibido el premio Nobel de Literatura (1945). Nació en Vicuña, Chile, y además de ser escritora, trabajó como maestra y diplomática.

Rigoberta Menchú Tum (1959–)

Rigoberta Menchú nació en Chimel, una comunidad maya-quiché en Guatemala. Es conocida mundialmente por su trabajo en favor de los derechos[3] de las personas indígenas. Rigoberta es la primera persona indígena y la persona más joven en recibir el premio Nobel de la Paz (1992).

César Milstein (1927–2002)

César Milstein nació en Bahía Blanca, Argentina. Estudió Ciencias Químicas en la Universidad de Buenos Aires e hizo investigaciones médicas en la Universidad de Cambridge. En 1984 recibió el premio Nobel de Medicina por su trabajo en la producción de anticuerpos[2].

[1]award-winning [2]antibodies [3]rights [4]chemist [5]to damage

27 ¿Qué recuerdas?

Conecta el nombre de la persona con su país y el premio Nobel que recibió.

1. Rigoberta Menchú
2. Mario Molina
3. Gabriela Mistral
4. César Milstein

A. Guatemala
B. Argentina
C. México
D. Chile

i. Medicina
ii. Literatura
iii. Química
iv. Paz

28 Algo personal

1. ¿Qué aspiraciones tienes tú?
2. ¿Piensas asistir a la universidad para realizar tu sueño? Explica.
3. ¿A cuál de los cuatro hispanos en la lectura admiras más? ¿Por qué?

- En tu opinión, ¿cómo crees que el trabajo de un ganador del premio Nobel puede trascender la nacionalidad y la lengua?

- En tu opinión, ¿qué cualidades crees que comparten (share) los ganadores del premio Nobel? ¿Es la nacionalidad importante? Explica.

¿Qué aprendí?

Autoevaluación
Como repaso y autoevaluación, responde lo siguiente:

Visit the web-based activities at www.emcp.com

1. What careers have you considered for your future?
2. How might you use Spanish in your career choice?
3. Name one or two problems you see in the world.
4. What do you know about university life in Latin America?
5. Name two things that you have done to help your parents this week.
6. Name something you hope people have learned from one of the problems in the world.
7. What are some of your plans after graduation?
8. Pretend you have been to a place where a friend is about to go on vacation. Tell him/her several things to do or see.

Palabras y expresiones

Los empleos
el abogado, la abogada
el agricultor,
    la agricultora
el artista, la artista
el bibliotecario,
    la bibliotecaria
el bombero,
    la bombera
el carpintero,
    la carpintera
el chofer, la chofer
el empleado,
    la empleada
el empleo

el escritor, la escritora
el fotógrafo,
    la fotógrafa
el gerente, la gerente
el hombre de negocios
el ingeniero,
    la ingeniera
el mecánico,
    la mecánica
la mujer de negocios
el obrero, la obrera
el peluquero,
    la peluquera
el programador,
    la programadora

el secretario,
    la secretaria
el taxista, la taxista
el vendedor,
    la vendedora
el veterinario,
    la veterinaria

Verbos
asistir a
extrañar
practicar

Expresiones y otras palabras
aceptado,-a
acuático,-a
la amistad
la aspiración
el baile
el buceo
la carrera
la colección
dondequiera
la empresa
el esquí
la experiencia
fuerte
el futuro

hermoso,-a
el negocio
ojalá
la pesca
quienquiera
real
suave
el sueño
unido,-a
la universidad

Una mujer de negocios.

El mecánico.

Vocabulario I
Las vacaciones

1 Las vacaciones

 Selecciona la foto que corresponde con lo que oyes.

A

B

C

D

E

F

2 ¡A completar!

Completa las oraciones con las palabras de la caja, según la información del Vocabulario I.

> orilla   despedida   río   mantener
>
> fin   isla   mar   magnífica

1. Por __ estaremos de vacaciones este fin de semana.
2. ¿Vas a pasar el verano junto al __?
3. Estaré en la __ del mar tomando el sol.
4. Sueño con viajar a una __ en medio del océano.
5. Juan tiene una actitud __.
6. Quiero que le organicemos una fiesta de __.
7. Espero que podamos organizar la fiesta junto al __.
8. No será difícil __ la fiesta en secreto.

Diálogo I

¿A la universidad?

MARIAN: Por fin llegó el verano.

ELENA: Sí, y yo me voy a la orilla del mar para olvidarme de los libros.

MARIAN: Bueno, pero no te olvides demasiado porque debemos volver para ir a la universidad.

ELENA: ¿A la universidad? Yo a la universidad no pienso asistir.

MARIAN: ¡No me digas!, ¿entonces qué vas a hacer?

ELENA: No sé, chica, pero no pienso estudiar más.

MARIAN: Bueno, con esa actitud no vas a llegar muy lejos.

ELENA: ¿Cómo que no? Claro que puedo. Seré una mujer de negocios de mucho éxito.

MARIAN: Pues, ¡magnífico! Ojalá que así sea.

ELENA: ¿No me crees? Pronto me visitarás en mi casa en el océano.

MARIAN: Bueno, espero que te salgas con la tuya.

3 ¿Qué recuerdas?

1. ¿Qué dice Marian que llegó por fin?
2. ¿Adónde se va Elena?
3. ¿De qué no se debe olvidar Elena?
4. ¿Adónde no piensa asistir Elena?
5. ¿Qué no piensa Elena hacer más?
6. ¿Qué piensa Elena que va a ser?
7. ¿Qué espera Marian?

4 Algo personal

1. ¿Qué vas a hacer este verano?
2. ¿Qué te gustaría hacer cuando termines el colegio?
3. ¿Espera tu familia que vayas a la universidad? ¿Por qué?
4. ¿Piensas que estudiar es importante para tener éxito? Explica.

¿Qué vas a hacer este verano?

5 Los planes

 Selecciona la ilustración que corresponde con lo que oyes.

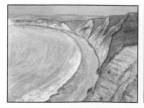

A   **B**   **C**   **D**   **E**

Los gestos

¿Cuántas cosas puedes decir sin hablar? Con los gestos puedes decir muchas cosas. Los hispanohablantes usan muchos más gestos para expresar lo que piensan que los estadounidenses. Aquí ves algunos gestos comúnmente usados por las personas de habla hispana. Te darás cuenta que, para algunas cosas, no necesitas el idioma hablado.

Dice que tiene calor.

Dice que la llames.

Dice que está cansado.

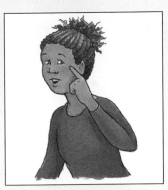
Dice que tengas cuidado.

Piensa que estás loco/a.

Dice que debes pensar.

Dice adiós.

Dice que necesita un favor.

6 Comparando

Compara los gestos que ves en la Cultura viva con los gestos que hace la gente en el lugar donde vives. ¿Qué gestos son similares? ¿Qué gestos son diferentes? ¿Crees que hay gestos que son internacionales? ¿Por qué?

Estrategia

A language without words

How much can you say without speaking? Think about it. When you are talking with someone in English your facial expressions, gestures and even your posture or proximity to a person communicate a lot. For example, your friends and family can probably tell immediately when you are angry simply by looking at you.

Learning body language is an important part of improving your fluency in Spanish, as well. Observe native Spanish speakers as they talk and begin to imitate the gestures they use. Watch a speaker's face and learn to interpret non-verbal cues that tell what the person is thinking or feeling. Then begin to use body language to speak Spanish without saying a word.

Idioma

Repaso rápido: the subjunctive

The subjunctive may sometimes be used when referring to the future if a statement is used in one of the following situations:

- as an indirect/implied command

¡Que lo organice Alberto!	Let Alberto organize it!
¡Quiero que Alberto lo organice!	I want Alberto to organize it!

- after causal verbs if there is a change of subject

Te aconsejo que viajes a Europa.	I advise you to travel to Europe.
Prefiero que tu prima vaya a España.	I prefer that your cousin goes to Spain.

- after verbs that indicate emotion or doubt

Nos alegra que pienses ir de viaje.	It pleases us that you are thinking about taking a trip.
Dudo que ella sepa dónde está esa isla.	I doubt she knows where that island is.

- after impersonal expressions that imply doubt, emotion or uncertainty

Es posible que (ella) vaya a estudiar a la Universidad Complutense.	It's possible that she will study at the Universidad Complutense.
Es probable que (él) camine por el río.	It is probable that he walks by the river.

- after the expressions *como, cualquiera, dondequiera, quienquiera, lo que, ojalá (que)* and *quizá(s)* when they suggest an element of doubt, indefiniteness or hope

Todo lo que (yo) estudie será divertido.	Everything I study will be fun.
Ojalá que ella vuelva a tiempo.	I hope she gets back on time.

7 ¿Qué dicen?

Usando el subjuntivo, completa las oraciones para saber lo que dicen algunos miembros de la familia de Carlos.

MODELO   el tío: (querer / que tu prima / estudiar / en la Universidad de Quito)
el tío: Quiero que tu prima estudie en la Universidad de Quito.

1. el primo: (convenir / que / nosotros / organizarle / una fiesta a Pablo)
2. la hermana: (dudar / que ella / querer / ir tan lejos)
3. Julián: (no creer / que ella / tener / nada que hacer allá)
4. Carlos: (preferir / que todos nosotros / asistir / a una universidad de aquí)
5. Diego: (ser / probable que yo / decidir / estudiar economía)
6. el abuelo: (ojalá que tú / no cambiar / de opinión)

8 ¿Es necesario?

Da la forma apropiada del subjuntivo, si se necesita.

1. Lo que ellos quieren *(hacer)* es jugar al béisbol.
2. Quiero *(tener)* una casa en una isla en medio del océano.
3. Quizás ellos *(salirse)* con la suya.
4. Mi padre dice que yo *(asistir)* a la Facultad de Ciencias.
5. Por fin, mis sueños van a *(ser)* realidad.
6. Mi padre me permite que yo *(ir)* al mar este verano.
7. Creo que *(pescar)* a la orilla de un río es mi pasatiempo favorito.

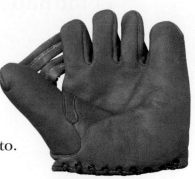

Lo que ellos quieren...

9 Hacia la montaña

Completa el siguiente diálogo, usando la forma apropiada del subjuntivo, el indicativo o el infinitivo de los verbos entre paréntesis.

Guía: Aquí comienza el camino que va hasta la montaña. Antes de empezar a caminar, quiero *(1. decirles)* algunas cosas. Primero, es posible que *(2. llover)* muy pronto. Así que conviene que Uds. *(3. ponerse)* las botas y que *(4. llevar)* un impermeable en las mochilas. Segundo, no creo que nosotros *(5. tardar)* más de dos horas en llegar a la montaña. Allí, podemos hacer lo que *(6. querer):* dormir una siesta, tomar fotos de las flores tropicales, etc. Recuerden, es importantísimo que todos *(7. quedarse)* con el grupo para no perdernos. ¿Tienen alguna pregunta?

Niño: Señor, ¿hay aquí leones salvajes que se *(8. comer)* a la gente?

Guía: No, no te preocupes. Aquí no hay nada que te *(9. poder)* hacer daño.

Niña: ¡Espero ver muchos animales!

Guía: Vamos a ver serpientes, monos y pájaros de muchos colores. Bueno, si no hay más preguntas, ¡adelante! ¡Ojalá que todos Uds. *(10. divertirse)!*

10 Hablando de tu futuro

Usa el subjuntivo, el indicativo o el infinitivo, según sea necesario, para completar las siguientes oraciones.

MODELO Quizás...

Quizás asista a la universidad.

1. Creo que me gustaría...
2. Será importante que...
3. Mi gran sueño es...
4. Mi aspiración más grande es...
5. No creo que...
6. Ojalá que...
7. Espero que...
8. Estoy seguro de que...

Quizás asista a la universidad.

11 Nuestra visión del futuro

En parejas, hablen de lo que escribieron para la actividad 10.

MODELO **A:** ¿Qué esperas del futuro?

B: Espero viajar por todo el mundo. ¿Qué esperas tú?

A: Espero asistir a la universidad.

Vocabulario II
El mundo

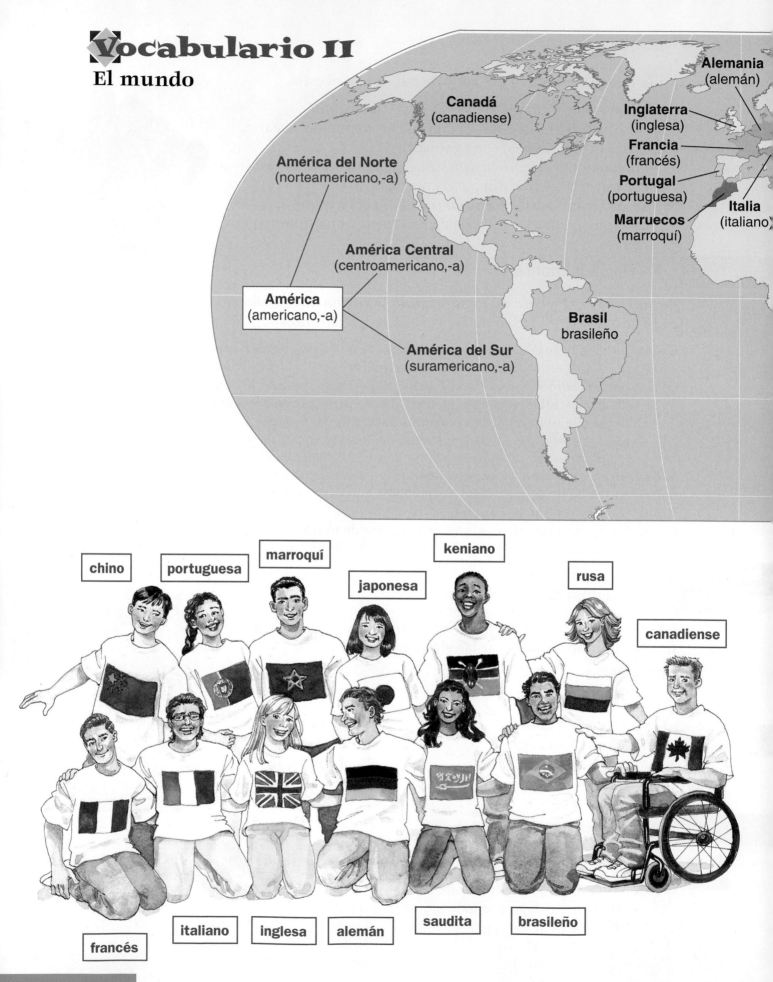

Canadá
(canadiense)

Alemania
(alemán)

Inglaterra
(inglesa)

Francia
(francés)

Portugal
(portuguesa)

Italia
(italiano)

Marruecos
(marroquí)

América del Norte
(norteamericano,-a)

América Central
(centroamericano,-a)

América
(americano,-a)

Brasil
brasileño

América del Sur
(suramericano,-a)

chino

portuguesa

marroquí

keniano

japonesa

rusa

canadiense

francés

italiano

inglesa

alemán

saudita

brasileño

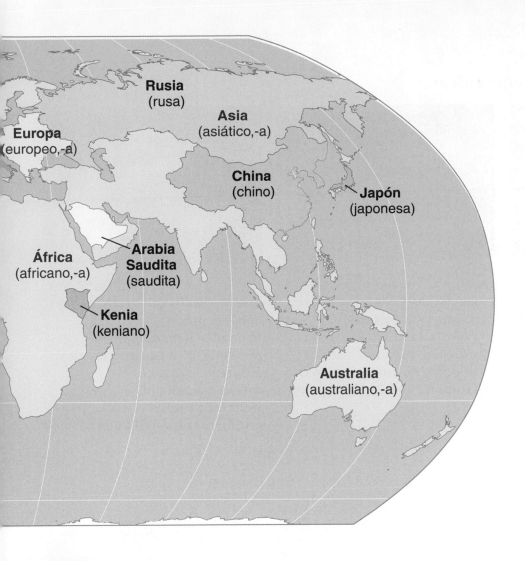

Rusia (rusa)

Asia (asiático,-a)

Europa (europeo,-a)

China (chino)

Japón (japonesa)

África (africano,-a)

Arabia Saudita (saudita)

Kenia (keniano)

Australia (australiano,-a)

12 Las nacionalidades

Escoge la letra del país que corresponde con la nacionalidad que oyes.

A. Alemania   E. Colombia
B. Chile   F. China
C. Rusia   G. Inglaterra
D. Brasil   H. Marruecos

13 Ciudadanos del mundo

Di de qué nacionalidad son las siguientes personas, según el país donde nacieron.

MODELO   Rita / Portugal
Es portuguesa.

1. Jomo / Kenia
2. Dominique y Marie / Francia
3. Benjamin / Inglaterra
4. Iara / Brasil
5. Pierre / Canadá
6. Wolfgang / Alemania
7. Ronaldo / Portugal
8. Jennifer / Australia
9. Mikhail / Rusia
10. Mohamed / Marruecos
11. Abú / Arabia Saudita
12. Marcelo y Mario / Chile
13. Hua / China
14. Hiroshi / Japón

cuatrocientos veintiuno   421

Diálogo II

Los estudiantes internacionales

ENRIQUE: Oye, Diego, querría saber cuántos estudiantes internacionales hay en nuestro colegio. ¿Tú lo sabes?

DIEGO: No, no lo sé pero sería divertido saberlo. A ver, creo que Pietr es ruso y Mugabe es keniano.

ENRIQUE: Son dos. Marie Claire es canadiense, Jorge es mexicano y Yao es chino.

DIEGO: Son cinco. Oye, ¿y no hay alguien japonés?

ENRIQUE: ¿No sabes? ¡Akiko es japonesa!

DIEGO: Sí, claro. Ahora sabemos que hay seis estudiantes, pero sé que hay más.

ENRIQUE: Bueno, mañana preguntaré en las otras clases y tendré la lista final.

DIEGO: ¡Qué bien! Será muy interesante saber el número de estudiantes internacionales.

14 ¿Qué recuerdas?

1. ¿Qué querría saber Enrique?
2. ¿De dónde es Mugabe?
3. ¿De dónde es Jorge?
4. ¿Quién es japonesa?
5. ¿Cuántos estudiantes internacionales saben los chicos que hay?
6. ¿Qué hará Enrique mañana?

15 Algo personal

1. ¿Hay estudiantes internacionales en tu colegio? ¿De dónde son?
2. ¿Conoces a personas que han nacido en países diferentes al tuyo? ¿En qué países?
3. ¿Te gustaría ser de otro país? ¿Por qué?

¿De dónde son estas estudiantes?

16 ¿De dónde son?

Di de qué nacionalidad son las siguientes personas, según lo que oyes.

MODELO Es mexicano.

El ecoturismo

¿Te gustaría ver un mono en su hábitat natural? ¿Subir una montaña? ¿Bañarte bajo una catarata[1]? ¿Comer con los indígenas de la Amazonia? Si contestaste sí a una de las preguntas, entonces te gustaría el ecoturismo. El ecoturismo es viajar por áreas naturales sin perturbarlas[2] con el fin de disfrutar[3] de los atractivos naturales, generando así dinero que ayuda a conservar los recursos naturales. Así las

Indígenas de la Amazonia.

poblaciones locales no necesitan destruir el medio ambiente para sobrevivir. El ecoturismo es, en pocas palabras, promover[4] la conservación. En muchos países hispanos, el ecoturismo es una industria importante. En Costa Rica, por ejemplo, hay muchas empresas que se especializan en excursiones a bosques, playas, selvas y volcanes. Algunas han hecho puentes colgantes[5] en los bosques para que los visitantes puedan disfrutar de la naturaleza desde una perspectiva diferente. El *canopy,* donde los turistas "vuelan" entre los árboles durante varios kilómetros, también es popular. En España, muchos ecoturistas visitan el Parque Nacional Doñana, en el río Guadalquivir, conocido por su gran variedad de pájaros migratorios. En Argentina, los ecoturistas pueden ver los glaciares o subir a la montaña más alta del continente americano, Aconcagua. En Perú, pueden explorar la Amazonía en bote. Las maravillas naturales del mundo hispano son innumerables. Ahora, a través del ecoturismo, es posible conocer estas maravillas responsablemente.

Puente colgante en Costa Rica.

[1]waterfall [2]disturbing them [3]enjoy [4]promote [5]hanging

Parque Nacional de Doñana, Huelva, España.

17 ¿Qué es el ecoturismo?

Indica cuáles de las siguientes actividades pueden formar parte del ecoturismo.

A. explorar una selva tropical
B. escuchar y observar los pájaros
C. visitar museos y palacios
D. aprender sobre las flores
E. recoger flores en un campo
F. subir a un volcán
G. hacer *canopy*
H. ir de compras

Idioma

Repaso rápido: the future tense

Use the future tense to talk about what will happen. The endings are the same for all verbs.

-é	-emos
-ás	-éis
-á	-án

Look at the following:

*Él **hará** ecoturismo el mes que viene.* He **will do** ecoturism next month.
*Yo **viajaré** a Kenia en el verano.* I **will travel** to Kenya during the summer.

The future tense also can be used in Spanish to indicate what is probable at the present time.

***Estarán** en una isla en el medio* **I imagine they are** on an island in the
del océano ahora. middle of the ocean now.
***Pedro llegará** ahora mismo.* **Pedro is probably arriving** right now.

In addition to the verb helper **haber** (future tense stem: **habr**), the following verbs have irregular stems:

caber: **cabr**   poder: **podr**   querer: **querr**   saber: **sabr**   decir: **dir**
poner: **pondr**   salir: **saldr**   tener: **tendr**   venir: **vendr**   hacer: **har**

---

18 Organizando la fiesta de despedida para Juan

Trabajando en parejas, alternen en completar las siguientes oraciones con la forma del futuro de los verbos entre paréntesis.

MODELO   Tú *(encargarse)* de comprar los platos y vasos de papel.
Tú te encargarás de comprar los platos y vasos de papel.

1. Pablo y David *(escribir)* una señal que diga: ¡Buena suerte!
2. Nosotros *(poner)* todos los muebles en su lugar después de la fiesta.
3. Yo *(hacer)* un pastel bien grande.
4. Liliana *(llamar)* a todos los invitados.
5. Alberto *(venir)* con Juan el viernes a las nueve para empezar la fiesta.
6. Pedro *(conseguir)* la música para el baile.
7. Yo *(tener)* que ir al supermercado para comprar algunos refrescos y comida.
8. Elena *(preparar)* la lista de invitados.

19 El futuro

Selecciona un verbo para completar las oraciones de forma lógica usando el futuro.

viajar   domir   poner   comer   salir   visitar   saber   doler

1. Mi amigo Julio __ en un restaurante japonés el domingo.
2. Mis primas __ en la cama grande.
3. Beatriz se __ su abrigo de invierno cuando vaya a Siberia.
4. ¿Crees que tus amigos __ llegar a la fiesta?
5. ¿__ a tu hermana en el hospital?
6. El tren __ a tiempo de la estación.
7. ¿Sabes si Norberto __ a Francia este verano?
8. Si Pedro se come todas esas golosinas le __ el estómago.

20 ¿Qué harás?

Trabajando en parejas, alterna con tu compañero/a de clase en hacer preguntas y contestarlas para saber lo que harás en el futuro, según las ilustraciones.

MODELO en qué / trabajar
    A: ¿En qué trabajarás?
    B: Trabajaré en una oficina como programador.

1. dónde / pasar vacaciones
2. qué / mantener siempre
3. cuánto / hacer
4. qué / extrañar

5. dónde / vivir
6. qué / tener en quince años
7. cómo / ser tu familia

21 Será...

Working in pairs, take turns mentioning something that is probable and answering with what the facts will be.

MODELO　A: ¿Será el Sr. Smith tu profesor de español?

B: No, no será mi profesor de español. Será mi profesor de biología.

22 El futuro del mundo

Working in groups of four students, talk about what the world will be like in the future. You may wish to include some of the following in your discussion: possible problems and their solutions; your hopes and dreams for the future and how they can be accomplished; how the world will change.

23 Las cosas que pasarán

Usando el tiempo futuro o el subjuntivo, contesta las siguientes preguntas.

1. ¿Qué clase será de más ayuda para ti en el futuro?
2. ¿Irás a una universidad después de terminar tus estudios en el colegio? Explica.
3. ¿Cuándo comprarás tu primera casa?
4. ¿Dónde estarás en cinco años?
5. ¿Qué países visitarás en los próximos diez años?
6. ¿Qué empleo tendrás en diez años?
7. ¿Dónde vivirás en el año 2020?

Repaso rápido: the conditional tense

Remember to use the conditional tense to say what would happen or what someone would do (under certain conditions). The endings are the same for all verbs.

-ía	-íamos
-ías	-íais
-ía	-ían

Look at the following:

Me gustaría ir a Barcelona.　　　　　　I **would like** to go to Barcelona.
¿*Viajarías* allí pronto?　　　　　　　　**Would** you **travel** there soon?

Just like the future tense, the verb helper **haber** (conditional tense stem: **habr**) and the following verbs all have irregular stems:

caber: **cabr**	poder: **podr**	querer: **querr**	saber: **sabr**	decir: **dir**
poner: **pondr**	salir: **saldr**	tener: **tendr**	venir: **vendr**	hacer: **har**

24 Lo que les gustaría ser

Di lo que les gustaría ser a las siguientes personas, combinando palabras de las tres columnas. Haz los cambios y añade las palabras que sean necesarias.

MODELO A Angelina le gustaría ser bombera.

I	II	III
Ramiro		ingeniero
Angelina		profesor
Olga y Vanesa		agricultor
Soledad		fotógrafo
tú		abogado
ellos	gustar	bombero
Néstor y Óscar		deportista
Aníbal		carpintero
Ud.		artista
nosotros		veterinario
Claudia y Ernesto		programador
yo		escritor

Soy fotógrafa.

25 Si fuera rey o reina...

Imagínate que eres el rey o la reina de un país. Escribe una lista de por lo menos cinco cosas que harías por la gente de tu país.

MODELO Nadie tendría hambre porque la comida sería gratis.

26 En tu propia vida

Contesta las siguientes preguntas en español.

1. ¿Has estado en algún país europeo, africano o asiático? ¿En cuál?
2. ¿Has estado en América Central o en América del Sur? ¿En dónde?
3. ¿Te gustaría estudiar en una universidad de otro país? Explica.
4. ¿Cuáles son los tres países del mundo que más te gustaría visitar?
5. ¿En qué país del mundo diferente del tuyo te gustaría vivir?
6. ¿Tienes amigos o amigas por correspondencia de otros países del mundo? ¿De dónde?

27 Conexión con otras disciplinas: tecnología

Select a country from the ones you have learned about so far in the book and plan a vacation there. Use the Internet for information about the country you have chosen and possible travel packages to that place or to some site in a part of the world you have always wanted to see. Print out the information on the packages that interest you the most and that offer the best prices. Share your findings with the rest of the class saying which trip you would choose, how much it would cost and what is included in the price.

Lectura personal

Cantantes y grupos musicales

Dirección http://www.emcp.com/músico/ola/e.diario-2.htm ▲ Archivo Edición Ver Favoritos Herramientas Ayuda

página principal   miembros   e-diario

Grupo musical La OLA

Nombre: **Manuel Andrade Blanco**
Edad: **17 años**
Nacionalidad: **panameño**
Sueño: **comprar una isla en el océano Pacífico**

Estamos en Tokio, Japón, para el último concierto de nuestra segunda gira mundial. Ha sido una gira magnífica. Este año fuimos más allá del continente americano; viajamos a Francia, Alemania, Rusia y ahora Asia. Nos alegra que a los suramericanos, europeos y asiáticos les guste nuestra música. Para mí, es increíble que adondequiera que vayamos hay evidencia de la cultura latina. Cuando estábamos en San Petersburgo, Rusia, comimos comida mexicana en un restaurante llamado Señor Pepe's Cantina.

Nora Suzuki, cantante de salsa.

Luego bailamos salsa en Salsa Loca, un club enfrente de la estación de metro Petergradskaya. Aquí, en Tokio, también hemos visto muchos restaurantes que sirven tacos, paella y jamón serrano. La música salsa también es muy popular. George Watabe es un japonés salsero[1] y él organiza congresos de salsa para promover[2] este baile. Ahora que lo pienso, de niño me gustaba mucho la famosa Orquesta de la Luz, un grupo de salsa compuesto por[3] once miembros japoneses. Ellos tocan salsa y cantan en español muy bien. Una muchacha japonesa que conocimos ayer nos dijo que quizá la música salsa es tan popular porque los japoneses admiran la actitud de los latinos, su pasión y su amor por la vida.

[1]someone who plays salsa music   [2]promote   [3]consisting of

28 ¿Qué recuerdas?

Contesta *sí* o *no* a las siguientes afirmaciones.

1. El último concierto de La Ola fue en un país europeo.
2. La música salsa es popular en Rusia.
3. Es imposible comer comida española en Tokio.
4. La Orquesta de la Luz es un grupo japonés de salsa.
5. Muchos japoneses admiran la cultura latina.

- ¿Te sorprendió oír que la música salsa es muy popular en Rusia y en Japón? ¿Por qué crees que será tan popular, en tu opinión?

29 Algo personal

1. ¿Es la música salsa popular en tu comunidad?
2. ¿Hay restaurantes de comida hispana en tu comunidad? ¿Cómo se llaman algunos?
3. ¿Qué evidencias de cultura latina hay en tu comunidad?

¿Qué aprendí?

Autoevaluación
Como repaso y autoevaluación, responde lo siguiente:

Visit the web-based activities at www.emcp.com

1. Mention three wishes, hopes or suggestions your parents have told you regarding your future.

2. Describe two uses of body language you could use in a Spanish-speaking city to communicate with someone.

3. List three things to describe how your life will be in five years.

4. If you were to go anywhere in the world and do anything with anyone, where would you go, what would you do and with whom would you do it?

Palabras y expresiones

Países y regiones
Alemania
Arabia Saudita
Asia
Australia
Brasil
Canadá
China
Europa
Francia
Inglaterra
Italia
Japón
Kenia
Marruecos

Portugal
Rusia
Nacionalidades
alemán, alemana
australiano,-a
brasileño,-a
canadiense
chino,-a
francés, francesa
inglés, inglesa
italiano,-a
japonés, japonesa
keniano,-a
marroquí
norteamericano,-a

portugués, portuguesa
ruso,-a
saudita
suramericano,-a
Verbos
mantener
organizar
Expresiones y otras palabras
la actitud
a propósito
asiático,-a
centroamericano,-a
la despedida
europeo,-a

en medio de
la facultad
la isla
magnífico,-a
el mar
el medio
¡no me digas!
el océano
la orilla
por fin
el río
siempre salirse con
　la suya
sin embargo

Soy de Arabia Saudita.

Soy suramericano.

Tú lees

Predict content using supporting visuals
Illustrations, photographs, charts and other visuals do more than just attract the reader's attention. Graphics that accompany a reading provide additional support of some aspect of a reading and often depict what takes place in the selected text. Learning to look for these visual supports can enhance your reading comprehension.

Preparación
Mira las ilustraciones de la lectura y, luego, contesta las siguientes preguntas como preparación para la lectura.

1. ¿En dónde pone el ciego el vino?
2. ¿En dónde pone el ciego su comida y sus cosas?
3. ¿Qué usa Lázaro para tomar vino en secreto?
4. ¿Qué utiliza el ciego para cerrar el fardel?

Lázaro cuenta su vida y de quién fue hijo (continuación)

El ciego llevaba el pan y todas las otras cosas que le daban en un *fardel* de tela que por la boca se cerraba con una *argolla* con su *candado* y llave. Metía[1] las cosas y las sacaba con tanto cuidado que no era posible quitarle una migaja[2]. Pero yo tomaba lo poco que me daba y lo comía en dos bocados[3].

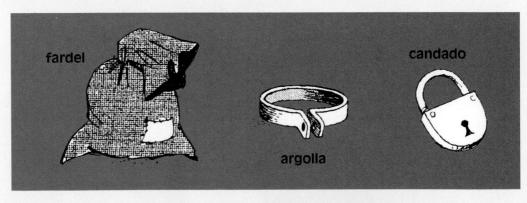

Después que cerraba el fardel con el candado se quedaba tranquilo pensando que yo estaba haciendo otras cosas, pero yo por un lado del fardel que muchas veces descosía[4] y volvía a coser[5] le sacaba el pan y la *longaniza*.

Solía poner junto a sí un *jarrillo* de vino[6] cuando comíamos. Yo lo cogía[7] y bebía[8] de él sin hacer ruido y lo volvía a poner en su lugar. Pero esto me duró[9] poco, porque al ir a beber el ciego

asa

jarrillo (jarro)

paja   boca

lumbre

conocía la falta[10] del vino y así por guardar el vino, nunca soltaba[11] el *jarro* y lo tenía siempre cogido[12] por el *asa*. Pero yo con una *paja,* que para ello tenía hecha, metiéndola por la *boca* del jarro, dejaba al viejo sin nada. Pero pienso que me sintió y desde entonces ponía el jarro entre las piernas y le tapaba[13] con la mano y de esta manera bebía seguro.

Yo, como me gustaba el vino, moría por él; y viendo que la paja ya no me aprovechaba[14] ni valía, decidí hacer en el fondo[15] del jarro un agujero[16] y taparlo con un poco de cera[17]. Al tiempo de comer, me ponía entre las piernas del ciego, como si tuviera[18] frío, para calentarme[19] en la pobre *lumbre* que teníamos; al calor de la lumbre se deshacía la cera y comenzaba el vino a caerme en la boca y yo la ponía de tal manera que no se perdía ni una gota[20].

Cuando el pobre ciego iba a beber no encontraba nada. Se desesperaba[21] no sabiendo qué podía ser.

—No diréis, tío, que os lo bebo yo—decía—pues no soltáis el jarro de la mano.

Tantas vueltas[22] le dio al jarro que encontró el agujero, al poner el dedo en él, comprendió el engaño[23], pero aunque él supo lo que era, hizo como si no hubiera visto[24] nada. Y al otro día, me puse como de costumbre[25], sin pensar lo que el ciego me estaba preparando, y creyendo que el mal ciego no me sentía. Y estando recibiendo aquellas dulces gotas, mi cara puesta hacia el cielo, un poco cerrados los ojos para mejor gustar del vino, el desesperado[26] ciego, levantando con toda la fuerza[27] de sus manos el jarro, le dejó caer sobre mi boca, ayudándose como digo con todo su poder, de manera que yo, pobre Lázaro, que nada de esto esperaba, sentí como si el cielo con todo lo que hay en él, me hubiese caído[28] encima.

Fue tal el golpe[29] que me hizo perder el sentido[30] y el jarrazo[31] tan fuerte que los pedazos[32] del jarro se me metieron en la cara rompiéndomela en muchos lugares y rompiéndome también los dientes, sin los cuales hasta hoy me quedé.

Desde aquella hora quise mal al ciego, y aunque él me quería y me cuidaba bien, bien vi que se había alegrado mucho con el cruel castigo[33]. Me lavó con vino las heridas[34] que me había hecho con los pedazos del jarro y riéndose decía:

—¿Qué te parece, Lázaro? Lo que te enfermó[35] te pone sano[36] y te da la salud.

Cuando estuve bueno de los golpes, aunque yo quería perdonarle lo del jarrazo, no podía por el mal trato[37] que desde entonces me hizo el mal ciego: me castigaba[38] sin causa ni razón y cuando alguno le decía que por qué me trataba[39] tan mal contaba lo del jarro, diciendo:

—¿Pensáis que este mi mozo es bueno? Pues oíd.

Y los que le oían decían:

—¡Mirad! ¿Y quién pensaría que un muchacho tan pequeño era tan malo? Castigadlo[40], castigadlo.

Y él al oír lo que la gente le decía otra cosa no hacía.

Yo por hacerle mal y daño[41] siempre le llevaba por los peores caminos; si había piedras le llevaba por ellas. Con estas cosas mi amo me tentaba[42] la cabeza con la parte alta de su palo[43] de ciego que siempre llevaba con él. Yo tenía la cabeza llena de las señales[44] de sus manos y aunque yo le juraba[45] que no lo hacía por causarle mal sino por encontrar mejor camino, él no me lo creía: tal era el grandísimo entender de aquel mal ciego.

Y porque vea vuestra merced hasta dónde llegaba el ingenio[46] de este hombre le contaré un caso[47] de los muchos que con él me sucedieron[48].

Cuando salimos de Salamanca su idea fue venir a tierras[49] de Toledo porque decía que la gente era más rica, aunque no era amiga de dar muchas limosnas[50]. Fuimos por los mejores pueblos, si encontraba mucha ganancia[51] nos quedábamos, si no la encontrábamos al tercer día nos íbamos.

Sucedió que llegando a un lugar que llaman Almorox, en el tiempo de las *uvas* le dieron un gran *racimo* de ellas. Como el racimo se le deshacía[52] en las manos, decidió comerlo, por contentarme, pues aquel día me había dado muchos golpes. Nos sentamos y me dijo:

racimo   uvas

—Lázaro, ahora quiero que los dos comamos este racimo de uvas y que tengas de él tanta parte como yo. Será de esta manera: tú cogerás[53] una uva y yo otra, pero sólo una, hasta que lo acabemos.

Dicho esto, comenzamos a comer, pero a la segunda vez el mal ciego cambió de idea y comenzó a coger de dos en dos pensando que yo estaba haciendo lo mismo. Como vi que él hacía esto, yo hacía más: comía de dos en dos o de tres en tres.

Cuando acabamos de comer las uvas me dijo:

—Lázaro, me has engañado[54]. Tú has comido las uvas de tres en tres.

—No comí—dije yo—pero, ¿por qué lo piensa así vuestra merced?

—¿Sabes en qué veo que comiste las uvas de tres en tres?—respondió él. En que yo las comía de dos en dos y tú callabas[55].

Yo me reía, y aunque muchacho bien comprendí que mi amo[56] era hombre que conocía el mundo.

rebanada — nariz — pelo — nabo — asador

Pero por no ser prolijo[57], dejo de contar aquí muchas cosas que me sucedieron con este mi primer amo y quiero decir cómo me despedí de él.

Estábamos en el mesón de Escalona y me dio un pedazo de longaniza para que se la asase[58], después me dio dinero y me mandó[59] a buscar vino. Mas[60] el demonio quiso que cuando salía a buscar el vino viese[61] en el suelo un *nabo* pequeño, largo y malo, que alguien había dejado en el suelo por ser tan malo y como estuviésemos[62] solos el ciego y yo, teniendo yo dentro el olor[63] de la longaniza y sabiendo que había de gozar[64] sólo del olor, no mirando lo que me podía suceder, mientras el ciego me daba el dinero para comprar el vino, saqué la longaniza del *asador* y metí en él el nabo. Mi amo tomó el asador y empezó a darle vueltas al fuego, queriendo asar[65] al que por malo nadie había querido comer.

Yo fui a buscar el vino con el cual no tardé en comer la longaniza y cuando volví vi que mi amo tenía el nabo entre dos *rebanadas* de pan, el cual no había conocido porque no había tocado con la mano. Al morder en las rebanadas de pan, pensando morder también la longaniza, se encontró con el nabo frío y dijo:

—¿Qué es esto, Lázaro?

—¡Pobre de mí!—dije yo—Yo ¿no vengo de comprar el vino? Alguno que estaba aquí ha hecho esta burla[66].

—No, no,—dijo él—que yo no he dejado de la mano el asador ni un solo momento; no es posible.

Yo juraba y volvía a jurar que estaba libre de aquello, pero poco me aprovechó pues al maldito[67] ciego nada se le escondía[68].

Se levantó, me cogió la cabeza con sus manos, me abrió la boca y metió en ella su larga *nariz*. Con esto, como la longaniza no había hecho asiento aún en el estómago, salió de él por mi boca al mismo tiempo que su nariz, dándole en ella.

—¡Oh gran Dios, quién estuviera[69] en aquella hora de muerto! Fue tal su coraje[70] que si no acudiera[71] gente al ruido y me sacara[72] de sus manos, que estaban llenas de los pocos *pelos* que yo tenía, pienso que hubiera dejado[73] allí la vida.

lluvia

POSADA

poste   arroyo

Contaba el maldito ciego a todos los que allí llegaban lo del jarro y lo del racimo. La risa[74] de todos era tan grande que la gente que pasaba por la calle entraba a ver la fiesta.

La mesonera[75] y los demás que allí estaban nos hicieron amigos y con el vino que había ido a comprar para beber, me lavaron la cara. El ciego se reía y decía:

—De verdad este mozo[76] me gasta[77] en lavarle más vino en un año que el que yo bebo en dos.

Y volviéndose a mí me decía:

—En verdad, Lázaro, más le debes al vino que a tu padre, porque aquél una vez te dio la vida, mas el vino mil veces te la ha dado. Y contaba, riendo, cuántas veces me había herido[78] la cara y me la había curado[79] con vino.

Y los que me estaban lavando la cara reían mucho. Sin embargo yo muchas veces me acuerdo de aquel hombre y me pesa de[80] las burlas que le hice, aunque también es verdad que bien lo pagué.

Visto todo esto y el mal trato que me daba yo había decidido dejarle, como lo hice. Y fue así, que luego otro día anduvimos por la calle pidiendo limosna. Era un día en que llovía mucho y como la noche iba llegando me dijo:

—Lázaro, esta agua no deja de caer, y cuando sea más de noche, la *lluvia* será más fuerte. Vámonos a la posada con tiempo.

Para ir a la posada había que pasar un *arroyo* que con la mucha lluvia era bastante grande entonces.

Yo le dije:

—Tío, el arroyo va muy ancho[81], pero si así lo queréis, veo un sitio[82] por donde podremos pasar más pronto sin mojarnos[83] porque allí el arroyo es más estrecho y saltando no nos mojaremos.

Le pareció bien y dijo:

—Piensas bien, por eso te quiero. Llévame a ese lugar por donde el arroyo se estrecha[84] que ahora es invierno y sabe[85] mal el agua, y peor sabe llevar los pies mojados.

Yo lo llevé derecho a un *poste* de piedra[86] que había en la plaza y le dije:

—Tío, éste es el paso[87] más estrecho que hay en el arroyo.

Como llovía mucho y él se mojaba, con la prisa que llevábamos por salir del agua que nos caía encima y, lo más principal, porque Dios le cegó el entendimiento[88] y creyó en mí dijo:

—Ponme bien derecho y salta tú el arroyo.

Yo le puse bien derecho enfrente[89] del poste, di un salto y me puse detrás del poste. Desde allí le dije:

—Salte vuestra merced todo lo que pueda.

Apenas[90] lo había acabado de decir cuando el pobre ciego saltó con tal fuerza que dio con la cabeza en el poste y cayó luego para atrás[91] medio muerto y con la cabeza rota.

Yo le dije:

—¿Cómo olió[92] vuestra merced la longaniza y no el poste? ¡Oled[93]! ¡Oled!

Y le dejé con mucha gente que había ido a ayudarle. Antes de que la noche llegase[94], llegué yo a Torrijos. No supe nunca lo que hizo Dios con el ciego, ni me ocupé nunca de saberlo.

[1]Put in [2]crumb [3]bites [4]unraveled [5]to sew [6]wine [7]would take it [8]would drink [9]lasted [10]lack [11]let go of [12]held [13]covered [14]was of no use to me [15]bottom [16]hole [17]wax [18]were [19]warm up [20]drop [21]he got upset [22]turns [23]trick [24]had not seen [25]as usual [26]exasperated [27]strength [28]would have fallen [29]hit [30]consciousness [31]blow (with a pitcher) [32]pieces [33]punishment [34]wounds [35]made you sick [36]healthy [37]treatment [38]punished [39]treated [40]punish him [41]harm [42]hit [43]stick [44]signs [45]swore [46]genius [47]event [48]happened [49]lands [50]alms [51]earnings [52]came apart [53]will take [54]tricked [55]kept quiet [56]master [57]wordy [58]roast [59]sent [60]But [61]would see [62]were [63]smell [64]enjoy [65]roast [66]trick [67]evil [68]could be kept from him [69]was [70]rage [71]hadn't come [72]to take (out) [73]would have left [74]laughter [75]innkeeper [76]boy [77]costs [78]wounded [79]cured [80]regret [81]wide [82]place [83]getting wet [84]narrows [85]tastes [86]stone [87]way [88]blinded his wits [89]in front of [90]Hardly [91]fell backwards [92]smelled [93]sniff, smell [94]arrived

Excerpt from:

Lazarillo de Tormes; author unknown. Copyright Grafisk Forlag A/S, Copenhagen. The *Easy Reader* (a B-level book) with the same title is published by EMC/Paradigm Publishing.

A ¿Qué recuerdas?

1. ¿Cómo trataba el ciego a Lázaro?
2. ¿Quién le quitaba al ciego el vino de su jarro?
3. ¿Qué le rompió el ciego a Lázaro con el jarro?
4. ¿Qué fruta comieron el ciego y Lázaro en Almorox?
5. ¿Cómo se llamaba el lugar donde el ciego quería comer longaniza?
6. ¿Cómo estaba el tiempo el último día que Lázaro estuvo con el ciego?

B Algo personal

1. ¿Crees que el ciego era una persona buena o mala? Explica.
2. ¿Piensas que Lázaro era un niño feliz? ¿Por qué?
3. ¿Qué piensas de la forma en que el ciego trataba a Lázaro?
4. ¿Cómo crees que será la vida de Lázaro en el futuro? Explica.

Tú escribes

Estrategia

Graphic organizers
As you begin to write, you will often need to brainstorm ideas about your topic. Then use a graphic organized to put your ideas in a logical order. Venn diagrams, concept maps and time lines are all graphic organizers that can help you visualize different aspects of your theme and help you organize your thoughts before beginning the writing process.

Draw a time line that shows how you think your life will evolve over the next fifteen years.

Then write a composition based on the time line of your life. Be sure to tell where you will live and what you will be doing. Include your personal goals and tell some of the things you will do to attain them. Remember to use connecting words to make your sentences flow together smoothly. To make your composition more visually appealing, create an illustration of your time line and include it at the bottom of your paper.

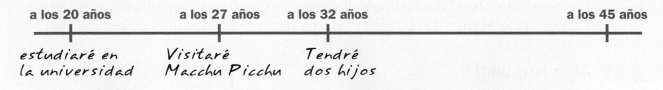

a los 20 años	a los 27 años	a los 32 años	a los 45 años
estudiaré en la universidad	Visitaré Macchu Picchu	Tendré dos hijos	

Estudiaré en Ecuador.

Tendré dos hijos.

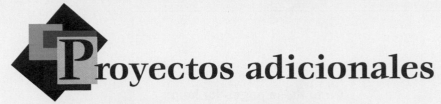

Proyectos adicionales

A Conexión con la tecnología

Use the Internet to contact the Web site for a company or corporation where you might like to work. Then follow their prompts to see what employment opportunities they offer that use Spanish. Find out what the prerequisites are, where the openings are and what the salary range is. Print out the results of your job search to share with the rest of the class.

B Comparando

En grupos pequeños, seleccionen un país de habla hispana y hagan una investigación sobre los productos típicos y regionales de ese país. Deben nombrar los productos y decir dónde se consiguen y cómo se usan. Luego, hagan una presentación para la clase del país y sus productos. Pueden incluir fotos e ilustraciones para que los estudiantes de la clase entiendan el uso, la apariencia y la función cultural del producto. Pueden hablar de algunos de los siguientes productos, si quieren: el mate (Argentina), el dulce de leche (Uruguay), las tapas (España), el flan (México), etc.

C Comunicación

Create a list with things you expect to acquire over the next thirty years, adding who you would give it to if something were to happen to you. Then, working in pairs, discuss the information on the list.

> **MODELO** A: Tendré una computadora rápida.
> B: ¿A quién se la darías?
> A: Se la daría a mis hijos.

D Conexión con otras disciplinas: geografía

Dibuja un mapa del mundo, indicando los continentes y todos los países del mundo que has aprendido con sus capitales.

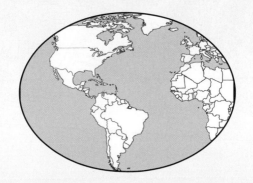

Repaso

Now that I have completed this chapter, I can...

	Go to these pages for help:
discuss careers.	396
express events in the past.	400
relate two past events.	400
talk about hopes and dreams.	404
state wishes and preferences.	404
discuss the future.	408
express uncertainty.	415
express doubt.	415
advise and suggest.	416
express emotion.	416
identify and locate countries.	420

I can also...

discuss world problems in Spanish.	399
use body language to communicate.	417
talk about my future in Spanish.	424

Trabalenguas

Pedro Pablo Pérez y Pereira, pobre pintor portugués, pinta pinturas por poca plata para pasar por París.

Vocabulario

a propósito by the way *9B*

el **abogado**, la **abogada** lawyer *9A*

aceptado,-a accepted *9A*

la **actitud** attitude *9B*

acuático,-a aquatic, pertaining to water *9A*

el **agricultor**, la **agricultora** farmer *9A*

alemán, alemana German *9B*

Alemania Germany *9B*

la **amistad** friendship *9A*

Arabia Saudita Saudi Arabia *9B*

el **artista**, la **artista** artist *9A*

el **Asia** Asia *9B*

asiático,-a Asian *9B*

asistir a to attend *9A*

la **aspiración** aspiration, hope *9A*

Australia Australia *9B*

australiano,-a Australian *9B*

el **baile** dance, dancing *9A*

el **bibliotecario**, la **bibliotecaria** librarian *9A*

el **bombero**, la **bombera** firefighter *9A*

el **Brasil** Brazil *9B*

brasileño,-a Brazilian *9B*

el **buceo** scuba diving *9A*

el **Canadá** Canada *9B*

canadiense Canadian *9B*

el **carpintero**, la **carpintera** carpenter *9A*

la **carrera** career *9A*

centroamericano,-a Central American *9B*

la **China** China *9B*

chino,-a Chinese *9B*

el **chofer**, la **chofer** chauffeur, driver *9A*

la **colección** collection *9A*

la **despedida** farewell, good-bye *9B*

dondequiera wherever *9A*

el **empleado**, la **empleada** employee *9A*

el **empleo** employment *9A*

la **empresa** business *9A*

en medio de in the middle of *9B*

el **escritor**, la **escritora** writer *9A*

el **esquí** ski *9A*

Europa Europe *9B*

europeo,-a European *9B*

la **experiencia** experience *9A*

extrañar to miss *9A*

la **facultad** school (of a university) *9B*

el **fotógrafo**, la **fotógrafa** photographer *9A*

francés, francesa French *9B*

Francia France *9B*

fuerte strong *9A*

el **futuro** future *9A*

el **gerente**, la **gerente** manager *9A*

hermoso,-a beautiful, lovely *9A*

el **hombre de negocios** businessman *9A*

el **ingeniero**, la **ingeniera** engineer *9A*

Inglaterra England *9B*

inglés, inglesa English *9B*

la **isla** island *9B*

Italia Italy *9B*

italiano,-a Italian *9B*

el **Japón** Japan *9B*

japonés, japonesa Japanese *9B*

Kenia Kenya *9B*

keniano,-a Kenyan *9B*

magnífico,-a magnificent *9B*

mantener to keep, to maintain *9B*

el **mar** sea *9B*

marroquí Moroccan *9B*

Marruecos Morocco *9B*

el **mecánico**, la **mecánica** mechanic *9A*

el **medio** half *9B*

la **mujer de negocios** businesswoman *9A*

el **negocio** business *9A*

¡no me digas! you don't say! *9B*

norteamericano,-a North American *9B*

el **obrero**, la **obrera** worker *9A*

el **océano** ocean *9B*

ojalá would that, if only, I hope *9A*

organizar to organize *9B*

la **orilla** shore *9B*

el **peluquero**, la **peluquera** hairstylist *9A*

la **pesca** fishing *9A*

por fin finally *9B*

Portugal Portugal *9B*

portugués, portuguesa Portuguese *9B*

practicar to practice *9A*

el **programador**, la **programadora** programmer *9A*

quienquiera whoever *9A*

real real, royal *9A*

la **realidad** reality *9B*

el **río** river *9B*

Rusia Rusia *9B*

ruso,-a Russian *9B*

saudita Saudi, Saudi Arabian *9B*

el **secretario**, la **secretaria** secretary *9A*

siempre salirse con la suya to always get one's way *9B*

sin embargo however, nevertheless *9B*

suave soft *9A*

el **sueño** dream, sleep *9A*

suramericano,-a South American *9B*

el **taxista**, la **taxista** taxi driver *9A*

unido,-a united, connected *9A*

la **universidad** university *9A*

el **vendedor**, la **vendedora** salesperson *9A*

el **veterinario**, la **veterinaria** veterinarian *9A*

Capítulo 10
Mi mundo

Objetivos

- ❖ talk about past actions and events
- ❖ apply technology to find information on the Spanish-speaking world
- ❖ talk about art in some Spanish-speaking countries
- ❖ discuss contemporary Hispanic culture
- ❖ talk about the future
- ❖ discuss travel and employment opportunities
- ❖ state wishes and preferences

Visit the web-based activities at www.emcp.com

Diálogo

Mis hermanos en Santiago

LAURA: ¿Qué estás haciendo?
DANIEL: Les escribo un e-mail a mis hermanos en Santiago, Chile.
LAURA: Tú no tienes hermanos en Chile. ¡Tus hermanos viven aquí en Minneapolis!

DANIEL: ¡Claro que sí tengo!
LAURA: No comprendo.
DANIEL: Es que Santiago y Minneapolis son ciudades hermanas y este año he estado trabajando por la internet en un proyecto de historia con unos chicos de allá.

LAURA: Ah, ya veo. Entonces, ahora ellos son tus hermanos también.
DANIEL: Así es. Son hermanos y amigos.
LAURA: ¡Qué tonto eres! Me alegra que hayas hecho nuevos amigos.
DANIEL: Gracias. Ha sido fantástico trabajar con ellos.

1 ¿Qué recuerdas?

1. ¿Qué está haciendo Daniel?
2. ¿Dónde viven los hermanos de Daniel?
3. ¿Qué son Santiago y Minneapolis?
4. ¿En qué ha estado trabajando Daniel por internet con sus amigos de Chile?
5. ¿De qué se alegra Laura?
6. ¿Qué ha sido fantástico para Daniel?

2 Algo personal

1. ¿Tienes amigos en otros países?
2. ¿A quién le escribes e-mails?
3. ¿Sabes cuál es la ciudad hermana del lugar donde vives?
4. ¿Has hecho nuevos amigos este año? ¿Cómo se llaman?

¿Has hecho nuevos amigos este año?

3 Mis hermanos en Santiago

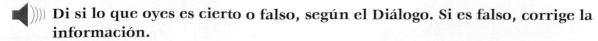 Di si lo que oyes es cierto o falso, según el Diálogo. Si es falso, corrige la información.

Minneapolis y Santiago: ciudades hermanas

¿Qué tienen Minneapolis, Minnesota, y Santiago, Chile, en común? Las dos son ciudades hermanas. Eso significa que Minneapolis y Santiago tienen una relación especial a través de intercambios educativos, culturales y económicos. En algunas escuelas de Minneapolis, por ejemplo, estudiantes trabajan en proyectos con estudiantes del Liceo Industrial B-98 en Santiago por medio de la internet. Muchas otras ciudades en Estados Unidos son también ciudades hermanas con ciudades de habla hispana. Todas forman parte del programa de ciudades hermanas internacional (SCI), creado por el presidente Dwight D. Eisenhower en 1956 con el fin de relacionar a la gente y a las organizaciones usando una diplomacia popular.

La hermandad[1] entre Atlanta, Georgia, y Salcedo, República Dominicana, se inspiró en

Minneapolis, Minnesota, Estados Unidos.

memoria de grandes líderes que nacieron en estas dos ciudades y que lucharon por la igualdad de derechos: Martin Luther King Jr., de Atlanta, y las hermanas Mirabal, de Salcedo. Estas dos ciudades intentan educar a sus jóvenes sobre los ideales de Martin Luther King Jr. y las hermanas Mirabal, así como crear oportunidades para que los jóvenes en ambas ciudades puedan aprender el idioma de cada país.

Muchas ciudades hermanas también tienen eventos deportivos, festivales de música, exposiciones de arte y otras actividades para promover la comprensión cultural. Otras ciudades hermanas incluyen Chicago y Ciudad de México; Salt Lake City y Oruro, Bolivia; San José, California y San José, Costa Rica; Miami y Murcia, España. Para saber cuál es la ciudad hermana de tu ciudad, busca en la internet las palabras *sister cities*.

[1]sisterhood

4 Ciudades hermanas

Encuentra una ciudad hermana (que sea de un país hispano) de tu ciudad o de la capital de tu estado. Averigua *(Find out)* **dónde está esa ciudad, su población, sus atractivos turísticos. También averigua si hay un programa de intercambio estudiantil entre las dos ciudades.**

Santiago, Chile.

Proyectos

5 Los inventos tecnológicos

Trabajando en grupos de tres estudiantes, hablen sobre nuevos inventos tecnológicos que creen que existirán en veinte años. Luego, una persona del grupo debe presentar las conclusiones a la clase.

6 Amigos virtuales

Usando un motor de búsqueda, encuentra una página Web en donde puedas contactar chicos y chicas por e-mail de algún país de habla hispana. Selecciona a alguien que te interese y escríbele un e-mail contándole quién eres, de dónde eres y diciéndole que te gustaría ser su amigo/a por correo electrónico.

7 Todos han estudiado y aprendido mucho este año

Di lo que las siguientes personas han aprendido, usando las indicaciones que se dan.

MODELO Gerardo / muchos proverbios
Gerardo ha aprendido muchos proverbios.

1. Sandra y David / sobre los animales salvajes
2. Clara / mucho sobre los países de habla hispana
3. tú / mucho sobre tecnología
4. Pablo / sobre los problemas del mundo
5. Ud. / a hacer tortillas españolas
6. nosotros / mucho español

Gerardo ha aprendido muchos proverbios.

8 ¿Cuáles han sido tus actividades favoritas?

Trabajar en la internet con sus amigos de Chile ha sido una de las actividades favoritas de Daniel durante el año. Trabajando en parejas, alterna con tu compañero/a de clase en hacer preguntas y contestarlas para decir si las siguientes actividades han sido sus favoritas durante este año.

MODELO jugar videojuegos
A: ¿Ha sido jugar videojuegos una de tus actividades favoritas este año?
B: Sí, (No, no) ha sido una de mis actividades favoritas este año.

1. navegar en la internet
2. las fiestas
3. leer
4. ir al cine
5. escribir e-mails
6. dormir
7. los viajes
8. el tenis
9. ver televisión
10. los picnics

9 ¡A escribir!

Escribe un e-mail de dos párrafos en español al amigo/a la amiga que conseguiste en la actividad 6, contándole algunas de las cosas que hiciste o que han pasado durante el año. Sé creativo/a.

10 ¿Qué dirías?

Conecta lógicamente las situaciones de la columna A con las expresiones de la columna B para saber lo que dirías en cada caso.

A

1. Bromeando, Juan le dice a Rosario que su casa salió volando por el cielo.
2. Tu papá te pidió lavar la ropa por la mañana, pero lo olvidaste y lo hiciste por la tarde.
3. Después de insistir mucho, Teresa consiguió el empleo que quería.
4. Carolina fue a una tienda a comprar una blusa que le costó muchísimo dinero.
5. César le hizo una broma a su amiga, pero a ella no le gustó mucho.
6. Tú y tu familia están visitando Arabia Saudita y tus padres te piden que les traduzcas unas señales que están en árabe.
7. Tienes algunos problemas con la computadora y tu amigo te viene a contar lo difícil que son las computadoras para él.
8. Conoces a una persona que habla muchísimo.

B

A. No lo tome a pecho.
B. Más vale tarde que nunca.
C. ¡Habla hasta por los codos!
D. Eso es chino para mí.
E. Le está tomando el pelo.
F. ¡Si lo sabré yo!
G. Le costó un ojo de la cara.
H. Siempre se sale con la suya.

Estrategia

Using proverbs and sayings
Native Spanish speakers hear proverbs and sayings throughout their life and use them in everyday speech as a natural outcome of growing up surrounded by Spanish. You have already learned several of these expressions in *Navegando 2*. How many of them do you remember? Do you use them? Can you guess the meaning of the expressions that appear below? Using proverbs and expressions when you speak will add character and fluency to your Spanish.

No lo tome a pecho.
¡Habla hasta por los codos!
Más vale tarde que nunca.
Eso es chino para mí.

¡Si lo sabré yo!
Te está tomando el pelo.
Me costó un ojo de la cara.
Siempre se sale con la suya.

11 ¡Una obra de arte!

Crea una pintura (*painting*) o un dibujo que represente una actividad o un evento, de la familia o del colegio, que haya sido importante para ti durante el año. Usa la técnica que quieras.

Una pintura importante.

Lectura cultural

El turismo virtual

Gracias a la internet podemos visitar los grandes museos del mundo con un simple "clic", sin la necesidad de viajar. Puedes buscar con un motor de búsqueda la dirección de un museo, haces "clic" y llegarás al museo. Por ejemplo, busca las palabras *Museo del Prado* en la internet y llegarás al museo en España. ¡Es fantástico!

Las Meninas, Velázquez [detail].

El museo del Prado (España)

Desde que abrió en 1819, el Museo del Prado es uno de los museos más importantes del mundo. Tiene más de 9000 obras. Entre las más famosas está *Las Meninas* (1656) pintada por el español Diego Velázquez. También hay una colección grande de pinturas[1] de Francisco Goya, a quien se considera "el padre del arte moderno".

Museo de Arte Moderno (Colombia)

La página Web de este museo nos permite navegar por el espacio del museo así como admirar las pinturas y las esculturas de su colección. Entre las pinturas se encuentra *Nuestra Señora de Fátima* (1963) de Fernando Botero, el pintor colombiano de mayor reconocimiento[2] internacional.

Museo Nacional de Antropología (México)

El Museo Nacional de Antropología expone[3] cuatro kilómetros cuadrados de piezas de museo en más de veinte salas. Si no podemos visitar este enorme y elegante museo en persona, podemos visitar su página Web y recorrer[4] 3500 años de historia mexicana, desde los tiempos prehistóricos hasta la llegada de los españoles en 1519.

[1]paintings   [2]recognition   [3]exhibits   [4]go through

12 ¿Qué recuerdas?

1. ¿Qué tecnología permite conocer los grandes museos del mundo desde nuestras casas?
2. ¿En qué museo puedes aprender sobre 3500 años de historia mexicana?
3. ¿Qué pintor español es el padre del arte moderno?
4. ¿Quién es el pintor colombiano más famoso?
5. ¿Cómo se llama el más famoso museo de arte en España?

- **En tu opinión, ¿cuáles son las ventajas o desventajas de hacer giras virtuales por los museos?**

13 Algo personal

1. ¿Te gusta visitar museos? ¿Por qué?
2. ¿Qué tipo de arte te gusta? ¿Cuál es tu pintor favorito?

¿Qué aprendí?

Visit the web-based activities at www.emcp.com

Autoevaluación

Como repaso y autoevaluación, responde lo siguiente:

1. Di tres cosas que hiciste este año.

2. Di dos formas de tecnología que existen hoy y describe una invención que tú crees que va a existir en el futuro.

3. ¿Qué sabes sobre los artistas de los países de habla hispana?

4. Di dos cosas que aprendiste este año.

5. ¿Cuál ha sido tu actividad favorita este año?

Aprendí sobre la historia de México.

Fuimos a hacer windsurfing.

Nos gustó tocar la guitarra.

Diálogo

Quisiera estudiar en Chile

DANIEL: Quisiera estudiar una carrera en Chile.

LAURA: ¡Qué bueno! ¿Ya sabes a qué universidad quieres asistir?

DANIEL: No, pero ya sé que puedo alojarme con mis amigos chilenos.

LAURA: Pues, más vale que empieces a buscar pronto.

DANIEL: Sí, ya escribí a la Universidad Católica de Chile para que me envíen información sobre las carreras que ofrecen.

LAURA: Muy bien. También sería bueno que te enteres sobre la cultura y el clima del país.

DANIEL: ¡Oh, claro! En mis clases de español he aprendido mucho sobre Chile, pero voy a buscar más información en la internet.

1 ¿Qué recuerdas?

1. ¿Dónde quisiera Daniel estudiar una carrera?
2. ¿Ya sabe Daniel a qué universidad asistir?
3. ¿Con quién puede alojarse Daniel?
4. ¿A qué universidad ya escribió Daniel?
5. ¿De qué sería bueno que se entere Daniel, según Laura?
6. ¿Dónde ha aprendido Daniel mucho sobre Chile?

¡Extra!

Expresando cortesía

You have learned to use *gustaría* with *me, te, le,* etc. to politely express a wish or to make a request. The expression *quisiera* can be used similarly, but without adding *me, te, le,* etc.

Me gustaría trabajar en Argentina.
Quisiera trabajar en Argentina.

2 Algo personal

1. ¿En qué país de habla hispana te gustaría estudiar después de terminar el colegio?
2. ¿Piensas que estudiar en otro país es algo bueno para tu futuro? ¿Por qué?
3. ¿Has aprendido mucho sobre los países de habla hispana en tu clase de español?

3 ¿Quién dijo qué?

¿Quién dijo lo siguiente, Laura o Daniel?

Ciudad Universitaria, Madrid, España.

Después del colegio

Después de terminar el colegio debes decidir si quieres seguir estudiando o trabajar. Una vez que hayas decidido lo que quieres, debes buscar el lugar donde quieres estudiar o trabajar, ya sea en tu país o en el extranjero. Si es fuera de tu país, debes decidir en qué país de habla hispana quieres estudiar o trabajar y conseguir información para saber cómo es la vida allí. Hoy existen muchas universidades y muchas empresas multinacionales que ofrecen programas de intercambio[1] o trabajos internacionales en todo el mundo.

[1]exchange   [2]counselor

Si decides estudiar puedes escoger entre hacer la carrera que quieres seguir en una universidad del país o del extranjero, o hacer un programa de intercambio para estudiar en otro país por un período de tiempo y luego regresar.

Si decides trabajar, puedes hacer una práctica de trabajo en una empresa mientras sigues estudiando, o buscar un trabajo permanente en una empresa local o en el extranjero.

Para recibir más información puedes consultar con tu consejero[2] o consejera en el colegio al que asistes, con la consejería de educación de la embajada del país que te interese o en la Web.

Quito, Ecuador.

4 Después del colegio

Prepara una lista de cuatro países hispanohablantes donde te gustaría ir para estudiar una carrera o trabajar. Luego, escribe dos cosas que has aprendido o que ya sabes de cada país y preséntalas a la clase.

5 Comparando

Busca información en la biblioteca o en la internet sobre uno de los países de la lista que hiciste en la actividad anterior. Compara lo que encuentres sobre la vida en ese país con la vida en tu comunidad. ¿Cómo es similar o diferente? Luego, busca datos de interés, como festivales, fiestas, sitios turísticos y restaurantes. Finalmente, busca mapas de la ciudad donde quieres vivir e imprímelos *(print them)*. Presenta la información a la clase.

✦ Proyectos

6 ¿Quieres estudiar en otro país?

En grupos de tres o cuatro, hablen de las ventajas y desventajas de estudiar en otro país. Escriban las conclusiones y, luego, una persona del grupo debe presentar un resumen a la clase.

7 Trabajos en otros países para profesionales bilingües

Lee el anuncio de la página Web, y luego, contesta las preguntas que siguen.

1. ¿Qué tipo de profesionales pueden estar interesados en esta página Web?
2. ¿Se necesita ser miembro para usar los servicios de esta empresa?
3. Si te registras en sus listas de trabajo, ¿qué vas a recibir?
4. ¿En cuántos campos de trabajo ofrecen listas?
5. ¿En cuántos países de habla hispana ofrecen trabajos?

Latino Profesional   _ □ ✕

Latino Profesional es una empresa de membresía que sirve como un intermediario importante entre sus miembros y empresas, y reclutadores en busca de profesionales bilingües (español e inglés).

Esta página tiene información disponible para miembros y no miembros indistintamente. Si usted está en busca de un trabajo en el que requieran de sus idiomas, lo invitamos a que explore nuestros beneficios.

Listas de trabajo
Al registrarse en nuestras listas de trabajo usted va a recibir avisos de trabajo por e-mail todos los meses. Ofrecemos listas de trabajo en cuarenta campos.

Ofrecemos empleos en los siguientes países:

Argentina	Colombia	España	México
Chile	Costa Rica	Guatemala	Puerto Rico

Registrarse

8 ¿Qué quieres hacer con tu vida?

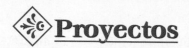

En parejas, pregúntale a tu compañero/a de clase la siguiente información para saber sobre sus planes para el futuro. Averigua cualquier otra información que necesites. Después de la entrevista, escribe un párrafo sobre los planes que tiene para el futuro tu compañero/a.

MODELO lo que piensa estudiar al terminar el colegio

    A: ¿Qué piensas estudiar al terminar el colegio?
    B: Pienso estudiar para ser ingeniero.

1. lugar donde quiere estudiar
2. si le gustaría estudiar en otro país
3. trabajo que le gustaría tener
4. lugar donde preferiría tener su trabajo
5. si le gustaría trabajar en otro país

¡Oportunidades!

Estudiando en el extranjero
Hasta el momento tú has aprendido mucho sobre la cultura, la historia y la vida en los países de habla hispana. También has mejorado tus habilidades para hablar español a través de diferentes medios como la internet, el correo electrónico, la televisión internacional, etc. Pero ninguna de estas formas puede igualarse con la oportunidad de estudiar en un país hispano y poder estar inmerso completamente en un ambiente auténtico. Estudiar en un país de habla hispana a través de un programa de intercambio, por ejemplo, te da la oportunidad de seguir estudiando, a la vez puedes experimentar la cultura y la lengua de primera mano.

9 Campus Colima México

Lee el siguiente anuncio sobre un programa de intercambio. Después, contesta las preguntas.

1. ¿Cómo se llama el programa que ofrece el Campus Colima México?
2. ¿Por qué participar en este programa puede ser importante?
3. ¿Qué es culturalmente enriquecedor, según el anuncio?
4. ¿Cuáles son los requisitos que se deben tener para participar?

CAMPUS COLIMA MÉXICO

El Programa de Intercambio Internacional es una inversión que puedes hacer durante tu vida de estudiante y que puede llegar a ser un factor importante para abrirte muchas puertas en el aspecto profesional.

Estudiar en otro país es culturalmente enriquecedor y profesionalmente una experiencia de grandes satisfacciones.

¿Quiénes pueden participar?

Pueden participar todos los estudiantes que reúnan los siguientes requisitos:

- Estar en 3º, 4º, 5º, 6º ó 7º semestre de su carrera al momento de entregar la solicitud. Es importante aclarar que la recepción de solicitudes es únicamente al inicio de cada semestre, por lo que se deberá considerar esto al momento de entregar la solicitud.
- Tener un promedio global en la carrera igual o superior a 83 o su equivalente.
- Hablar español, francés o alemán según el país al que se viaje.

10 ¿Cómo sería la universidad ideal?

Haz una lista de las características más importantes que buscarías en una universidad a la que te gustaría ir.

MODELO Que tenga una biblioteca moderna.

11 ¿Qué tipo de trabajo buscarás?

En parejas, hablen de las características más importantes que buscarán en un empleo cuando empiecen a buscar trabajo. Escriban sus conclusiones y, luego, compártanlas con otra pareja de estudiantes de la clase.

MODELO Queremos un trabajo que pague mucho dinero.

12 En conclusión

Escribe una composición sobre tus planes para el futuro. Describe si piensas seguir estudiando o buscar un trabajo, o cualquier otro plan que tengas después de terminar el colegio.

13 ¡A crear!

Usando la música de una canción que conozcas, escribe una canción en español sobre algún tema que describa tu futuro. Después, puedes leer o cantar tu canción para la clase.

Cantamos para la clase.

Lectura personal

Cantantes y grupos musicales

Dirección http://www.emcp.com/músico/ola/e.diario-4.htm ▲ Archivo Edición Ver Favoritos Herramientas Ayuda

página principal | miembros | e-diario

Grupo musical La OLA

El grupo musical La Ola completó su gira de conciertos. Gracias a los miles de admiradores entusiastas, la gira fue todo un éxito. Ahora llegó el momento para ir a casa y tomar un buen descanso. ¿Qué planes tiene cada miembro?

Manuel
Quisiera estudiar en la Universidad de Salamanca en España. Es una de las universidades más antiguas de Europa.

Ceci
Me gustaría estudiar francés. Es un idioma muy lindo y espero un día vivir en París.

Yadira
Quisiera asistir a la UNAM en México, D.F. Voy a cantar y a tener una carrera universitaria.

Chantal
Volverá a Santo Domingo e iré a Cabarete, una playa de la costa norte, la mejor de América para el windsurf.

Carlos
Voy a practicar el andinismo. Quisiera ir a la Argentina y escalar el Aconcagua, la montaña más alta de las Américas.

Xavier
Me gustaría tomar clases para ser actor.

14 ¿Qué recuerdas?

1. ¿Cuál es la montaña más alta de las Américas?
2. ¿En qué ciudad está la UNAM?
3. ¿Qué playa en la República Dominicana es excelente para el windsurf?
4. ¿Qué miembro de La Ola quisiera vivir en París?

> • ¿Con cuál miembro del grupo La Ola te identificas más? Explica por qué.

15 Algo personal

1. ¿Qué te gusta hacer a ti en las vacaciones?
2. ¿Piensas que es importante tener una carrera universitaria? Explica.

¿Qué aprendí?

Visit the web-based activities at www.emcp.com

Autoevaluación

Como repaso y autoevaluación, responde lo siguiente:

1. ¿Qué país escogerías para continuar estudiando después del colegio? Explica por qué escogiste ese país.

2. ¿En qué país te gustaría vivir y trabajar? Di por qué.

3. ¿Qué consejo le darías a alguien que quiere seguir una carrera universitaria si la persona habla español?

4. ¿Cuáles son dos planes para tu futuro?

5. Busca información para dos universidades en uno de los países de habla hispana. Luego, haz una lista de los programas de estudios a los cuales te gustaría asistir.

Seré cocinero.

Viajaremos por Europa.

Trabajaré de voluntaria en América Central.

¡Viento en popa!

Tú lees

Estrategia

Word families

Words may appear similar in meaning and spelling because they are related to a base word such as a verb or a noun. When you are reading an unfamiliar text, try to figure out the meaning of new words by combining what you already know about a base word with clues you gather from the context of the related word.

Preparación

Lee la siguiente lista de palabras y sus palabras relacionadas como preparación para la lectura. Luego, di qué crees que significan en inglés las palabras relacionadas.

1. encargar → el/la encargado/a
2. preferir → la preferencia
3. cambiar → el intercambio
4. participar → el/la participante
5. vender → la venta

¿Estudiar o trabajar?

MacProgramadores

Se busca Programador Bilingüe.
Lugar del trabajo: Ciudad de México, México
Requisitos: Profesional en sistemas, que hable español e inglés y tenga un año de experiencia en programación.
Excelente presentación.
Buena organización.
Salario: Competente.
Enviar hoja de vida a: macprog@recurhum.mex

Español
Marketing & Communications, Inc.

Necesita:

CARGO: Asistente de Mercadeo bilingüe para trabajar en Miami en el diseño de publicidad dirigida a la población hispana.

REQUISITOS: Tener título en Publicidad o Mercadeo, ser fluido en español e inglés y tener conocimiento en el manejo de computadoras.

EXPERIENCIA: No se requiere.

Enviar hoja de vida con carta de presentación y salario deseado a: 2080 Coralview Av., Miami, FL 33035.

PONTIFICIA UNIVERSIDAD CATÓLICA DEL ECUADOR
SEREIS MIS TESTIGOS

La **PUCE** ofrece a la comunidad estudiantil internacional una sesión de verano de junio 15 a agosto 6. Este curso consiste de tres áreas relacionadas:

1. **Aprendizaje del español**
   De lunes a jueves, de 9 A.M. a 12 P.M.
   (junio 15 - julio 22)
2. **Ecología**
   De lunes a jueves, 3 P.M. a 7 P.M.
   (junio 15 - julio 22)
3. **Trabajo de campo**
   Viernes, de 9 A.M. a 7 P.M.
   (junio 15 - julio 22)

Costo: $2300 dólares

Para mayor información, escribir e-mail a: puce@edu.ec

REP de Ventas

Compañía clasificada 4A1 por Dun & Bradstreet busca vendedor(a) para expandir su territorio. Gran oportunidad para ascender en la compañía. Líneas de productos incluyen: regalos, accesorios para mujer, productos importados, flores artificiales, productos de cuidado personal, relojes, etc. Bilingüe, inglés/español preferible. Necesita experiencia en ventas. Salario basado en comisiones e incluye gastos para viajar y un plan de seguro. Es necesario tener vehículo. Fax hoja de vida a: The Gerson Company.

YAHOO! EN ESPAÑOL ®

Busca personas bilingües (español-inglés) para trabajar como navegantes de red. Las funciones principales son revisar páginas Web para incluirlas en bases de datos, ordenarlas de acuerdo con las categorías que ya existen y ayudar a controlar la evolución de esas categorías. El/la candidato/a debe ser una persona muy motivada, que demuestre capacidad en la toma de decisiones, habilidad para trabajar en equipo y orientación de servicio al cliente. Es importante que el/la candidato/a conozca las culturas de Latinoamérica y España, sea fluido en español escrito y oral, y hable inglés. Otras calificaciones adicionales son: experiencia en trabajo con la internet, atención a los detalles, abundancia de sentido común y excelentes habilidades de organización. Se prefieren personas con BS o BA. Al aplicar incluir carta de presentación.

UNIVERSIDAD DE BOGOTÁ
JORGE TADEO LOZANO

Programas Académicos enero-junio

- Arquitectura
- Comunicación Social
- Publicidad
- Derecho
- Mercadeo
- Biología marina
- Ingeniería
- Técnico agrícola
- Técnico electricista

Informes e inscripciones:
Carrera 8 No. 23-68, Of. 305
Bogotá
Teléfono: 3341515

Inscripciones abiertas hasta el 15 de noviembre

Universidad San Francisco de Quito

Estudiantes Internacionales

La Universidad San Francisco de Quito considera que el intercambio cultural es excelente para el desarrollo intelectual de las personas. Los estudiantes internacionales cuyo idioma natal no sea el español y que deseen estudiar en la USFQ deben haber estudiado como mínimo un año de español en la universidad de origen.

Se puede aplicar a la USFQ por medio de los programas de intercambio establecidos entre nuestra universidad y otras instituciones en el exterior.

Todos los estudiantes internacionales al llegar a Quito toman un examen de español para ser ubicados en el curso correspondiente del idioma. Aquellos estudiantes internacionales que no pertenezcan a un programa establecido por la USFQ y otra universidad extranjera, deberán solicitar el paquete de admisiones a la Oficina de Programas Internacionales.

La Oficina de Programas Internacionales facilita la información necesaria con respecto al tipo de visa que requieran los estudiantes internacionales quienes tienen los mismos deberes y derechos que los estudiantes regulares de la USFQ. Todos los estudiantes internacionales tienen un tutor asignado por el Director de Programas Internacionales, que es el encargado de guiar al estudiante en asuntos académicos durante su estadía en la USFQ.

Fechas de aplicación: para tramitar las visas de estudiante, la Oficina de Programas Internacionales aceptará las solicitudes de admisión hasta estas fechas:

Primer semestre: hasta el 15 de julio	Segundo semestre: hasta el 15 de noviembre

Orientación para estudiantes internacionales

En la semana anterior al inicio de clases se realiza la Semana de Orientación, en la cual los estudiantes internacionales, en grupos pequeños, participan con estudiantes nacionales y miembros de la facultad, en un seminario para familiarizarse con la USFQ y la cultura ecuatoriana. Durante esta semana se les hará el examen de español para saber su ubicación apropiada en el nivel correspondiente.

Vivienda para estudiantes internacionales

Los estudiantes internacionales viven con familias ecuatorianas. Este programa está diseñado para que los estudiantes se sientan parte activa de la comunidad durante su estadía en el Ecuador. El vivir con una familia ecuatoriana le da al estudiante la oportunidad de compartir la cultura, intercambiar ideas y establecer lazos de amistad internacional.

A ¿Qué recuerdas?

1. ¿A qué universidad debe aplicar una persona si quiere estudiar durante el verano en Ecuador?
2. ¿En qué ciudad se ofrece un trabajo como programador?
3. ¿Qué clase de institutos hay en el programa de Worldwide Classroom?
4. ¿En qué trabajo no se necesita experiencia?
5. ¿Hasta qué fecha se pueden presentar solicitudes para estudiar durante el segundo semestre en la Universidad San Francisco de Quito?
6. ¿A qué anuncio debe responder una persona que le guste mucho la internet?
7. ¿En qué universidad se puede estudiar para ser técnico electricista?
8. ¿Qué tipo de empleado/a busca Gerson Company?

B Algo personal

1. ¿A qué programa de los anteriores te gustaría ir? ¿Por qué?
2. ¿Qué buscas en una universidad a la que quieres asistir?
3. ¿Te gustaría participar en un programa internacional? Explica.
4. ¿En qué tipo de trabajo tienes experiencia?
5. ¿Has buscado empleos en la internet? ¿De qué tipo?
6. ¿Hay una feria de empleo o de universidades en tu ciudad?

¿Has buscado empleos en la internet?

¿Qué buscas en la universidad?

¿En qué tipo de trabajo tienes experiencia?

Tú escribes

Estrategia

Similes, metaphors and symbols

Just as poems use words to paint images, you can create pictures in your reader's mind with only a few words using symbols, metaphors and similes. Some words can represent more than one idea when they are used in a symbolic way. You can compare things with fewer words when you employ similes, which are comparisons that use *como* (like, as), or metaphors, which are comparisons that do not use *como*.

Try creating a poem on the theme *I used to be....* Choose two objects to represent yourself. One object symbolizes how you used to see, hear, feel, live, think, etc., and the other one represents how you are going to see, hear, feel, live, think, etc. Once you have chosen your symbols, study the sample below, then follow the steps to complete your poem.

El arco iris

Antes me sentía
como un rayo de luz.
Pasaba por la vida
sin una percepción clara.
Perdido en un mundo brillante.

Pero, por fin pasé
por el prisma del conocimiento.
Ahora voy a ser un arco iris,
ilustrado por mis experiencias.
Preparado para vencer
la tempestad de la vida.

Step 1: For the first line of your poem, form a verb in the imperfect tense to express how you "used to" be, see, hear, feel, live, think, etc.

Step 2: For the second line, name the object that symbolizes what you used to be or do.

Step 3: Use the next several lines to describe something about the object you just named that caused it to represent you.

Step 4: Start the next line with "*Un día voy a* (+ infinitive)" or "*Pronto voy a* (+ infinitive)."

Step 5: For the next line, name the object you chose to represent how you are going to be or what you are going to do.

Step 6: Use the next several lines to describe something about the object you just mentioned that makes it symbolize how you are going to be or what you are going to do.

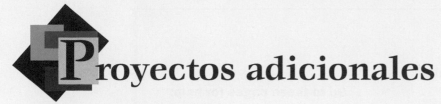

Proyectos adicionales

A Comunicación

Trabajando en parejas, creen un diálogo acerca de sus vidas durante el año. Pueden hablar de sus clases, sus actividades con la familia, las actividades que hicieron con sus amigos/as, su vida diaria, etc. Sean creativos. Tomen nota de lo que su compañero/a dice y preparen un reporte escrito.

B Conexión con la tecnología

Busca en la internet una página Web de un club de admiradores/as de un(a) actor/actriz, cantante o atleta hispano. Escribe un e-mail a sus miembros contándoles acerca de ti y de tu vida. Finalmente, cuéntales por qué te gusta el/la actor/actriz, cantante, atleta, y pregúntales por algún dato interesante que te gustaría saber de esa persona.

C Comparando

Trabajando en grupos de tres, hablen en español sobre cómo piensan que sus vidas van a ser en diez años y cómo piensan que las vidas de los estudiantes de alguno de los países hispanohablantes van a ser en el mismo tiempo. ¿Piensan que van a ser similares o diferentes? ¿Qué creen va a ser similar? ¿Qué creen va a ser diferente? Expliquen sus respuestas. Consideren cualquier información que Uds. hayan aprendido este año sobre los jóvenes en los países hispanos y cómo puede afectar la vida de ellos en el futuro.

¿Cómo serán sus vidas en diez años?

D Conexión cultural

Busca información en la internet sobre programas de estudios en un país de habla hispana. Escoge una universidad o institución en la que a ti te gustaría estudiar y vivir. Imprime toda la información referente a los requerimientos para la admisión en ese lugar y compártela con tus compañeros/as de clase. Crea un boletín de información y coloca allí todo lo que encontraste.

Repaso

Now that I have completed this chapter, I can...

Go to these pages for help:

talk about past actions and events.	442
apply technology to find information on the Spanish-speaking world.	444
talk about art in some Spanish-speaking countries.	446
discuss contemporary Hispanic culture.	449
talk about the future.	449
discuss travel and employment opportunities.	450
state wishes and preferences.	451

I can also...

use e-mail to communicate in Spanish.	442
read web pages in Spanish.	449
talk about study programs in the Spanish-speaking world.	451, 454

Trabalenguas

El cielo está enladrillado, ¿quién lo desenladrillará?
El buen desenladrillador que lo desenladrille, buen
desenladrillador será.

Chichén Itzá, México.

Indígena amazónico, Colombia.

Cantando tango en Buenos Aires.

Un taxi en el Caribe.

Segovia, España.

Estamos en Asturias, España.

Tomamos el bus en Lima, Perú.

Volcán Póas, Costa Rica.

Appendices

Appendix A

Grammar Review

Definite articles

	Singular	Plural
Masculine	el	los
Feminine	la	las

Indefinite articles

	Singular	Plural
Masculine	un	unos
Feminine	una	unas

Adjective/noun agreement

	Singular	Plural
Masculine	El chico es alto.	Los chicos son altos.
Feminine	La chica es alta.	Las chicas son altas.

Pronouns

Singular	Subject	Direct object	Indirect object	Object of preposition	Reflexive
1st person	yo	me	me	mí	me
2nd person	tú	te	te	ti	te
	Ud.	lo/la	le	Ud.	se
3rd person	él	lo	le	él	se
	ella	la	le	ella	se
Plural					
1st person	nosotros	nos	nos	nosotros	nos
	nosotras	nos	nos	nosotras	nos
2nd person	vosotros	os	os	vosotros	os
	vosotras	os	os	vosotras	os
3rd person	Uds.	los/las	les	Uds.	se
	ellos	los	les	ellos	se
	ellas	las	les	ellas	se

Demonstrative pronouns

Singular		Plural		
Masculine	**Feminine**	**Masculine**	**Feminine**	**Neuter**
éste	ésta	éstos	éstas	esto
ése	ésa	ésos	ésas	eso
aquél	aquélla	aquéllos	aquéllas	aquello

Possessive pronouns

Singular	Singular form	Plural form
1st person	el mío la mía	los míos las mías
2nd person	el tuyo la tuya	los tuyos las tuyas
3rd person	el suyo la suya	los suyos las suyas

Plural	Singular form	Plural form
1st person	el nuestro la nuestra	los nuestros las nuestras
2nd person	el vuestro la vuestra	los vuestros las vuestras
3rd person	el suyo la suya	los suyos las suyas

Interrogatives

qué	*what*
cómo	*how*
dónde	*where*
cuándo	*when*
cuánto, -a, -os, -as	*how much, how many*
cuál/cuáles	*which (one)*
quién/quiénes	*who, whom*
por qué	*why*
para qué	*why, what for*

Demonstrative adjectives

Singular		Plural	
Masculine	**Feminine**	**Masculine**	**Feminine**
este	esta	estos	estas
ese	esa	esos	esas
aquel	aquella	aquellos	aquellas

Possessive adjectives: short form

Singular	Singular nouns	Plural nouns
1st person	mi hermano mi hermana	mis hermanos mis hermanas
2nd person	tu hermano tu hermana	tus hermanos tus hermanas
3rd person	su hermano su hermana	sus hermanos sus hermanas

Plural	Singular nouns	Plural nouns
1st person	nuestro hermano nuestra hermana	nuestros hermanos nuestras hermanas
2nd person	vuestro hermano vuestra hermana	vuestros hermanos vuestras hermanas
3rd person	su hermano su hermana	sus hermanos sus hermanas

Possessive adjectives: long form

Singular	Singular nouns	Plural nouns
1st person	un amigo mío una amiga mía	unos amigos míos unas amigas mías
2nd person	un amigo tuyo una amiga tuya	unos amigos tuyos unas amigas tuyas
3rd person	un amigo suyo una amiga suya	unos amigos suyos unas amigas suyas

Plural	Singular nouns	Plural nouns
1st person	un amigo nuestro una amiga nuestra	unos amigos nuestros unas amigas nuestras
2nd person	un amigo vuestro una amiga vuestra	unos amigos vuestros unas amigas vuestras
3rd person	un amigo suyo una amiga suya	unos amigos suyos unas amigas suyas

Appendix B

Verbs

Present tense (indicative)

Regular present tense		
hablar *(to speak)*	hablo hablas habla	hablamos habláis hablan
comer *(to eat)*	como comes come	comemos coméis comen
escribir *(to write)*	escribo escribes escribe	escribimos escribís escriben

Present tense of reflexive verbs (indicative)

lavarse *(to wash oneself)*	me lavo te lavas se lava	nos lavamos os laváis se lavan

Present tense of stem-chaging verbs (indicative)

Stem-changing verbs are identified in this book by the presence of vowels in parentheses after the infinitive. If these verbs end in *-ar* or *-er,* they have only one change. If they end in *-ir,* they have two changes. The stem change of *-ar* and *-er* verbs and the first stem change of *-ir* verbs occur in all forms of the present tense, except *nosotros* and *vosotros.*

cerrar (ie) *(to close)*	e → ie	cierro cierras cierra	cerramos cerráis cierran

Verbs like **cerrar:** apretar *(to tighten)*, atravesar *(to cross)*, calentar *(to heat)*, comenzar *(to begin)*, despertar *(to wake up)*, despertarse *(to awaken)*, empezar *(to begin)*, encerrar *(to lock up)*, negar *(to deny)*, nevar *(to snow)*, pensar *(to think)*, quebrar *(to break)*, recomendar *(to recommend)*, regar *(to water)*, sentarse *(to sit down)*, temblar *(to tremble)*, tropezar *(to trip)*

contar (ue) *(to tell)*	o → ue	cuento cuentas cuenta	contamos contáis cuentan

Verbs like **contar:** acordar *(to agree)*, acordarse *(to remember)*, acostar *(to put to bed)*, acostarse *(to lie down)*, almorzar *(to have lunch)*, colgar *(to hang)*, costar *(to cost)*, demostrar *(to demonstrate)*, encontrar *(to find, to meet someone)*, mostrar *(to show)*, probar *(to taste, to try)*, recordar *(to remember)*, rogar *(to beg)*, soltar *(to loosen)*, sonar *(to ring, to sound)*, soñar *(to dream)*, volar *(to fly)*, volcar *(to spill, to turn upside down)*

jugar (ue) *(to play)*	u → ue	juego juegas juega	jugamos jugáis juegan

perder (ie) (to lose)	e → ie	pierdo pierdes pierde	perdemos perdéis pierden

Verbs like **perder:** defender *(to defend)*, descender *(to descend, to go down)*, encender *(to light, to turn on)*, entender *(to understand)*, extender *(to extend)*, tender *(to spread out)*

volver (ue) (to return)	o → ue	vuelvo vuelves vuelve	volvemos volvéis vuelven

Verbs like **volver:** devolver *(to return something)*, doler *(to hurt)*, llover *(to rain)*, morder *(to bite)*, mover *(to move)*, resolver *(to resolve)*, soler *(to be in the habit of)*, torcer *(to twist)*

pedir (i, i) (to ask for)	e → i	pido pides pide	pedimos pedís piden

Verbs like **pedir:** conseguir *(to obtain, to attain, to get)*, despedirse *(to say good-bye)*, elegir *(to choose, to elect)*, medir *(to measure)*, perseguir *(to pursue)*, repetir *(to repeat)*, seguir *(to follow, to continue)*, vestirse *(to get dressed)*

sentir (ie, i) (to feel)	e → ie	siento sientes siente	sentimos sentís sienten

Verbs like **sentir:** advertir *(to warn)*, arrepentirse *(to regret)*, convertir *(to convert)*, convertirse *(to become)*, divertirse *(to have fun)*, herir *(to wound)*, invertir *(to invest)*, mentir *(to lie)*, preferir *(to prefer)*, requerir *(to require)*, sugerir *(to suggest)*

dormir (ue, u) (to sleep)	o → ue	duermo duermes duerme	dormimos dormís duermen

Present participle of regular verbs

The present participle of regular verbs is formed by replacing the *-ar* of the infinitive with *-ando* and the *-er* or *-ir* with *-iendo*.

Present participle of stem-changing verbs

Stem-changing verbs that end in *-ir* use the second stem change in the present participle.

dormir (ue, u)	durmiendo
seguir (i, i)	siguiendo
sentir (ie, i)	sintiendo

Progressive tenses

The present participle is used with the verbs *estar, continuar, seguir, andar* and some other motion verbs to produce the progressive tenses. They are reserved for recounting actions that are or were in progress at the time in question.

Regular command forms

	Affirmative		Negative
-ar verbs	habla hablad hable Ud. hablen Uds. hablemos	(tú) (vosotros) (Ud.) (Uds.) (nosotros)	no hables no habléis no hable Ud. no hablen Uds. no hablemos
-er verbs	come comed coma Ud. coman Uds. comamos	(tú) (vosotros) (Ud.) (Uds.) (nosotros)	no comas no comáis no coma Ud. no coman Uds. no comamos
-ir verbs	escribe escribid escriba Ud. escriban Uds. escribamos	(tú) (vosotros) (Ud.) (Uds.) (nosotros)	no escribas no escribáis no escriba Ud. no escriban Uds. no escribamos

Commands of stem-changing verbs (indicative)

The stem change also occurs in *tú, Ud.* and *Uds.* commands, and the second change of *-ir* stem-changing verbs occurs in the nosotros command and in the negative *vosotros* command, as well.

cerrar *(to close)*	cierra cerrad cierre Ud. cierren Uds. cerremos	(tú) (vosotros) (Ud.) (Uds.) (nosotros)	no cierres no cerréis no cierre Ud. no cierren Uds. no cerremos
volver *(to return)*	vuelve volved vuelva Ud. vuelvan Uds. volvamos	(tú) (vosotros) (Ud.) (Uds.) (nosotros)	no vuelvas no volváis no vuelva Ud. no vuelvan Uds. no volvamos
dormir *(to sleep)*	duerme dormid duerma Ud. duerman Uds. durmamos	(tù) (vosotros) (Ud.) (Uds.) (nosotros)	no duermas no durmáis no duerma Ud. no duerman Uds. no durmamos

Preterite tense (indicative)

hablar *(to speak)*	hablé hablaste habló	hablamos hablasteis hablaron
comer *(to eat)*	comí comiste comió	comimos comisteis comieron
escribir *(to write)*	escribí escribiste escribió	escribimos escribisteis escribieron

Preterite tense of stem-changing verbs (indicative)

Stem-changing verbs that end in *-ar* and *-er* are regular in the preterite tense. That is, they do not require a spelling change, and they use the regular preterite endings.

pensar (ie)	
pensé	pensamos
pensaste	pensasteis
pensó	pensaron

volver (ue)	
volví	volvimos
volviste	volvisteis
volvió	volvieron

Stem-changing verbs ending in *-ir* change their third-person forms in the preterite tense, but they still require the regular preterite endings.

sentir (ie, i)	
sentí	sentimos
sentiste	sentisteis
sintió	sintieron

dormirse (ue, u)	
me dormí	nos dormimos
te dormiste	os dormisteis
se durmió	se durmieron

Imperfect tense (indicative)

hablar *(to speak)*	hablaba	hablábamos
	hablabas	hablabais
	hablaba	hablaban
comer *(to eat)*	comía	comíamos
	comías	comíais
	comía	comían
escribir *(to write)*	escribía	escribíamos
	escribías	escribíais
	escribía	escribían

Future tense (indicative)

hablar *(to speak)*	hablaré	hablaremos
	hablarás	hablaréis
	hablará	hablarán
comer *(to eat)*	comeré	comeremos
	comerás	comeréis
	comerá	comerán
escribir *(to write)*	escribiré	escribiremos
	escribirás	escribiréis
	escribirá	escribirán

Conditional tense (indicative)

hablar *(to speak)*	hablaría	hablaríamos
	hablarías	hablaríais
	hablaría	hablarían
comer *(to eat)*	comería	comeríamos
	comerías	comeríais
	comería	comerían
escribir *(to write)*	escribiría	escribiríamos
	escribirías	escribiríais
	escribiría	escribirían

Past participle

The past participle is formed by replacing the *-ar* of the infinitive with *-ado* and the *-er* or *-ir* with *-ido*.

hablar	hablado
comer	comido
vivir	vivido

Irregular past participles

abrir	abierto
cubrir	cubierto
decir	dicho
escribir	escrito
hacer	hecho
morir	muerto
poner	puesto
romper	roto
ver	visto
volver	vuelto

Present perfect tense (indicative)

The present perfect tense is formed by combining the present tense of *haber* and the past participle of a verb.

hablar	he hablado	hemos hablado
	has hablado	habéis hablado
	ha hablado	han hablado
comer *(to eat)*	he comido	hemos comido
	has comido	habéis comido
	ha comido	han comido
vivir *(to live)*	he vivido	hemos vivido
	has vivido	habéis vivido
	ha vivido	han vivido

Past perfect tense (indicative)

hablar *(to speak)*	había hablado	habíamos hablado
	habías hablado	habíais hablado
	había hablado	habían hablado

Preterite perfect tense (indicative)

hablar *(to speak)*	hube hablado	hubimos hablado
	hubiste hablado	hubisteis hablado
	hubo hablado	hubieron hablado

Future perfect tense (indicative)

hablar (to speak)	habré hablado	habremos hablado
	habrás hablado	habréis hablado
	habrá hablado	habrán hablado

Conditional perfect tense (indicative)

hablar (to speak)	habría hablado	habríamos hablado
	habrías hablado	habríais hablado
	habría hablado	habrían hablado

Present tense (subjunctive)

hablar (to speak)	hable	hablemos
	hables	habléis
	hable	hablen
comer (to eat)	coma	comamos
	comas	comáis
	coma	coman
escribir (to write)	escriba	escribamos
	escribas	escribáis
	escriba	escriban

Imperfect tense (subjunctive)

hablar (to speak)	hablara (hablase)	habláramos (hablásemos)
	hablaras (hablases)	hablarais (hablaseis)
	hablara (hablase)	hablaran (hablasen)
comer (to eat)	comiera (comiese)	comiéramos (comiésemos)
	comieras (comieses)	comierais (comieseis)
	comiera (comiese)	comieran (comiesen)
escribir (to write)	escribiera (escribiese)	escribiéramos (escribiésemos)
	escribieras (escribieses)	escribierais (escribieseis)
	escribiera (escribiese)	escribieran (escribiesen)

Present perfect tense (subjunctive)

hablar (to speak)	haya hablado	hayamos hablado
	hayas hablado	hayáis hablado
	haya hablado	hayan hablado

Past perfect tense (subjunctive)

hablar (to speak)	hubiera (hubiese) hablado	hubiéramos (hubiésemos) hablado
	hubieras (hubieses) hablado	hubierais (hubieseis) hablado
	hubiera (hubiese) hablado	hubieran (hubiesen) hablado

Verbs with irregularities

The following charts provide some frequently used Spanish verbs with irregularities.

abrir *(to open)*	
past participle	abierto
Similar to:	cubrir *(to cover)*

andar *(to walk, to ride)*	
preterite	anduve, anduviste, anduvo, anduvimos, anduvisteis, anduvieron

buscar *(to look for)*	
preterite	busqué, buscaste, buscó, buscamos, buscasteis, buscaron
present subjunctive	busque, busques, busque, busquemos, busquéis, busquen
Similar to:	acercarse *(to get close, to approach)*, arrancar *(to start a motor)*, colocar *(to place)*, criticar *(to criticize)*, chocar *(to crash)*, equivocarse *(to make a mistake)*, explicar *(to explain)*, marcar *(to score a point)*, pescar *(to fish)*, platicar *(to chat)*, practicar *(to practice)*, sacar *(to take out)*, tocar *(to touch, to play an instrument)*

caber *(to fit into, to have room for)*	
present	quepo, cabes, cabe, cabemos, cabéis, caben
preterite	cupe, cupiste, cupo, cupimos, cupisteis, cupieron
future	cabré, cabrás, cabrá, cabremos, cabréis, cabrán
present subjunctive	quepa, quepas, quepa, quepamos, quepáis, quepan

caer *(to fall)*	
present	caigo, caes, cae, caemos, caéis, caen
preterite	caí, caíste, cayó, caímos, caísteis, cayeron
present participle	cayendo
present subjunctive	caiga, caigas, caiga, caigamos, caigáis, caigan
past participle	caído

conducir *(to drive, to conduct)*	
present	conduzco, conduces, conduce, conducimos, conducís, conducen
preterite	conduje, condujiste, condujo, condujimos, condujisteis, condujeron
present subjunctive	conduzca, conduzcas, conduzca, conduzcamos, conduzcáis, conduzcan
Similar to:	traducir *(to translate)*

conocer *(to know)*	
present	conozco, conoces, conoce, conocemos, conocéis, conocen
present subjunctive	conozca, conozcas, conozca, conozcamos, conozcáis, conozcan
Similar to:	complacer *(to please)*, crecer *(to grow, to increase)*, desaparecer *(to disappear)*, nacer *(to be born)*, ofrecer *(to offer)*

construir *(to build)*

present	construyo, construyes, construye, construimos, construís, construyen
preterite	construí, construiste, construyó, construimos, construisteis, construyeron
present participle	construyendo
present subjunctive	construya, construyas, construya, construyamos, construyáis, construyan

continuar *(to continue)*

present	continúo, continúas, continúa, continuamos, continuáis, continúan

convencer *(to convince)*

present	convenzo, convences, convence, convencemos, convencéis, convencen
present subjunctive	convenza, convenzas, convenza, convenzamos, convenzáis, convenzan
Similar to:	vencer *(to win, to expire)*

cubrir *(to cover)*

past participle	cubierto
Similar to:	abrir *(to open)*, descubrir *(to discover)*

dar *(to give)*

present	doy, das, da, damos, dais, dan
preterite	di, diste, dio, dimos, disteis, dieron
present subjunctive	dé, des, dé, demos, deis, den

decir *(to say, to tell)*

present	digo, dices, dice, decimos, decís, dicen
preterite	dije, dijiste, dijo, dijimos, dijisteis, dijeron
present participle	diciendo
command	di (tú)
future	diré, dirás, dirá, diremos, diréis, dirán
present subjunctive	diga, digas, diga, digamos, digáis, digan
past participle	dicho

dirigir *(to direct)*

present	dirijo, diriges, dirige, dirigimos, dirigís, dirigen
present subjunctive	dirija, dirijas, dirija, dirijamos, dirijáis, dirijan

empezar *(to begin, to start)*

present	empiezo, empiezas, empieza, empezamos, empezáis, empiezan
present subjunctive	empiece, empieces, empiece, empecemos, empecéis, empiecen
Similar to:	almorzar *(to eat lunch)*, aterrizar *(to land)*, comenzar *(to begin)*, gozar *(to enjoy)*, realizar *(to attain, to bring about)*

enviar *(to send)*

present	envío, envías, envía, enviamos, enviáis, envían
present subjunctive	envíe, envíes, envíe, enviemos, enviéis, envíen
Similar to:	esquiar *(to ski)*

escribir *(to write)*

past participle	escrito
Similar to:	describir *(to describe)*

escoger *(to choose)*

present	escojo, escoges, escoge, escogemos, escogéis, escogen
Similar to:	coger *(to pick)*, recoger *(to pick up)*

estar *(to be)*

present	estoy, estás, está, estamos, estáis, están
preterite	estuve, estuviste, estuvo, estuvimos, estuvisteis, estuvieron
present subjunctive	esté, estés, esté, estemos, estéis, estén

haber *(to have)*

present	he, has, ha, hemos, habéis, han
preterite	hube, hubiste, hubo, hubimos, hubisteis, hubieron
future	habré, habrás, habrá, habremos, habréis, habrán
present subjunctive	haya, hayas, haya, hayamos, hayáis, hayan

hacer *(to do, to make)*

present	hago, haces, hace, hacemos, hacéis, hacen
preterite	hice, hiciste, hizo, hicimos, hicisteis, hicieron
command	haz (tú)
future	haré, harás, hará, haremos, haréis, harán
present subjunctive	haga, hagas, haga, hagamos, hagáis, hagan
past participle	hecho
Similar to:	deshacer *(to undo)*

ir *(to go)*

present	voy, vas, va, vamos, vais, van
preterite	fui, fuiste, fue, fuimos, fuisteis, fueron
imperfect	iba, ibas, iba, íbamos, ibais, iban
present participle	yendo
command	ve (tú)
present subjunctive	vaya, vayas, vaya, vayamos, vayáis, vayan

leer *(to read)*

preterite	leí, leíste, leyó, leímos, leísteis, leyeron
present participle	leyendo
past participle	leído
Similar to:	creer *(to believe)*

llegar *(to arrive)*

preterite	llegué, llegaste, llegó, llegamos, llegasteis, llegaron
present subjunctive	llegue, llegues, llegue, lleguemos, lleguéis, lleguen
Similar to:	agregar *(to add)*, apagar *(to turn off)*, colgar *(to hang up)*, despegar *(to take off)*, entregar *(to hand in)*, jugar *(to play)*, pagar *(to pay for)*

morir (to die)

past participle	muerto

oír (to hear, to listen)

present	oigo, oyes, oye, oímos, oís, oyen
preterite	oí, oíste, oyó, oímos, oísteis, oyeron
present participle	oyendo
present subjunctive	oiga, oigas, oiga, oigamos, oigáis, oigan
past participle	oído

poder (to be able)

present	puedo, puedes, puede, podemos, podéis, pueden
preterite	pude, pudiste, pudo, pudimos, pudisteis, pudieron
present participle	pudiendo
future	podré, podrás, podrá, podremos, podréis, podrán
present subjunctive	pueda, puedas, pueda, podamos, podáis, puedan

poner (to put, to place, to set)

present	pongo, pones, pone, ponemos, ponéis, ponen
preterite	puse, pusiste, puso, pusimos, pusisteis, pusieron
command	pon (tú)
future	pondré, pondrás, pondrá, pondremos, pondréis, pondrán
present subjunctive	ponga, pongas, ponga, pongamos, pongáis, pongan
past participle	puesto

proteger (to protect)

present	protejo, proteges, protege, protegemos, protegéis, protegen
present subjunctive	proteja, protejas, proteja, protejamos, protejáis, protejan

querer (to wish, to want, to love)

present	quiero, quieres, quiere, queremos, queréis, quieren
preterite	quise, quisiste, quiso, quisimos, quisisteis, quisieron
future	querré, querrás, querrá, querremos, querréis, querrán
present subjunctive	quiera, quieras, quiera, querramos, querráis, quieran

reír (to laugh)

present	río, ríes, ríe, reímos, reís, ríen
preterite	reí, reíste, rió, reímos, reísteis, rieron
present participle	riendo
present subjunctive	ría, rías, ría, riamos, riáis, rían
Similar to:	freír (to fry), sonreír (to smile)

romper (to break)

past participle	roto

saber *(to know, to know how)*

present	sé, sabes, sabe, sabemos, sabéis, saben
preterite	supe, supiste, supo, supimos, supisteis, supieron
future	sabré, sabrás, sabrá, sabremos, sabréis, sabrán
present subjunctive	sepa, sepas, sepa, sepamos, sepáis, sepan

salir *(to leave)*

present	salgo, sales, sale, salimos, salís, salen
command	sal (tú)
future	saldré, saldrás, saldrá, saldremos, saldréis, saldrán
present subjunctive	salga, salgas, salga, salgamos, salgáis, salgan

seguir *(to follow, to continue)*

present	sigo, sigues, sigue, seguimos, seguís, siguen
present participle	siguiendo
present subjunctive	siga, sigas, siga, sigamos, sigáis, sigan
Similar to:	conseguir *(to obtain, to attain, to get)*

ser *(to be)*

present	soy, eres, es, somos, sois, son
preterite	fui, fuiste, fue, fuimos, fuisteis, fueron
imperfect	era, eras, era, éramos, erais, eran
command	sé (tú)
present subjunctive	sea, seas, sea, seamos, seáis, sean

tener *(to have)*

present	tengo, tienes, tiene, tenemos, tenéis, tienen
preterite	tuve, tuviste, tuvo, tuvimos, tuvisteis, tuvieron
command	ten (tú)
future	tendré, tendrás, tendrá, tendremos, tendréis, tendrán
present subjunctive	tenga, tengas, tenga, tengamos, tengáis, tengan
Similar to:	contener *(to contain)*, detener *(to stop)*, mantener *(to maintain)*, obtener *(to obtain)*

torcer *(to twist)*

present	tuerzo, tuerces, tuerce, torcemos, torcéis, tuercen
present subjunctive	tuerza, tuerzas, tuerza, torzamos, torzáis, tuerzan

traer *(to bring)*

present	traigo, traes, trae, traemos, traéis, traen
preterite	traje, trajiste, trajo, trajimos, trajisteis, trajeron
present participle	trayendo
present subjunctive	traiga, traigas, traiga, traigamos, traigáis, traigan
past participle	traído
Similar to:	atraer *(to attract)*

valer *(to be worth)*

present	valgo, vales, vale, valemos, valéis, valen
preterite	valí, valiste, valió, valimos, valisteis, valieron
future	valdré, valdrás, valdrá, valdremos, valdréis, valdrán
present subjunctive	valga, valgas, valga, valgamos, valgáis, valgan

venir *(to come)*

present	vengo, vienes, viene, venimos, venís, vienen
preterite	vine, viniste, vino, vinimos, vinisteis, vinieron
present participle	viniendo
command	ven (tú)
future	vendré, vendrás, vendrá, vendremos, vendréis, vendrán
present subjunctive	venga, vengas, venga, vengamos, vengáis, vengan
Similar to:	convenir *(to suit, to agree)*

ver *(to see)*

present	veo, ves, ve, vemos, veis, ven
preterite	vi, viste, vio, vimos, visteis, vieron
imperfect	veía, veías, veía, veíamos, veíais, veían
present subjunctive	vea, veas, vea, veamos, veáis, vean
past participle	visto

volver *(to return)*

past participle	vuelto
Similar to:	resolver *(to solve)*

Appendix C

Numbers

Ordinal numbers

1—primero,-a (primer)	6—sexto,-a
2—segundo,-a	7—séptimo,-a
3—tercero,-a (tercer)	8—octavo,-a
4—cuarto,-a	9—noveno,-a
5—quinto,-a	10—décimo,-a

Cardinal numbers 0–1.000

0—cero	13—trece	26—veintiséis	90—noventa
1—uno	14—catorce	27—veintisiete	100—cien/ciento
2—dos	15—quince	28—veintiocho	200—doscientos,-as
3—tres	16—dieciséis	29—veintinueve	300—trescientos,-as
4—cuatro	17—diecisiete	30—treinta	400—cuatrocientos,-as
5—cinco	18—dieciocho	31—treinta y uno	500—quinientos,-as
6—seis	19—diecinueve	32—treinta y dos	600—seiscientos,-as
7—siete	20—veinte	33—treinta y tres, etc.	700—setecientos,-as
8—ocho	21—veintiuno	40—cuarenta	800—ochocientos,-as
9—nueve	22—veintidós	50—cincuenta	900—novecientos,-as
10—diez	23—veintitrés	60—sesenta	1.000—mil
11—once	24—veinticuatro	70—setenta	
12—doce	25—veinticinco	80—ochenta	

Appendix D

Syllabification

Spanish vowels may be weak or strong. The vowels *a, e* and *o* are strong, whereas *i* (and sometimes *y*) and *u* are weak. The combination of one weak and one strong vowel or of two weak vowels produces a diphthong, two vowels pronounced as one.

A word in Spanish has as many syllables as it has vowels or diphthongs.

al gu nas
lue go
pa la bra

A single consonant (including *ch, ll, rr*) between two vowels accompanies the second vowel and begins a syllable.

a mi ga
fa vo ri to
mu cho

Two consonants are divided, the first going with the previous vowel and the second going with the following vowel.

an tes
quin ce
ter mi nar

A consonant plus *l* or *r* is inseparable except for *rl, sl* and *sr*.

ma dre
pa la bra
com ple tar
Car los
is la

If three consonants occur together, the last, or any inseparable combination, accompanies the following vowel to begin another syllable.

es cri bir
som bre ro
trans por te

Prefixes should remain intact.

re es cri bir

Appendix E

Accentuation

Words that end in *a, e, i, o, u, n* or *s* are pronounced with the major stress on the next-to-the-last syllable. No accent mark is needed to show this emphasis.

octubre
refresco
señora

Words that end in any consonant except *n* or *s* are pronounced with the major stress on the last syllable. No accent mark is needed to show this emphasis.

escribir
papel
reloj

Words that are not pronounced according to the above two rules must have a written accent mark.

lógico
canción
después
lápiz

An accent mark may be necessary to distinguish identical words with different meanings.

dé/de
qué/que
sí/si
sólo/solo

An accent mark is often used to divide a diphthong into two separate syllables.

día
frío
Raúl

Vocabulary Spanish / English

All active words introduced in *NAVEGANDO 1* and *2* appear in this end vocabulary. The number and letter following an entry indicate the lesson in which an item is first actively used in *Navegando 2*. The vocabulary from *Navegando 1* and additional words and expressions are included for reference and have no number. Obvious cognates and expressions that occur as passive vocabulary for recognition only have been excluded from this end vocabulary.

Abbreviations:
d.o. direct object
f. feminine
i.o. indirect object
m. masculine
pl. plural
s. singular

A

a to, at, in; *a caballo* on horseback; *a causa de* because of, due to; *a crédito* on credit; *a cuadros* plaid, checkered 5B; *a favor (de)* in favor (of) 7B; *a fin de que* so that; *a la derecha* to the right 3A; *a la izquierda* to the left 3A; *a la(s)…* at… o'clock; *a lo mejor* maybe 8A; *a pie* on foot; *a propósito* by the way 9B; *¿a qué hora?* at what time?; *a rayas* striped 5B; *a tiempo* on time 6B; *a veces* sometimes, at times; *a ver* let's see, hello (telephone greeting)
abajo downstairs, down 6A
abierto,-a open; *vocales abiertas* open vowels
el **abogado**, la **abogada** lawyer 9A
abordar to board 8B
abran: see *abrir*
el **abrazo** hug
abre: see *abrir*
el **abrelatas** can opener 6B
la **abreviatura** abbreviation
el **abrigo** coat
abril April
abrir to open; *abran (Uds.* command) open; *abre (tú* command) open 2B
abrochar(se) to fasten
la **abuela** grandmother
el **abuelo** grandfather
aburrido,-a bored, boring

aburrir(se) to get bored 7A
acabar to finish, to complete, to terminate; *acabar de (+ infinitive)* to have just
el **accidente** accident 7A
el **aceite** oil
la **aceituna** olive
el **acento** accent
la **acentuación** accentuation
aceptado,-a accepted 9A
la **acera** sidewalk 3B
acerca de about 7B
aclarar to make clear, to explain
aconsejar to advise, to suggest 5B
el **acontecimiento** event, happening 7A
acordar(se) (de) (ue) to remember 5A
acostar (ue) to put (someone) in bed 2A; *acostarse* to go to bed, to lie down 2A
acostumbrar(se) to get used to 2B
el **acróbata**, la **acróbata** acrobat 4B
la **actitud** attitude 9B
la **actividad** activity 7A
el **actor** actor (male) 7A
la **actriz** actor (female), actress 7A
acuático,-a aquatic, pertaining to water 9A
el **acuerdo** accord; *de acuerdo* agreed, okay; *estar de acuerdo* to agree 7A
adelante ahead, farther on 3A
además besides, furthermore 5B

adentro inside 6A
el **aderezo** seasoning, flavoring, dressing 5B
adiós good-bye
adivinar to guess
el **adjetivo** adjective; *adjetivo posesivo* possessive adjective
adonde where
¿adónde? (to) where?
adornar to decorate
la **aduana** customs
el **adverbio** adverb
aéreo,-a air, pertaining to air 8A
los **aeróbicos** aerobics; *hacer aeróbicos* to do aerobics
la **aerolínea** airline 8B
el **aeropuerto** airport 3A
afeitar(se) to shave 2A; *crema de afeitar* shaving cream 2A
el **aficionado**, la **aficionada** fan 7B
el **África** Africa 4A
africano,-a African 4A
afuera outside 6A
la **agencia** agency; *agencia de viajes* travel agency 8A
el **agente**, la **agente** agent 8A
agosto August
agradable nice, pleasing, agreeable 5B
agradar to please 5B
agregar to add 5B
el **agricultor**, la **agricultora** farmer 9A
el **agua** *(f.)* water; *agua mineral* mineral water

el **aguacate** avocado

ahora now; *ahora mismo* right now

ahorrar to save

el **aire** air *6A; aire acondicionado* air conditioning *6A; al aire libre* outdoors *6A*

el **ajedrez** chess

el **ajo** garlic

al to the; *al aire libre* outdoors *6A; al lado de* next to, beside

la **alarma** alarm *3B; alarma de incendios* fire alarm, smoke alarm *6B*

alegrar (de) to make happy *6B; alegrarse (de)* to be glad *6B*

alegre happy, merry, lively

alemán, alemana German *9B*

Alemania Germany *9B*

el **alfabeto** alphabet

la **alfombra** carpet, rug *6A*

el **álgebra** algebra *1A*

algo something, anything

el **algodón** cotton; *algodón de azúcar* cotton candy *4A*

alguien someone, anyone, somebody, anybody

algún, alguna some, any

alguno,-a some, any

allá over there

allí there

el **almacén** department store, grocery store *3A;* warehouse

la **almeja** clam *5A*

almorzar (ue) to have lunch, to eat lunch *2A*

el **almuerzo** lunch

aló hello (telephone greeting)

alojar(se) to lodge *8B; alojarse* to stay *8B*

alquilar to rent

alrededor de around *7B*

alterna (*tú* command) alternate

el **alto** stop *3B*

alto,-a tall, high

amable kind, nice

amarillo,-a yellow

ambiguo,-a ambiguous

la **América** America *4A; América Central* Central America *4A; América del Norte* North America *4A; América del Sur* South America *4A*

americano,-a American; *fútbol americano* football

el **amigo,** la **amiga** friend; *amigo/a por correspondencia* pen pal

la **amistad** friendship *9A*

el **amor** love

anaranjado,-a orange (color)

andar to walk, to go *5A;* to be *5A*

andino,-a Andean, of the Andes Mountains

el **anillo** ring

el **animal** animal *4A*

anoche last night *5A*

anochecer to get dark, to turn to dusk *5B*

anteayer the day before yesterday

anterior preceding

antes de before

antiguo,-a antique, ancient, old *4A*

el **anuncio** announcement, advertisement *7A; anuncio comercial* commercial announcement, commercial, advertisement *7A*

añade: see *añadir*

añadir to add; *añade (tú command)* add

el **año** year; *Año Nuevo* New Year's (Day); *¿Cuántos años tienes?* How old are you?; *cumplir años* to have a birthday; *tener (+ number) años* to be (+ number) years old

apagar to turn off

el **aparato** appliance, apparatus *6B*

el **apartamento** apartment *3A*

el **apellido** last name, surname *8B*

el **apodo** nickname

aprender to learn

apropiado,-a appropriate

apunta: see *apuntar*

apuntar to point; *apunta (tú command)* point (at); *apunten (Uds. command)* point (at)

apunten: see *apuntar*

apurado,-a in a hurry

apurar(se) to hurry up *5B*

aquel, aquella that (far away)

aquél, aquélla that (one) *2A*

aquello that *2A*

aquellos, aquellas those (far away)

aquéllos, aquéllas those (ones) *6A*

aquí here; *Aquí se habla español.* Spanish is spoken here.

árabe Arab

Arabia Saudita Saudi Arabia *9B*

el **árbitro,** la **árbitro** referee, umpire *7B*

el **árbol** tree *4B; árbol genealógico* family tree

la **arena** sand

el **arete** earring

la **Argentina** Argentina

argentino,-a Argentinean *4A*

el **armario** closet, wardrobe *6A;* cupboard

el **arte** art

el **artículo** article *7B*

el **artista,** la **artista** artist *9A*

arreglar to arrange, to straighten, to fix

arriba upstairs, up, above *6A*

la **arroba** at (the symbol @ used for e-mail addresses)

el **arroz** rice

el **ascensor** elevator

así thus, that way *2A*

el **Asia** Asia *9B*

asiático,-a Asian *9B*

la **asignatura** subject *1A*

asistir a to attend *9A*

la **aspiración** aspiration, hope *9A*

la **aspiradora** vacuum; *pasar la aspiradora* to vacuum

atentamente respectfully, yours truly

aterrizar to land *8B*

el **ático** attic *6A*

el **Atlántico** Atlantic Ocean

la **atracción** attraction *4A;* (amusement) ride *4A; parque de atracciones* amusement park

atravesado,-a crossed

el **atún** tuna *5A*

el **aumento** increase

aun even

aunque although *6B*

Australia Australia *9B*

australiano,-a Australian *9B*

el **autobús** bus; *estación de autobuses* bus station *6A*

el **autógrafo** autograph *7A*

el **auxiliar de vuelo,** la **auxiliar de vuelo** flight attendant *8B*

el **ave** fowl, bird

la **avenida** avenue

el **avión** airplane

el **aviso** printed advertisement *7B*

¡ay! oh!

ayer yesterday

la **ayuda** help

ayudar to help

el **azafrán** saffron

la **azotea** flat roof

los **aztecas** Aztecs

el **azúcar** sugar

la **azucarera** sugar bowl *5B*

azul blue

bailar to dance

el **baile** dance, dancing *9A*

bajar (un programa) to download (a software program) *1A*

bajo under *8B*

bajo,-a short (not tall), low; *planta baja* ground floor; *zapato bajo* low-heel shoe

balanceado,-a balanced

el **baloncesto** basketball

el **banco** bank

la **banda** band *4B*

bañar(se) to bathe *2A*

el **baño** bathroom; *baño de los caballeros* men's restroom; *cuarto de baño* bathroom; *traje de baño* swimsuit

barato,-a cheap

el **barco** boat, ship

barrer to sweep

el **barril** barrel

el **barrio** neighborhood *3B*

basado,-a based

el **básquetbol** basketball

el **basquetbolista,** la **basquetbolista** basketball player

bastante rather, fairly, sufficiently; enough, sufficient

la **basura** garbage

el **baúl** trunk *3B*

la **bebida** drink

el **béisbol** baseball

las **bermudas** bermuda shorts *1B*

el **beso** kiss *6A*

la **biblioteca** library

el **bibliotecario,** la **bibliotecaria** librarian *9A*

la **bicicleta** bicycle, bike

bien well; *quedarle bien a uno* to fit, to be becoming

la **bienvenida** welcome *8B*

bienvenido,-a welcome *4A*

el **billete** ticket *8A*

la **billetera** wallet

la **biología** biology

la **bisabuela** great-grandmother *6A*

el **bisabuelo** great-grandfather *6A*

blanco,-a white

la **blusa** blouse

la **boca** mouth *2B*

la **boda** wedding

el **boleto** ticket *4B*

el **bolígrafo** pen

Bolivia Bolivia

boliviano,-a Bolivian *4A*

la **bolsa** bag *5A*

el **bolso** handbag, purse

el **bombero,** la **bombera** firefighter *9A*

la **bombilla** light bulb *6A*

bonito,-a pretty, good-looking, attractive

borra: see *borrar*

el **borrador** eraser

borrar to erase; *borra* (*tú* command) erase; *borren* (*Uds.* command) erase

borren: see *borrar*

el **bosque** forest *4B*

bostezar to yawn *7A*

la **bota** boot

el **bote** boat *1B*

el **botones** bellhop *8B*

el **Brasil** Brazil *9B*

brasileño,-a Brazilian *9B*

el **brazo** arm

la **broma** joke *6A*

broncear(se) to tan *2B*

el **buceo** scuba diving *9A*

buen good (form of *bueno* before a *m., s.* noun); *hace buen tiempo* the weather is nice

bueno well, okay (pause in speech); hello (telephone greeting)

bueno,-a good; *buena suerte* good luck; *buenas noches* good night; *buenas tardes* good afternoon; *buenos días* good morning

la **bufanda** scarf

el **burro** burro, donkey *4B*

buscar to look for

el **caballero** gentleman *3A*; *baño de los caballeros* men's restroom

el **caballo** horse; *a caballo* on horseback

caber to fit (into) *5A*

la **cabeza** head

cada each, every

la **cadena** chain

caer(se) to fall (down) *2B*

café brown (color)

el **café** coffee

la **cafetera** coffee pot, coffee maker *6B*

la **cafetería** cafeteria

la **caja** cashier's desk

el **cajero,** la **cajera** cashier *5B*

el **calcetín** sock

el **calendario** calendar

la **calidad** quality

caliente hot

la **calle** street

calmar(se) to calm down *2A*

el **calor** heat; *hace calor* it is hot; *tener calor* to be hot

calvo,-a bald

la **cama** bed

la **cámara** camera *4A*

el **camarero,** la **camarera** food server *5B*

el **camarón** shrimp *5A*

cambiar to change *6B*

el **cambio** change; *en cambio* on the other hand

el **camello** camel *4A*

caminar to walk

el **camino** road, path

el **camión** truck

la **camisa** shirt

la **camiseta** jersey, polo, T-shirt

el **campeonato** championship *7B*

el **camping** camping *1B*

el **Canadá** Canada *9B*

canadiense Canadian *9B*

el **canal** channel *7A*

la **canción** song

el **cangrejo** crab *5A*

canoso,-a white-haired

cansado,-a tired

el **cantante,** la **cantante** singer *7A*

cantar to sing

la **cantidad** quantity

la **capital** capital

el **capitán** captain

el **capítulo** chapter
el **capó** hood *3B*
la **cara** face *2B*
la **característica** characteristic, trait; *características de personalidad* personality traits; *características físicas* physical traits
¡caramba! wow!
cargar to charge *8A*
el **Caribe** Caribbean
cariñoso,-a affectionate
el **carnaval** carnival
la **carne** meat; *carne de res* beef *5A*
la **carnicería** meat market, butcher shop *3A*
caro,-a expensive
el **carpintero, la carpintera** carpenter *9A*
la **carta** letter; playing card
la **carrera** career, race *9A*
la **carretera** highway *3A*
el **carro** car; *carros chocones* bumper cars *4A; en carro* by car
el **carrusel** carrousel, merry-go-round *4A*
la **casa** home, house; *en casa* at home
el **casete** cassette
casi almost
la **catarata** waterfall
la **catástrofe** catastrophe *7A*
la **catedral** cathedral *3A*
catorce fourteen
la **cebolla** onion
la **cebra** zebra *4A*
la **celebración** celebration *7A*
celebrar to celebrate
el **celular** cellular phone *1A*
la **cena** dinner, supper *2A*
cenar to have dinner, to have supper *2A*
el **centavo** cent
el **centro** downtown, center; *centro comercial* shopping center, mall
centroamericano,-a Central American *9B*
cepillar(se) to brush *2A*
el **cepillo** brush *2A*
la **cerca** fence *6A*
cerca (de) near
el **cerdo** pig *4B*; pork *4B*
el **cereal** cereal *5A*
cero zero

cerrado,-a closed; *vocales cerradas* closed vowels
la **cerradura** lock *6B*
cerrar (ie) to close; *cierra (tú* command) close; *cierren (Uds.* command) close
el **césped** lawn, grass *3B*; *cortadora de césped* lawn mower *6A*
el **cesto de papeles** wastebasket, wastepaper basket
el **champú** shampoo *2A*
chao good-bye
la **chaqueta** jacket
charlando talking, chatting
el **cheque** check *8A*
la **chica** girl
el **chico** boy, man, buddy
Chile Chile
chileno,-a Chilean *4A*
la **chimenea** chimney, fireplace *6A*
la **China** China *9B*
chino,-a Chinese *9B*
el **chisme** gossip *1B*
el **chiste** joke *5A*
chistoso,-a funny *4A*
el **chocolate** chocolate
el **chofer, la chofer** chauffeur, driver *9A*
el **chorizo** sausage (seasoned with red peppers)
el **cielo** sky *4B*
cien one hundred
la **ciencia** science
ciento one hundred (when followed by another number)
cierra: see *cerrar*
cierren: see *cerrar*
el **cigarrillo** cigarette
cinco five
cincuenta fifty
el **cine** movie theater
el **cinturón** belt; *cinturón de seguridad* seat belt, safety belt *3B*
el **circo** circus *4B*
la **ciruela** plum *5A*
la **cita** appointment, date *2B*
la **ciudad** city
la **civilización** civilization
claro,-a clear *6B*
¡claro! of course!
la **clase** class
clasificar to classify
el **claxon** horn *3B*

el **clima** climate
el **club** club *6B*
el **coche** car *3B; en coche* by car
la **cocina** kitchen
cocinar to cook
el **cocinero, la cocinera** cook *5B*
el **codo** elbow *2B*
el **cognado** cognate
la **colección** collection *9A*
el **colegio** school
colgar (ue) to hang
la **colina** hill
el **collar** necklace
colocar(se) to put, to place *8B*
Colombia Colombia
colombiano,-a Colombian *4A*
la **colonia** colony
el **color** color
la **columna** column *7B*
combinar to combine
la **comedia** comedy, play *7A*
el **comedor** dining room
el **comentarista, la comentarista** commentator *7B*
comenzar (ie) to begin, to start *6B*
comer to eat; *dar de comer* to feed
comercial commercial *7A*; *anuncio comercial* commercial announcement, commercial, advertisement *7A; centro comercial* shopping center, mall
comerse to eat up, to eat completely *2B*
cómico,-a comical, funny
la **comida** food; dinner *2A*
como like, since; such as *4A*
¿cómo? how?, what?; *¿Cómo? What (did you say)?; ¿Cómo está (Ud.)? How are you (formal)?; ¿Cómo están (Uds.)? How are you (pl.)?; ¿Cómo estás (tú)? How are you (informal)?; ¡Cómo no! Of course!; ¿Cómo se dice...? How do you say...?; ¿Cómo se escribe...? How do you write (spell)...?; ¿Cómo se llama (Ud./él/ella)? What is (your/his/her) name?; ¿Cómo te llamas? What is your name?*
cómodo,-a comfortable
el **compañero, la compañera** classmate, partner
la **compañía** company *8A*

comparando comparing

el **compartimiento** compartment

compartir to share

la **competencia** competition

complacer to please 6B

completa: see *completar*

completar to complete; *completa (tú command)* complete

completo,-a complete 8A

la **compra** purchase; *ir de compras* to go shopping

comprar to buy

comprender to understand; *comprendo* I understand

comprendo: see *comprender*

la **computadora** computer (machine)

la **comunicación** communication 1A

con with; *con (mucho) gusto* I would be (very) glad to; *con permiso* excuse me (with your permission), may I; *siempre salirse con la suya* to always get one's way 9B

el **concierto** concert

el **concurso** contest, competition 7A; *programa de concurso* game show

conducir to drive, to conduct, to direct 3B

conectado,-a connected 1A

el **conejo** rabbit 4B

la **conjunción** conjunction

conmigo with me

conocer to know, to be acquainted with, to be familiar with 3B; to meet

conocido,-a known, famous

conseguir (i, i) to obtain, to attain, to get 1A

el **consejo** advice 5B

el **consultorio** doctor's office

la **contaminación** contamination, pollution 1A; *contaminación ambiental* environmental pollution 1A

contar (ue) to tell (a story); *cuenta (tú command)* tell; *cuenten (Uds. command)* tell

contener to contain

contento,-a happy, glad; *estar contento,-a (con)* to be satisfied (with)

contesta: see *contestar*

contestar to answer; *contesta (tú command)* answer; *contesten (Uds. command)* answer

contesten: see *contestar*

el **contexto** context

contigo with you (*tú*)

continúa: see *continuar*

continuar to continue; *continúa (tú command)* continue; *continúen (Uds. command)* continue

continúen: see *continuar*

la **contracción** contraction

el **control remoto** remote control

convenir to be fitting, to agree 6B

copiar to copy

el **corazón** heart 2B; honey (term of endearment)

la **corbata** tie

la **cortadora de césped** lawn mower 6A

cortar to cut, to mow 6A

la **cortesía** courtesy

la **cortina** curtain 6A

corto,-a short (not long)

correcto,-a right, correct

el **corredor** corridor, hallway

el **corredor, la corredora** runner

el **correo** mail; *correo electrónico* electronic mail; *oficina de correos* post office 6A

correr to run

la **correspondencia** correspondence

la **corrida** bullfight 8A

la **cosa** thing

la **costa** coast

Costa Rica Costa Rica

costar (ue) to cost

costarricense Costa Rican 4A

la **costilla** rib 5A

la **costura** sewing

crear to create

crecer to grow

el **crédito** credit; *a crédito* on credit; *tarjeta de crédito* credit card

creer to believe 1B

la **crema** cream 5A; *crema de afeitar* shaving cream 2A

el **crucero** cruise ship 1B

cruzar to cross

el **cuaderno** notebook

la **cuadra** city block 3A

el **cuadro** square 5B; picture, painting 6A; *a cuadros* plaid, checkered 5B

¿cuál? which?, what?, which one?; *(pl. ¿cuáles?)* which ones?

la **cualidad** quality

cualquier, cualquiera any 5B

cualquiera any at all 6B

cuando when

¿cuándo? when?

¿cuánto,-a? how much?; *(pl. ¿cuántos,-as?)* how many?; *¿Cuánto (+ time expression) hace que (+ present tense of verb)...?* How long...?; *¿Cuántos años tienes?* How old are you?

cuarenta forty

el **cuarto** quarter; room, bedroom; *cuarto de baño* bathroom; *cuarto de charla* chat room 1A; *menos cuarto* a quarter to, a quarter before; *servicio de habitaciones* room service 8B; *y cuarto* a quarter after, a quarter past

cuarto,-a fourth

cuatro four

cuatrocientos,-as four hundred

Cuba Cuba

cubano,-a Cuban 4A

los **cubiertos** silverware

cubrir to cover 7A

la **cuchara** tablespoon

la **cucharita** teaspoon

el **cuchillo** knife

el **cuello** neck 2B

la **cuenta** bill, check 5B

cuenta: see *contar*

el **cuerno** horn 4B

el **cuero** leather

el **cuerpo** body

el **cuidado** care 6A; *tener cuidado* to be careful 6A

cuidar(se) to take care of 2B

culto,-a cultured, well-read 7B

la **cultura** culture, knowledge 7B

el **cumpleaños** birthday; *¡Feliz cumpleaños!* Happy birthday!

cumplir to become, to become (+ number) years old, to reach; *cumplir años* to have a birthday

la **curva** curve *3B*
cuyo,-a of which, whose

la **dama** lady
las **damas** checkers; *baño de las damas* women's restroom *3A*
dar to give; *dar de comer* to feed; *dar un paseo* to take a walk; *dé (Ud. command)* give
de from, of; *de acuerdo* agreed, okay; *de cerca* close up, from a short distance *3B*; *¿de dónde?* from where?; *¿De dónde eres?* Where are you from?; *¿De dónde es (Ud./él/ella)?* Where are you (formal) from?, Where is (he/she/it) from?; *de habla hispana* Spanish-speaking; *de ida y vuelta* round-trip *8A*; *de la mañana* in the morning, A.M.; *de la noche* at night, P.M.; *de la tarde* in the afternoon, P.M.; *de nada* you are welcome, not at all; *de todos los días* everyday; *¿de veras?* really?; *¿Eres (tú) de...?* Are you from...?
dé: see *dar*
deber should, to have to, must, ought (expressing a moral duty)
decidir to decide *5B*
décimo,-a tenth
decir to tell, to say; *¿Cómo se dice...?* How do you say...?; *di (tú command)* tell, say *2B*; *díganme (Uds. command)* tell me; *dime (tú command)* tell me; *¡no me digas!* you don't say! *9B*; *¿Qué quiere decir...?* What is the meaning (of)...?; *querer decir* to mean; *quiere decir* it means; *se dice* one says
el **dedo** finger, toe
el **defensor,** la **defensora** defender *7B*
dejar (de) to leave; to stop, to quit *2B*; to let, to allow *6A*
del of the, from the
el **delantero,** la **delantera** forward *7B*
delgado,-a thin
delicioso,-a delicious *5B*
demasiado too (much)
demasiado,-a too many, too much *5A*

la **democracia** democracy
la **demora** delay *3B*
el **dentista,** la **dentista** dentist
el **departamento** department
el **dependiente,** la **dependienta** clerk
el **deporte** sport
el **deportista,** la **deportista** athlete
deportivo,-a sporty *3B*
la **derecha** right *3A*; *a la derecha* to the right *3A*
derecho straight ahead *3A*
derecho,-a right *2B*
desaparecido,-a missing
el **desastre** disaster
desayunar to have breakfast *2A*
el **desayuno** breakfast *2A*
descansar to rest, to relax *2B*
describe: see *describir*
describir to describe; *describe (tú command)* describe
desde since, from; *desde luego* of course *2A*
desear to wish
el **deseo** wish
el **desfile** parade *4A*
el **desierto** desert
el **desodorante** deodorant *2A*
la **despedida** farewell, good-bye *9B*
despedir(se) (i, i) to say good-bye *2B*
despegar to take off *8B*
el **despertador** alarm clock *6A*
despertar(se) (ie) to wake up *2A*
después afterwards, later, then; *después de* after
destacar(se) to stand out
desteñido,-a faded *5B*
el **destino** destination *8A*; destiny, fate
la **destreza** skill, expertise *4B*
la **destrucción** destruction *7A*
desvestir(se) to undress
detrás de behind, after *4B*
di: see *decir*
el **día** day; *buenos días* good morning; *de todos los días* everyday; *todos los días* every day
el **diálogo** dialog
diario,-a daily
dibuja: see *dibujar*

dibujar to draw, to sketch; *dibuja (tú command)* draw; *dibujen (Uds. command)* draw
dibujen: see *dibujar*
el **dibujo** drawing, sketch; *dibujo animado* cartoon *7A*
la **dicha** happiness *8A*
diciembre December
el **dictado** dictation
diecinueve nineteen
dieciocho eighteen
dieciséis sixteen
diecisiete seventeen
el **diente** tooth *2B*
diez ten
la **diferencia** difference
diferente different *5B*
difícil difficult, hard; *ser difícil que* to be unlikely that *6B*
diga hello (telephone greeting)
dígame tell me, hello (telephone greeting)
díganme: see *decir*
dime: see *decir*
el **dinero** money
la **dirección** instruction, guidance *3A*; address *3B*; direction *3B*
el **director,** la **directora** director
dirigir to direct
el **disco** record, disc; *disco compacto* compact disc, CD-ROM
discutir to argue, to discuss *6B*
diseñar to design
el **diskette** diskette
divertido,-a fun
divertir (ie, i) to amuse *2B*; *divertirse* to have fun *2B*
doblar to turn (a corner) *3B*
doble double *8B*
doce twelve
el **doctor,** la **doctora** doctor (abbreviation: *Dr., Dra.*) *2B*
el **dólar** dollar
doler (ue) to hurt *2B*
domingo Sunday; *el domingo* on Sunday
dominicano,-a Dominican *4A*
don title of respect used before a man's first name
donde where
¿dónde? where?; *¿de dónde?* from where?; *¿Dónde está...?* Where are you (formal)...?, Where is...?

dondequiera wherever *9A*
doña title of respect used
before a woman's first name
dormir (ue, u) to sleep;
dormirse to fall asleep *2B*
dos two
doscientos,-as two hundred
Dr. abbreviation for *doctor*
Dra. abbreviation for *doctora*
la **ducha** shower *2A*
duchar(se) to shower *2A*
dudar to doubt *6B*
dudoso,-a doubtful *6B*
dulce sweet
el **dulce** candy *3A*
la **dulcería** candy store *3A*
durante during *4B*
el **durazno** peach *5A*

e and (used before a word
beginning with *i* or *hi*)
la **ecología** ecology *1A*
la **economía** economy *7B*
económico,-a economic *7B*
el **Ecuador** Ecuador
ecuatoriano,-a Ecuadorian *4A*
la **edad** age
el **edificio** building
el **editorial** editorial *7B*
la **educación física** physical
education
el **efectivo** cash; *en efectivo*
in cash
egoísta selfish
el **ejemplo** example; *por ejemplo*
for example
el **ejercicio** exercise *2B*
el the *(m., s.)*
él he; him (after a preposition);
Él se llama... His name is...
El Salvador El Salvador
eléctrico,-a electric
el **elefante** elephant *4A*
elegante elegant *5B*
ella she; her (after a
preposition); *Ella se llama...*
Her name is...
ello it, that (neuter form)
ellos,-as they; them (after a
preposition)
el **e-mail** e-mail *1A*
la **emigración** emigration
la **emisora** radio station *7B*
emocionado,-a excited *8A*
emocionante exciting *4B*

empatados: see *empate*
empatar to tie (the score of a
game) *7B*
el **empate** tie; *partidos empatados*
games tied
empezar (ie) to begin, to start
el **empleado,** la **empleada**
employee *9A*
el **empleo** job *9A*
la **empresa** business *9A*
en in, on, at; *en* (+ vehicle) by
(+ vehicle); *en cambio* on the
other hand; *en carro* by car; *en
casa* at home; *en coche* by car;
en cuanto as soon as *6B*; *en
efectivo* in cash; *en medio de* in
the middle of, in the center of
9B; *en resumen* in short; *en
seguida* immediately *8B*; *en
vivo* live *7B*
encantado,-a delighted, the
pleasure is mine
encantar to enchant,
to delight *6B*
encargar (de) to make
responsible (for), to put in
charge (of) *6A*; *encargarse (de)*
to take care of, to take charge
(of) *6A*
encender (ie) to light, to turn
on (a light)
la **enchilada** enchilada *3A*
encima de above, over,
on top of *4B*
encontrar (ue) to find *1A*
la **encuesta** survey, poll *7B*
enero January
el **énfasis** emphasis
el **enfermero,** la **enfermera**
nurse *2B*
enfermo,-a sick
engordar to make fat *5B*;
to get fat *5B*
la **ensalada** salad
enseñar to teach, to show
enterar(se) de to find out,
to become aware, to learn
about *7B*
entonces then
entrar to go in, to come in
entre between, among
entregar to hand in *8B*
la **entrevista** interview *7B*
enviar to send
el **equipaje** luggage *8B*; *equipaje
de mano* carry-on luggage *8B*

el **equipo** team
equivocar(se) to be
mistaken *2B*
eres: see *ser*
es: see *ser*
la **escala** stopover *8B*
la **escalera** stairway, stairs;
escalera mecánica escalator
escapar(se) to escape *4B*
la **escena** scene
la **escoba** broom *6A*
escoger to choose; *escogiendo*
choosing
escogiendo: see *escoger*
escriban: see *escribir*
escribe: see *escribir*
escribir to write; *¿Cómo se
escribe...?* How do you write
(spell)...?; *escriban* (Uds.
command) write; *escribe* (*tú*
command) write; *se escribe* it is
written
el **escritor,** la **escritora** writer *9A*
el **escritorio** desk
escucha: see *escuchar*
escuchar to hear, to listen (to)
7B; *escucha* (*tú* command)
listen; *escuchen* (Uds.
command) listen
escuchen: see *escuchar*
la **escuela** school
ese, esa that
ése, ésa that (one) *2A*
eso that (neuter form) *2A*
esos, esas those
ésos, ésas those (ones) *2A*
el **espacio** space
la **espalda** back *2B*
España Spain
el **español** Spanish (language);
Aquí se habla español. Spanish
is spoken here.; *Se habla
español.* Spanish is spoken.
español, española Spanish *4A*
especial special
especializado,-a specialized
el **espectáculo** show
el **espectador,** la **espectadora**
spectator *7B*
el **espejo** mirror *2A*
esperar to wait (for) *2A*; to
hope *6B*
la **esposa** wife, spouse
el **esposo** husband, spouse
el **esquí** skiing *9A*
el **esquiador,** la **esquiadora** skier

esquiar to ski
la **esquina** corner *3A*
está: see *estar*
el **establo** stable *4B*
la **estación** season; station *3A*;
estación de autobuses bus
station *3A*; *estación del metro*
subway station *3A*; *estación
del tren* train station *3A*
el **estadio** stadium
el **Estado Libre Asociado**
Commonwealth
los **Estados Unidos** United States
of America
estadounidense something or
someone from the United
States *4A*
están: see *estar*
estar to be; *¿Cómo está (Ud.)?*
How are you (formal)?; *¿Cómo
están (Uds.)?* How are you
(pl.)?; *¿Cómo estás (tú)?* How
are you (informal)?; *¿Dónde
está...?* Where are you
(formal)...?, Where is...?; *está*
you (formal) are, he/she/it is;
está nublado,-a it is cloudy;
está soleado,-a it is sunny;
están they are; *estar contento,-a
(con)* to be satisfied (with);
estar de acuerdo to agree *7A*;
estar en oferta to be on sale;
estar listo,-a to be ready; *estás*
you (informal) are; *estoy* I am
estás: see *estar*
este well, so (pause in speech)
el **este** east *3B*
este, esta this; *esta noche*
tonight
éste, ésta this (one) *2A*
el **estéreo** stereo
estimado,-a dear
esto this *2A*
el **estómago** stomach *2B*
estos, estas these
éstos, éstas these (ones) *2A*
estoy: see *estar*
estrecho,-a narrow
la **estrella** star *4B*
la **estructura** structure
estudia: see *estudiar*
el **estudiante,** la **estudiante**
student
estudiar to study; *estudia (tú*
command) study; *estudien
(Uds.* command) study

estudien: see *estudiar*
el **estudio** study
la **estufa** stove
estupendo,-a wonderful,
marvelous
Europa Europe *9B*
europeo,-a European *9B*
evidente evident *6B*
exagerar to exaggerate *6A*
el **examen** exam, test
excelente excellent
el **excusado** toilet *2A*
la **exhibición** exhibition *3B*
exigente demanding *3B*
el **éxito** success *7A*; *tener éxito*
to be successful, to be a
success *7A*
la **experiencia** experience *9A*
explica: see *explicar*
la **explicación** explanation,
reason
explicar to explain; *explica
(tú* command) explain
el **explorador,** la **exploradora**
explorer
la **exportación** exportation
exportador, exportadora
exporting
expresar to express
la **expresión** expression
la **extensión** extension
extranjero,-a foreign *7A*
extrañar to miss *9A*

fácil easy; *ser fácil que* to be
likely that *6B*
la **facultad** school (of a
university) *9B*
la **falda** skirt
falso,-a false
la **familia** family
famoso,-a famous *7A*
fantástico,-a fantastic, great
el **faro** headlight *3B*; lighthouse
fascinante fascinating *4A*
fascinar to fascinate *6B*
el **favor** favor; *por favor* please
favorito,-a favorite
el **fax** fax *1A*
febrero February
la **fecha** date
felicitaciones
congratulations
feliz happy *(pl. felices)*; *¡Feliz
cumpleaños!* Happy birthday!

femenino,-a feminine
feo,-a ugly
feroz fierce, ferocious
(pl. feroces) 4A
el **ferrocarril** railway, railroad
la **fiesta** party
la **fila** line, row *4B*
el **filete** fillet, boneless cut of beef
or fish *5A*
filmar to film
la **filosofía** philosophy
el **fin** end; *a fin de que* so that *6B*;
fin de semana weekend; *por fin*
finally *9B*
la **finca** ranch, farm *4B*
firmar to sign *8B*
la **física** physics
el **flamenco** flamingo *4A*; type
of dance
el **flan** custard *5A*
la **flauta** flute
la **flor** flower
la **florcita** small flower
la **florería** flower shop *3A*
el **folleto** brochure *8A*
la **forma** form
la **foto(grafía)** photo
el **fotógrafo,** la **fotógrafa**
photographer *9A*
fracasar to fail *7A*
francés, francesa French *9B*
Francia France *9B*
la **frase** phrase, sentence
el **fregadero** sink
freír (i, i) to fry *5A*
el **freno** brake *3B*
la **fresa** strawberry
el **fresco** cool; *hace fresco* it is cool
fresco,-a fresh, chilly
el **frío** cold; *hace frío* it is cold;
tener frío to be cold
frío,-a cold
la **fruta** fruit
la **frutería** fruit store *3A*
fue: see *ser*
el **fuego** fire; *fuegos artificiales*
fireworks *4A*
fueron: see *ser*
fuerte strong *9A*
fumar to smoke *2B*
fundar to found
el **fútbol** soccer; *fútbol americano*
football
el **futbolista,** la **futbolista** soccer
player
el **futuro** future *9A*

G

las **gafas de sol** sunglasses *1B*
la **galleta** cookie, biscuit
la **gallina** hen *4B*
el **gallo** rooster *4B*
la **gana** desire; *tener ganas de* to feel like
    ganados: see *ganar*
    ganar to win, to earn *6A*; *los partidos ganados* games won
el **garaje** garage
la **garganta** throat *2B*
el **gasto** expense *8A*
el **gato,** la **gata** cat
el **género** gender
    generoso,-a generous
la **gente** people
la **geografía** geography
la **geometría** geometry
el **gerente,** la **gerente** manager *9A*
el **gerundio** present participle
el **gesto** gesture
el **gimnasio** gym
el **globo** balloon *4A*; globe *4A*
el **gobernador,** la **gobernadora** governor
el **gobierno** government
el **gol** goal *7B*
la **golosina** sweets *4A*
    gordo,-a fat
el **gorila** gorilla *4A*
la **gorra** cap *1B*
    gozar to enjoy *8A*
la **grabadora** tape recorder (machine)
    grabar to record *7A*
    gracias thanks; *muchas gracias* thank you very much
el **grado** degree
    gran big (form of *grande* before a *m., s.* noun); great *4B*
    grande big
el **grifo** faucet *2A*
la **gripe** flu *2B*
    gris gray
    gritar to shout *4A*
el **grupo** group; *grupo musical* musical group
el **guante** glove
    guapo,-a good-looking, attractive, handsome, pretty
    Guatemala Guatemala
    guatemalteco,-a Guatemalan *4A*

la **guía** guidebook *8A*
el **guía,** la **guía** guide *4A*
el **guisante** pea
la **guitarra** guitar
    gustar to like, to be pleasing to; *me/te/le/nos/os/les gustaría...* I/you/he/she/it/we/they would like...
    gustaría: see *gustar*
el **gusto** pleasure; *con (mucho) gusto* I would be (very) glad to; *el gusto es mío* the pleasure is mine; *¡Mucho gusto!* Glad to meet you!; *Tanto gusto.* So glad to meet you.

H

    haber to have (auxiliary verb) *7A*
    había there was, there were *4A*
la **habichuela** green bean
la **habitación** room *8B*; bedroom
el **habitante,** la **habitante** inhabitant
    habla: see *hablar*
el **habla** *(f.)* speech, speaking; *de habla hispana* Spanish-speaking
    hablar to speak; *Aquí se habla español.* Spanish is spoken here.; *habla (tú* command) speak; *hablen (Uds.* command) speak; *Se habla español.* Spanish is spoken.
    hablen: see *hablar*
    hace: see *hacer*
    hacer to do, to make; *¿Cuánto (+ time expression) hace que (+ present tense of verb)...?* How long...?; *hace buen (mal) tiempo* the weather is nice (bad); *hace fresco* it is cool; *hace frío (calor)* it is cold (hot); *hace (+ time expression) que* ago; *hace sol* it is sunny; *hace viento* it is windy; *hacer aeróbicos* to do aerobics; *hacer falta* to be necessary, to be lacking; *hacer una pregunta* to ask a question; *hagan (Uds.* command) do, make; *haz (tú* command) do, make; *haz el papel* play the part; *hecha* made; *La práctica hace al maestro.* Practice makes perfect.; *¿Qué temperatura*

hace? What is the temperature?; *¿Qué tiempo hace?* How is the weather?
    hacia toward *3A*
    hagan: see *hacer*
el **hambre** *(f.)* hunger; *tener hambre* to be hungry
    hasta until, up to, down to; *hasta la vista* so long, see you later; *hasta luego* so long, see you later; *hasta mañana* see you tomorrow; *hasta pronto* see you soon
    hay there is, there are; *hay neblina* it is misty; *hay sol* it is sunny
    haz: see *hacer*
    hecha: see *hacer*
la **heladería** ice cream parlor *3A*
el **helado** ice cream
la **herencia** heritage; inheritance
la **herida** wound *7A*
    herido,-a injured *7A*
la **hermana** sister
la **hermanastra** stepsister *6A*
el **hermanastro** stepbrother *6A*
el **hermano** brother
    hermoso,-a beautiful, lovely *9A*
el **hielo** ice; *patinar sobre hielo* to ice-skate
la **hija** daughter
el **hijo** son
el **hipopótamo** hippopotamus *4A*
    hispano,-a Hispanic; *de habla hispana* Spanish-speaking
la **historia** history
el **hogar** home *6A*
la **hoja** sheet; *hoja de papel* sheet of paper
    hola hi, hello
el **hombre** man; *hombre de negocios* businessman *9A*
el **hombro** shoulder *2B*
    Honduras Honduras
    hondureño,-a Honduran *4A*
la **hora** hour; *¿a qué hora?* at what time?; *¿Qué hora es?* What time is it?
el **horario** schedule
el **horno** oven *6B*; *horno microondas* microwave oven
    horrible horrible
el **hotel** hotel *8B*
    hoy today
    hubo there was, there were *5A*

el **huevo** egg
el **huracán** hurricane *7A*

la **idea** idea
ideal ideal
la **iglesia** church *3A*
ignorar to not know
la **iguana** iguana *4A*
imagina: see *imaginar(se)*
la **imaginación** imagination
imaginar(se) to imagine *4A*; *imagina (tú command) imagine*
el **imperio** empire
el **impermeable** raincoat
implicar to imply
importante important
importar to be important, to matter
imposible impossible *6B*
los **incas** Incas
el **incendio** fire *6B*; *alarma de incendios* fire alarm, smoke alarm *6B*
indefinido,-a indefinite
la **independencia** independence
indica: see *indicar*
la **indicación** cue
indicado,-a indicated
indicar to indicate; *indica (tú command) indicate*
indígena native
la **información** information *1A*
informar to inform *7A*
el **informe** report
el **ingeniero,** la **ingeniera** engineer *9A*
Inglaterra England *9B*
el **inglés** English (language)
inglés, inglesa English *9B*
el **ingrediente** ingredient
inicial initial
inmenso,-a immense
insistir (en) to insist (on) *6A*
la **inspiración** inspiration
instalar to install *1B*
inteligente intelligent
interesante interesting
interesar to interest *6B*
internacional international *7B*
la **internet** Internet *1A*
interrogativo,-a interrogative
el **invierno** winter
la **invitación** invitation

invitar to invite *6A*
ir to go; *ir a* (+ infinitive) to be going to (do something); *ir a parar* to end up *4B*; *ir de compras* to go shopping; *irse* to leave, to go away *2B*; *irse de viaje* to go away on a trip *2B*; *¡vamos!* let's go!; *¡vamos a* (+ infinitive)! let's (+ infinitive)!; *vayan (Uds. command) go; ve (tú command) go*
la **isla** island *9B*
Italia Italy *9B*
italiano,-a Italian *9B*
el **itinerario** itinerary *8A*
la **izquierda** left *3A*; *a la izquierda* to the left *3A*
izquierdo,-a left *2B*

el **jabón** soap *2A*
el **jamón** ham
el **Japón** Japan *9B*
japonés, japonesa Japanese *9B*
el **jardín** garden; *jardín zoológico* zoo, zoological garden
la **jaula** cage *4B*
la **jirafa** giraffe *4A*
joven young
la **joya** jewel
la **joyería** jewelry store *5B*
el **juego** game
jueves Thursday; *el jueves* on Thursday
el **jugador,** la **jugadora** player
jugar (ue) to play; *jugar a* (+ sport/game) to play (+ sport/game)
el **jugo** juice
julio July
junio June
junto,-a together

Kenia Kenya *9B*
keniano,-a Kenyan *9B*
el **kilo(gramo)** kilo(gram)

la *the (f., s.)*; her, it, you *(d.o.)*; *a la una* at one o'clock
el **lado** side; *al lado de* next to, beside; *por todos lados* everywhere
ladrar to bark *4B*

el **ladrillo** brick *6A*
el **lago** lake *2B*
la **lámpara** lamp
la **lana** wool
la **langosta** lobster
el **lápiz** pencil *(pl. lápices)*
largo,-a long
las the *(f., pl.)*; them, you *(d.o.)*; *a las...* at...o'clock
la **lástima** shame, pity *6B*; *¡Qué lástima!* What a shame!, Too bad!
lastimar(se) to injure, to hurt *7A*
la **lata** can
el **lavabo** bathroom sink *2A*
el **lavadero** laundry room *6A*
la **lavadora** washer *6A*
el **lavaplatos eléctrico** dishwasher (machine)
lavar(se) to wash *2A*
le (to, for) him, (to, for) her, (to, for) it, (to, for) you (formal) *(i.o.)*
lean: see *leer*
la **lección** lesson
la **lectura** reading
la **leche** milk
la **lechería** milk store, dairy (store)
la **lechuga** lettuce
lee: see *leer*
leer to read; *lean (Uds. command) read; lee (tú command) read*
lejos (de) far (from)
la **lengua** tongue *2B*; language
lento,-a slow
el **león** lion *4A*
les (to, for) them, (to, for) you *(i.o.)*
la **letra** letter
levantar to raise, to lift *2A*; *levantarse* to get up *2A*; *levántate (tú command) get up; levántense (Uds. command) get up*
levántate: see *levantar*
levántense: see *levantar*
la **libertad** liberty, freedom
la **libra** pound
libre free; *al aire libre* outdoors *6A*
la **librería** bookstore
el **libro** book
la **licuadora** blender *6B*
el **líder** leader

limitar to limit
el **limón** lemon, lime *5A*
el **limpiaparabrisas** windshield wiper *3B*
limpiar to clean
limpio,-a clean
lindo,-a pretty
la **lista** list
listo,-a ready; smart; *estar listo,-a* to be ready; *ser listo,-a* to be smart
la **literatura** literature
llama: see *llamar*
llamar to call, to telephone; *¿Cómo se llama (Ud./él/ella)?* What is (your/his/her) name?; *¿Cómo te llamas?* What is your name?; *llamaron* they called (preterite of *llamar*); *llamarse* to be called *2A*; *me llamo* my name is; *se llaman* their names are; *te llamas* your name is; *(Ud./El/Ella) se llama...* (Your [formal]/His/Her) name is...
llamaron: see *llamar*
llamas: see *llamar*
llamo: see *llamar*
la **llanta** tire *3B*
la **llave** key *6B*
la **llegada** arrival *8A*
llegar to arrive; *llegó* arrived (preterite of *llegar*)
llegó: see *llegar*
lleno,-a full *5B*
llevar to take, to carry; to wear; to bring *7B*; *llevarse* to take away, to get along *2B*
llover (ue) to rain
la **lluvia** rain
lo him, it, you *(d.o.)*; *a lo mejor* maybe *8A*; *lo* (+ adjective/adverb) how (+ adjective/adverb) *4B*; *lo más* (+ adverb) *posible* as (+ adverb) as possible; *lo menos* (+ adverb) *posible* as (+ adverb) as possible; *lo que* what, that which; *lo siento* I am sorry; *lo siguiente* the following; *por lo menos* at least
loco,-a crazy
lógicamente logically
lógico,-a logical
los the *(m., pl.)*; them, you *(d.o.)*
luego then, later, soon; *desde luego* of course *6A*; *hasta luego*

so long, see you later; *luego que* as soon as *6B*
el **lugar** place
el **lujo** luxury *8B*
la **luna** moon *4B*
lunes Monday; *el lunes* on Monday
la **luz** light *(pl. luces)*

la **madera** wood *6A*
la **madrastra** stepmother *6A*
la **madre** mother
maduro,-a ripe
el **maestro,** la **maestra** teacher, master; *La práctica hace al maestro.* Practice makes perfect.
magnífico,-a magnificent *9B*
el **maíz** corn
mal badly; bad; *hace mal tiempo* the weather is bad
el **malabarista,** la **malabarista** juggler *4B*
la **maleta** suitcase
el **maletín** overnight bag, handbag, small suitcase, briefcase *8B*
malo,-a bad
la **mamá** mother, mom *6A*
mandar to order
manejar to drive *3B*
la **manera** manner, way
la **mano** hand; *equipaje de mano* carry-on luggage *8B*
el **mantel** tablecloth
mantener to keep, to maintain *9B*
la **mantequilla** butter; *mantequilla de maní* peanut butter *5A*
la **manzana** apple
mañana tomorrow; *hasta mañana* see you tomorrow; *pasado mañana* the day after tomorrow
la **mañana** morning; *de la mañana,* in the morning; *por la mañana* in the morning
el **mapa** map
el **maquillaje** makeup *2A*
maquillar to put makeup on (someone) *2A*; *maquillarse* to put on makeup *2A*
la **maquinita** little machine, video game

el **mar** sea *9B*
maravilloso,-a marvellous, fantastic *4A*
el **marcador** score *7B*
marcar to score *7B*
mariachi mariachi, popular Mexican music and orchestra
el **marido** husband
el **marisco** seafood *5A*
marroquí Moroccan *9B*
Marruecos Morocco *9B*
martes Tuesday; *el martes* on Tuesday
marzo March
más more, else; *el/la/los/las* (+ noun) *más* (+ adjective) the most (+ adjective); *lo más* (+ adverb) *posible* as (+ adverb) as possible; *más de* more than *4A*; *más* (+ noun/adjective/adverb) *que* more (+ noun/adjective/adverb) than; *más vale que* it is better that *6B*
masculino,-a masculine
las **matemáticas** mathematics
el **material** material
máximo,-a maximum *7B*; *pena máxima* penalty *7B*
maya Mayan
los **mayas** Mayans
mayo May
la **mayonesa** mayonnaise *5B*
mayor older, oldest; greater, greatest
la **mayoría** majority
la **mayúscula** capital letter
me (to, for) me *(i.o.);* me *(d.o.); me llaman* they call me; *me llamo* my name is
el **mecánico,** la **mecánica** mechanic *9A*
la **medianoche** midnight; *Es medianoche.* It is midnight.
la **medicina** medicine *2B*
el **médico,** la **médica** doctor
el **medio** means; middle, center *9B*; *en medio de* in the middle of, in the center of *9B*
medio,-a half; *y media* half past
el **mediocampista** midfielder *7B*
la **mediocampista** midfielder *7B*
el **mediodía** noon; *Es mediodía.* It is noon.

mejor better; *a lo mejor* maybe 8A; *el/la/los/las mejor/mejores* (+ noun) the best (+ noun)

mejorar to improve

el **melón** melon, cantaloupe 5A

menor younger, youngest; lesser, least

menos minus, until, before, to (to express time); less; *el/la/los/las* (+ noun) *menos* (+ adjective) the least (+ adjective + noun); *lo menos* (+ adverb) *posible* as (+ adverb) as possible; *menos* (+ noun/adjective/adverb) *que* less (+ noun/adjective/adverb) than; *menos cuarto* a quarter to, a quarter before; *por lo menos* at least

mentir (ie, i) to lie

la **mentira** lie

el **menú** menu

el **mercado** market

el **merengue** merengue (dance music)

el **mes** month

la **mesa** table; *mesa de planchar* ironing board 6B; *poner la mesa* to set the table; *recoger la mesa* to clear the table

el **mesero,** la **mesera** food server

la **mesita** tray table

el **metro** subway; *estación del metro* subway station

mexicano,-a Mexican 3A

México Mexico

mi my; *(pl. mis)* my

mí me (after a preposition)

el **micrófono** microphone 7B

el **miedo** fear; *tener miedo de* to be afraid of

el **miembro** member 6A

mientras (que) while 3B

miércoles Wednesday; *el miércoles* on Wednesday

mil thousand

mínimo,-a minimum

la **minúscula** lowercase

el **minuto** minute

mío,-a my, (of) mine 4B; *el gusto es mío* the pleasure is mine

mira: see *mirar*

mirar to look (at); *mira (tú command)* look; *mira* hey, look (pause in speech); *miren*

(Uds. command) look; *miren* hey, look (pause in speech)

miren: see *mirar*

mismo right (in the very moment, place, etc.); *ahora mismo* right now

mismo,-a same

el **misterio** mystery 7A

la **moda** fashion

el **modelo** model

moderno,-a modern 3B

molestar to bother 4A

la **moneda** coin, money

el **mono** monkey 4A

la **montaña** mountain 4A; *montaña rusa* roller coaster 4A

montar to ride; *montar en patineta* to skateboard

el **monumento** monument 3A

morder (ue) to bite 7A

moreno,-a brunet, brunette, dark-haired, dark-skinned

morir(se) (ue, u) to die 7A; *morirse de la risa* to die laughing 7A

la **mostaza** mustard 5B

el **mostrador** counter 8B

mostrar (ue) to show 7A

la **moto(cicleta)** motorcycle

el **motor** motor, engine 3B; *motor de búsqueda* search engine 1A

la **muchacha** girl, young woman

el **muchacho** boy, guy

muchísimo very much, a lot

mucho much, a lot, very, very much

mucho,-a much, a lot of, very; *(pl. muchos,-as)* many; *con (mucho) gusto* I would be (very) glad to; *muchas gracias* thank you very much; *¡Mucho gusto!* Glad to meet you!

mudar(se) to move

el **mueble** piece of furniture 6A

el **muelle** concourse, pier

la **mujer** woman; wife; *mujer de negocios* businesswoman 9A

el **mundo** world 1A; *todo el mundo* everyone, everybody 1B

la **muralla** wall

el **muro** (exterior) wall 6A

el **museo** museum

la **música** music

el **musical** musical 7A

muy very

N

nacer to be born 8A

la **nación** nation

nacional national 7A

nada nothing; *de nada* you are welcome, not at all

nadar to swim

nadie nobody

la **naranja** orange

la **nariz** nose *(pl. narices)* 2B

narrar to announce, to narrate 7B

navegar to surf 1A

la **Navidad** Christmas

la **neblina** mist; *hay neblina* it is misty

necesario,-a necessary 5A

necesitar to need

negativo,-a negative

los **negocios** business 9A; *hombre de negocios* businessman 9A; *mujer de negocios* businesswoman 9A

negro,-a black

nervioso,-a nervous

nevar (ie) to snow

ni not even; *ni...ni* neither...nor

Nicaragua Nicaragua

nicaragüense Nicaraguan 4A

la **nieta** granddaughter

el **nieto** grandson

la **nieve** snow

ningún, ninguna none, not any

ninguno,-a none, not any

el **niño,** la **niña** child 2B

el **nivel** level

no no; *¡Cómo no!* Of course!; *No lo/la veo.* I do not see him (it)/her (it).; *¡no me digas!* you don't say! 9B; *No sé.* I do not know.

la **noche** night; *buenas noches* good night; *de la noche* P.M., at night; *esta noche* tonight; *por la noche* at night

el **nombre** name 8A

el **noreste** northeast 3B

la **noria** Ferris wheel

normal normal 7A

el **noroeste** northwest 3B

el **norte** north 3B; *América del Norte* North America 6A

norteamericano,-a North American *9B*

nos (to, for) us *(i.o.)*; us *(d.o.)*

nosotros,-as we; us (after a preposition)

la **noticia** news *1B*

el **noticiero** news program *7A*

novecientos,-as nine hundred

noveno,-a ninth

noventa ninety

la **novia** girlfriend *1B*

noviembre November

el **novio** boyfriend *1B*

nublado,-a cloudy; *está nublado* it is cloudy

nuestro,-a our, (of) ours *4B*

nueve nine

nuevo,-a new; *Año Nuevo* New Year's (Day)

el **número** number; *número de teléfono* telephone number

nunca never

o or; *o...o* either...or

la **obra** work, play

el **obrero,** la **obrera** worker *9A*

obvio,-a obvious *6B*

la **ocasión** occasion *7A*

el **océano** ocean *9B*

ochenta eighty

ocho eight

ochocientos,-as eight hundred

octavo,-a eighth

octubre October

ocupado,-a busy, occupied

ocupar to occupy

ocurrir to occur *4B*

la **odisea** odyssey

el **oeste** west *3B*

la **oferta** sale; *estar en oferta* to be on sale

oficial official

la **oficina** office; *oficina de correos* post office *3A*

ofrecer to offer *3B*

el **oído** (inner) ear *2B*; sense of hearing

oigan hey, listen (pause in speech)

oigo hello (telephone greeting)

oír to hear, to listen (to); *oigan* hey, listen (pause in speech); *oigo* hello (telephone greeting); *oye* hey, listen (pause in speech)

ojalá would that, if only, I hope *9A*

el **ojo** eye *2B*

olé bravo

la **olla** pot, saucepan

olvidar(se) to forget *2B*

la **omisión** omission

once eleven

opinar to give an opinion *7A*; to form an opinion *7A*

la **oportunidad** opportunity *7B*

el **opuesto** opposite

la **oración** sentence

el **orden** order

ordenar to give an order

la **oreja** (outer) ear *2B*

la **organización** organization

organizar to organize *9B*

el **órgano** organ

la **orilla** shore *9B*

el **oro** gold

os (to, for) you (Spain, informal, *pl., i.o.*), you (Spain, informal, *pl., d.o.*)

el **oso** bear *4B*; *oso de peluche* teddy bear *4B*

el **otoño** autumn

otro,-a other, another *(pl. otros,-as)*; *otra vez* again, another time

la **oveja** sheep *4B*

oye hey, listen (pause in speech)

el **Pacífico** Pacific Ocean

el **padrastro** stepfather *6A*

el **padre** father; *(pl. padres)* parents

la **paella** paella (traditional Spanish dish with rice, meat, seafood and vegetables)

pagar to pay

la **página** page

el **país** country

el **paisaje** landscape, scenery

el **pájaro** bird *4B*

la **palabra** word; *palabra interrogativa* question word; *palabras antónimas* antonyms, opposite words

las **palomitas de maíz** popcorn *4A*

el **pan** bread

la **panadería** bakery *3A*

Panamá Panama

panameño,-a Panamanian *4A*

el **pantalón** pants

la **pantalla** screen

la **pantera** panther *4A*

las **pantimedias** pantyhose, nylons

la **pantufla** slipper

el **pañuelo** handkerchief, hanky

la **papa** potato

el **papá** father, dad *6A*

los **papás** parents

la **papaya** papaya *5A*

el **papel** paper; role; *haz el papel* play the role; *hoja de papel* sheet of paper

la **papelería** stationery store *3A*

para for, to, in order to; *para que* so that, in order that

el **parabrisas** windshield *3B*

el **parachoques** fender *3B*

el **parador** inn *8B*

el **paraguas** umbrella

el **Paraguay** Paraguay

paraguayo,-a Paraguayan *4A*

parar to stop *3A*; *ir a parar* to end up *5B*

parecer to seem; *¿Qué (te/le/les) parece?* What do/does you/he/she/they think? *5B*

la **pared** wall

la **pareja** pair, couple

el **pariente,** la **parienta** relative

el **parque** park; *parque de atracciones* amusement park

el **párrafo** paragraph

la **parte** place, part *5A*

participar to participate *7A*

el **partido** game, match; *partidos empatados* games tied; *partidos ganados* games won; *partidos perdidos* games lost

pasado,-a past, last; *pasado mañana* the day after tomorrow

el **pasaje** ticket

el **pasajero** passenger *8B*

pásame: see *pasar*

el **pasaporte** passport *8A*

pasar to pass, to spend (time); to happen, to occur; *pásame* pass me; *pasar la aspiradora* to vacuum; *¿Qué te pasa?* What is wrong with you?

el **pasatiempo** pastime, leisure activity

la **Pascua** Easter
el **paseo** walk, ride, trip; *dar un paseo* to take a walk
el **pastel** cake, pastry *6B*
la **pata** paw, leg (for an animal) *4B*
el **patinador**, la **patinadora** skater
   patinar to skate; *patinar sobre hielo* to ice-skate
la **patineta** skateboard
el **patio** courtyard, patio, yard
el **pato** duck *4B*
el **pavo** turkey *4B*
el **payaso** clown *4B*
la **paz** peace
el **pecho** chest *2B*
   pedir (i, i) to ask for, to order, to request; *pedir perdón* to say you are sorry; *pedir permiso (para)* to ask for permission (to do something); *pedir prestado,-a* to borrow
   peinar(se) to comb *2A*
el **peine** comb *2A*
la **película** movie, film
   pelirrojo,-a red-haired
el **pelo** hair *2A*; *tomar el pelo* to pull someone's leg *5B*
la **pelota** ball *7B*
el **peluquero**, la **peluquera** hairstylist *9A*
la **pena** punishment, pain, trouble; *pena máxima* penalty *7B*
   pensar (ie) to think, to intend, to plan; *pensar de* to think about (i.e., to have an opinion); *pensar en* to think about (i.e., to focus one's thoughts on); *pensar en* (+ infinitive) to think about (doing something)
   peor worse; *el/la/los/las peor/peores* (+ noun) the worst (+ noun)
   pequeño,-a small
la **pera** pear *5A*
   perder (ie) to lose; *partidos perdidos* games lost
   perdidos: see *perder*
   perdón excuse me, pardon me; *pedir perdón* to say you are sorry
   perezoso,-a lazy
   perfecto,-a perfect
el **perfume** perfume

el **periódico** newspaper
el **periodista**, la **periodista** journalist *7A*
el **período** period
la **perla** pearl
el **permiso** permission, permit; *con permiso* excuse me (with your permission), may I; *pedir permiso (para)* to ask for permission (to do something)
   permitir to permit
   pero but
la **persona** person
el **personaje** character *7A*
   personal personal; *pronombre personal* subject pronoun
el **Perú** Peru
   peruano,-a Peruvian *4A*
el **perro**, la **perra** dog
la **pesca** fishing *9A*
el **pescado** fish (fish that has been caught and will be served/eaten/used)
   pescar to fish *2B*; *pescar (un resfriado)* to catch (a cold) *2B*
el **petróleo** oil
el **pez (peces)** fish *2B*
el **piano** piano
el **picnic** picnic *1B*
el **pie** foot; *a pie* on foot
la **pierna** leg
la **pieza** piece *8B*
el **pijama** pajamas
el **piloto**, la **piloto** pilot *8B*
el **pimentero** pepper shaker *5B*
la **pimienta** pepper (seasoning)
el **pimiento** bell pepper
   pintar to paint *1B*
la **pintura** painting
la **piña** pineapple *5A*
la **pirámide** pyramid
la **piscina** swimming pool
el **piso** floor; *primer piso* first floor
la **pista** clue
la **pizarra** blackboard
el **placer** pleasure *8B*
el **plan** plan *6B*
la **plancha** iron *6B*
   planchar to iron *6B*; *mesa de planchar* ironing board *6B*
la **planta** plant; *planta baja* ground floor
el **plástico** plastic
la **plata** silver
el **plátano** banana

el **plato** dish, plate; *plato de sopa* soup bowl
la **playa** beach
la **plaza** plaza, public square
la **pluma** feather *4B*; pen
la **población** population
   pobre poor *4B*
   poco,-a not very, little; *un poco* a little (bit)
   poder (ue) to be able
el **policía**, la **policía** police (officer) *3A*
la **política** politics *7B*
   políticamente politically
el **pollo** chicken
el **polvo** dust *1B*
   poner to put, to place, to turn on (an appliance); *poner la mesa* to set the table; *poner(se)* to put on *2A*
   popular popular
un **poquito** a very little (bit)
   por for; through, by; in; along; *por ejemplo* for example; *por favor* please; *por fin* finally *9B*; *por la mañana* in the morning; *por la noche* at night; *por la tarde* in the afternoon; *por teléfono* by telephone, on the telephone; *por todos lados* everywhere
   ¿por qué? why?
   porque because
el **portero**, la **portera** goalkeeper, goalie *7B*
el **Portugal** Portugal *9B*
   portugués, portuguesa Portuguese *9B*
la **posibilidad** possibility
   posible possible *5B*; *lo más* (+ adverb) *posible* as (+ adverb) as possible; *lo menos* (+ adverb) *posible* as (+ adverb) as possible
la **posición** position
el **postre** dessert
   potable drinkable
la **práctica** practice; *La práctica hace al maestro.* Practice makes perfect.
   practicar to practice, to do *9A*
el **precio** price
   preciso,-a necessary *6B*
   preferir (ie, i) to prefer
la **pregunta** question; *hacer una pregunta* to ask a question

preguntar to ask; *preguntarse* to wonder, to ask oneself *2B*

el **premio** prize *6A*

la **prenda** garment *5B*

preocupar(se) to worry *2A*

preparar to prepare

el **preparativo** preparation

la **presentación** introduction

presentar to introduce, to present; *le presento a* let me introduce you (formal, *s.*) to; *les presento a* let me introduce you (*pl.*) to; *te presento a* let me introduce you (informal, *s.*) to

presente present

presento: see *presentar*

prestado,-a on loan; *pedir prestado,-a* to borrow

prestar to lend

la **primavera** spring

primer first (form of *primero* before a *m., s.* noun); *primer piso* first floor

primero first (adverb)

primero,-a first

el **primo,** la **prima** cousin

la **princesa** princess *8A*

principal principal, main *5B*

el **príncipe** prince *8A*

la **prisa** rush, hurry, haste; *tener prisa* to be in a hurry

probable probable *5A*

probar(se) (ue) to try (on) *5B*; to test, to prove

el **problema** problem

produce produces

el **producto** product

el **profe** teacher

el **profesor,** la **profesora** teacher

el **programa** program, show *1A*; *bajar un programa* to download a program *1A*; *programa de concurso* game show

el **programador,** la **programadora** computer programmer *9A*

prohibido,-a not permitted, prohibited *3B*

prometer to promise

el **pronombre** pronoun; *pronombre personal* subject pronoun

el **pronóstico** forecast

pronto soon, quickly; *hasta pronto* see you soon

la **pronunciación** pronunciation

la **propina** tip *5B*

el **propósito** aim, purpose; *a propósito* by the way *9B*

la **protesta** protest *7A*

próximo,-a next *3A*

la **publicidad** publicity

el **público** audience *7A*

público,-a public

puede ser maybe *8A*

el **puente** bridge *3A*

el **puerco** pig; pork

la **puerta** door

la **puerta de embarque** boarding gate *8B*

el **puerto** port

Puerto Rico Puerto Rico

puertorriqueño,-a Puerto Rican *4A*

pues thus, well, so, then (pause in speech)

el **pulpo** octopus, squid *5A*

la **pulsera** bracelet

el **punto** dot, point

la **puntuación** punctuation

el **pupitre** desk

puro,-a pure, fresh *6A*

que that, which; *lo que* what, that which; *más* (+ noun/adjective/adverb) *que* more (+ noun/adjective/adverb) than; *que viene* upcoming, next

¿qué? what?; *¿a qué hora?* at what time?; *¿Qué comprendiste?* What did you understand?; *¿Qué hora es?* What time is it?; *¿Qué quiere decir...?* What is the meaning (of)...?; *¿Qué tal?* How are you?; *¿Qué (te/le/les) parece?* What do/does you/he/she /they think? *5B*; *¿Qué quiere decir...?* What is the meaning (of)...?; *¿Qué te pasa?* What is wrong with you?; *¿Qué temperatura hace?* What is the temperature?; *¿Qué (+ tener)?* What is wrong with (someone)?; *¿Qué tiempo hace?* How is the weather?

¡qué (+ adjective)! how (+ adjective)!

¡qué (+ noun)! what a (+ noun)!; *¡Qué lástima!* What

a shame!, Too bad!; *¡Qué (+ noun) tan (+ adjective)!* What (a) (+ adjective) (+ noun)!

quedar(se) to remain, to stay *2A*; *quedarle bien a uno* to fit, to be becoming

el **quehacer** chore

quemar to burn *2A*; *quemarse* to get burned *2A*

querer (ie) to love, to want, to like; *¿Qué quiere decir...?* What is the meaning (of)...?; *querer decir* to mean; *quiere decir* it means; *quiero* I love; I want

querido,-a dear

el **queso** cheese

quien who, whom

¿quién? who?; (*pl. ¿quiénes?*) who?

quienquiera whoever *9A*

quiere: see *querer*

quiero: see *querer*

la **química** chemistry

quince fifteen

quinientos,-as five hundred

quinto,-a fifth

quisiera would like *1B*

quitar(se) to take off *2A*

quizás perhaps

el **rabo** tail *4B*

el **radio** radio (apparatus)

la **radio** radio (broadcast)

rápidamente rapidly

rápido,-a rapid, fast

el **rascacielos** skyscraper

el **ratón** mouse *4B*

la **raya** stripe *5B*; *a rayas* striped *5B*

rayado,-a scratched, striped *6A*

la **razón** reason *5B*; *tener razón* to be right *5B*

real royal; real *9A*

la **realidad** reality *9B*

realizar to attain, to bring about

la **recepción** reception desk *8B*

el **recepcionista,** la **recepcionista** receptionist *8B*

la **receta** recipe

recibir to receive

el **recibo** receipt

recoger to pick up; *recoger la mesa* to clear the table

recordar (ue) to remember

la **Red** World Wide Web *1A*
redondo,-a round
referir(se) (ie, i) to refer *6A*
el **refrán** saying, proverb
el **refresco** soft drink,
    refreshment
el **refrigerador** refrigerator
el **regalo** gift
regañar to scold
regatear to bargain, to haggle
registrar to check in *8B*
la **regla** ruler; rule *6B*
regresar to return, to go back,
    to come back *6B*
regular average, okay, so-so,
    regular
la **reina** queen *8A*
reír(se) (i, i) to laugh *5A*
la **reja** wroughtiron window grill
    6A; wroughtiron fence *6A*
relacionado,-a related
el **reloj** clock, watch
remoto,-a remote
repasar to reexamine, to
    review
el **repaso** review
repetir (i, i) to repeat; *repitan*
    (*Uds.* command) repeat; *repite*
    (*tú* command) repeat
repitan: see *repetir*
repite: see *repetir*
reportando reporting
el **reportero,** la **reportera**
    reporter *7A*
el **reproductor de CDs**
    CD player
la **República Dominicana**
    Dominican Republic
resbaloso,-a slippery
la **reservación** reservation *8A*
el **resfriado** cold *2B*; *pescar un
    resfriado* to catch a cold
resolver (ue) to resolve,
    to solve
el **respaldar** seat back
responder to answer
la **respuesta** answer
el **restaurante** restaurant
el **resumen** summary; *en
    resumen* in short
la **reunión** meeting, reunion *7A*
reunir(se) to get together *2B*
revisar to check
la **revista** magazine
el **rey** king *8A*
rico,-a rich, delicious *5B*

el **riel** rail
el **río** river *9B*
la **risa** laugh *7A*; *morirse de la
    risa* to die laughing *7A*
el **ritmo** rhythm
el **robo** robbery *7A*
la **rodilla** knee *2B*
rojo,-a red
romper to break, to tear *7A*
la **ropa** clothing; *ropa interior*
    underwear
rosado,-a pink
el **rubí** ruby *5B*
rubio,-a blond, blonde
la **rueda** wheel *3B*; *rueda de
    Chicago* Ferris wheel *4A*
el **rugido** roar
rugir to roar
el **ruido** noise *8B*
Rusia Russia *9B*
ruso,-a Russian *9B*; *montaña
    rusa* roller coaster *6A*
la **rutina** routine

sábado Saturday; *el sábado*
    on Saturday
saber to know; *No sé.* I do not
    know.; *sabes* you know; *sé*
    I know
sabes: see *saber*
el **sabor** flavor *5B*
saborear to taste, to savor *8A*
saca: see *sacar*
el **sacapuntas** pencil sharpener
sacar to take out; *saca* (*tú*
    command) stick out *2B*
la **sal** salt
la **sala** living room
la **salchicha** hot dog, bratwurst *5A*
el **salero** salt shaker *5B*
la **salida** departure, exit *8A*
salir to go out; *siempre salirse
    con la suya* to always get one's
    way *9B*
la **salsa** salsa (dance music);
    sauce *5B*; *salsa de tomate*
    ketchup *5B*
saltar to jump *4B*
la **salud** health *2A*
saludar to greet, to say hello
el **saludo** greeting
salvadoreño,-a Salvadoran *4A*
salvaje wild *4A*
las **sandalias** sandals *1B*
la **sandía** watermelon *5A*

el **sandwich** sandwich *5A*
la **sangre** blood
el **santo** saint's day; *El Día
    de todos los Santos*
    All Saints' Day
saudita Saudi, Saudi Arabian *9B*
el **saxofón** saxophone
se *¿Cómo se dice...?* How do you
    say...?; *¿Cómo se escribe...?*
    How do you write (spell)...?;
    ¿Cómo se llama (Ud./él/ella)?
    What is (your/his/her) name?;
    se considera it is considered; *se
    dice* one says; *se escribe* it is
    written; *Se habla español.*
    Spanish is spoken.; *se llaman*
    their names are; *(Ud./Él/Ella)
    se llama...* (Your [formal]/His/
    Her) name is...
la **secadora** dryer *6A*
la **sección** section *7B*
el **secretario,** la **secretaria**
    secretary *9A*
el **secreto** secret *5B*
la **sed** thirst; *tener sed* to be thirsty
la **seda** silk
seguir (i, i) to follow, to
    continue, to keep, to go on, to
    pursue *1A*; *sigan* (*Uds.*
    command) follow; *sigue* (*tú*
    command) follow
según according to
el **segundo** second
segundo,-a second
la **seguridad** safety *3B*; *cinturón
    de seguridad* seat belt, safety
    belt *3B*
seguro,-a sure *6B*
seis six
seiscientos,-as six hundred
selecciona (*tú* command)
    select
la **selva** jungle *4A*; *selva tropical*
    tropical rain forest
la **semana** week; *fin de semana*
    weekend; *Semana Santa* Holy
    Week
sentar (ie) to seat (someone)
    2A; *sentarse* to sit down *2A*;
    siéntate (*tú* command) sit
    down *2B*; *siéntense* (*Uds.*
    command) sit down
sentir (ie, i) to be sorry, to
    feel sorry, to regret; *lo siento* I
    am sorry; *sentir(se)* to feel *2B*
la **señal** sign *3B*

señalar to point to, to point at, to point out; *señalen (Uds. command)* point to

señalen: see *señalar*

sencillo,-a one-way, single *8B*

el **señor** gentleman, sir, Mr.

la **señora** lady, madame, Mrs.

la **señorita** young lady, Miss

septiembre September

séptimo,-a seventh

ser to be; *eres* you are; *¿Eres (tú) de...?* Are you from...?; *es* you (formal) are, he/she/it is; *es la una* it is one o'clock; *Es medianoche.* It is midnight.; *Es mediodía.* It is noon.; *fue* you (formal) were, he/she/it was (preterite of *ser*); *fueron* you (pl.) were, they were (preterite of *ser*); *puede ser* maybe *8A*; *¿Qué hora es?* What time is it?; *sea* it is; *ser difícil que* to be unlikely that *6B*; *ser fácil que* to be likely that *6B*; *ser listo,-a* to be smart; *son* they are; *son las* (+ number) it is (+ number) o'clock; *soy* I am

serio,-a serious *7A*

la **serpiente** snake *4A*

el **servicio** service *8B*; *servicio de habitaciones* room service *8B*

la **servilleta** napkin

servir (i, i) to serve *5B*

sesenta sixty

setecientos,-as seven hundred

setenta seventy

sexto,-a sixth

los **shorts** shorts *1B*

si if

sí yes

siempre always; *siempre salirse con la suya* to always get one's way *9B*

siéntate: see *sentar*

siéntense: see *sentar*

siento: see *sentir*

siete seven

sigan: see *seguir*

el **siglo** century

los **signos de puntuación** punctuation marks

sigue: see *seguir*

siguiente following; *lo siguiente* the following

la **silabificación** syllabification

el **silencio** silence

la **silla** chair

el **sillón** armchair, easy chair *6A*

el **símbolo** symbol

similar alike, similar

simpático,-a nice, pleasant

sin without; *sin embargo* however, nevertheless *9B*

sino but (on the contrary), although, even though *3B*

sintético,-a synthetic

la **situación** situation

sobre on, over; about

la **sobrina** niece

el **sobrino** nephew

el **sol** sun; *hace sol* it is sunny; *hay sol* it is sunny

solamente only

soleado,-a sunny; *está soleado* it is sunny

soler (ue) to be accustomed to, to be used to *5B*

solo,-a alone *1B*

sólo only, just

la **sombrerería** hat store

el **sombrero** hat

son: see *ser*

el **sondeo** poll

el **sonido** sound

sonreír(se) (i, i) to smile *6B*

soñar to dream *8A*

la **sopa** soup; *plato de sopa* soup bowl

la **sorpresa** surprise

el **sótano** basement *6A*

soy: see *ser*

Sr. abbreviation for *señor*

Sra. abbreviation for *señora*

Srta. abbreviation for *señorita*

su, sus his, her, its, your (*Ud./Uds.*), their

suave smooth, soft *9A*

el **subdesarrollo** underdevelopment

subir to climb, to go up, to go upstairs, to take up, to bring up, to carry up; to get in *3B*

el **suceso** event, happening *7A*

sucio,-a dirty

el **sueño** sleep; dream *9A*; *tener sueño* to be sleepy

la **suerte** luck *8A*; *buena suerte* good luck

el **suéter** sweater

el **supermercado** supermarket

el **sur** south *3B*; *América del Sur* South America *6A*

suramericano,-a South American *9B*

el **sureste** southeast *3B*

surfear to surf

el **suroeste** southwest *3B*

el **surtido** assortment, supply, selection *5B*

el **sustantivo** noun

suyo,-a his, (of) his, her, (of) hers, its, your, (of) yours, their, (of) theirs *4B*; *siempre salirse con la suya* to always get one's way *9B*

la **tabla** chart *7B*

el **taco** taco *3A*

tal such, as, so; *¿Qué tal?* How are you?

el **tamal** tamale

el **tamaño** size

también also, too

el **tambor** drum

tampoco either, neither

tan so; *¡Qué* (+ noun) *tan* (+ adjective)*!* What (a) (+ adjective) (+ noun)! *5B*; *tan* (+ adjective/adverb) *como* (+ person/item) as (+ adjective/adverb) as (+ person/item)

tanto,-a so much; *tanto,-a* (+ noun) *como* (+ person/item) as much/many (+ noun) as (+ person/item); *tanto como* as much as; *Tanto gusto.* So glad to meet you.

la **tapa** tidbit, appetizer

la **taquilla** box office, ticket office *4B*

tardar to delay *3B*; *tardar en* (+ infinitive) to be long, to take a long time *3B*

tarde late *2A*

la **tarde** afternoon; *buenas tardes* good afternoon; *de la tarde,* in the afternoon; *por la tarde* in the afternoon

la **tarea** homework

la **tarifa** fare *8A*

la **tarjeta** card; *tarjeta de crédito* credit card

el **taxista,** la **taxista** taxi driver *9A*

la **taza** cup

te (to, for) you *(i.o.)*; you *(d.o.)*; *¿Cómo te llamas?* What is your name?; *te llamas* your name is

el **té** tea 5A

el **teatro** theater

el **techo** roof 6A

la **tecnología** technology 1A

la **tela** fabric, cloth 5B

el **teléfono** telephone; *número de teléfono* telephone number; *por teléfono* by telephone, on the telephone; *teléfono público* public telephone

la **telenovela** soap opera

la **televisión** television; *ver (la) televisión* to watch television

el **televisor** television set

el **tema** theme, topic

el **temblor** tremor, earthquake 7A

temer to fear 6B

la **temperatura** temperature; *¿Qué temperatura hace?* What is the temperature?

temprano early

el **tenedor** fork

tener to have; *¿Cuántos años tienes?* How old are you?; *¿Qué (+ tener)?* What is wrong with (person)?; *tener calor* to be hot; *tener cuidado* to be careful 6A; *tener éxito* to be successful, to be a success 7A; *tener frío* to be cold; *tener ganas de* to feel like; *tener hambre* to be hungry; *tener miedo de* to be afraid of; *tener (+ number) años* to be (+ number) years old; *tener prisa* to be in a hurry; *tener que* to have to; *tener razón* to be right 5B; *tener sed* to be thirsty; *tener sueño* to be sleepy; *tengo* I have; *tengo (+ number) años* I am (+ number) years old; *tiene* it has; *tienes* you have

tengo: see *tener*

el **tenis** tennis

los **tenis** tennis shoes, sneakers 1B

el **tenista,** la **tenista** tennis player

tercer third (form of *tercero* before a *m., s.* noun)

tercero,-a third

terminar to end, to finish

la **ternera** veal 5A

el **testigo,** la **testigo** witness 7A

ti you (after a preposition)

la **tía** aunt

el **tiempo** time; weather; verb tense; period, half 7B; *a tiempo* on time 6B; *hace buen (mal) tiempo* the weather is nice (bad); *¿Qué tiempo hace?* How is the weather?

la **tienda** store

tiene: see *tener*

tienes: see *tener*

la **tierra** land, earth

el **tigre** tiger 4A

la **tina** bathtub 2A

el **tío** uncle

típico,-a typical

el **tipo** type, kind 5B

la **tira cómica** comic strip 7B

tirar to throw away 3B

el **tiro** shot 7B

el **titular** headline 7B

la **tiza** chalk

la **toalla** towel 2A

toca: see *tocar*

el **tocador** dresser

tocar to play (a musical instrument); to touch; *toca (tú command)* touch 2B; *toquen (Uds. command)* touch

el **tocino** bacon 5A

todavía yet; still

todo everything 6A

todo,-a all, every, whole, entire; *de todos los días* everyday; *por todos lados* everywhere; *todo el mundo* everyone, everybody; *todos los días* every day

todos,-as everyone, everybody

tolerante tolerant

tomar to drink, to have; to take; *tomar el pelo* to pull someone's leg 5B

el **tomate** tomato; *salsa de tomate* ketchup 5B

tonto,-a silly

el **tópico** theme

toquen: see *tocar*

el **toro** bull 4B

la **toronja** grapefruit 5A

la **torre** tower 3A

la **tortilla** cornmeal pancake (Mexico) 3A; omelet (Spain) 3A

la **tortuga** turtle 4A

la **tostadora** toaster 6B

trabajar to work; *trabajando en parejas* working in pairs

el **trabajo** work

traducir to translate 5A

traer to bring

el **tráfico** traffic 3B

el **traje** suit; *traje de baño* swimsuit

la **transmisión** transmission, broadcast 7B

el **transporte** transportation

el **trapecista,** la **trapecista** trapeze artist 4B

tratar (de) to try (to do something)

trece thirteen

treinta thirty

treinta y uno thirty-one

el **tren** train; *estación del tren* train station 6A

tres three

trescientos,-as three hundred

la **tripulación** crew 8B

triste sad

el **trombón** trombone

la **trompeta** trumpet

tu your (informal); *(pl. tus)* your (informal)

tú you (informal)

la **tumba** tomb

el **turismo** tourism

el **turista,** la **turista** tourist

turístico,-a tourist 8A

tuyo,-a your, (of) yours 4B

u or (used before a word that starts with *o* or *ho*)

ubicado,-a located

Ud. you (abbreviation of *usted*); you (after a preposition); *Ud. se llama...* Your name is...

Uds. you (abbreviation of *ustedes*); you (after a preposition)

último,-a last 1B

un, una a, an, one; *a la una* at one o'clock

único,-a only, unique

unido,-a united, connected 9A

la **universidad** university 9A

uno one; *quedarle bien a uno* to fit, to be becoming

unos, unas some, any, a few

urgente urgent 6B

el **Uruguay** Uruguay

uruguayo,-a Uruguayan 4A

usar to use

usted you (formal, *s.*); you (after a preposition)

ustedes you *(pl.)*; you (after a preposition)

la **uva** grape

la **vaca** cow *4B*

las **vacaciones** vacation

la **vainilla** vanilla

valer to be worth *6B*; *más vale que* it is better that *6B*

¡vamos! let's go!; *¡vamos a (+ infinitive)!* let's (+ infinitive)!

la **variedad** variety *5B*

varios,-as several

el **vaso** glass

vayan: see *ir*

ve: see *ir*

el **vecino,** la **vecina** neighbor *3B*

veinte twenty

veinticinco twenty-five

veinticuatro twenty-four

veintidós twenty-two

veintinueve twenty-nine

veintiocho twenty-eight

veintiséis twenty-six

veintisiete twenty-seven

veintitrés twenty-three

veintiuno twenty-one

vencer to expire

el **vendedor,** la **vendedora** salesperson *9A*

vender to sell

venezolano,-a Venezuelan *4A*

Venezuela Venezuela

vengan: see *venir*

venir to come; *vengan (Uds. command)* come

la **ventana** window

el **ventilador** fan *6A*

veo: see *ver*

ver to see, to watch; *a ver* let's see, hello (telephone greeting); *No lo/la veo.* I do not see him (it)/her (it).; *veo* I see; *ver (la) televisión* to watch television; *ves* you see

el **verano** summer

el **verbo** verb

verdad true

¿verdad? right?

la **verdad** truth

verde green

la **verdura** greens, vegetables

vertical vertical

ves: see *ver*

el **vestido** dress

el **vestidor** fitting room *5B*

vestir (i, i) to dress (someone) *2A*; *vestirse* to get dressed *2A*

el **veterinario,** la **veterinaria** veterinarian *9A*

la **vez** time *(pl. veces)*; *a veces* sometimes, at times; *(number +) vez/veces al/a la (+ time expression) (number +)* time(s) per *(+ time expression)*; *otra vez* again, another time

viajar to travel

el **viaje** trip; *agencia de viajes* travel agency *8A*; *irse de viaje* to go away on a trip *5B*

la **vida** life

el **videojuego** video game

viejo,-a old

el **viento** wind; *hace viento* it is windy

viernes Friday; *el viernes* on Friday

el **vinagre** vinegar

el **vínculo** link *1A*

la **visa** visa *8A*

la **visita** visit *4A*

visitar to visit *1B*

la **vista** view; *hasta la vista* so long, see you later

la **vitrina** store window *3A*; glass showcase *3A*

vivir to live

el **vocabulario** vocabulary

la **vocal** vowel; *vocales abiertas* open vowels; *vocales cerradas* closed vowels

el **volante** steering wheel *3B*

volar (ue) to fly *4B*

el **voleibol** volleyball

volver (ue) to return, to go back, to come back

vosotros,-as you (Spain, informal, *pl.*); you (after a preposition)

la **voz** voice *(pl. voces)*

el **vuelo** flight *8A*; *auxiliar de vuelo* flight attendant *8B*

vuestro,-a,-os,-as your (Spain, informal, *pl.*)

la **Web** (World Wide) Web *1A*

y and; *y cuarto* a quarter past, a quarter after; *y media* half past

ya already; now *7B*

yo I

la **zanahoria** carrot

la **zapatería** shoe store *3A*

el **zapato** shoe; *zapato bajo* low-heel shoe; *zapato de tacón* high-heel shoe

el **zoológico** zoo *4A*; *jardín zoológico* zoological garden

Vocabulary English / Spanish

a un, una; *a few* unos, unas; *a little (bit)* un poco; *a lot (of)* mucho, muchísimo; *a very little (bit)* un poquito

about sobre; acerca de *7B*

above encima de *4B*, arriba *6A*

accent el acento

accepted aceptado,-a *9A*

accident el accidente *7A*

according to según

acrobat el acróbata, la acróbata *4B*

activity la actividad *7A*

actor el actor, la actriz *7A*

actress la actriz *7A*

to add añadir; agregar *5B*

address la dirección *3A*

advertisement el anuncio (comercial) *7A*; *printed advertisement* el aviso *7B*

advice el consejo *5B*

to advise aconsejar *5B*

aerobics los aeróbicos; *to do aerobics* hacer aeróbicos

affectionate cariñoso,-a

afraid asustado,-a; *to be afraid of* tener miedo de

Africa el África *4A*

African africano,-a *4A*

after después de; detrás de *4B*; *a quarter after* y cuarto; *the day after tomorrow* pasado mañana

afternoon la tarde; *good afternoon* buenas tardes; *in the afternoon* de la tarde, por la tarde

afterwards después

again otra vez

age la edad

agency la agencia; *travel agency* la agencia de viajes *8A*

agent el agente, la agente *8A*

ago hace (+ *time expression*) que

to agree convenir *6B*, estar de acuerdo *7A*

agreeable agradable *5B*

agreed de acuerdo

ahead adelante *3A*; *straight ahead* derecho *3A*

air aéreo,-a *8A*

air el aire *6A*; *air conditioning* el aire acondicionado *6A*; *pertaining to air* aéreo,-a *8A*

airline la aerolínea *8B*

airplane el avión; *by airplane* en avión

airport el aeropuerto *3A*

alarm la alarma *3B*; *fire alarm* la alarma de incendios *6B*; *alarm clock* el despertador *6A*; *smoke alarm* la alarma de incendios *6B*

algebra el álgebra

all todo,-a; *any at all* cualquiera *6B*

to allow dejar (de) *6A*

almost casi

alone solo,-a *1B*

along por; *to get along* llevarse *2B*

already ya

also también

although sino *3B*, aunque *6B*

always siempre; *to always get one's way* siempre salirse con la suya *9B*

America la América *4A*; *Central America* la América Central *4A*; *North America* la América del Norte *3A*; *South America* la América del Sur *3A*; *United States of America* los Estados Unidos

American americano,-a; *Central American* centroamericano,-a *9B*; *North American* norteamericano,-a *9B*; *South American* suramericano,-a *9B*

to amuse divertir (ie, i) *2B*

amusement la atracción; *amusement park* el parque de atracciones; *(amusement) ride* la atracción *4A*

an un, una

ancient antiguo,-a *4A*

and y; *(used before a word beginning with* i *or* hi*)* e

animal el animal *4A*

to announce narrar *7B*

announcement el anuncio *7A*; *commercial announcement* el anuncio comercial *7A*

another otro,-a; *another time* otra vez

answer la respuesta

to answer contestar

antique antiguo,-a *4A*

any unos, unas; alguno,-a, algún, alguna; cualquier, cualquiera *4B*; *any at all* cualquiera *5B*; *not any* ninguno,-a, ningún, ninguna

anybody alguien

anyone alguien

anything algo

apartment el apartamento *3A*

apparatus el aparato *6B*

apple la manzana

appliance el aparato *6B*; *to turn on (an appliance)* poner

appointment la cita *2B*

April abril

aquatic acuático,-a *9A*

Arab árabe

Argentina la Argentina

Argentinean argentino,-a *4A*

to argue discutir *6B*

arm el brazo

armchair el sillón *6A*

around alrededor de *7B*

to arrange arreglar

arrival la llegada *8A*

to arrive llegar

art el arte

article el artículo *7B*

artist el artista, la artista *9A*

as tal, como; *as (+ adverb) as possible* lo más/menos *(+ adverb)* posible; *as (+ adjective/adverb) as (+ person/item)* tan *(+ adjective/adverb) como (+ person/item)*; *as much as* tanto como; *as much/many (+ noun) as (+ person/item)* tanto,-a *(+ noun) como (+ person/item)*; *as soon as* en cuanto *6B*, luego que *6B*

Asia el Asia *9B*

Asian asiático,-a *9B*

to ask preguntar; *to ask a question* hacer una pregunta; *to ask for* pedir (i, i); *to ask for permission (to do something)* pedir permiso (para); *to ask oneself* preguntarse *2B*

aspiration la aspiración *9A*

assortment el surtido *5B*

at en; *at (the symbol @ used for e-mail addresses)* arroba; *at home* en casa; *at night* de la noche, por la noche; *at... o'clock* a la(s)...; *at times* a veces; *at what time?* ¿a qué hora?

athlete el deportista, la deportista

to attain conseguir (i, i); realizar

to attend asistir a *9A*

attic el ático *6A*

attitude la actitud *9B*

attraction la atracción *4A*

attractive bonito,-a, guapo,-a

audience el público *7A*

August agosto

aunt la tía

Australia Australia *9B*

Australian australiano,-a *9B*

autograph el autógrafo *7A*

automatic automático,-a

autumn el otoño

avenue la avenida

average regular

avocado el aguacate

B

back la espalda *2B*

bacon el tocino *5A*

bad malo,-a; *Too bad!* ¡Qué lástima!

bag bolsa *5A*

bakery la panadería *3A*

bald calvo,-a

ball la pelota *7B*

balloon el globo *4A*

banana el plátano

band la banda *4B*

bank el banco

to bargain regatear

to bark ladrar *4B*

baseball el béisbol

basement el sótano *6A*

basketball el básquetbol, el baloncesto; *basketball player* el basquetbolista, la basquetbolista

to bathe bañar(se) *2A*

bathroom el baño, el cuarto de baño; *bathroom sink* el lavabo *2A*

bathtub la tina *2A*

to be ser; andar *5A*; *to be a success* tener éxito *7A*; *to be able to* poder (ue); *to be accustomed to* soler (ue) *5B*; *to be acquainted with* conocer *3B*; *to be afraid of* tener miedo de; *to be born* nacer *8A*; *to be called* llamarse *2A*; *to be careful* tener cuidado *6A*; *to be cold* tener frío; *to be familiar with* conocer *3B*; *to be fitting* convenir *6B*; *to be glad* alegrarse (de) *6B*; *to be going to (do something)* ir a *(+ infinitive)*; *to be hot* tener calor; *to be hungry* tener hambre; *to be important* importar; *to be in a hurry* tener prisa; *to be lacking* hacer falta; *to be likely that* ser fácil que *6B*; *to be long* tardar en *(+ infinitive)* *3B*; *to be mistaken* equivocar(se) *2B*; *to be necessary* hacer falta; *to be (+ number) years old* tener *(+ number)* años; *to be on sale* estar en oferta; *to be pleasing to* gustar; *to be ready* estar listo,-a; *to be right* tener razón *5B*; *to be satisfied (with)* estar contento,-a (con); *to be sleepy* tener sueño; *to be smart* ser listo,-a; *to be sorry* sentir (ie, i); *to be successful* tener éxito *7A*; *to be thirsty* tener sed; *to be unlikely that* ser difícil que *6B*; *to be used to* soler (ue) *5B*; *to be worth* valer *6B*

beach la playa

bear el oso *4B*; *teddy bear* el oso de peluche *4B*

beautiful hermoso,-a *9A*

because porque; *because of* a causa de

to become cumplir; *to become aware* enterar(se) de *7B*; *to become (+ number) years old* cumplir

bed la cama; *to go to bed* acostarse (ue) *2A*; *to put (someone) in bed* acostar (ue) *2A*

bedroom el cuarto, la habitación

beef la carne de res *5A*; *boneless cut of beef* el filete *5A*

before antes de; *a quarter before* menos cuarto; *the day before yesterday* anteayer

to begin empezar (ie); comenzar (ie) *6B*

behind detrás de *4B*

to believe creer *1B*

bellhop el botones *8B*

belt el cinturón; *safety belt* el cinturón de seguridad *3B*; *seat belt* el cinturón de seguridad *3B*

bermuda shorts las bermudas *1B*

beside al lado (de)

besides además *5B*

best mejor; *the best (+ noun)* el/la/los/las mejor/mejores *(+ noun)*

better mejor; *it is better that* más vale que *6B*

between entre

bicycle la bicicleta

big grande; *(form of grande before a m., s. noun)* gran

bike la bicicleta

bill la cuenta *5B*

biology la biología

bird el pájaro *4B*

birthday el cumpleaños; *Happy birthday!* ¡Feliz cumpleaños!; *to have a birthday* cumplir años

biscuit la galleta

to bite morder (ue) *7A*

black negro,-a

blackboard la pizarra

blender la licuadora *6B*

blond, blonde rubio,-a

blouse la blusa

blue azul
to board abordar *8B*
  boat el barco, el bote *1B*
  body el cuerpo
  Bolivia Bolivia
  Bolivian boliviano,-a *4A*
  boneless cut of beef or fish
    el filete *5A*
  book el libro
  bookstore la librería
  boot la bota
to bore aburrir(se) *7A*
  bored aburrido,-a
  boring aburrido,-a
to borrow pedir prestado,-a
to bother molestar *4A*
  box office la taquilla *4B*
  boy el chico, el muchacho
  boyfriend el novio *1B*
  bracelet la pulsera
  brake el freno *3B*
  bravo olé
  Brazil el Brasil *9B*
  Brazilian brasileño,-a *9B*
  bread el pan
to break romper *7A*
  breakfast el desayuno *2A*;
    to have breakfast
    desayunar *2A*
  brick el ladrillo *6A*
  bridge el puente *3A*
  briefcase el maletín *8B*
to bring traer; llevar *7B*; *to bring*
    about realizar; *to bring up* subir
  broadcast la transmisión *7B*
  brochure el folleto *8A*
  broom la escoba *6A*
  brother el hermano
  brown (*color*) café
  brunet, brunette moreno,-a
  brush el cepillo *2A*
to brush cepillar(se) *2A*
  building el edificio
  bull el toro *4B*
  bullfight la corrida *8A*
to burn quemar *2A*
  burro el burro *4B*
  bus el autobús; *bus station* la
    estación de autobuses *3A*
  business la empresa, los
    negocios *9A*
  businessman el hombre de
    negocios *9A*
  businesswoman la mujer de
    negocios *9A*
  busy ocupado,-a

but pero; *but (on the contrary)*
  sino *3B*
  butcher shop la carnicería *3A*
  butter la mantequilla
to buy comprar
  by por; *by airplane* en avión; *by*
    car en carro, en coche; *by*
    (*+ vehicle*) en (*+ vehicle*); *by*
    telephone por teléfono; *by the*
    way a propósito *9B*

  cafeteria la cafetería
  cage la jaula *4B*
  cake el pastel *6B*
  calendar el calendario
to call llamar
to calm down calmar(se) *2A*
  camel el camello *4A*
  camera la cámara *4A*
  camping el camping *1B*
  can la lata
  can opener el abrelatas *6B*
  Canada el Canadá *9B*
  Canadian canadiense *9B*
  candy el dulce *3A*; *candy store*
    la dulcería *3A*
  cantaloupe el melón *5A*
  cap la gorra *1B*
  capital la capital; *capital letter*
    la mayúscula
  car el carro; el coche *3B*; *carros*
    chocones bumper cars *4A*; *by*
    car en carro, en coche
  card la tarjeta; *credit card* la
    tarjeta de credito; *playing card*
    la carta
  care el cuidado *6A*; *to take care*
    of cuidar(se) *2B*, encargarse
    (de) *6A*
  career la carrera *9A*
  Caribbean el Caribe
  carpenter el carpintero, la
    carpintera *9A*
  carpet la alfombra *6A*
  carrot la zanahoria
  carrousel el carrusel *4A*
to carry llevar; *to carry up* subir
  carry-on luggage el equipaje
    de mano *8B*
  cartoon el dibujo animado *7A*
  cash el efectivo; *in cash* en
    efectivo
  cashier el cajero, la cajera *5B*;
    cashier's desk la caja
  cassette el casete

  cat el gato, la gata
  catastrophe la catástrofe *7A*
to catch coger; *to catch (a cold)*
    pescar (un resfriado) *2B*
  cathedral la catedral *3A*
  CD-ROM disco compacto
to celebrate celebrar
  celebration la celebración *7A*
  cellular phone el celular *1A*
  center el centro; el medio *9B*;
    in the center of en medio de *9B*;
    shopping center el centro
    comercial
  Central America la América
    Central *4A*
  Central American
    centroamericano,-a *9B*
  century el siglo
  cereal el cereal *5A*
  chain la cadena
  chair la silla; *easy chair* el
    sillón *6A*
  chalk la tiza
  championship
    el campeonato *7B*
  change el cambio
to change cambiar *6B*
  channel el canal *7A*
  character el personaje *7A*
to charge cargar *8A*
  chart la tabla *7B*
  chat charla; *chat room* cuarto
    de charla *1A*
  chauffeur el chofer,
    la chofer *9A*
  cheap barato,-a
  check la cuenta *5B*,
    el cheque *8A*
to check revisar; *to check in*
    registrar *8B*
  checkered a cuadros *5B*
  checkers las damas *3A*
  cheese el queso
  chemistry la química
  chess el ajedrez
  chest el pecho *2B*
  chicken el pollo
  child el niño, la niña *2B*
  Chile Chile
  Chilean chileno,-a *4A*
  chilly fresco,-a
  chimney la chimenea *6A*
  China la China *9B*
  Chinese chino,-a *9B*
  chocolate el chocolate
to choose escoger

chore el quehacer
Christmas la Navidad
church la iglesia *3A*
cigarette el cigarrillo
circus el circo *4B*
city la ciudad; *city block*
la cuadra *3A*
clam la almeja *5A*
class la clase
to **classify** clasificar
classmate el compañero,
la compañera
clean limpio,-a
to **clean** limpiar
clear claro,-a *6B*
to **clear** limpiar; *to clear the table*
recoger la mesa
clerk el dependiente, la
dependiente
to **climb** subir
clock el reloj; *(alarm) clock*
despertador *6A*
to **close** cerrar (ie)
close up de cerca *3B*
closed cerrado,-a
closet el armario *6A*
cloth la tela *5B*
clothing la ropa
cloudy nublado,-a; *it is cloudy*
está nublado
clown el payaso *4B*
club el club *6B*
coat el abrigo
coffee el café; *coffee maker*
la cafetera *6B*; *coffee pot*
la cafetera *6B*
coin la moneda
cold frío,-a
cold el frío; el resfriado *2B*;
it is cold hace frío; *to be cold*
tener frío; *to catch (a cold)*
pescar (un resfriado) *2B*
collection la colección *9A*
Colombia Colombia
Colombian colombiano,-a *4A*
color el color
column la columna *7B*
comb el peine *2A*
to **comb** peinar(se) *2A*
to **combine** combinar
to **come** venir; *to come back*
regresar *6B*, volver (ue);
to come in entrar
comedy la comedia *7A*
comfortable cómodo,-a
comic strip la tira cómica *7B*

comical cómico,-a
commentator el comentarista,
la comentarista *7B*
commercial el anuncio
comercial *7A*
communication la
comunicación *1A*
compact disc el disco
compacto; *compact disc player*
el reproductor de CDs
company la compañía *8A*
compartment el
compartimiento
competition la competencia;
el concurso *7A*
complete completo,-a *8A*
to **complete** completar, acabar
computer la computadora;
computer programmer
el programador,
la programadora *9A*
concert el concierto
concourse el muelle
to **conduct** conducir *3B*
congratulations
felicitaciones
to **connect** conectar(se)
connected conectado,-a *1A*;
unido,-a *9A*
contest el concurso *7A*
to **continue** continuar,
seguir (i, i) *1A*
cook el cocinero,
la cocinera *5B*
to **cook** cocinar
cookie la galleta
cool el fresco; *it is cool*
hace fresco
to **copy** copiar
corn el maíz
corner la esquina *3A*; *to turn*
(a corner) doblar *3B*
cornmeal pancake (Mexico)
la tortilla *3A*
correct correcto,-a
correspondence la
correspondencia
corridor el corredor
to **cost** costar (ue)
Costa Rica Costa Rica
Costa Rican
costarricense *4A*
cotton el algodón; *algodón de*
azúcar cotton candy *4A*
counter el mostrador *8B*
country el país

couple la pareja
courtyard el patio
cousin el primo, la prima
to **cover** cubrir *7A*
cow la vaca *4B*
crab el cangrejo *5A*
crazy loco,-a
cream la crema *5A*; *ice cream*
el helado; *ice cream parlor*
la heladería *3A*; *shaving cream*
la crema de afeitar *2A*
to **create** crear
credit el crédito; *credit card*
la tarjeta de crédito; *on credit*
a crédito
crew la tripulación *8B*
to **cross** cruzar
crossed atravesado,-a
cruise el crucero *1B*
Cuba Cuba
Cuban cubano,-a *4A*
culture la cultura *7B*
cultured culto,-a *7B*
cup la taza
cupboard el armario
curtain la cortina *6A*
curve la curva *3B*
custard el flan *5A*
customs la aduana
to **cut** cortar *6A*

D

dad el papá *6A*
dairy (store) la lechería
dance el baile *9A*
to **dance** bailar
dancing el baile *9A*
dark obscuro,-a; *to get dark*
anochecer *5B*
dark-haired moreno,-a
dark-skinned moreno,-a
date la fecha; la cita *2B*
daughter la hija
day el día; *All Saints' Day*
|Todos los Santos; *every day*
todos los días; *New Year's Day*
el Año Nuevo; *saint's day*
el santo; *the day after tomorrow*
pasado mañana; *the day*
before yesterday anteayer
dear querido,-a; estimado,-a
December diciembre
to **decide** decidir *5B*
to **decorate** adornar
defender el defensor, la
defensora *7B*

degree el grado
delay la demora *3B*
to **delay** tardar *3B*
delicious delicioso,-a; rico,-a *5B*
to **delight** encantar *6B*
delighted encantado,-a
demanding exigente *3B*
dentist el dentista, la dentista
deodorant el desodorante *2A*
department el departamento; *department store* el almacén *3A*
departure la salida *8A*
to **describe** describir
desert el desierto
to **design** diseñar
desire la gana
desk el escritorio, el pupitre; *cashier's desk* la caja; *reception desk* la recepción *8B*
dessert el postre
destination el destino *8A*
destiny el destino
destruction la destrucción *7A*
to **die** morir(se) (ue, u) *7A; to die laughing* morirse de la risa *7A*
different diferente *5B*
difficult difícil
dining room el comedor
dinner la comida *2A*, la cena *2A; to have dinner* cenar *2A*
to **direct** dirigir; conducir *3B*
direction la dirección *3B*
director el director, la directora
dirty sucio,-a
disaster el desastre
to **discuss** discutir *6B*
dish el plato
dishwasher el lavaplatos eléctrico
diskette el diskette
to **do** hacer; practicar *9A; to do aerobics* hacer aeróbicos
doctor el médico, la médica; el doctor, la doctora (*abbreviation*: Dr., Dra.) *2B; doctor's office* el consultorio
dog el perro, la perra
dollar el dólar
Dominican dominicano,-a *4A; Dominican Republic* la República Dominicana
donkey el burro *4B*
door la puerta
dot el punto
double doble *8B*

to **doubt** dudar *6B*
doubtful dudoso,-a *6B*
down abajo *6A*
to **download** *a (software) program* bajar un programa *1A*
downstairs abajo *6A*
downtown el centro
to **draw** dibujar
drawing el dibujo; *cartoon* el dibujo animado *7A*
dream el sueño *9A*
to **dream** soñar *8A*
dress el vestido
to **dress (someone)** vestir (i, i) *2A*
dresser el tocador
dressing el aderezo *5B*
drink el refresco, la bebida; *soft drink* el refresco
to **drink** tomar
drinkable potable *8B*
to **drive** conducir *3B*, manejar *3B*
driver el chofer, la chofer *9A; taxi driver* el taxista, la taxista *9A*
drum el tambor
dryer la secadora *6A*
duck el pato *4B*
due to a causa de
during durante *4B*
dust el polvo *1B*

E

each cada
ear *(inner)* el oído *2B; (outer)* la oreja *2B*
early temprano
to **earn** ganar *6A*
earring el arete
earth la tierra
east el este *3B*
Easter la Pascua
easy fácil; *easy chair* el sillón *6A*
to **eat** comer; *to eat completely* comerse *2B; to eat lunch* almorzar (ue) *2A; to eat up* comerse *2B*
ecology la ecología *1A*
economic económico,-a *7B*
economy la economía *7B*
Ecuador el Ecuador
Ecuadorian ecuatoriano,-a *4A*
editorial el editorial *7B*
egg el huevo
eight ocho; *eight hundred* ochocientos,-as

eighteen dieciocho
eighth octavo,-a
eighty ochenta
either tampoco; *either...or* o...o
El Salvador El Salvador
elbow el codo *2B*
electric eléctrico,-a
electronic mail el correo electrónico *1A*
elegant elegante *5B*
elephant el elefante *4A*
elevator el ascensor
eleven once
else mas
e-mail el e-mail *1A*, correo electrónico
emigration emigración
empire el imperio
employee el empleado, la empleada *9A*
to **enchant** encantar *6B*
enchilada la enchilada *3A*
end el fin
to **end** terminar; *to end up* ir a parar *4B*
engine el motor; *search engine* el motor de búsqueda *1A*
engineer el ingeniero, la ingeniera *9A*
England Inglaterra *9B*
English inglés, inglesa *9B*
English el inglés (*language*)
to **enjoy** gozar *8A*
enough bastante
to **erase** borrar
eraser el borrador
escalator la escalera mecánica
to **escape** escapar(se) *4B*
Europe Europa *9B*
European europeo,-a *9B*
even aun; *even though* sino *3B; not even* ni
event el acontecimiento *7A*, el suceso *7A*
every todo,-a, cada; *every day* todos los días
everybody todo el mundo, todos,-as
everyday de todos los días
everyone todo el mundo, todos,-as
everything todo *5A*
everywhere por todos lados
evident evidente *6B*
to **exaggerate** exagerar *6A*
exam el examen

example el ejemplo; *for
example* por ejemplo
excellent excelente
excited emocionado,-a *8A*
exciting emocionante *4B*
excuse me perdón, con
permiso
exercise el ejercicio *2B*
exhibition la exhibición *3B*
exit la salida *8A*
expense el gasto *8A*
expensive caro,-a
experience la experiencia *9A*
expertise la destreza *4B*
to expire vencer, caducar
to explain explicar, aclarar
explanation la explicación
(exterior) wall el muro *6A*
eye el ojo *2B*

F

fabric la tela *5B*
face la cara *2B*
faded desteñido,-a *5B*
to fail fracasar *7A*
fairly bastante
to fall (down) caer(se) *2B; to fall
asleep* dormirse (ue, u) *2B*
family la familia; *family tree* el
árbol genealógico
famous conocido,-a;
famoso,-a *7A*
fan el aficionado, la aficionada
7B; el ventilador *6A*
fantastic fantástico,-a;
maravilloso,-a *4A*
far (from) lejos (de)
fare la tarifa *8A*
farewell la despedida *9B*
farm la finca *4B*
farmer el agricultor, la
agricultora *9A*
farther on adelante *3A*
to fascinate fascinar *6B*
fascinating fascinante *4A*
fashion moda
fast rápido,-a
to fasten abrochar(se)
fat gordo,-a; *to get fat, to make
fat* engordar *5B*
fate el destino
father el padre; el papá *6A*
faucet el grifo *2A*
favorite favorito,-a
fax el fax *1A*
fear el miedo

to fear temer *6B*
feather la pluma *4B*
February febrero
to feed dar de comer
to feel sentir(se) (ie, i) *2B; to feel
like* tener ganas de; *to feel sorry*
sentir (ie, i)
fence la cerca *6A; wrought iron
fence* la reja *6A*
fender el parachoques *3B*
ferocious feroz (pl. feroces) *4A*
fierce feroz (pl. feroces) *4A*
fifteen quince
fifth quinto,-a
fifty cincuenta
fillet el filete *5A*
film la película
to film filmar
finally por fin *9B*
to find encontrar (ue) *1A; to find
out* enterar(se) de *7B*
finger el dedo
to finish terminar, acabar
fire el fuego; el incendio *6B;
fire alarm* la alarma de
incendios *6B*
fire fighter el bombero,
la bombera *9A*
fireplace la chimenea *6A*
fireworks fuegos artificiales *4A*
first primero,-a; primero; *(form
of* primero *before a m., s. noun)*
primer; *first floor* el primer piso
fish el pescado; *boneless cut of
fish* el filete *5A,* el pez (when
alive, before being caught)
to fish pescar *2B*
fishing la pesca *9A*
to fit quedarle bien a uno; *to fit
(into)* caber *5A*
fitting room el vestidor *5B*
five cinco; *five hundred*
quinientos,-as
to fix arreglar
flamingo el flamenco *4A*
flat roof la azotea
flavor el sabor *5B*
flavoring el aderezo *5B*
flight el vuelo *8A; flight
attendant* el auxiliar de vuelo,
la auxiliar de vuelo *8B*
floor el piso; *first floor* el
primer piso; *ground floor* la
planta baja
flower la flor; *flower shop* la
florería *3A*

flu la gripe *2B*
flute la flauta
to fly volar (ue) *4B*
to follow seguir (i, i) *1A*
following siguiente
food la comida; *food server* el
camarero, la camarera *5B,* el
mesero, la mesera; *little food
item* la golosina *4A*
foot el pie; *on foot* a pie
football el fútbol americano
for por, para; *for example* por
ejemplo
foreign extranjero,-a *7A*
forest el bosque *4B*
to forget olvidar(se) *2B*
fork el tenedor
to form formar; *to form an opinion*
opinar *7A*
forty cuarenta
forward el delantero,
la delantera *7B*
to found fundar
four cuatro; *four hundred*
cuatrocientos,-as
fourteen catorce
fourth cuarto,-a
fowl el ave
France Francia *9B*
free libre
French francés, francesa *9B*
fresh fresco,-a; puro,-a *6A*
Friday viernes; *on Friday*
el viernes
friend el amigo, la amiga
friendship la amistad *9A*
from de, desde; *from a short
distance* de cerca *3B; from the*
de la/del (de + el); *from
where?* ¿de dónde?
fruit la fruta; *fruit store* la
frutería *3A*
to fry freír (i, i) *5A*
full lleno,-a *5B*
fun divertido,-a; *to have fun*
divertirse *2B*
funny cómico,-a; chistoso,-a *4A*
furthermore además *5B*
future el futuro *9A*

G

game el partido, el juego; *game
show* el programa de concurso;
games won los partidos
ganados; *to play (a game)* jugar
a; *video game* el videojuego

garage el garaje
garbage la basura
garden el jardín; *zoological garden* el jardín zoológico
garlic el ajo
garment la prenda *5B*
generous generoso,-a
gentleman el caballero *3A*
geography la geografía
geometry la geometría
German alemán, alemana *9B*
Germany Alemania *9B*
to get conseguir (i, i) *1A; to always get one's way* siempre salirse con la suya *9B; to get along* llevarse *2B; to get burned* quemarse *2A; to get connected* conectarse *1A; to get dark* anochecer *5B; to get dressed* vestirse *2A; to get fat* engordarse *5B; to get in* subir *3B; to get together* reunir(se) *2B; to get up* levantarse *2A; to get used to* acostumbrar(se) *2B*
gift el regalo
giraffe la jirafa *4A*
girl la chica, la muchacha
girlfriend la novia *1B*
to give dar; *to give an opinion* opinar *7A*
glad contento,-a; *Glad to meet you!* ¡Mucho gusto!; *I would be (very) glad to* con (mucho) gusto; *So glad to meet you.* Tanto gusto.; *to be glad* alegrarse (de) *6B*
glass el vaso; *glass showcase* la vitrina *3A*
globe el globo *4A*
glove el guante
to go ir; andar *5A; to go away* irse *2B; to go away on a trip* irse de viaje *2B; to go back* regresar *6B*, volver (ue); *to go in* entrar; *to go on* seguir (i, i) *1A; to go out* salir; *to go shopping* ir de compras; *to go to bed* acostarse (ue) *2A; to go up* subir; *to go upstairs* subir
goal el gol *7B*
goalie el portero, la portera *7B*
goalkeeper el portero, la portera *7B*
gold el oro
good bueno,-a, *(form of bueno before a m., s. noun)* buen; *good*

afternoon buenas tardes; *good luck* buena suerte; *good morning* buenos días; *good night* buenas noches
good-bye adiós; *to say good-bye* despedir(se) (i, i)
good-bye la despedida *9B*
good-looking guapo,-a, bonito,-a
gorilla el gorila *4A*
gossip el chisme *1B*
government el gobierno
granddaughter la nieta
grandfather el abuelo
grandmother la abuela
grandson el nieto
grape la uva
grapefruit la toronja *5A*
grass el césped *3B*
gray gris
great fantástico,-a; gran *4B*
great-grandfather el bisabuelo *6A*
great-grandmother la bisabuela *6A*
greater mayor
greatest mayor
green verde; *green bean* la habichuela
greens la verdura
to greet saludar
grocery store el almacén *3A*
group el grupo; *musical group* el grupo musical
to grow crecer
Guatemala Guatemala
Guatemalan guatemalteco,-a *4A*
to guess adivinar
guidance la dirección *3A*
guide el guía, la guía *4A*
guidebook la guía *8A*
guitar la guitarra
guy el muchacho
gym el gimnasio

hair el pelo *2A*
hairstylist el peluquero, la peluquera *9A*
half medio,-a; *half past* y media
hallway el corredor
ham el jamón
hand la mano; *on the other hand* en cambio
to hand in entregar *8B*
handbag el bolso; el maletín *8B*

handkerchief el pañuelo
handsome guapo,-a
to hang colgar (ue)
to happen pasar
happening el acontecimiento *7A*, el suceso *7A*
happiness la dicha *8A*
happy contento,-a, feliz *(pl.* felices), alegre; *Happy birthday!* ¡Feliz cumpleaños!; *to make happy* alegrar (de) *6B*
hard difícil
hat el sombrero; *hat store* la sombrerería
to have tomar, tener; *(auxiliary verb)* haber *7A; to have a birthday* cumplir años; *to have breakfast* desayunar *2A; to have dinner* cenar *2A; to have fun* divertirse *2B; to have just* acabar de (+ *infinitive); to have lunch* almorzar (ue) *2A; to have supper* cenar *2A; to have to* deber, tener que
he él
head la cabeza
headlight el faro *3B*
headline el titular *7B*
health la salud *2A*
to hear oír; escuchar *7B*
heart el corazón *2B*
heat el calor
hello hola; *(telephone greeting)* aló, diga, oigo; *to say hello* saludar
help la ayuda
to help ayudar
hen la gallina *4B*
her su, sus; *(d.o.)* la; *(i.o.)* le; *(after a preposition)* ella; suyo,-a *4B; (of) hers* suyo,-a *4B*
here aquí
heritage la herencia
hey mira, miren, oye, oigan
hi hola
high-heel shoe el zapato de tacón
highway la carretera *3A*
hill la colina
him *(d.o.)* lo; *(i.o.)* le; *(after a preposition)* él
hippopotamus el hipopótamo *4A*
his su, sus; suyo,-a *4B; (of) his* suyo,-a *4B*
Hispanic hispano,-a

history la historia
hockey el hockey
home la casa; el hogar *6A*;
at home en casa
homework la tarea
Honduran hondureño,-a *4A*
Honduras Honduras
honey miel; *honey (term of endearment)* corazón *2B*
hood el capó *3B*
hope la aspiración *9A*
to **hope** esperar *6B*
horn el claxon *3B*; el cuerno *4B*
horrible horrible
horse el caballo; *on horseback* a caballo
hot caliente; *it is hot* hace calor; *to be hot* tener calor
hot dog la salchicha *5A*
hotel el hotel *8B*
hour la hora
house la casa
how (+ adjective)! ¡qué (+ *adjective*)!
how (+ adjective/adverb) lo (+ *adjective/adverb*)
how? ¿cómo?; *How are you?* ¿Qué tal?; *How are you (formal)?* ¿Cómo está (Ud.)?; *How are you (informal)?* ¿Cómo estás (tú)?; *How are you (pl.)?* ¿Cómo están (Uds.)?; *How do you say...?* ¿Cómo se dice...?; *How do you write (spell)...?* ¿Cómo se escribe...?; *How is the weather?* ¿Qué tiempo hace?; *How long...?* ¿Cuánto (+ *time expression*) hace que (+ *present tense of verb*)...?; *how many?* ¿cuántos,-as?; *how much?* ¿cuánto,-a?; *How old are you?* ¿Cuántos años tienes?
however sin embargo *9B*
hug el abrazo
hunger el hambre *(f.)*
hurricane el huracán *7A*
hurry la prisa; *in a hurry* apurado,-a; *to be in a hurry* tener prisa
to **hurry up** apurar(se) *5B*
to **hurt** doler (ue) *2B*; lastimar(se) *7A*
husband el esposo; el marido

I

I yo; *I am sorry* lo siento; *I do not know.* No sé.; *I hope* ojalá *9A*
ice el hielo; *ice cream* el helado; *ice cream parlor* la heladería *3A*
to **ice-skate** patinar sobre hielo
idea la idea
ideal ideal
if si; *if only* ojalá *9A*
iguana la iguana *4A*
to **imagine** imaginar(se) *4A*
immediately en seguida *8B*
to **imply** implicar
important importante; *to be important* importar
impossible imposible *6B*
to **improve** mejorar
in en, por; *in a hurry* apurado,-a; *in cash* en efectivo; *in favor (of)* a favor (de) *7B*; *in order to* para; *in order that* para que; *in short* en resumen; *in the afternoon* de la tarde, por la tarde; *in the center of* en medio de *9B*; *in the middle of* en medio de *9B*; *in the morning* de la mañana, por la mañana
increase el aumento
to **inform** informar *7A*
information la información *1A*
ingredient el ingrediente
inhabitant el habitante, la habitante
to **injure** lastimar(se) *7A*
injured herido,-a *7A*
inn el parador *8B*
(inner) ear el oído *2B*
inside adentro *6A*
to **insist (on)** insistir (en) *6A*
to **install** instalar *1B*
instruction la dirección *3A*
intelligent inteligente
to **intend** pensar (ie)
to **interest** interesar *6B*
interesting interesante
international internacional *7B*
Internet la internet *1A*
interview la entrevista *7B*
to **introduce** presentar
invitation la invitación
to **invite** invitar *6A*
iron la plancha *6B*
to **iron** planchar *6B*
ironing board la mesa de planchar *6B*

island la isla *9B*
it *(d.o.)* la, *(d.o.)* lo; *(neuter form)* ello; *it is better that* más vale que *6B*; *it is cloudy* está nublado; *it is cold* hace frío; *it is cool* hace fresco; *it is hot* hace calor; *It is midnight.* Es medianoche.; *it means* quiere decir; *It is noon.* Es mediodía; *it is (+ number) o'clock* son las (+ *number*); *it is one o'clock* es la una; *it is sunny* está soleado, hay sol, hace sol; *it is windy* hace viento; *it is written* se escribe
Italian italiano,-a *9B*
Italy Italia *9B*
itinerary el itinerario *8A*
its su, sus; suyo,-a *4B*

J

jacket la chaqueta
January enero
Japan el Japón *9B*
Japanese japonés, japonesa *9B*
jersey la camiseta
jewel la joya
jewelry store la joyería *5B*
job el empleo *9A*
joke el chiste *5A*, la broma *6A*
journalist el periodista, la periodista *7A*
juice el jugo
July julio
to **jump** saltar *4B*
June junio
jungle la selva *4A*
juggler el malabarista, la malabarista *4B*
just sólo

K

to **keep** seguir (i,i) *1A*; mantener *9B*
Kenya Kenia *9B*
Kenyan keniano,-a *9B*
ketchup la salsa de tomate *5B*
key la llave *6B*
kilo(gram) el kilo(gramo)
kind amable
kind el tipo *5B*
king el rey *8A*
kiss el beso *6A*
kitchen la cocina
knee la rodilla *2B*
knife el cuchillo

to know saber; conocer *3B*; *I do not know.* No sé.
knowledge la cultura *7B*
known conocido,-a

lady la señora, Sra., la dama; *young lady* la señorita
lake el lago *2B*
lamp la lámpara
land la tierra
to land aterrizar *8B*
landscape el paisaje
language la lengua, el idioma
last pasado,-a, último,-a *1B*; *last name* el apellido *8B*; *last night* anoche *5A*
late tarde *2A*
later luego, después; *see you later* hasta luego, hasta la vista
laugh la risa *7A*
to laugh reír(se) (i, i) *5A*
laundry room el lavadero *6A*
lawn el césped *3B*; *lawn mower* la cortadora de césped *6A*
lawyer el abogado, la abogada *9A*
lazy perezoso,-a
to learn aprender; *to learn about* enterar(se) de *7B*
least: the least (+ adjective + noun) el/la/los/las (+ *noun*) menos (+ *adjective*)
leather el cuero
to leave dejar; irse *2B*
left izquierdo,-a *2B*
left la izquierda *3A*; *to the left* a la izquierda *3A*
leg la pierna; pata (for an animal) *4B*; *to pull someone's leg* tomar el pelo *5B*
lemon el limón *5A*
to lend prestar
less menos; *less (+ noun/adjective/adverb) than* menos (+ *noun/adjective/adverb*) que
to let dejar (de) *6A*; *let me introduce you to* (formal, s.) le presento a, (informal, s.) te presento a, (pl.) les presento a
letter la carta, la letra; *capital letter* la mayúscula; *lowercase letter* la minúscula
lettuce la lechuga

let's (+ infinitive)! ¡vamos a (+ *infinitive*)!; *let's go!* ¡vamos!; *let's see* a ver
level el nivel
librarian el bibliotecario, la bibliotecaria *9A*
library la biblioteca
lie la mentira
to lie mentir (ie, i)
to lie down acostarse *2A*
life la vida
to lift levantar *2A*
light la luz (*pl.* luces); *light bulb* la bombilla *6A*
to light encender (ie)
lighthouse el faro
like como *4A*
to like gustar; querer; *I/you/he/she/it/we/they would like...* me/te/le/nos/os/les gustaría...
lime el limón *5A*
line la fila *4B*
lion el león *4A*
link el vínculo *1A*
list la lista
to listen to oír; escuchar *7B*
little poco,-a; *a little (bit)* un poco; *very little (bit)* un poquito; *little food item* la golosina *4A*; *little machine* la maquinita
live en vivo *7B*
to live vivir
living room la sala
lobster la langosta
located ubicado,-a
lock la cerradura *6B*
to lodge alojar(se) *8B*
long largo,-a
to look (at) mirar; *to look for* buscar
to lose perder (ie)
love el amor
to love querer
lovely hermoso,-a *9A*
lowercase letter la minúscula
low-heel shoe el zapato bajo
luck la suerte *8A*; *good luck* buena suerte
luggage el equipaje *8B*; *carry-on luggage* el equipaje de mano *8B*
lunch el almuerzo; *to eat lunch* almorzar (ue) *2A*; *to have lunch* almorzar (ue) *2A*
luxury el lujo *8B*

M

machine la máquina; *little machine* la maquinita
magazine la revista
magnificent magnífico,-a *9B*
mail el correo; *electronic mail* correo electrónico *1A*
main principal *5B*
to maintain mantener *9B*
majority la mayoría
to make hacer; *to make fat* engordar *5B*; *to make happy* alegrar (de) *6B*; *to make responsible (for)* encargar (de) *6A*
makeup el maquillaje *2A*; *to put makeup on (someone)* maquillar *2A*; *to put on makeup* maquillarse *2A*
mall el centro comercial
man el hombre
manager el gerente, la gerente *9A*
many mucho,-a; *how many?* ¿cuántos,-as?; *too many* demasiado,-a *5A*
map el mapa
March marzo
market el mercado; *meat market* la carnicería *3A*
marvelous maravilloso,-a *4A*
match el partido
material el material
mathematics las matemáticas
to matter importar
maximum máximo,-a *7B*
May mayo
maybe a lo mejor *8A*, puede ser *8A*
mayonnaise la mayonesa *5B*
me *(i.o.)* me; *(d.o.)* me; *(after a preposition)* mí; *they call me* me llaman
to mean querer decir; *it means* quiere decir; *What is the meaning (of)...?* ¿Qué quiere decir...?
meat la carne; *meat market* la carnicería *3A*
mechanic el mecánico, la mecánica *9A*
medicine la medicina *2B*
to meet conocer; *Glad to meet you!* ¡Mucho gusto!

meeting la reunión *7A*
melon el melón *5A*
member el miembro *6A*
men's restroom el baño de los caballeros
menu el menú
merry-go-round el carrusel *4A*
Mexican mexicano,-a *3A*
Mexico México
microphone el micrófono *7B*
microwave oven el horno microondas
middle el medio *9B; in the middle of* en medio de *9B*
midfielder el mediocampista, la mediocampista *7B*
midnight la medianoche; *It is midnight.* Es medianoche.
milk la leche; *milk store* la lechería
mine mío,-a; *(of) mine* mío,-a *4B; the pleasure is mine* el gusto es mío
mineral water el agua mineral *(f.)*
minimum mínimo,-a
minus menos
minute el minuto
mirror el espejo *2A*
to miss extrañar *9A*
Miss la señorita, Srta.
mist la neblina
modern moderno,-a *3B*
mom la mamá *6A*
Monday lunes; *on Monday* el lunes
money el dinero; la moneda *3A*
monkey el mono *4A*
month el mes
monument el monumento *3A*
moon la luna *4B*
more más; *more (+ noun/ adjective/adverb) than* más (+ *noun/adjective/adverb*) que; *more than* más de *4A*
morning la mañana; *good morning* buenos días; *in the morning* de la mañana, por la mañana
Moroccan marroquí *9B*
Morocco Marruecos *9B*
most: the most (+ adjective + noun) el/la/los/las (+ *noun*) más (+ *adjective*)
mother la madre; la mamá *6A*
motor el motor *3B*

motorcycle la moto(cicleta)
mountain la montaña *4A*
mouse el ratón *4B*
mouth la boca *2B*
to move mudar(se) *8A*
movie la película; *movie theater* el cine
to mow cortar *6A*
mower la cortadora de césped *6A*
Mr. el señor, Sr.
Mrs. la señora, Sra.
much mucho,-a; mucho; *as much as* tanto como; *as much (+ noun) as (+ person/item)* tanto,-a (+ *noun*) como (+ *person/item*); *how much?* ¿cuánto,-a?; *too much* demasiado,-a *5A; very much* muchísimo
museum el museo
music la música
musical el musical *7A; musical group* el grupo musical
must deber
mustard la mostaza *5B*
my mi, *(pl.)* mis; mío,-a *4B; my name is* me llamo
mystery el misterio *7A*

name el nombre *8A; last name* el apellido; *my name is* me llamo; *their names are* se llaman; *What is your name?* ¿Cómo te llamas?; *What is (your/his/her) name?* ¿Cómo se llama (Ud./él/ella)?; *(Your [formal]/His/Her) name is....* (Ud./Él/Ella) se llama....; *your name is* te llamas
napkin la servilleta
to narrate narrar *7B*
narrow estrecho,-a
national nacional *7A*
native indígena
near cerca (de)
necessary necesario,-a *5A*, preciso,-a *6B; to be necessary* hacer falta
neck el cuello *2B*
necklace el collar
to need necesitar
neighbor el vecino, la vecina *2B*
neighborhood el barrio *2B*
neither tampoco; *neither...nor* ni...ni

nephew el sobrino
nervous nervioso,-a
never nunca
nevertheless sin embargo *9B*
new nuevo,-a; *New Year's (Day)* el Año Nuevo
news la noticia
newspaper el periódico
news program el noticiero *7A*
next próximo,-a *3A*, que viene; *next to* al lado (de)
Nicaragua Nicaragua
Nicaraguan nicaragüense *4A*
nice simpático,-a, amable; agradable *5B; the weather is nice* hace buen tiempo
nickname el apodo
niece la sobrina
night la noche; *at night* de la noche, por la noche; *good night* buenas noches; *last night* anoche *5A*
nine nueve; *nine hundred* novecientos,-as
nineteen diecinueve
ninety noventa
ninth noveno,-a
no no
nobody nadie
noise el ruido *8B*
none ninguno,-a, ningún, ninguna
noon el mediodía; *It is noon.* Es mediodía.
normal normal *7A*
north el norte *3B; North America* la América del Norte *4A; North American* norteamericano,-a *9B*
northeast el noreste *3B*
northwest el noroeste *3B*
nose la nariz *(pl.* narices) *2B*
not any ninguno,-a, ningún, ninguna
not even ni
not very poco,-a
notebook el cuaderno
nothing nada
November noviembre
now ahora; ya *7B; right now* ahora mismo
number el número; *telephone number* el número de teléfono
nurse el enfermero, la enfermera *2B*

O

to obtain conseguir (i, i) *1A*
obvious obvio,-a *6B*
occasion la ocasión *7A*
occupied ocupado,-a
to occur pasar; ocurrir *4B*
ocean el océano *9B*
o'clock a la(s)...; *it is (+ number) o'clock* son las (+ number); *it is one o'clock* es la una
October octubre
octopus el pulpo *5A*
of de; *of the* de la/del (de + el); *of course* desde luego *2A*; *of course!* ¡claro!, ¡Cómo no!; *(of) hers* suyo,-a *4B*; *(of) his* suyo,-a *4B*; *(of) mine* mío,-a *4B*; *(of) ours* nuestro,-a *4B*; *of which* cuyo,-a; *(of) yours* tuyo,-a *4B*
to offer ofrecer *3B*
office la oficina; *box office* la taquilla *4B*; *post office* la oficina de correos *3A*; *ticket office* la taquilla *4B*; *doctor's office* el consultorio
official oficial
oh! ¡ay!
oil el aceite, el petróleo
okay de acuerdo, regular; *(pause in speech)* bueno
old viejo,-a; antiguo,-a *4A*; *How old are you?* ¿Cuántos años tienes? *to be (+ number) years old* tener (+ number) años; *to become (+ number) years old* cumplir
older mayor
oldest el/la mayor
on en, sobre; *on credit* a crédito; *on foot* a pie; *on Friday* el viernes; *on horseback* a caballo; *on loan* prestado,-a; *on Monday* el lunes; *on Saturday* el sábado; *on Sunday* el domingo; *on the other hand* en cambio; *on the telephone* por teléfono; *on Thursday* el jueves; *on time* a tiempo *6B*; *on top of* encima de *4B*; *on Tuesday* el martes; *on Wednesday* el miércoles
one un, una, uno; *one hundred* cien, *(when followed by another number)* ciento
one-way sencillo,-a *8A*

onion la cebolla
only único,-a, sólo, solamente; *if only* ojalá *9A*
open abierto,-a
to open abrir; *open (command)* abre *2B*
opportunity la oportunidad *7B*
or o, *(used before a word that starts with o or ho)* u; *either...or* o...o
orange *(color)* anaranjado,-a
orange la naranja
to order pedir (i, i); mandar; ordenar
organ el órgano
to organize organizar *9B*
other otro,-a
ought deber
our nuestro,-a *4B*
outdoors al aire libre *6A*
(outer) ear la oreja *2B*
outside afuera *6A*
oven el horno *6B*; *microwave oven* el horno microondas
over sobre; encima de *4B*; *over there* allá
overnight bag el maletín *8B*

P

paella la paella
page la página
pain la pena
to paint pintar *1B*
painting el cuadro *6A*, la pintura
pair la pareja
pajamas el pijama
Panama Panamá
Panamanian panameño,-a *4A*
panther la pantera *4A*
pants el pantalón
pantyhose las pantimedias
papaya la papaya *5A*
paper el papel; *sheet of paper* la hoja de papel
parade el desfile *4A*
Paraguay el Paraguay
Paraguayan paraguayo,-a *4A*
pardon me perdón
parents los padres, los papás
park el parque; *amusement park* el parque de atracciones
part la parte *5A*
to participate participar *7A*
partner el compañero, la compañera

party la fiesta
to pass pasar; *pass me* pásame
passenger el pasajero *8B*
passport el pasaporte *8A*
past pasado,-a; *a quarter past* y cuarto; *half past* y media
pastime el pasatiempo
pastry el pastel *6B*
path el camino
patio el patio
paw la pata *4B*
to pay pagar
pea el guisante
peace la paz
peach el durazno *5A*
peanut butter la mantequilla de maní *5A*
pear la pera *5A*
pearl la perla
pen el bolígrafo, la pluma
penalty la pena máxima *7B*
pencil el lápiz *(pl. lápices)*; *pencil sharpener* el sacapuntas
people la gente
pepper la pimienta *(seasoning)*; *bell pepper* el pimiento; *pepper shaker* el pimentero *5B*
perfect perfecto,-a
perfume el perfume
perhaps quizás
period el tiempo *7B*
permission el permiso; *to ask for permission (to do something)* pedir permiso (para)
permit el permiso
to permit permitir
person la persona
personal personal
pertaining to air aéreo,-a *8A*
pertaining to water acuático,-a *9A*
Peru el Perú
Peruvian peruano,-a *4A*
philosophy la filosofía
photo la foto(grafía)
photographer el fotógrafo, la fotógrafa *9A*
physics la física
piano el piano
to pick up recoger
picnic el picnic *1B*
picture el cuadro *6A*
piece la pieza *8B*; *piece of furniture* el mueble *6A*
pier el muelle *8B*

pig el cerdo *4B;* el puerco
pilot el piloto, la piloto *8B*
pineapple la piña *5A*
pink rosado,-a
pity la lástima *6B*
place el lugar, la posición; la parte *5A*
to place poner(se); colocar(se) *8B*
plaid a cuadros *5B*
plan el plan *6B*
plant la planta
plastic el plástico
plate el plato; *license plate* la placa *3B*
play la comedia *7A*
to play jugar (ue); *(a musical instrument)* tocar; *(a sport/game)* jugar a
player el jugador, la jugadora; *basketball player* el basquetbolista, la basquetbolista; *record player* el tocadiscos; *soccer player* el futbolista, la futbolista; *tennis player* el tenista, la tenista
playing card la carta
plaza la plaza
pleasant simpático,-a
please por favor
to please agradar *5B,* complacer *6B*
pleasing agradable *5B; to be pleasing to* gustar
pleasure el gusto; el placer *8B; the pleasure is mine* encantado,-a, el gusto es mío
plum la ciruela *5A*
plural el plural
point el punto
to point apuntar; *to point to (at, out)* señalar
police (officer) el policía, la policía *3A*
politically políticamente
politics la política *7B*
poll la encuesta *7B*
pollution (environmental) la contaminación ambiental *1A*
poor pobre *4B*
popcorn las palomitas de maíz *4A*
popular popular
population la población
pork el cerdo *4B;* el puerco
port el puerto
Portugal el Portugal *9B*

Portuguese portugués, portuguesa *9B*
position la posición *8B*
possible posible *5B; as (+ adverb) as possible* lo más/menos (+ adverb) posible
post office la oficina de correos *3A*
pot la olla; *coffee pot* la cafetera *6B*
potato la papa
pound la libra
practice la práctica
to practice practicar *9A*
to prefer preferir (ie, i)
to prepare preparar
pretty bonito,-a, lindo,-a
price el precio
prince el príncipe *8A*
princess la princesa *8A*
principal principal *5B*
printed advertisement el aviso *7B*
prize el premio *6A*
probable probable *5A*
problem el problema
program el programa *1A, to download a program* bajar un programa *1A*
prohibited prohibido,-a *3B*
to promise prometer
protest la protesta *7A*
to prove probar(se) (ue)
public público,-a; *public square* la plaza; *public telephone* el teléfono público.
Puerto Rican puertorriqueño,-a *4A*
Puerto Rico Puerto Rico
to pull someone's leg tomar el pelo *5B*
punishment la pena
purchase la compra
pure puro,-a *6A*
purpose el propósito
purse el bolso
to pursue seguir (i, i) *1A*
to put poner(se); colocar(se) *8B; to put (someone) in bed* acostar (ue) *2A; to put in charge (of)* encargar (de) *6A; to put makeup on (someone)* maquillar *2A; to put on* poner(se) *2A; to put on makeup* maquillarse *1A*

Q

quality la calidad
quarter el cuarto; *a quarter after, a quarter past* y cuarto; *a quarter to, a quarter before* menos cuarto
queen la reina *8A*
question la pregunta; *to ask a question* hacer una pregunta
quickly pronto
to quit dejar (de) *2B*

R

rabbit el conejo *4B*
radio *(apparatus)* el radio; *(broadcast)* la radio; *radio station* la emisora *7B*
rain la lluvia
to rain llover (ue)
raincoat el impermeable
to raise levantar *2A*
ranch la finca *4B*
rapid rápido
rapidly rápidamente
rather bastante
to reach cumplir
to read leer
reading la lectura
ready listo,-a; *to be ready* estar listo,-a
real real *9A*
reality la realidad *9B*
really? ¿de veras?
reason la razón *5B*
receipt el recibo
to receive recibir
reception desk la recepción *8B*
receptionist el recepcionista, la recepcionista *8B*
recipe la receta
record el disco; *record player* el tocadiscos
to record grabar *7A*
red rojo,-a
red-haired pelirrojo,-a
to refer referir(se) (ie, i) *6A*
referee el árbitro, la árbitro *7B*
refreshment el refresco
refrigerator el refrigerador
to regret sentir (ie,i)
regular regular
relative el pariente, la parienta
to relax descansar *2B*
to remain quedar(se) *2A*

to remember recordar (ue);
 acordar(se) (de) (ue) *5A*
 remote remoto,-a; *remote
 control* el control remoto
to rent alquilar
to repeat repetir (i, i)
 report el informe
 reporter el periodista, la
 periodista; el reportero, la
 reportera *7A*
to request pedir (i,i)
 reservation la reservación *8A*
to resolve resolver (ue)
 respectfully atentamente
to rest descansar *2B*
 restaurant el restaurante
to return volver (ue); regresar *6B*
 reunion la reunión *7A*
to review repasar
 rib la costilla *5A*
 rice el arroz
 rich rico,-a *5B*
 ride el paseo; *(amusement) ride*
 la atracción *4A*
to ride montar
 right correcto,-a; derecho,-a
 2B; right? ¿verdad?; *right now*
 ahora mismo; *to be right* tener
 razón *5B*
 right la derecha *3A; to the right*
 a la derecha *3A*
 ring el anillo
 ripe maduro,-a
 river el río *9B*
 road el camino
 roar el rugido
to roar rugir
 robbery el robo *7A*
 roller coaster la montaña
 rusa *4A*
 roof el techo *6A; flat roof*
 la azotea
 room el cuarto; la habitación
 8B; chat room cuarto de charla
 1A; dining room el comedor;
 laundry room el lavadero *5A;*
 living room la sala; *room service*
 servicio de habitaciones *8B*
 rooster el gallo *4B*
 round-trip de ida y vuelta *8A*
 routine la rutina
 row la fila *4B*
 ruby el rubí *5B*
 rug la alfombra *6A*
 rule la regla *6B*

 ruler la regla
to run correr
 runner el corredor, la
 corredora
 rush la prisa
 Russia Rusia *9B*
 Russian ruso,-a *9B*

 sad triste
 safety la seguridad *3B; safety
 belt* el cinturón de seguridad *3B*
 saint's day el santo; *All Saints'
 Day* Dia de todos los Santos
 salad la ensalada
 sale la oferta; *to be on sale* estar
 en oferta
 salesperson el vendedor, la
 vendedora *9A*
 salt la sal; *salt shaker*
 el salero *5B*
 Salvadoran salvadoreño,-a *4A*
 same mismo,-a
 sand la arena
 sandals las sandalias *1B*
 sandwich el sandwich *5A*
 Saturday sábado; *on Saturday*
 el sábado
 sauce la salsa *5B*
 saucepan la olla
 Saudi saudita *9B; Saudi Arabia*
 Arabia Saudita *9B; Saudi
 Arabian* saudita *9B*
 sausage *(seasoned with red
 peppers)* el chorizo *5A*
to save ahorrar
to savor saborear *8A*
 saxophone el saxofón
to say decir; *How do you say...?*
 ¿Cómo se dice...?; *one says* se
 dice; *say (command)* di *2B; to
 say good-bye* despedir(se) (i, i)
 2B; to say hello saludar; *to say
 you are sorry* pedir perdón
 scarf la bufanda
 scenery el paisaje
 schedule el horario
 school el colegio, la escuela;
 (of a university) la facultad *9B*
 science la ciencia
to scold regañar
 score el marcador *7B*
to score marcar *7B*
 scratched rayado,-a *6A*
 screen la pantalla

 scuba diving el buceo *9A*
 sea el mar *9B*
 seafood el marisco *5A*
 search la búsqueda; *search
 engine* el motor de búsqueda *1A*
 season la estación
 seasoning el aderezo *5B*
to seat (someone) sentar (ie) *2A*
 seat back el respaldar
 seat belt el cinturón de
 seguridad *3B*
 second el segundo; segundo,-a
 secret el secreto *5B*
 secretary el secretario, la
 secretaria *9A*
 section la sección *7B*
to see ver; *let's see* a ver; *see you
 later* hasta luego, hasta la vista;
 see you soon hasta pronto
to seem parecer
 selection el surtido *5B*
 selfish egoísta
to sell vender
to send enviar
 sense of hearing el oído
 sentence la oración,
 la frase
 September septiembre
 serious serio,-a *7A*
to serve servir (i, i) *5B*
 service el servicio *8B;
 room service* servicio de
 habitaciones *8B*
to set poner; *to set the table*
 poner la mesa
 seven siete; *seven hundred*
 setecientos,-as
 seventeen diecisiete
 seventh séptimo,-a
 seventy setenta
 several varios,-as
 sewing la costura
 shame la lástima *6B*
 shampoo el champú *2A*
to share compartir
to shave afeitar(se) *2A*
 shaving cream la crema de
 afeitar *2A*
 she ella
 sheep la oveja *4B*
 sheet la hoja; *sheet of paper* la
 hoja de papel
 ship el barco
 shirt la camisa; *polo shirt* la
 camiseta

shoe el zapato; *high-heel shoe* el zapato de tacón; *low-heel shoe* el zapato bajo; *shoe store* la zapatería *3A*

shopping center el centro comercial

shore la orilla *9B*

short (not tall) bajo,-a, (*not long*) corto,-a; *from a short distance* de cerca *3B*; *in short* en resumen

shorts los shorts *1B*; *bermuda shorts* las bermudas *1B*

shot el tiro *7B*

should deber

shoulder el hombro *2B*

to shout gritar *4A*

show el programa; *game show* el programa de concurso

to show enseñar; mostrar (ue) *7A*

shower la ducha *2A*

to shower duchar(se) *2A*

shrimp el camarón *5A*

sick enfermo,-a

side el lado

sidewalk la acera *3B*

sign la señal *3B*

to sign firmar *8B*

silk la seda

silly tonto,-a

silver la plata

silverware los cubiertos

since desde, como

to sing cantar

singer el cantante, la cantante *7A*

single sencillo,-a *8B*

sink el fregadero; *bathroom sink* el lavabo *2A*

sir el señor, Sr.

sister la hermana

to sit down sentarse *2A*; *sit down (command)* siéntate *2B*

six seis; *six hundred* seiscientos,-as

sixteen dieciséis

sixth sexto,-a

sixty sesenta

size el tamaño

to skate patinar; *to ice skate* patinar sobre hielo; *to in-line skate* patinar sobre ruedas

skateboard la patineta

to skateboard montar en patineta

skater el patinador, la patinadora

sketch el dibujo

to sketch dibujar

to ski esquiar

skier el esquiador, la esquiadora

skiing el esquí *9A*

skill la destreza *4B*

skirt la falda

sky el cielo *4B*

skyscraper el rascacielos

sleep el sueño

to sleep dormir (ue, u)

slipper la pantufla

slippery resbaloso,-a

slow lento,-a

small pequeño,-a; *small suitcase* el maletín *8B*

smart listo,-a; *to be smart* ser listo,-a

to smile sonreír(se) (i, i) *6B*

to smoke fumar *2B*

smoke alarm la alarma de incendios *6B*

smooth suave *9A*

snake la serpiente *4A*

snow la nieve

to snow nevar (ie)

so tal, tan; *So glad to meet you.* Tanto gusto.; *so long* hasta luego; *so that* a fin de que, para que

soap el jabón *2A*; *soap opera* la telenovela

soccer el fútbol; *soccer player* el futbolista, la futbolista

sock el calcetín

soft suave *9A*; *soft drink* el refresco

to solve resolver (ue)

some unos, unas; alguno,-a, algún, alguna

somebody alguien

someone alguien; *someone from the United States* estadounidense *4A*

something algo; *something from the United States* estadounidense *4A*

sometimes a veces

son el hijo

song la canción

soon luego, pronto; *as soon as* en cuanto *6B*; luego que *6B*; *see you soon* hasta pronto

so-so regular

soup la sopa; *soup bowl* el plato de sopa

south el sur *3B*; *South America* la América del Sur *4A*; *South American* suramericano,-a *9B*

southeast el sureste *3B*

southwest el suroeste *3B*

Spain España

Spanish el español (*language*)

Spanish español, española *4A*

Spanish-speaking de habla hispana

to speak hablar

speaking el habla (*f.*)

special especial

spectator el espectador, la espectadora *7B*

speech el habla (*f.*)

to spend (time) pasar (tiempo)

sport el deporte; *to play (a sport)* jugar a

sporty deportivo,-a *3B*

spring la primavera

square el cuadro *5B*; *public square* la plaza

squid el pulpo *5A*

stable el establo *4B*

stadium el estadio

stairway la escalera

to stand out destacar(se)

star la estrella *4B*

to start empezar (ie); comenzar (ie) *6B*

station la estación *3A*; *bus station* la estación de autobuses *3A*; *radio station* la emisora *7B*; *subway station* la estación del metro *3A*; *train station* la estación del tren *3A*

stationery store la papelería *3A*

to stay alojarse *7B*, quedar(se) *2A*

steering wheel el volante *3B*

stepbrother el hermanastro *6A*

stepfather el padrastro *6A*

stepmother la madrastra *6A*

stepsister la hermanastra *6A*

stick out (*command*) saca *2B*

still todavía

stomach el estómago *2B*

stop el alto *3B*

to stop dejar (de) *2B*; parar *3A*

stopover la escala *8B*

store la tienda; *candy store* la
dulcería *3A*; *dairy (store)* la
lechería; *department store* el
almacén *3A*; *fruit store* la
frutería *3A*; *hat store* la
sombrerería; *jewelry store* la
joyería *3A*; *milk store* la
lechería; *shoe store* la zapatería
3A; *stationery store* la papelería
3A; *store window* la vitrina *3A*
stove la estufa
straight ahead derecho *3A*
to straighten arreglar
strawberry la fresa
street la calle
stripe la raya *5B*
striped a rayas *5B*, rayado,-a *6A*
strong fuerte *9A*
student el estudiante, la
estudiante
study el estudio
to study estudiar
subject la asignatura *1A*
subway el metro; *subway
station* la estación del metro *3A*
success el éxito *7A*; *to be a
success* tener éxito *7A*
such tal; *such as* como *4A*
sufficient bastante
sufficiently bastante
sugar el azúcar; *sugar bowl* la
azucarera *5B*
to suggest aconsejar *5B*
suit el traje
suitcase la maleta
summer el verano
sun el sol
Sunday domingo; *on Sunday* el
domingo
sun glasses las gafas de sol *1B*
sunny soleado,-a; *it is sunny*
está soleado, hay sol,
hace sol
supermarket el supermercado
supper la cena *2A*; *to have
supper* cenar *2A*
supply el surtido *5B*
sure seguro,-a *6B*
to surf navegar *1A*
surname el apellido *8B*
surprise la sorpresa
survey la encuesta *7B*
sweater el suéter
to sweep barrer
sweet dulce, golosina *4A*
to swim nadar

swimming pool la piscina
swimsuit el traje de baño
synthetic sintético,-a

T

table la mesa; *to clear the table*
recoger la mesa; *to set the table*
poner la mesa; *tray table*
la mesita
tablecloth el mantel
tablespoon la cuchara
taco el taco *3A*
tail el rabo *4B*
to take tomar, llevar; *to take a long
time* tardar en (+ *infinitive*) *3B*;
to take a walk dar un paseo; *to
take away* llevarse *2B*; *to take
care of* cuidar(se) *2B*; *to take
charge (of)* encargarse (de) *6A*;
to take off despegar *7B*,
quitar(se) *2A*; *to take out* sacar;
to take up subir
tall alto,-a
to tan broncear(se) *2B*
tape recorder la grabadora
to taste saborear *8A*
taxi driver el taxista,
la taxista *9A*
tea el té *5A*
to teach enseñar
teacher el profesor, la
profesora
team el equipo
to tear romper *7A*
teaspoon la cucharita
technology la tecnología *1A*
teddy bear el oso de
peluche *4B*
telephone el teléfono; *by
telephone* por teléfono; *on the
telephone* por teléfono; *public
telephone* el teléfono público;
telephone number el número
de teléfono
to telephone llamar
television la televisión;
television set el televisor; *to
watch television* ver (la)
televisión
to tell decir; *(a story)* contar (ue);
tell (command) di *2B*; *tell me*
(Ud. *command*) dígame
temperature la temperatura;
What is the temperature? ¿Qué
temperatura hace?
ten diez

tennis el tenis; *tennis player* el
tenista, la tenista
tennis shoes los tenis *1B*
tenth décimo,-a
to terminate acabar
test el examen
to test probar(se) (ue)
thank you very much
muchas gracias
thanks gracias
that que, ese, esa, *(far away)*
aquel, aquella; aquello *2A*;
(neuter form) eso, ello *2A*; *that
(one)* aquél, aquélla *2A*, ése,
ésa *2A*; *that way* así *2A*; *that
which* lo que
the *(m., s.)* el, *(f., s.)* la, *(f., pl.)*
las, *(m., pl.)* los; *to the* al
theater el teatro; *movie theater*
el cine
their su, sus; suyo,-a *4B*; *(of)
theirs* suyo,-a *4B*
them *(i.o.)* les; *(d.o.)* los/las;
(after a preposition) ellos,-as
theme el tema, el tópico
then luego, después, entonces;
(pause in speech) pues
there allí; *over there* allá; *there
is* hay; *there are* hay; *there was*
había *4A*, hubo *5A*; *there were*
había *4A*, hubo *5A*
these estos, estas; *these (ones)*
éstos, éstas *2A*
they ellos,-as; *they are* son; *they
were* fueron
thin delgado,-a
thing la cosa
to think pensar (ie); *to think
about (i.e., to have an opinion)*
pensar de; *to think about
(i.e., to focus one's thoughts)*
pensar en; *to think about
(doing something)* pensar en
(+ *infinitive*)
third tercero,-a; *(form of tercero
before a m., s. noun)* tercer
thirst la sed
thirteen trece
thirty treinta
thirty-one treinta y uno
this *(m., s.)* este, *(f., s.)* esta;
esto *2A*; *this (one)* éste, ésta *2A*
those esos, esas, *(far away)*
aquellos, aquellas; *those (ones)*
aquéllos, aquéllas, ésos, ésas *2A*
thousand mil

three tres; *three hundred* trescientos,-as

throat la garganta 2B

through por

to throw away tirar

Thursday jueves; *on Thursday* el jueves

thus pues; así 2A

ticket el boleto 4B; el billete 8A; el pasaje; *ticket office* la taquilla 4B

tidbit la golosina 4A

tie la corbata

to tie (the score of a game) empatar 7B

tiger el tigre 4A

time el tiempo, la vez (*pl.* veces); *another time* otra vez; *at times* a veces; *at what time?* ¿a qué hora?; *(number +) time(s) per (+ time expression)* (*number +*) vez/veces al/a la (*+ time expression*); *on time* a tiempo 6B; *to spend (time)* pasar; *to take a long time* tardar en (*+ infinitive*) 3B; *What time is it?* ¿Qué hora es?

tip la propina 5B

tire la llanta 3B

tired cansado,-a

to a; *to the left* a la izquierda 3A; *to the right* a la derecha 3A

toaster la tostadora 6B

today hoy

toe el dedo, del pie

together junto,-a; *to get together* reunir(se) 2B

toilet el excusado 2A

tomato el tomate

tomorrow mañana; *see you tomorrow* hasta mañana; *the day after tomorrow* pasado mañana

tongue la lengua 2B

tonight esta noche

too también; *Too bad!* ¡Qué lástima!; *too many* demasiado,-a 5A; *too much* demasiado,-a 5A

tooth el diente 2B

to touch tocar; *touch (command)* toca 2B

tourism el turismo

tourist el turista 8A

toward hacia 3A

towel la toalla 2A

tower la torre 3A

traffic el tráfico 3B

train el tren; *train station* la estación del tren 3A

to translate traducir 5A

transmission la transmisión 7B

transportation el transporte

trapeze artist el trapecista, la trapecista 4B

to travel viajar

travel agency la agencia de viajes 8A

tray table la mesita 8B

tree el árbol 4B; *family tree* el árbol genealógico

tremor el temblor 7A

trip el paseo, el viaje; *to go away on a trip* irse de viaje 2B

trombone el trombón

trouble la pena

truck el camión

trumpet la trompeta

trunk el baúl 3B

truth la verdad

to try (on) probar(se) (ue) 5B; *to try (to do something)* tratar (de)

Tuesday martes; *on Tuesday* el martes

tuna atún 5A

turkey el pavo 4B

to turn (a corner) doblar 3B; *to turn off* apagar; *to turn on* encender (ie); *to turn on (an appliance)* poner; *to turn to dusk* anochecer 5B

turtle la tortuga 4A

twelve doce

twenty veinte

twenty-eight veintiocho

twenty-five veinticinco

twenty-four veinticuatro

twenty-nine veintinueve

twenty-one veintiuno

twenty-seven veintisiete

twenty-six veintiséis

twenty-three veintitrés

twenty-two veintidós

two dos; *two hundred* doscientos,-as

type el tipo 5B

ugly feo,-a

umbrella el paraguas

umpire el árbitro, la árbitro 7B

uncle el tío

under bajo 8B

undershirt la camiseta

to understand comprender

underwear la ropa interior

to undress desvestir(se)

unique único,-a

united unido,-a 9A; *someone or something from the United States* estadounidense 4A; *United States of America* los Estados Unidos

university la universidad 9A; *school (of a university)* la facultad 9B

until hasta, (*to express time*)

up arriba 6A

upcoming que viene

upstairs arriba 6A; *to go upstairs* subir

urgent urgente 6B

Uruguay el Uruguay

Uruguayan uruguayo,-a 4A

us (*i.o.*) nos; (*d.o.*) nos; (*after a preposition*) nosotros

to use usar

vacation las vacaciones

vacuum la aspiradora

to vacuum pasar la aspiradora

vanilla la vainilla

variety la variedad 5B

veal la ternera 5A

vegetable la verdura

Venezuela Venezuela

Venezuelan venezolano,-a 4A

verb el verbo

vertical vertical

very muy, mucho,-a; *not very* poco,-a; *very much* muchísimo

veterinarian el veterinario, la veterinaria 9A

video game el videojuego

vinegar el vinagre

visa la visa 8A

visit la visita 4A

to visit visitar 1B

voice la voz (*pl.* voces)
volleyball el voleibol

to wait (for) esperar *2A*
to wake up despertar(se) (ie) *2A*
walk el paseo
to walk caminar; andar *5A*; *to take a walk* dar un paseo*
wall la pared, la muralla; *(exterior) wall* el muro *6A*
wallet la billetera
to want querer
wardrobe el armario *6A*
warehouse el almacén
to wash lavar(se) *2A*
washer la lavadora *6A*
wastebasket el cesto de papeles
wastepaper basket el cesto de papeles
watch el reloj
to watch ver; *to watch television* ver (la) televisión
water el agua (*f.*); *mineral water* el agua mineral (*f.*); *pertaining to water* acuático,-a *9A*
waterfall la catarata
watermelon la sandía *5A*
way la manera; *to always get one's way* siempre salirse con la suya *9B*; *by the way* a propósito *9B*
we nosotros
to wear llevar
weather el tiempo; *How is the weather?* ¿Qué tiempo hace?; *the weather is nice (bad)* hace buen (mal) tiempo
Web la Web *1A*
Wednesday miércoles; *on Wednesday* el miércoles
week la semana
weekend el fin de semana
welcome bienvenido,-a *4A*; *you are welcome* de nada
welcome la bienvenida *8B*
well bien; *(pause in speech)* bueno, este, pues
well-read culto,-a *7B*
west el oeste *3B*
what? ¿qué?, ¿cuál?; *at what time?* ¿a qué hora?; *What do/does you/he/she/they think?* ¿Qué (te, le, les) parece? *5B*;

What is the meaning (of)...? ¿Qué quiere decir...?; *What is the temperature?* ¿Qué temperatura hace?; *What is wrong with (someone)?* ¿Qué (+ tener)?; *What is wrong with you?* ¿Qué te pasa?; *What is your name?* ¿Cómo te llamas?; *What is (your/his/her) name?* ¿Cómo se llama (Ud./él/ella)?; *What time is it?* ¿Qué hora es?
what! ¡qué!; *What (a) (+ adjective) (+ noun)!* ¡Qué (+ noun) tan (+ adjective)! *3B*; *what a (+ noun)!* ¡qué (+ noun)!; *What a shame!* ¡Qué lástima!
wheel la rueda *3B*; *steering wheel* el volante *3B*; *Ferris Wheel* rueda de Chicago *4A*
when cuando
when? ¿cuándo?
where donde; adonde
where? ¿dónde?; *from where?* ¿de dónde?; *(to) where?* ¿adónde?; *Where are you from?* ¿De dónde eres?; *Where are you (formal) from?, Where is (he/she/it) from?* ¿De dónde es (Ud./él/ella)?
wherever dondequiera *9A*
which que; *of which* cuyo,-a; *that which* lo que
which? ¿cuál?; *which one?* ¿cuál?; *which ones?* ¿cuáles?
while mientras (que) *3B*
white blanco,-a
white-haired canoso,-a
who quien
who? ¿quién?, *(pl.)* ¿quiénes?
whoever quienquiera *9A*
whom quien
whose cuyo,-a
why? ¿por qué?
wife la esposa; la mujer
wild salvaje *4A*
to win ganar *6A*; *games won* los partidos ganados
wind el viento; *it is windy* hace viento
window la ventana; *store window* la vitrina *3A*
windshield el parabrisas *3B*
windshield wiper el limpiaparabrisas *3B*
winter el invierno

to wish desear
with con; *with me* conmigo; *with you* (tú) contigo
without sin
witness el testigo, la testigo *7A*
woman la mujer; *young woman* la muchacha
women's restroom el baño de damas *3A*
to wonder preguntarse *2B*
wonderful estupendo,-a
wood la madera *6A*
wool la lana
word la palabra
work el trabajo, la obra
to work trabajar
worker el obrero, la obrera *9A*
world el mundo *1A*; *World Wide Web* la Red *1A*
to worry preocupar(se) *2A*
worse peor
worst: the worst (+ noun) el/la/los/las peor/peores (+ noun)
would like quisiera *1B*
would that ojalá *9A*
wound la herida *7A*
wow! ¡caramba!
to write escribir; *How do you write...?* ¿Cómo se escribe...?; *it is written* se escribe
writer el escritor, la escritora *9A*
wrought iron fence la reja *6A*
wrought iron window grill la reja *6A*

yard el patio
to yawn bostezar *7A*
year el año; *New Year's (Day)* el Año Nuevo; *to be (+ number) years old* tener (+ number) años
yellow amarillo,-a
yes sí
yesterday ayer; *the day before yesterday* anteayer
yet todavía
you *(informal)* tú; *(formal, s.)* usted (Ud.); *(pl.)*, ustedes (Uds.); *(Spain, informal, pl.)* vosotros,-as; *(after a preposition)* ti, usted (Ud.), ustedes (Uds.), vosotros,-as; *(d.o.)* la, lo, las, los, te; *(Spain, informal, pl., d.o.)* os; *(formal, i.o.)* le; *(pl., i.o.)* les;

(*Spain, informal, pl., i.o.*) os; (*i.o.*) te; *Are you from...?* ¿Eres (tú) de...?; *you are* eres; *you (formal) are* es; *you don't say!* ¡no me digas! *9B*; *you (pl.) were* fueron

young joven; *young lady* la señorita; *young woman* la muchacha

younger menor
youngest el/la menor
your (*informal*) tu; (*informal, pl.*) tus; su, sus (Ud./Uds.), (*Spain, informal, pl.*) vuestro, -a,-os,-as; suyo,-a *4B*; tuyo,-a *4B*; (*of*) *yours* suyo,-a *4B*
yours truly atentamente

zebra la cebra *4A*
zero cero
zoo el zoológico *4A*
zoological garden el jardín zoológico

Index

Credits

Acknowledgments

The authors wish to thank the many people of the Caribbean Islands, Central America, South America, Spain, and the United States who assisted in the photography used in the textbook and videos. Also helpful in providing photos and materials were the National Tourist Offices of Argentina, Chile, Costa Rica, Colombia, Ecuador, Guatemala, the Dominican Republic, Honduras, Mexico, Nicaragua, Panamá, Perú, Puerto Rico, Spain, and Venezuela.

Thanks to *El Periódico de Catalunya* for the right to reproduce, on page 342 of this textbook, material from its edition of 09/06/2003. *El Periódico,* www.elperiodico.com, Ediciones Primera Plana, S.A., Consell de Cent, 425–427, 08009 Barcelona.

Art Credits

From the Conquest to 1930 (Desde la conquista a 1930), 1929–39, Diego Rivera. Detail from a mural in the National Palace, México, D.F. © 2003 Banco de México Diego Rivera and Frida Kahlo Museums Trust. Av. Cinco de Mayo No. 2, Col. Centro, Del. Cuauhtémoc 06059, México, D. F. Photo credit: Schalkwijk/Art Resource, NY. Thanks also to the Mexican National Institute of Fine Arts (Instituto Nacional de Bellas Artes, México, D.F.) for permission to reproduce this image, which appears on the top of page 101.

Idealismo Universal (Hidalgo), 1937, José Clemente Orozco. Detail from a mural in the Government Palace, Guadalajara, Mexico. © Clemente Orozco Valladares. Photo credit: Mexicolore/The Bridgeman Art Library. Thanks also to the Mexican National Institute of Fine Arts (Instituto Nacional de Bellas Artes, México, D.F.) for permission to reproduce this image, which appears on page 142.

Hirondelle/Amour, 1933–34. Joan Miró. The Museum of Modern Art, NY. © 2004 Successió Miró/Artists Rights Society (ARS), New York/ADAGP, Paris. Photo credit: The Museum of Modern Art/Licensed by SCALA / Art Resource, NY. Appears on page 440 of this book.

Las meninas, 1656 [detail of central group]. Diego Rodriguez Velázquez. Museo del Prado, Madrid. Photo credit: Scala/Art Resource, NY. Appears on page 446 of this book.

Thanks to Chilean artist Patricia Israel for the use of her drawing *Sin título,* reproduced on page 340, and to Uruguyan artist Carlos Colombino for the right to reproduce his work *Piedra Ritual,* also on page 340.

Photo Credits

AFP/CORBIS: xi (tl, br), 151 (l), 205 (r), 349 (t, bullfighter closeup), 351 (tl, b), 383 (#3)

Alexander, Jerry/Lonely Planet Images: 215 (br), 222 (tl)

Allofs, Theo/CORBIS: 164

Anderson, Jennifer J.: 25 (tr), 99 (F), 162 (#5, 8), 186, 399 (b), 405 (F)

AMET JEAN PIERRE/CORBIS SYGMA: 68 (l)

AP/Wide World Photos: iv (t), viii (br), xi (br) 15 (r), 20 (tr), 90 (l, r), 127 (t), 195 (b), 211 (t), 227 (l, r), 298 (l), 300 (br), 305 (left column), 322 (t, soccer), 333 (Olimpia team), 338 (r), 361 (tl, b), 412 (Rigoberta Menchú), 412 (Mario J. Molina), 428 (r)

Barton, Paul/CORBIS: 126 (b), 209 (br)

Bator, Joe/CORBIS: 317 (b)

Béjar Latonda, Mónica: 40 (l, r), 88 (l), 100 (tl, tc, tr), 108 (tl, tc, tr), 122 (tl, tc, tr), 130 (tl, tc, tr), 138 (l), 192 (l), 242 (l), 290 (l), 338 (l), 366 (tr), 384 (l), 428 (l), 452 (6 images)

Bettmann/CORBIS: x (t), 92 (b), 275 (tl) 336 (t), 412 (Gabriela Mistral), 412 (César Milstein)

Brakefield, Tom/CORBIS: 162 (Modelo)

Bridwell, Michelle D./Photo Edit: 268

Casa Productions/CORBIS: 461 (El Alcázar in Segovia)

Cate, Myrleen Ferguson/Photo Edit: 287 (t)

Corbis: 68 (tr)

Corbis Royalty-Free: v (bl, br), 3 (#1, 4), 4 (C, D), 5 (l, c), 8, 14 (b), 18 (t), 19 (bl, in bubble), 41 (r), 43 (l, tr), 48 (l), 48–49, 53 (l), 58, 61 (A–F), 65, 75 (t), 88 (r), 95 (4 images), 102, 104, 105 (b), 115 (#4), 117 (b), 121 (A, D), 135 (3 images), 141(tl), 157 (Modelo, #1–6), 162 (#1, 2, 3, 4, 6), 167, 183 (A, C, D, E, F), 184 (c), 188 (t), 189 (Modelo, #1, 2, 5, 7, 8), 191 (t), 213 (#1, 4, 5, 6), 216, 217 (Modelo, #1, 2, 4, 6), 217 (b), 218, 220 (t), 223 (l, r), 225 (B, D), 233, 235 (C, D, E, F), 241 (b), 243 (r), 256, 259 (2 images), 261, 263 (#2, 5), 269, 271 (3 images), 276, 277 (t, b), 281 (A–F), 284, 286 (t, bl, br), 289 (t, b), 291 (3 images), 300 (bl, tl), 302 (b), 303 (b), 305 (2 images in right column), 308 (t), 317 (t, c), 322 (c, car accident), 322 (b, earthquake), 334, 337, 339 (l, r), 346 (l), 349 (A), 357 (Modelo), 370 (b), 372, 376, 383 (#2), 385 (l, c), 399 (tl), 402 (#3, 4), 403 (t, b), 405 (B, C, D), 415 (E), 416 (b), 419, 436 (r), 445, 453 (t)

Corel Stock Photo: 155, 163, 179, 184 (b), 200 (l), 205 (l), 245 (b), 263 (#3, 4), 273, 315 (dog), 405 (A, E)

Corporación Nacional de Turismo-Colombia: ix (br), 275 (c)

Corral V, Pablo/CORBIS: 306 (b)

Creatas: 292 (l, r), 293 (3 images), 383 (#5), 402 (#5)

Cummins, Richard/CORBIS: 68 (br)

Daemmrich, Bob: 7, 45, 81 (l), 319 (t), 447 (tr)

Dannemiller, Keith/CORBIS SABA: 221

Darama/CORBIS: 318

Dex Images, Inc./CORBIS: 208

Digital Stock: 3 (#2), 21 (c), 363 (b), 383 (#1), 398 (E), 413 (l)

Donoso, Julio/CORBIS SYGMA: 351 (tr)

Englebert, Victor: 35 (l), 73 (r), 89 (l), 108 (b), 123 (t), 160, 161 (t), 190, 225 (A), 255 (tl, b), 265 (l, r), 275 (tr), 290 (r), 295, 313 (tr), 423 (t), 461 (tc: Chocó man in Colombian Amazon)

Esbin Anderson Photography/Lonely Planet

Images: 380 (b)

Everton, Macduff/CORBIS: 159 (l), 453 (r)

Francisco, Timothy: 4 (tl, tc, tr), 14 (tl, tc, tr), 24 (tl, tc, tr), 34 (tl, tc, tr), 52 (tl, tc, tr), 62 (tl, tc, tr), 72 (tl, tc, tr), 80 (tl, tc, tr), 115 (#7), 150 (tl, tc, tr), 158 (tl, tc, tr), 174 (tl, tc, tr), 184 (tl, tc, tr), 207 (br), 302 (tl, tc, tr), 312 (tl, tc, tr), 324 (tl, tc, tr), 332 (tl, tc, tr), 350 (tl, tc, tr), 360 (tl, tc, tr), 370 (tl, tc, tr), 380 (tl, tc, tr), 398 (tl, tc, tr), 406 (tl, tc, tr), 416 (tl, tc, tr), 422 (tl, tc, tr)

Franken, Owen/CORBIS: 232

Freeman, Michael/CORBIS: 159 (r), 225 (F)

French, Gerald/CORBIS: 165 (b)

Fried, Robert: vi (t), xiii (tl, cl), 41 (l), 52 (c), 62 (b), 69 (l, r), 76 (t), 80 (b), 82, 83 (b), 84, 91 (b), 96 (l), 99 (C), 107 (A, C, F), 109 (r), 113 (t), 115 (Modelo, #1, 3, 5), 117 (t), 118 (l, r), 119 (l, r), 121 (E), 123 (b), 125 (t, b), 132 (r), 133, 137 (b), 138 (r), 139 (l), 141 (br), 142 (r), 145 (l), 161 (b), 168 (t), 185 (t), 209 (t), 210 (t), 220 (b), 228 (l, r), 236 (b), 237 (t), 238, 243 (l), 254 (b), 263 (#1), 266, 275 (br), 278 (t), 297 (r), 300 (lc, people with balloons), 308 (b), 309 (b), 316 (t), 321 (l), 357 (#2, 3, 7), 362, 363 (t), 367 (l), 371 (b), 373 (b), 377, 384 (r), 390 (l), 393 (l, c), 407 (tl), 410 (b), 415 (B), 440–441, 442 (b), 443 (b), 447 (br), 449 (l, r), 456 (2 images), 457 (l, c), 461 (4 images: Chichén Itzá; taxi boat; bus in Lima; tango musicians)

Fuste Raga, José/CORBIS: 352

Glumack, Ben: 204 (tl, tc, tr), 214 (tl, tc, tr), 226 (tl, tc, tr), 236 (tl, tc, tr), 254 (tl, tc, tr), 264 (tl, tc, tr), 274 (tl, tc, tr), 282 (tl, tc, tr), 442 (tl, tc, tr), 448 (tl, tc, tr),

Goldberg, Beryl: v (tl), xii (tl, bl, br), 73 (l), 75 (b), 77 (l), 85 (b), 86, 87 (b), 99 (A), 150 (b), 188 (b), 207 (bl), 230 (t), 242 (r), 247, 283 (r), 303 (t, c), 321 (r), 343, 356, 357 (#6), 360 (b), 371 (tl), 381 (tr, c), 394–395, 407 (tr, b), 408, 410 (t), 419 (b), 422 (b), 423 (bl), 446 (r)

Gomez, Rick/CORBIS: 274 (b)

Graham, Tim/CORBIS: 348 (King and Queen)

Hagel, David: 415 (D)

Hardy, Paul/CORBIS: xi (bl), 346–347

Harris, Brownie/CORBIS: 260